Eckha

Die lustige Pe...teren
englischen Drama bis 1642

Eckhardt, Eduard

Die lustige Person im älteren englischen Drama bis 1642

Inktank publishing, 2018

www.inktank-publishing.com

ISBN/EAN: 9783747760383

PALAESTRA XVII.

Die lustige Person

im

älteren englischen Drama

(bis 1642).

Von

Eduard Eckhardt,
Dr. phil.

BERLIN.

MAYER & MÜLLER.

1902.

Fridrich Pfaff

zum Zeichen

der Verehrung und alter Freundschaft.

Inhaltsverzeichnis.

Seite

Vorwort · IX—XII
Bibliographie · · · · · · · · · · · · · · · · · XIII—XVIII
Verzeichnis der in Betracht kommenden Dramen XIX—XXXII

I. Einleitung · · · · · · · · · · · · · · · · · · ·*· · · · · 1— 26

**II. Clownartige Gestalten in den Misterien und ältesten
Mirakelspielen** · · · · · · · · · · · · · · · · · · · 27— 52

III. Der Teufel · · · · · · · · · · · · · · · · · · · 53— 97

    A. Ursprung der Komik des Teufels · · · · · · 53— 56
    B. Die einzelnen Teufelsgestalten · · · · · · · · 56— 88

        1. Der Teufel in den Misterien · · · · · · 56— 70
        2. Der Teufel in den Moralitäten, Mirakel-
        spielen und komischen Zwischenspielen · 70— 88
    C. Allgemeine Bemerkungen über die Entwicke-
    lung des Teufels · · · · · · · · · · · · · 88— 94
    D. Anhang 1. Die niederen Dämonen · · · · · 94. 95
    E. Anhang 2. Die „schwarzen Seelen" · · · · · 95— 97

IV. Der Vice · 98—219

    A. Ursprung des Vice · · · · · · · · · · · · · 98—110
    B. Die einzelnen Vice-Gestalten · · · · · · · · · 110—193

        1. Der Vice in den Moralitäten · · · · · · 110—158
        2. Der Vice in den komischen Zwischen-
        spielen und im eigentlichen Drama · · · 159—181
        3. Ausläufer des Vice · · · · · · · · · · 181—193

    C. Allgemeine Bemerkungen über den Vice und
    seine Entwickelung · · · · · · · · · · · · · 193—218
    D. Anhang. Folly · · · · · · · · · · · · · · · 218. 219

V. Die Narren · · · · · · · · · · · · · · · · · · · 220—304

    A. Ursprung der Narren. Ihre Benennung und
    Tracht. Die einzelnen Bestandteile der Narren-
    komik · · · · · · · · · · · · · · · · · · · 220—262

VIII

Seite

B. Die einzelnen Narrengestalten · · · · · · · 262—299
C. Allgemeines über die Entwickelung des Narren-
   typus. Fremde Einflüsse. Verwandte Rollen.
   Die Personennamen der Narren · · · · · · 299—304

VI. Die Clowns · · · · · · · · · · · · · · · · · · · 305—466

A. Ursprung von Namen und Rolle. Unterarten.
   Allgemeine Bemerkungen über die Clowns · 306—317
B. Die einzelnen Bestandteile der Clownskomik · 317—371
C. Die einzelnen Clowns · · · · · · · · · · · 371—453
   1. Die bloss objektiv-komischen Clowns · · 371—386
   2. Die vorwiegend objektiv - komischen
      Clowns · · · · · · · · · · · · · · · 387—400
   3. Die vorwiegend subjektiv - komischen
      Clowns · · · · · · · · · · · · · · · · 400   437
   4. Die bloss subjektiv - komischen oder die
      uneigentlichen Clowns · · · · · · · · 437—446
   5. Allgemeines über die Gesamtheit der
      Clowns bei den in Bezug auf diese
      wichtigsten einzelnen Dramatikern · · · 446—450
   6. Der Clown im späteren Drama (nach 1642) 451—453
D. Überblick über die Entwickelung des Clowntypus. Fremde Einflüsse. Verwandte Rollen.
   Die Namen der Clowns · · · · · · · · · · 453—466

Register · 467—478

Vorwort.

Die erste Anregung zur vorliegenden Untersuchung verdanke ich der vorzüglichen Dissertation von Hermann. Graf: „Der miles gloriosus im englischen Drama bis zur Zeit des Bürgerkrieges." Der Miles gloriosus ist eine feststehende Rolle des älteren englischen Dramas; darin gleicht ihm die lustige Person, nur mit dem Unterschiede, dass zu ihrer Rolle, im Gegensatz zur Einheitlichkeit des Typus des prahlerischen Feiglings, mehrere Typen, teilweise von recht losem Gefüge, gehören. Die Rolle der lustigen Person ist also ein viel verwickelteres Gebilde als die des Miles gloriosus.

Unter dem älteren englischen Drama verstehe ich das Drama bis zum Jahre 1642. Dieses Jahr bezeichnet eine wichtige Grenzscheide in der Geschichte des englischen Dramas. Bekanntlich wurden am 2. September 1642 auf Betreiben der Puritaner die Theater in England geschlossen; erst mit der Thronbesteigung Karls II. öffneten sich wieder ihre Pforten. Die Zeit des englischen Renaissancedramas lässt sich also am passendsten mit dem Jahre 1642 abschliessen.

Als ich an die Verarbeitung des meiner Untersuchung zu Grunde liegenden Materials herantrat, ergaben sich mir aus dem Mangel einer scharfumgrenzten Definition des Begriffs „lustige Person" manche Schwierigkeiten. Ich habe mich bemüht, dieser Schwierigkeiten Herr zu werden, indem ich in der Einleitung eine Art Ästhetik der lustigen Person aufzustellen versuchte.

Auch in meiner übrigen Arbeit spielt die Ästhetik eine grössere Rolle, als sonst in litteraturgeschichtlichen Abhandlungen üblich ist. Dies erklärt sich aus der Eigenart des zu behandelnden Gegenstandes. Ob eine bestimmte einzelne Gestalt im englischen Drama sich mit einer lustigen

Person deckt, oder einer solchen nahe kommt, und in welchem Masse letzteres geschieht, das lässt sich nur mit Hilfe der Ästhetik bestimmen; denn die Entscheidung dieser Frage hängt von der Menge und der Beschaffenheit der jener Gestalt anhaftenden Komik ab. Auch die Zerlegung dieser Komik in ihre einzelnen Bestandteile führte mit Notwendigkeit zur Ästhetik, da solche Bestandteile ästhetische Kategorien darstellen.

Ich bin mir wohl bewusst, dass die von mir aufgestellte Einteilung der einzelnen komischen Motive in Wortspiel, Satire, Parodie, u. s. w. nicht auf einem streng logischen Einteilungsprinzip beruht, weil hierbei ganz verschiedene Einteilungsgründe durcheinander geworfen werden: beim Wortspiel z. B. giebt die formale Seite der Sprache, bei der Satire die Tendenz, also der Inhalt der Rede den Ausschlag. Bei einer streng logischen Einteilung würde aber dasselbe komische Motiv, je nach dem Einteilungsgrund, mehrfach wiederkehren; die Kreise der Einteilung würden sich immer wieder schneiden. Das Wortspiel kann z. B. auch Satire enthalten; die Satire kann sich auch in die Form des Wortspiels kleiden. Ich ziehe es daher vor, mich bei der Einteilung von rein praktischen Gesichtspunkten leiten zu lassen. Mit der Aufstellung der Satire als eines besonderen Bestandteils der Komik meine ich nur solche Satire, die auch in formaler Hinsicht ein selbständiges Element darstellt, die also nicht in der Form des Wortspiels, des witzigen Vergleichs, u. s. w., auftritt.

Bei der Vorführung der einzelnen Züge, aus denen sich die Komik der lustigen Person im älteren englischen Drama zusammensetzt, kommt es natürlich weniger auf den Standpunkt der heutigen Ästhetik an, als auf die vielfach von den unsrigen abweichenden ästhetischen Anschauungen der Zeit, mit der wir es in unserem Falle zu thun haben. Wir finden in jenem Drama manches, was damals offenbar als komisch belacht wurde, heute aber als albern, oder gar überhaupt nicht als komisch erscheint.

Solche komische Züge, die uns gegenwärtig durchaus verfehlt vorkommen, haben wenigstens ein kulturgeschichtliches
Interesse. Für die Geschichte des Geschmackes und der
ästhetischen Anschauungen ist es von grosser Wichtigkeit,
eine Übersicht über das, was zu einer bestimmten Zeit
in einem bestimmten Lande als komisch galt, zu gewinnen.
Das in deutschen Bibliotheken befindliche Material
habe ich so vollständig als möglich auszunutzen gesucht.
Ein Aufenthalt von fünf Wochen in London um Weihnachten 1898/99 diente mir dazu, die Lücken dieses
Materials durch die im Britischen Museum befindlichen
seltenen Originaldrucke, oder (nach englischer Unsitte) in
sehr kleiner Auflage erschienenen Neudrucke zu ergänzen.
Einige auch sogar im Britischen Museum fehlende Dramen
wurden mir erst durch das Ende 1898 veröffentlichte, sehr
willkommene Buch von Brandl, QF. 80, zugänglich, dessen
Einleitung ich ausserdem manchen wichtigen Fingerzeig
verdanke.

Mit den Abschnitten III und IV meiner Arbeit, die
zusammen mit den beiden ersten Abschnitten im Mai 1899
beendet waren, deckt sich dem Thema nach die ein Jahr
später erschienene Untersuchung von Cushman: „The Devil
and the Vice in the English Dramatic Literature before
Shakespeare". Meine Methode der Behandlung ist aber
durchaus verschieden von der Cushman's; ich bin auch in
einigen wichtigen Punkten zu andern Ergebnissen gekommen als jener, der ausserdem beim Vice gerade das
Problem, das mir das wichtigste und interessanteste an
dieser Gestalt zu sein scheint: die Entwickelung vom
allegorischen Bösewicht zum Spassmacher, kaum berücksichtigt hat. Ich glaube daher, dass der sich mit Cushman's
Buch deckende Teil meiner Arbeit durch ihn nicht überflüssig gemacht worden ist.

Die Wichtigkeit obigen Problems brachte eine verschiedene Behandlung der ersten und der zweiten Hälfte
meiner Untersuchung mit sich. Beim Vice kam es mir
vor allem darauf an, an jeder einzelnen Vice-Gestalt das

Element der Intrigue und das der Komik sorgfältig zu
sondern, und so festzustellen, welche Stufe in der eben
bezeichneten Entwickelung des Vice die betreffende Gestalt darstellt. Der Schwerpunkt der Untersuchung liegt
also in Abschnitt IV im speziellen Teil. Bei den Narren
und Clowns dagegen, deren Schilderung die zweite Hälfte
der Arbeit bildet, habe ich die Besprechung der Bestandteile der gesamten für diese Gestalten typischen Komik
in den Vordergrund gestellt; die Entwickelung ist besonders
bei den Narren Nebensache.

Die Dramen sind innerhalb des einzelnen Abschnitts
bez. Unterabschnitts chronologisch geordnet. Im eigentlichen Drama, dem die zweite Hälfte der Arbeit gewidmet
ist, treten die einzelnen Dichterindividualitäten uns, im
Gegensatz zu den Vorstufen dieses Dramas, schon in mehr
oder weniger scharfen Umrissen vor die Augen. Um auch
innerhalb des kleinen Stückes, das die von einem einzelnen
Dichter geschaffenen lustigen Personen im Verhältnis zu
seinem gesamten Schaffen darstellen, die Individualität
soviel als möglich hervortreten zu lassen, habe ich die
chronologische Reihenfolge häufig durchbrochen, indem ich
an das älteste im betreffenden Abschnitt oder] Unterabschnitt in Betracht kommende Drama eines Dichters auch
dessen übrige in den gleichen Abschnitt gehörige Stücke
anschloss.

Das Material zu meiner Arbeit habe ich folgenden
Bibliotheken entnommen: den Königlichen Bibliotheken
zu Dresden und Berlin, den Universitätsbiblio-
theken zu Halle, Leipzig und Freiburg i. B., der
Kaiserlichen Universitäts- und Landesbibliothek
zu Strassburg, endlich der Bibliothek des Britischen
Museums. Ich erfülle eine angenehme Pflicht, indem ich
den Verwaltungen aller dieser Bibliotheken für ihr liebens-
würdiges Entgegenkommen meinen aufrichtigen Dank
abstatte.

Halle a. S., Februar 1901.

Eduard Eckhardt.

Bibliographie.

Stichwort oder Abkürzung.	
	Beaumont, sieh: Fletcher.
Bolte	Bolte, Joh., Die Singspiele der englischen Komödianten und ihrer Nachfolger in Deutschland, Holland und Skandinavien (Theatergeschichtliche Forschungen, hrsg. von B. Litzmann. VII). Hamburg und Leipzig 1893.
Brandes	Brandes, Georg, William Shakespeare. Paris, Leipzig, München 1896.
Brandl	Brandl, Alois, Quellen zur Geschichte des weltlichen Dramas in England vor Shakespeare. QF. Heft 80. Strassburg 1898.
Brandl, Me. L.	Brandl, Alois, Mittelenglische Litteratur. Paul's Grundriss [1]II 609 ff.
Brandl, Sh.	Brandl, Alo., Shakspere (Führende Geister. Hrsg. von Ant. Bettelheim. VI). Dresden 1894.
Brome	Brome, Richard, Dramatic Works. 3 voll. London 1873.
Bullen	Collection of Old English Plays ed. by A. H. Bullen. Vol. 1—4. London 1881—85. 4 voll.
Chapman	Chapman, G., Comedies and Tragedies. Vol. 1—3. London 1873.
	Chapman, George, Works: Plays. Ed. by R. H. Shepherd. London 1874.
Ch. Pl.	Chester Plays, ed. by Thom. Wright. Vol. 1. 2. London 1843. 47.
Collier	Collier, J. P., History of English Dramatic Poetry to the Time of Shakespeare and Annals of the Stage to the Restoration. Vol. 1—3. London 1831.
Co. Pl.	Ludus Coventriae or Coventry Mysteries. Ed. by J. O. Halliwell. London 1841.
Creizenach	Creizenach, W., Geschichte des neueren Dramas. Bd. 1. Halle 1892.
Cushman	Cushman, L. W., The Devil and the Vice in the English Dramatic Literature before Shakespeare. (Studien zur engl. Philologie hrsg. von Lor. Morsbach. VI). Halle a. S. 1900.

Stichwort oder Abkürzung.	
Davenport	Davenport, Robert, Works, collected by A. H. Bullen. London and Redhill 1890. (Old English Plays. New Series vol. III).
Day	Day, John, Works collected by A. H. Bullen. [London 1881].
Dekker	Dekker, Thomas, Dramatic Works. Vol. 1—4. London 1873.
Delius	Shakespeare, W., Werke. Hrsg. und erklärt von N. Delius. 4. Aufl. Bd. 1. 2. Elberfeld 1876.
Dodsley[3]	A Select Collection of Old Plays, with Notes by Is. Reed, O. Gilchrist and the Editor [J. P. Collier]. 12 voll. London 1825—27. [3d Edition.]
Dodsley[4]	A Select Collection of Old English Plays, with Notes by W. C. Hazlitt. 15 voll. London 1874. 4th Edition.
Doran	Doran, John, History of Court Fools. London 1858.
Douce	Douce, Fra., Illustrations of Shakspere and of Ancient Manners. 2 voll. London 1807.
Dowden	Dowden, Edw., Shakspere Primer. London 1882.
D. Pl.	Digby Mysteries, ed. by F. J. Furnivall. London 1882.
Fischer, Rud.	Fischer, Rud., Zur Kunstentwickelung der englischen Tragödie von ihren ersten Anfängen bis zu Shakespeare. Strassburg 1893.
Fleay	Fleay, F. G., Biographical Chronicle of the English Drama 1559—1642. 2 voll. Vol. 1. 2. London 1891.
Fletcher	Fletcher, John & Beaumont, Francis, Dramatic Works, with the Notes of G. Colman. Vol. 2 - 4. [Vol. 1: Dramatic Works of Ben Jonson]. London 1811. 3 voll.
✓ Flögel-Ebeling	Flögel, [C. Fr.], Geschichte des Grotesk-Komischen. Neu bearbeitet von Fr. W. Ebeling. Leipzig 1862.
Gascoigne	Gascoigne, G., Complete Poems. Ed. by W. C. Hazlitt. Vol. 1. 2. Printed for the Roxburghe Library. [O. O.] 1869. 70. 2 voll.
Genée	Genée, Ru., Shakespeare's Leben und Werke. Hildburghausen 1874.
Glapthorne	Glapthorne, Henry, Plays and Poems. London 1874. 2 voll.
Graf	Graf, Herm., Der miles gloriosus im englischen Drama bis zur Zeit des Bürgerkrieges. Rost. Diss. Schwerin [1891].
Greene	Greene, Robert, and Peele, George, Dramatic and Poetical Works, ed. by Alex. Dyce. London 1861.
Halliwell	Halliwell, James O., Dictionary of Old English Plays. London 1860.

Stichwort oder Abkürzung.	
Hawkins	Hawkins, Thomas, Origin of the English Drama. Vol. 1—3. Oxford 1773.
Hayn	Hayn, Alf., Über Shakespeare's Narren. Progr. Konitz 1880.
Hazlitt	Hazlitt, W. C., A Manual for the Collector and Amateur of Old English Plays. London 1892.
Heywood, Th.	Heywood, Thomas, Dramatic Works. Vol. 1—6. London 1874.
Hone	Hone, Will., Ancient Mysteries Described. London 1823
Jonson, Ben	Jonson, Ben, Dramatic Works, with the Notes of Peter Whalley. London 1811 (vgl. Fletcher).
Jubinal	Mystères inédits du 15e siècle, publiés par Achille Jubinal. Tome 1. 2. Paris 1837.
Klein	Klein, J. L., Geschichte des englischen Dramas. Bd. 1. 2. Leipzig 1876.
Koeppel A	Koeppel, Emil, Quellen-Studien zu den Dramen Ben Jonson's, John Marston's und Fletcher's (Münchener Beiträge zur roman. u. engl. Philologie. XI). Erlangen u. Leipzig 1895.
Koeppel B	Koeppel, Emil, Quellen-Studien zu den Dramen George Chapman's, Philip Massinger's und John Ford's. QF. 82. Strassburg 1897.
Kreyssig	Kreyssig, F., Vorlesungen über Shakespeare, seine Zeit u. seine Werke. Bd. 1—3. Berlin 1862.
Kummer	Erlauer Spiele, hrsg. von K. Ferd. Kummer. Wien 1882.
Lee	Lee, Sidney, William Shakespeare. Deutsche Übers., eingeleitet von R. Wülker. Leipzig 1901.
Lilly	Lilly, John, Dramatic Works, with Notes by F. W. Fairholt. Vol. 1. 2. London 1892.
Lipps	Lipps, Theodor, Komik und Humor. (Beiträge zur Ästhetik. VI). Hamburg u. Leipzig 1898.
Lyndesay	Lyndesay, David, Poetical Works ed. F. Hall. (E. E. T. S. 11. 19. 35. 37. 47). London 1865—72. 1 vol. Lyndesay, David, Poetical Works, with Notes by David Laing. Vol. 1—3. Edinburgh 1879.
Manly	Manly, John M., Specimens of the pre-Skaksperean Drama. Boston and London 1897. 2 voll.
Marlowe	Marlowe, Christopher, Werke, Ausgabe von Herm. Breymann u. Albr. Wagner. Bd. 1. 2. (Englische Sprach- u. Literaturdenkmale des 16.—18. Jahrhunderts hrsg. von K. Vollmöller. Heft 2. 5). Heilbronn 1885. 89.

Stichwort oder Abkürzung.	
Marmion	Marmion, Shackerley, Dramatic Works. With Notes [by J. Maidment and W. H. Logan.] Edinburgh. London 1875.
Marriott	Marriott, W., English Miracle-plays and Mysteries Collected. Basel 1838.
Marston	Marston, John, Works. With Notes by J. O. Halliwell. London 1855. 3 voll.
Massinger	Massinger and Ford, Dramatic Works, with an Introduction by H. Coleridge. London 1839.
Michels	Michels, Victor, Studien über die ältesten deutschen Fastnachtspiele. Q F. 77. Strassburg 1896.
Middleton	Middleton, Thomas, Works ed. by A. H. Bullen. London 1885. 8 voll.
	Middleton, Thomas, Works, with Notes by Al. Dyce. 5 voll. London 1840.
Milton	Milton, John, Poetical Works ed. by Dav. Mason. 3 voll. London 1874.
Moltke	Shakespeare, W., Doubtful Plays [Hrsg. von M. Moltke]. Leipzig 1869.
Mone	Schauspiele des Mittelalters, hrsg. von F. J. Mone. Bd. 1. 2. Karlsruhe 1846.
Norwich Plays	Norwich Plays. The Grocers' Play. From a MS. in Possession of Rob. Fitch. Norwich 1856.
Öchelhäuser	Öchelhäuser, W., Einführungen in Shakespeare's Bühnen-Dramen und Charakteristik sämmtlicher Rollen. Bd. 1. 2. 2. Aufl. Minden in W. 1885.
Peele	Peele, George, Works ed. by A. H. Bullen. Vol. 1. 2. London 1888.
	Peele, G., Dramatic and Poetical Works, sieh: Greene.
Petit de Julleville	Petit de Julleville, L., Les Mystères. Tome 1. 2. Paris 1880.
Pollard	Pollard, Alfred W., English Miracle Plays Moralities and Interludes. Oxford 1890.
Randolph	Randolph, Thomas, Poetical and Dramatic Works. Vol. 1. 2. Ed. by W. C. Hazlitt. London 1875.
Reinhardstöttner	Reinhardstöttner, Carl v., Plautus. Spätere Bearbeitungen plautinischer Lustspiele. Leipzig 1886.
Roskoff	Roskoff, Gustav, Geschichte des Teufels. Bd. 1. 2. Leipzig 1869.
Schmidt, Al.	Schmidt, Alex., Lexicon zu Shakespeare's Werken. Bd. 1. 2. Berlin u. London 1874. 75.
Schneegans	Schneegans, Heinrich, Geschichte der grotesken Satire. Strassburg 1894.

Stichwort oder Abkürzung.	
Schultz	Schultz, Alwin, Sitte. Deutsch-englische Verhältnisse. Paul's Grundriss ᵗ III 253 ff.
Shakespeare	Shakespeare, W., Works. Ed. by W. G. Clark and W. A. Wright. Globe Edition. London 1884.
Sh.'s Library	Shakespeare's Library. 2nd Edition. Vol. 1—6. London 1875.
Sharp	Sharp, Th., On the Pageants or Dramatic Mysteries anciently Performed at Coventry. Coventry 1825.
Shirley, James	Shirley, James, Dramatic Works and Poems, with Notes by W. Gifford and Al. Dyce. 6 voll. London 1833.
Simms	Supplement to the Plays of W. Shakspeare ed. by W. G. Simms. Philadelphia 1855.
Simpson	Simpson, Richard, The School of Shakspere. Vol. 1. 2. London 1878.
Spalding	Spalding, Thomas, Elizabethan Demonology. London 1880.
Swoboda	Swoboda, Wilhelm, John Heywood als Dramatiker (Wiener Beiträge zur deutschen u. engl. Philologie. III). Wien 1888.
ten Brink	ten Brink, Bernh., Geschichte der englischen Litteratur. Bd. 1. 2. Berlin 1877. 93.
Thümmel	Thümmel, Julius, Vorträge über Shakespeare-Charaktere. Bd. 1. 2. Halle 1881. 87.
Ticknor	Ticknor, G., Geschichte der schönen Litteratur in Spanien. Deutsch mit Zusätzen von N. H. Julius. Bd. 1. 2. Leipzig 1852.
T. Pl.	The Towneley Mysteries. Publications of the Surtees Society. London 1836.
Wackernell	Wackernell, J., Die ältesten Passionsspiele in Tirol (Wiener Beiträge zur deutschen u. engl. Philologie. II). Wien 1887.
Ward	Ward, Ad. W., History of English Dramatic Literature to the Death of Queen Anne. Vol. 1. 2. London 1875.
Warton	Warton, Thom., History of English Poetry from the 12th to the Close of the 16th Century. Ed. by W. C. Hazlitt. Vol. 1—4. London 1871.
Webster	Webster, John, Dramatic Works. Ed. by W. C. Hazlitt. Vol. 1—4. London 1857.
Wieck	Wieck, Heinrich, Die Teufel auf der mittelalterlichen Mysterienbühne Frankreichs. Marb. Diss. Leipzig 1887.

b

Stichwort oder Abkürzung.	
Wirth	Wirth, Ludw., Die Oster- und Passionsspiele bis zum 16. Jahrhundert. Halle 1889.
Wiss	Wiss, James, On the Rudiments of the Shakspearian Drama. Francfort 1828.
Wright	Wright, Thomas, History of Caricature and Grotesque in Literature and Art. London 1865.
Wülker	Wülker, Richard, Geschichte der englischen Litteratur. Leipzig u. Wien 1896.
Wurth	Wurth, Leopold, Das Wortspiel bei Shakspere (Wiener Beiträge zur engl. Philologie. I). Wien 1895.
Y. Pl.	York Plays. Ed. by Lucy T. Smith. Oxford 1885.

Verzeichnis der in Betracht kommenden Dramen,

nach den zu ihrer Bezeichnung gewählten Abkürzungen
oder Stichworten alphabetisch geordnet.

Lic. = licensiert. SR. = Stationers' Register.

Ado	Much Ado about Nothing. Comedy. Vf. Shakespeare. Nach Dowden: 1598, nach Fleay vor Juli 1598 entstanden. 4⁰, 1600.
Alb.	Albion Knight. S.R. 1565/66; hrsg. von J. P. Collier in „The Shakespeare Society's Papers". 4 voll. London 1844–49. Vol. I.
Alc.	Battle of Alcazar. Vf. Peele. Fleay: 1588/89. 4⁰, 1594. Neudruck Works ed. Bullen vol. I.
Alex.	Alexander and Campaspe. Comedy. Vf. Lyly. Fleay: am 31. Dez. 1581 aufgeführt. 4⁰, 1584. Works vol. I.
All's	All's well that ends well. Comedy. Vf. Shakespeare. Dowden: 1601/02 (?). Fol., 1623.
Amynt.	Amyntas; or, The Impossible Dowry. Pastoral. Vf. Randolph. 1638. Works vol. I
Angry	The Two Angry Women of Abington. Comedy. Vf. Porter. 4⁰, 1599. Dodsley⁴ VII.
Ant.	Antony and Cleopatra. Tragedy. Vf. Shakespeare. Dowden: 1607. Fol., 1623.
App. A.	Appius and Virginia. Tragedy. Fleay: Vf. R. Bower. S.R. 1567/68. Fleay: vielleicht schon 1563/64 aufgeführt. Dodsley⁴ IV.
App. B.	Appius and Virginia. Tragedy. Vf. Webster. Fleay: c. 1609. 4⁰, 1654. Works vol. III.
Arc.	Arcadia. Pastoral. Vf. James Shirley. Fleay: 19. Nov. 1632 aufgeführt. 4⁰, 1640. Works vol. VI.
As	As you like it. Comedy. Vf. Shakespeare. Dowden: 1599. Fol., 1623.
Auld	The Auld Man and His Wife. Vf. Lyndesay. Entstanden 1552. Druck 1602.

b*

Bac.	The Honourable History of Friar Bacon and Friar Bungay. Vf. Greene. Fleay: c. März 1589. 4⁰, 1594. Hrsg. zusammen mit Marlowe's „Faustus" von Ward, Oxford 1878.
Bapt.	Johan Baptystes. Vf. Bale. 1538. Neudruck Harleian Miscellany. Vol. I. London 1808.
Bashf.	The Bashful Lover. Tragi-comedy. Vf. Massinger. Lic. 9. Mai 1636. 8⁰, 1655.
Bedn.	The Blind Beggar of Bednal Green. Vf. Chettle & Day. Fleay: „paid for May 26, 1600". 4⁰, 1659. Day's Works ed. Bullen.
Blurt	Blurt, Master Constable; or, The Spaniard's Night-Walk. Vf. Middleton. Fleay: 1600/01 aufgeführt. 4⁰, 1602. Works ed. Bullen vol. I.
Bomb.	Mother Bombie. Vf. Lyly. Fleay: zwischen 1588 u. 1590. 4⁰, 1594. Works vol. II.
Braz.	The Brazen Age. Vf. Thomas Heywood. Fleay: aufgeführt 7. Mai 1595. 4⁰, 1613. Works vol. III.
Bugb.	The Bugbears. Comedy. Time of Elizabeth. Translated from some early Italian drama. Hrsg. von C. Grabau, Herrig's Archiv 98, Heft 3 und 4. 99, Heft 1—4.
Bush	The Beggar's Bush. Comedy. Vff. Beaumont & Fletcher. Fleay: Vff. Fl. & Massinger; erste Aufführung c. 1615. Works vol. II.
Bussy	Bussy d'Ambois. Tragedy. Vf. Chapman. Fleay: Ende 1604 geschrieben. 4⁰, 1607. Works ed. Shepherd.
Caes.	Julius Caesar. Tragedy. Vf. Shakespeare. Dowden: 1601. Fol., 1623.
Cal.	Calisto and Melibaea. Um 1530 erschienen. Dodsley⁴ I.
Camb.	Cambyses Tragedy. Vf. Preston. Nach Hazlitt u. Rud. Fischer um 1561 verfasst. Dodsley⁴ IV.
Capt.	The Captives; or, The Lost Recovered. Vf. Thomas Heywood. Lic. 3. Sept. 1624. Druck 1624. Bullen vol. IV.
Case	The Case is Alter'd. Vf. Ben Jonson. Fleay: vor 11. Jan. 1599. 4⁰, 1609.
Chall.	A Challenge for Beauty. Tragi-comedy. Vf. Thomas Heywood. Fleay: wahrscheinlich 1635 aufgeführt. 4⁰, 1636. Works vol. V.
Chang.	The Changeling. Tragedy. Vff. Middleton & William Rowley. Fleay: „produced 1621, after June 7". 4°, 1653. Middleton's Works ed. Dyce vol. IV.
Chiv.	The Trial of Chivalry. S.R. 4. Dez. 1604. 4⁰, 1605. Bullen vol. III.

Clyom.	The History of Sir Clyomon and Sir Clamydes. Nach Fleay von Rich. Bower (?). 1578 oder früher. 4⁰, 1599. Peele's Works ed. Bullen vol. II.
Cobbl.	The Cobbler's Prophecy. Interlude or dramatic sketch. Vf. Robert Wilson. Lic. 8. Juni 1594. 4⁰, 1594. Hrsg. von Wilh. Dibelius, Shakespeare-Jb. 33.
Comp.	A Fine Companion. Comedy. Vf. Marmion. Fleay: vor Mai 1633 aufgeführt. 4⁰, 1633.
Comus.	Comus. Masque. Vf. Milton. Fleay: aufgeführt 29. Sept. 1634. 4⁰, 1637. Works vol. II.
Conc.	The Queen and Concubine. Comedy. Vf. Rich. Brome. Hazlitt: vor 1635. 8⁰, 1659. Works vol. II.
Cond.	Common Conditions. S.R. 1576. Originaldruck undatiert. Neudruck bei Brandl.
Confl.	The Conflict of Conscience. Vf. Nath. Woodes. Druck 1581. Dodsley⁴ VI.
Const.	Wit in a Constable. Comedy. Vf. Glapthorne. Geschrieben 1639. 4⁰, 1640. Plays vol. I.
Conv.	Conversion of St. Paul. D.Pl. Ende des 15. Jahrhunderts.
Cor.	Coriolanus. Tragedy. Vf. Shakespeare. Dowden: 1608. Fol., 1623.
Cromw.	The Chronicle History of Thomas Lord Cromwell. Fleay: Vf. vielleicht Drayton. Lic. 11. Aug. 1602. Abdruck bei Moltke.
Cumb.	The Book of John a Kent and John a Cumber. Comedy. Vf. Munday. Fleay: aufgeführt 2. Dez. 1594. Druck 1595. Ed. by Collier, London 1851.
Cure	Love's Cure; or, The Martial Maid. Comedy. Vff. Beaumont & Fletcher. Fleay: „revised by Massinger"; geschrieben zwischen 1606 u. 1608. Fol., 1647. Dr. Works vol. IV.
Cust.	New Custom. Fleay: c. 1563/64 enstanden. Druck 1573. Dodsley⁴ III.
Cymb.	Cymbeline. Tragedy. Vf. Shakespeare. Dowden: 1609. Fol., 1623.
Dam.	Damon and Pithias. Comedy. Vf. Edwards. Fleay: lic. Weihnachten 1563/64. 1571, 4⁰. Dodsley³ I.
Dar.	King Darius. Fleay: entstanden 1562/63. Druck Okt. 1565. Neudruck bei Brandl.
Darl.	The Sun's Darling. Moral Masque. Vff. Dekker &.Ford. Lic. 3. März 1624. 4⁰, 1656. Dekker's Dr. Works vol. IV.
Death	The Death of Robert Earl of Huntington. Vff. Munday & Chettle. Fleay: aufgeführt 20. Febr. 1598. 4⁰, 1601. Dodsley⁴ VIII.

Dev.	The Devil is an Ass. Comedy. Vf. Ben Jonson. Aufgeführt 1616. Fol., 1641.
Disob.	The Disobedient Child. Vf. Thom. Ingelend. Nach Ward noch aus der Zeit Heinrichs VIII., also vor 1547. Druck um 1560. Dodsley⁴ II.
Diss.	More Dissemblers besides Women. Comedy. Vf. Middleleton. Fleay: zwischen Weihnachten 1621 u. Mai 1622. 8⁰, 1657. Works ed. Dyce vol. III.
Double	The Double Marriage. Vff. Beaumont & Fletcher, nach Fleay Fl. & Massinger. c. 1620. Fol., 1647. Fl.'s & B.'s Dr. Works vol. III.
Downf.	The Downfall of Robert Earl of Huntington. Vf. Munday. Fleay: aufgeführt 15. Febr. 1598. 4⁰, 1601. Dodsley⁴ VIII.
Drum	Jack Drum's Entertainment; or, The Comedy of Pasquil and Katharine. Hazlitt: Vf. Marston; aufgeführt c. Mai 1600. 4⁰, 1601. Simpson vol. II.
Dutch	The Dutch Courtezan. Vf. Marston. Fleay: 1601. 4⁰, 1605. Works ed. Bullen vol. II.
E 4 A	King Edward IV. Part I. Vf. Thomas Heywood. Hazlitt: „published 1599, Aug. 28". 4⁰, 1600. Dr. Works vol. I.
Edm.	The Witch of Edmonton. Tragicomedy. Vf. William Rowley & Dekker & Ford. Fleay: c. Juli 1621. 4⁰, 1638. D.'s Dr. Works vol. IV.
Eld.	The Elder Brother. Comedy. Vf. Fletcher; vor Aug. 1625 (Fl. †). 4⁰, 1637. Dr. Works vol. II.
Elem.	Interlude (oder Nature) of the Four Elements: Brandl (S. XLI): etwa um 1513 geschrieben. Druck 1519. Dodsley⁴ I.
Em	Fair Em, the Miller's Daughter of Manchester. Comedy. Fleay: Vf. Rob. Wilson; aufgeführt c. 1590. 4⁰ [o. J. u.] 1631. Simpson vol. II.
End.	Endimion, the Man in the Moon. Vf. Lyly. Fleay: aufgeführt 1. Febr. 1588. 4⁰, 1591. Dr. Works vol. I.
Engl.	A Woman will have Her Will = Englishmen for My Money. Vf. Haughton. Fleay: lic. 5. Nov. 1597. 4⁰, 1616. Dodsley⁴ X.
Err.	The Comedy of Errors. Vf. Shakespeare. Dowden: 1591. Fol., 1623.
Ever.	Everyman. Entstanden um 1500. Druck vor 1531. Dodsley⁴ I.
Exch.	The Fair Maid of the Exchange. Vf. Thomas Heywood. Fleay: Vf. Machin; geschrieben c. 1602. 4⁰, 1607. H.'s Dr. Works vol. II.

Fair	The Fair Maid of the Inn. Tragi-comedy. Vff. Beaumont & Fletcher. Fleay: Vff. Fl. & Massinger. Vor Aug. 1625 (Fl. †). Fol., 1647. B.'s & Fl.'s Dr. Works vol. IV.
Fau.	The Tragical History of Doctor Faustus. Vf. Marlowe. Fleay: aufgeführt 1588. 4^0, 1604. Hrsg. von Herm. Breymann.
Fawn	Parasitaster; or, The Fawn. Vf. Marston. Fleay: aufgeführt 1604. 4^0, 1606. Works ed. Halliwell vol. II.
Find.	Of the Finding of Truth, Carried away by Ignorance and Hypocrisy. Vf. H. Medwall. ten Brink II 476: um Weihnachten 1514/15 aufgeführt.
Flor.	The Great Duke of Florence. Comical History. Vf. Massinger. Fleay: um 1625 geschrieben. 4^0, 1636.
Folly	A Dialogue of Wit and Folly. Vf. John Heywood. Hrsg. von F. W. Fairholt. London 1847. Percy Society. Vol. XX.
Fort.	Comedy of Old Fortunatus. Vf. Dekker. Fleay: lic. 9. Nov. 1599. 4^0, 1600. Dr. Works vol. I.
Gal.	Galathea. Vf. Lyly. Fleay: lic. 1. Apr. 1585. 4^0, 1592. Dr. Works vol. I.
Gent.	The Two Gentlemen of Verona. Comedy. Vf. Shakespeare. Dowden: 1592/93. Fol., 1623.
Geo.	George a Greene, the Pinner of Wakefield. Comedy. Vf Greene. Fleay: c. 1588/89. 4^0, 1599.
Germ.	Alphonsus, Emperor of Germany. Tragedy. Vf. Chapman. Fleay: Vf. wahrscheinlich Peele (?); date c. 1590 (?). 4^0, 1654. Ch.'s Com. & Trag. vol. III.
Gipsy	The Spanish Gipsy. Vf. Middleton & William Rowley. Fleay: bald nach 1621. 4^0, 1653. M.'s Works ed. Dyce vol. IV.
Glass	A Looking-Glass for London and England. Tragi-comedy. Vf. Lodge & Greene. Fleay: zwischen Sept. 1587 u. Okt. 1590. 4^0, 1594. Gr.'s Works ed. Dyce.
Gold.	The Golden Age; or, The Lives of Jupiter and Saturn. Vf. Thomas Heywood. Fleay: aufgeführt 5. März 1595. 4^0, 1611. Dr. Works vol. III.
Grim	Grim, the Collier of Croydon; or, The Devil and His Dame. Hazlitt: von Henslowe unter dem 6. März 1600 erwähnt. 12^0, 1662. Dodsley[3] XI.
Griss.	Patient Grisel. Comedy. Vff. Haughton & Chettle & Dekker. Fleay: lic. 16. Okt. 1599. 4^0, 1603. Hrsg. von Collier. Shakespeare Soc. London 1841.

Gurt.	Gammer Gurton's Needle. Vf. John Still. Halliwell: im ersten Entwurf schon 1562 vorhanden. Druck 1575. Dodsley[4] III.
H 4 A }	King Henry IV. Part I. II. Historical play. Vf. Shake
H 4 B }	speare. Dowden: 1597/98. I, 4⁰, 1598; II, 4⁰, 1600.
H 5	Chronicle History of King Henry V. Vf. Shakespeare. Dowden: 1599. 4⁰, 1600.
H 6 A	King Henry VI. Part I. Vf. Shakespeare. Dowden: 1590/91. Fol., 1623.
H 6 B	King Henry VI. Part II. Vf. Shakespeare. Dowden: 1591/92. Fol, 1623.
H 8	King Henry VIII. Vf. Shakespeare. Dowden: 1612/13. Fol, 1623.
Harr.	The Harrowing of Hell. Entstanden um 1250. Abdruck bei Pollard.
Heir	The Heir. Comedy. Vf. May. Aufgeführt 1620. 4⁰, 1633. Dodsley[3] VIII.
• Help	No Wit, No Help like a Woman's. Comedy. Vf. Middleton. Fleay: zuerst aufgeführt 1613 oder 1614. 8⁰, 1657. Works ed. Dyce vol. V.
Hest.	Godly Queen Hester. Druck 1561. Hrsg. in „Illustrations of Early English Popular Literature". 2 voll. London 1863. 64. Vol. I.
Hicks.	Hickscorner. Brandl (S. XXVIII): bald nach 1513 gegeschrieben. Druck um 1525. Dodsley[4] I.
Histr.	Histriomastix; or, The Player Whipp'd. Fleay: Vf. Marston; 1599. 4⁰, 1610. Simpson vol. II.
Hml.	The Tragical History of Hamlet, Prince of Denmark. Vf. Shakespeare. Dowden: 1602. 4⁰, 1603.
Hoffm.	Hoffman; or, A Revenge for a Father. Tragedy. Vf. Chettle. Fleay: Vff. Ch. & Thom. Heywood; um Jan. Febr. 1603. Hrsg. von Richard Ackermann. Bamberg 1894.
Hor.	Horestes. Tragedy. Vf. John Pikeryng. Brandl (S. XCI): zwischen 1564 u. 1567 enstanden. Druck 1567. Neudruck bei Brandl.
How	How a Man may choose a Good Wife from a Bad. Hazlitt: Vf. Joshua Cooke. Fleay: Vf. Thom. Heywood; 1601. 4⁰, 1602. Dodsley[4] IX.
If A }	If you know not me, you know Nobody: or, The Troubles of Queen Elizabeth. Vf. Thomas Heywood Fleay:
If B }	I aufgeführt c. 1604. I, 4⁰, 1605. II, 4⁰, 1606. Dr. Works vol. I.
Imp.	Impatient Poverty. Druck 1560.

Jn	Every Man in His Humour. Vf. Ben Jonson. Fleay: erste Aufführung 1598. 4⁰, 1601.
J 4	The Scottish History of James IV. Vf. Greene. Fleay: c. 1590. 4⁰, 1598.
Jac.	Jacob and Esau. Druck 1568. Dodsley⁴ II.
Jew	The Jew of Malta. Tragedy. Vf. Marlowe. Fleay: aufgeführt nach 23. Dez. 1588. 4⁰, 1633. Dodsley³ VIII.
John A	King John. Vf. Bale. Rud. Fischer: gegen 1550 verfasst. Hrsg. von Collier, Camden Soc., London 1838.
John B	King John. History. Vf. Shakespeare. Dowden: 1595. Fol., 1623.
Juggl.	Jack Juggler. Brandl (S. LXI): unter Maria [1553—58] entstanden. Dodsley⁴ II.
Juv.	Lusty Juventus. Vf. R. Wever. Zwei Drucke, der eine aus der Zeit Eduards VI. (1547—53), der zweite etwa aus dem Jahre 1560. Dodsley⁴ II.
Kingd.	The Wonder of a Kingdom. Tragicomedy. Vf. Dekker. Fleay: Vf. Day; lic. 18. Sept. 1623. 4⁰, 1636. Dek's Dr. Works vol. IV.
Kinsm.	The Two Noble Kinsmen. Vff. Fletcher & Shakespeare (?). Fleay: Vff. Beaumont (?) & Fl. Dowden: Vf. Sh. 1612. 4⁰, 1634. Abdruck bei Simms.
Knack	A Knack to know a Knave. Comedy. Fleay: Vff. Peele & Wilson. Hazlitt: aufgeführt 10. Juni 1592. 4⁰, 1594. Dodsley⁴ VI.
Lad.	The Three Ladies of London. Vf. R[obert] W[ilson]. Druck 1584. Dodsley⁴ VI.
Land	Fortune by Land and Sea. Tragi-Comedy. Vff. Thomas Heywood & William Rowley. Fleay: um 1609. 4⁰, 1655. H's Dr. Works vol. VI.
Laws	Comedy Concerning Three Laws. Vf. Bale. Druck 1538. Hrsg. von Schröer, Halle 1882.
Leir	True Chronicle History of King Leir and His Three Daughters. Fleay: Vff. Kyd & Lodge; 1588/89. 4⁰, 1605. Sh's Library vol. VI.
Lib.	Contention between Liberality and Prodigality. 1600 aufgeführt. Dodsley⁴ VIII.
Like	Like will to Like, quoth the Devil to the Collier. Vf. Ulpian Fulwell. Druck 1568. Dodsley⁴ III.
Ling.	Lingua. Vf. Brewer. Noch aus der Zeit der Elisabeth, also 1603 oder früher. Druck 1607. Dodsley⁴ IX.
LLL.	Love's Labour's Lost. Comedy. Vf. Shakespeare. Dowden: 1590. 4⁰, 1598.

Locr.	Locrine. Tragedy. Fleay: Vf. Peele; 1585/86. 4⁰, 1595. Abdruck bei Moltke.
Long.	The longer thou livest, the more Fool thou art. Vf. W. Wager. Hazlitt: etwa um 1570. Originaldruck London [o. J.].
Look	Look about you. Comedy. Fleay: Vf. Wadeson; 1599, zwischen 17. Apr. u. 26. Mai. 4⁰, 1600. Dodsley⁴ VII.
Lords	The Three Lords and Three Ladies of London. Vf. R. W[ilson]. Fleay: etwa 1588 aufgeführt. Druck 1590. Dodsley⁴ VI.
Love	Play of Love. Vf. John Heywood. Entstanden zwischen 1520 u 1530. Brandl (S. XLVII): Druck etwa zwischen 1547 u. 1558. Neudruck bei Brandl.
Lr.	King Lear and His Three Daughters. Tragedy. Vf. Shakespeare. Dowden: 1605. 4⁰, 1608.
Lucr.	The Rape of Lucrece. Tragedy. Vf. Thomas Heywood. Fleay: c. 1605 aufgeführt. 4⁰, 1608. Dr.Works vol.V.
Mad	The Mad Lover. Tragi-comedy. Vf. Beaumont & Fletcher. Fleay: Vf. Fl.; c. 1618. Fol., 1647. Dr. Works vol. II.
Magd. A	Mary Magdalene. D. Pl. Ende des 15. Jahrhunderts.
Magd. B	The Life and Repentance of Mary Magdalene. Vf. Lewis Wager. Originaldruck London 1567.
Magn.	Magnificence. Vf. Skelton. Entstanden zwischen 1515 u. 1520. Hrsg. von Joseph Littledale. Roxburghe Club. London 1821.
Maid.	A Maidenhead well Lost. Comedy. Vf. Thomas Heywood. Fleay: vor Juni 1634 aufgeführt. 4⁰, 1634. Dr. Works vol. IV.
Malc.	The Malcontent. Vf. Marston. Hazlitt: Vff. Webster & Marston. Fleay: zwischen Okt. 1600 u. Okt. 1601. 4⁰, 1604. M's Works ed. Halliwell vol. II.
Mank.	Mankind. Zeit Heinrichs VI. (1422—1461). Abdruck bei Brandl.
Marr.	The Marriage of Wit and Science. Druck 1570. Dodsley⁴ II.
Mart.	The Martyred Soldier. Vf. Henry Shirley. Fleay: lic. 15. Febr. 1638. 4⁰, 1638. Bullen vol. I.
Match	Match me in London. Tragi - Comedy. Vf. Dekker. Fleay: c. 1611 aufgeführt. 4⁰,1631. Dr.Works vol. IV.
May	May Day. Comedy. Vf. Chapman. Fleay: vielleicht 1. Mai 1600. 4⁰, 1611. Com. & Trag. vol. II.
Mayor	The Mayor of Quinborough. Comedy. Vf. Middleton. Fleay: c. 1622. 4⁰, 1661. Dodsley⁴ XI.
Mcb.	Macbeth. Tragedy. Vf. Shakespeare. Dowden: 1606. Fol., 1623.

Meas.	Measure for Measure. Comedy. Vf. Shakespeare. Dowden: 1603. Fol., 1623.
Mell.	Antonio and Mellida. Vf. Marston. Fleay: zu Anfang 1600 aufgeführt. 4⁰, 1602. Works ed. Bullen vol. I.
Merch.	The Merchant of Venice. Comedy. Vf. Shakespeare. Dowden: 1596. 4⁰, 1600.
Merl.	The Birth of Merlin; or, The Child has lost a Father Tragi-comedy. Vf. William Rowley. Fleay: c. 1622/23. 4⁰, 1662. Abdruck bei Moltke.
Midas	Midas. Comedy. Vf. Lyly. Fleay: 6. Jan. 1590 aufgeführt. 4⁰, 1592. Dr. Works vol. II.
Midn.	A Match at Midnight. Comedy. Vf. William Rowley. Hazlitt: bei Herbert unter dem 6. Apr. 1624 erwähnt. 4⁰, 1633. Dodsley³ VII.
Mids.	A Midsummer Night's Dream. Comedy. Vf. Shakespeare. Dowden: 1593/94. 4⁰, 1600.
Mill	The Maid in the Mill. Comedy. Vff. Fletcher & William Rowley. Hazlitt: bei Herbert unter 29. Aug. 1623 erwähnt. Fol., 1647. Fl's Dr. Works vol. III.
Mind	Mind, Will and Understanding. Zeit Heinrichs VI. (1422—1461). D. Pl. Der Rest hrsg. für den Abbotsford Club. Edinburgh 1837.
Mis.	The Miseries of Inforced Marriage. Vf. Wilkins. Fleay: zwischen März u. Aug. 1603. 4⁰, 1607. Dodsley³ V.
Misog.	Misogonus. Comedy. Vf. Richardes. Entstanden 1560. Zuerst gedruckt bei Brandl.
Mistr.	Love's Mistress; or, The Queen's Masque. Vf. Thomas Heywood. Fleay: vor 19. Nov. 1633 aufgeführt. 4⁰, 1636. Dr. Works vol. V.
Mon.	All for Money. Vf. T. Lupton. Originaldruck London 1578.
Moon	The Woman in the Moon. Vf. Lyly. Hazlitt: vor 1579. 4⁰, 1597. Dr. Works vol. II.
More	Sir Thomas More. Tragedy. Dyce: um 1590. Hrsg. von Dyce, Shakespeare Soc., London 1844.
Muc.	Mucedorus. Comedy. Fleay: Vf. Lodge (?); c. 1588. 4⁰, 1598. Dodsley⁴ VII.
Nat.	Nature. Vf. H. Medwall. Brandl (S. XLIV): zwischen 1493 u. 1500 verfasst. Druck [London 1538]. Neudruck bei Brandl.
Nice	Nice Wanton. Brandl (S. LXXII): geschrieben noch unter Eduard VI. (1547—53). Druck 1560. Dodsley⁴ II.
Nightc.	The City Nightcap; or, Crede quod habes, et habes. Tragi-comedy. Vf. Davenport. Fleay: lic. 14. Okt. 1624. 4⁰, 1661. Dodsley³ XI.

Nigr.	Nigromansir [= Necromancer]. Vf. Skelton. Druck 1504.
Nob.	Nobody and Somebody. Fleay: Vf. Thomas Heywood; aufgeführt vor 1604. 4⁰, [1607]. Simpson vol. I.
' Old	The Old Law. Comedy. Vff. Massinger & Middleton & Will. Rowley. Fleay: „Middleton's part dates late in 1599." 4⁰, 1656. Massinger's Works.
Oldc.	Sir John Oldcastle. Hazlitt: Vff. Munday, Drayton, Wilson [,Chettle], Hathwaye; 1599. 4⁰, 1600, Abdruck bei Simms.
Opp.	The Opportunity. Comedy. Vf. James Shirley. Hazlitt: lic. 29. Nov. 1634. 4⁰, 1640. Works vol. III.
Orl.	Orlando Furioso. Vf. Greene. Fleay: c. 1588/89. 4⁰, 1594.
Oth.	Othello, the Moor of Venice. Tragedy. Vf. Shakespeare. Dowden: 1604. 4⁰, 1622.
Out	Every Man out of His Humour. Comical Satire. Vf. Ben Jonson. Hazlitt: 1599 aufgeführt. 4⁰, 1600.
Pard.	The Pardoner and the Friar. Vf. John Heywood. Brandl (S. XLIX): geschrieben unter Papst Leo X. (1513—21). Druck 1533. Dodsley⁴ I.
Parn.	The Pilgrimage to Parnassus. Fleay: Weihnachten 1598 aufgeführt. MS. Hrsg. von W. D. Macray. Oxford 1886.
Pat.	Moralspiel vom Paternoster, 1378 von Wiclif erwähnt.
Patr.	Saint Patrick for Ireland. Historical play. Vf. James Shirley. Fleay: c. 1636/37. 4⁰, 1640. Works vol. IV.
Per.	Pericles, Prince of Tyre. Vf. Shakespeare [& Fletcher?]. Fleay: Vff. Shakespeare & Will. Rowley. Dowden: 1608. 4⁰, 1609.
Pers.	The Castle of Perseverance. Zeit Heinrichs VI. (1422 bis 1461).
Pict.	The Picture. Tragi-Comedy. Vf. Massinger. Hazlitt: lic. 8. Juni 1629. 4⁰, 1630.
Pilgr.	The Pilgrim. Comedy. Vff. Beaumont & Fletcher. Fleay: Vf. Fletcher; aufgeführt 1621/22. Fol., 1647. Dr. Works vol. III.
Play	The Play of Plays. Aufgeführt um 1580.
Pleas.	Women Pleased. Vff. Beaumont & Fletcher. Fleay: Vf. Fletcher; c. 1620. Fol., 1647. Dr. Works vol. IV.
Prent.	The Four Prentices of London. Vf. Thomas Heywood. Hazlitt: vielleicht SR. 19. Juni 1594. 4⁰, 1615. Dr. Works vol. II.
Pride	The Pride of Life. Brandl (S. XIII): Anfang des 15. Jahrhunderts. Hrsg. von Brandl.
Prom.	Promos and Cassandra. Comedy. Vf. Whetstone. Fleay: 29. Juli 1578. 4⁰, 1578. Sh.'s Library vol. VI.

Proph.	The Prophetess. Tragical History. Vff. Beaumont & Fletcher. Fleay: Fl. & Massinger. Hazlitt: lic. 14. Mai 1622. B.'s & Fl.'s Dr. Works vol. III.
P's	The Four P.'s. Vf. John Heywood. Swoboda (S. 29): um 1531 geschrieben. Brandl (S. L): um 1540 gedruckt. Dodsley[4] I.
Qu.	The Queen's Exchange. Comedy. Vf. Rich. Brome. Fleay: date 1631/32. 4⁰, 1657. Dr. Works vol. III.
Quoqu.	Green's Tu Quoque; or, The City Gallant. Vf. J[ohn] Cooke. Fleay: zwischen 15. Apr. 1609 u. Aug. 1612. 4⁰, 1614. Dodsley[3] VII.
R 3	King Richard III. History. Vf. Shakespeare. Dowden: 1593. 4⁰, 1597.
Rare	The Rare Triumphs of Love and Fortune. Fleay: Vf. Kyd. Hazlitt: „cited in the "Revels Accounts", 1582, Dec. 30". 4⁰, 1589. Dodsley[4] VI.
Reneg.	The Renegado. Tragi-comedy. Vf. Massinger. Hazlitt: von Herbert erwähnt unter 17. Apr. 1624. 4⁰, 1630.
Resp.	Respublica. 1553 entstanden. Hrsg. von Brandl.
Rev.	The Fountain of Self-love; or, Cynthia's Revels. Vf. Ben Jonson. Hazlitt: SR. 23. Mai 1600. 4⁰, 1601.
Revng.	Antonio's Revenge; or the second part of Antonio and Mellida. Tragedy. Vf. Marston. Fleay: 1600 aufgeführt. 4⁰, 1602. Works ed. Bullen vol. I.
Robin	Robin Conscience. Ward: c. 1530. Hrsg. von Halliwell in „Contributions to Early English Literature". London 1849.
Roist.	Ralph Roister Doister. Comedy. Vf. Udall. Hazlitt: vor 1551 geschrieben. Dodsley[4] III.
Rom.	Romeo and Juliet. Tragedy. Vf. Shakespeare. Dowden: 1597. 4⁰, 1597.
Royal	The Royal Master. Tragi-comedy. Vf. James Shirley. Fleay: 1637 aufgeführt. 4⁰, 1638. Works vol. IV.
Sacr.	The Play of the Sacrament. MS. von 1461. Hrsg. von Stokes in „Transactions of the Philological Society". 1860/61. Berlin, Appendix p. 101 ff.
Sapho	Sapho and Phao. Comedy. Vf. Lyly. Fleay: 27. Febr. 1582 aufgeführt. 4⁰, 1584. Dr. Works vol. I.
Sat.	Satyre of the thrie Estaitis. Vf. Lyndesay. Ward: 1535 aufgeführt. Hrsg. von Hall u. von Laing.
Sci.	Moral Play of Wit and Science. Vf. Redford. Brandl (S. XLII): zwischen 1541 u. 1547 geschrieben. Hrsg. von Halliwell. Shakespeare Soc. London 1848.
Secur.	The Cradle of Security. Halliwell: zwischen 1560 u. 1570 entstanden.

Selim.	The Tragical Reign of Selimus, sometimes Emperor of the Turks. Fleay: teilweise von Greene; c. 1588. 4⁰, 1594. Hrsg. von Grosart, London 1898.
Shoem.	The Shoemaker's Holiday; or, The Gentle Craft. Vf. Dekker. Fleay: 1597. 4⁰, 1600. Dr. Works vol. I.
Shr. A	The Taming of a Shrew. Fleay: Vf. Kyd; vor 29. März 1588. Druck 1594. Hrsg. von Thom. Amyot. London 1844.
Shr. B	The Taming of the Shrew. Comedy. Vf. Shakespeare. Dowden: 1597 (?). Fol., 1623.
Silv.	The Silver Age. Vf. Thomas Heywood. Fleay: 7. Mai 1595 aufgeführt. 4⁰, 1613. Dr. Works vol. III.
Sist.	The Sisters. Comedy. Vf. James Shirley. Hazlitt: lic. 26. Apr. 1642. 8⁰, 1652. Works vol. V.
Solim.	Soliman and Perseda. Fleay: Vf. Kyd; c. 1583. 4⁰, 1599. Hawkins vol. II.
Someb.	Somebody, Avarice and Minister. Brandl (S. LIX. LXI): ungefähr Zeit der Königin Maria (1553—58).
Span.	The Spanish Tragedy; or, Hieronimo is Mad again. Vf. Kyd. Fleay: vor Anfang 1589. 4⁰, 1594. Manly vol. II.
Staple	The Staple of News. Comedy. Vf. Ben Jonson. Hazlitt: 1625/26 aufgeführt. Fol., 1631.
Straw	The Life and Death of Jack Straw. Fleay: Vf. Peele; 1587. 4⁰, 1593. Dodsley⁴ V.
Subj.	The Royal King and the Loyal Subject. Tragi-comedy. Vf. Thomas Heywood & Wentworth Smith. Fleay: um Weihnachten 1633 aufgeführt. 4⁰, 1637. H's Dr. Works vol. VI.
Summ.	Summer's Last Will and Testament. Comedy. Vf. Nash. Fleay: Aug. 1592 aufgeführt. Dodsley⁴ VIII.
Supp.	Supposes. Comedy, written in Italian by Ariosto, English by G. Gascoigne. 1566. G.'s Poems vol. I.
Tale	The Old Wives' Tale. Comedy. Vf. Peele. Fleay: c. 1590. 4⁰, 1595. Dr. Works ed. Bullen vol. I.
Tamb.	Tamburlaine the Great. Tragedy. Vf. Marlowe. Fleay: 1587 aufgeführt. 4⁰, 1590. Hrsg. von Albr. Wagner.
Tempt.	Temptation of our Lord. Vf. Bale. Druck 1538. Hrsg. von Grosart, in „Miscellanies of the Fuller Worthies' Library". Vol. I. 1870.
Thers.	Thersites. Druck 1537. Dodsley⁴ I.
Thrac.	The Thracian Wonder. Comical History. Vff. Webster (?) & Will. Rowley (?). Hazlitt: Vf. Thom. Heywood. Fleay: c. 1617. W.'s Works vol. III.

Tide	The Tide tarrieth No Man. Vf. Wapull. Druck 1576. Hrsg. von Collier in „Illustrations of Early English Popular Literature". 2 voll. London 1863. 64. Vol. II.
Tiler	Tom Tiler and His Wife. Brandl (S. LXXI): zwischen 1569 u. 1578 entstanden. Originaldruck London 1578. Ich habe den im Brit. Mus. befindlichen Druck von 1661 benutzt.
Tim. A	Timon. MS. Fleay: c. 1601. Hrsg. von Dyce. Shakespeare Soc. 1842.
Tim. B	Timon of Athens. Tragedy. Vf. Shakespeare. Dowden: 1607/08. Fol., 1623.
Tit.	Titus Andronicus. Tragedy. Vf. Shakespeare. Dowden: 1588/90. 4^0, 1600.
Tp.	The Tempest. Comedy. Vf. Shakespeare. Dowden: 1610. Fol., 1623.
Trav.	The English Traveller. Vf. Thomas Heywood. Fleay: c. 1627. 4^0, 1633. Dr. Works vol. IV.
Treas.	The Trial of Treasure. Fleay: um 1564 geschrieben. Druck 1567. Dodsley[4] III.
Troil.	Troilus and Cressida. Vf. Shakespeare. Dowden: 1607. 4^0, 1609.
Tub	A Tale of a Tub. Comedy. Vf. Ben Jonson. Fleay: in ursprünglicher Form noch aus der Zeit der Elisabeth, also vor Aug. 1603, geändert 1633. Fol., 1640.
Tw.	Twelfth-Night; or, What you will. Comedy. Vf. Shakespeare. Dowden: 1600/01. Fol., 1623.
Tyb	A Merry Play between Johan Johan the Husband, Tyb His Wife, and Sir Johan the Priest. Vf. John Heywood. Zwischen 1520 und 1530 entstanden. Druck 1533. Hrsg. von Brandl.
Val.	The Nice Valour; or, The Passionate Madman. Comedy. Vff. Beaumont & Fletcher. Fleay: Vff. Fl. & vielleicht Middleton; 1613. Fol., 1647. Dr. Works vol. IV.
Vex.	A New Wonder, a Woman never Vexed. Comedy. Vf. William Rowley. Fleay: c. 1622. 4^0, 1632. Dodsley[4] XII.
Vict.	The Famous Victories of Henry V. Fleay: Vf. Rich. Tarlton; c. 1588. 4^0, 1598. Sh's Library vol. V.
Volp.	Volpone; or, The Fox. Vf. Ben Jonson. Fleay: 1605 aufgeführt. Druck 1607.
Weak.	The Weakest goeth to the Wall. Vf. Webster. Fleay: Vf. Munday; wahrscheinlich c. 1584. 4^0, 1600. W.'s Dr. Works vol. IV.
Weap.	Wit at Several Weapons. Vff. Beaumont & Fletcher. Fleay: Vff. Fl. & Middleton oder Will. Rowley; lic. 17. Okt. 1623. Fol., 1647. B.'s & Fl.'s Dr. Works vol. IV.

Weath.	The Play of Weather. Vf. John Heywood. Entstanden zwischen 1520 u. 1530. Brandl (S. XLVII): zwei Drucke, einer zwischen 1549 u. 1564, der andere etwas älter. Hrsg. von Brandl.
Weed.	The Weeding of the Covent Garden; or, The Middlesex Justice of Peace. Comedy. Vf. Rich. Brome. Hazlitt: 1632 aufgeführt. 8⁰, 1658. Works vol. II.
Welshm.	The Valiant Welshman. Vf. R. A[rmin]. Hazlitt: vor 1593 geschrieben. Originaldruck. 4⁰, 1615.
West A West B	The Fair Maid of the West; or, A Girl Worth Gold. Comedy. Part I. II. Vf. Thom. Heywood. Fleay: c. 1622. 4⁰, 1631. Dram. Works vol. II.
When	When you see me, you know me; Or, The Famous Chronicle History of King Henry VIII. Vf. Samuel Rowley. Fleay: geschrieben zwischen Mai 1603 u. Febr. 1605. 4⁰, 1605. Hrsg. von Karl Elze, Dessau u. London 1874.
Wife	A Wife for a Month. Tragi-comedy. Vff. Beaumont & Fletcher. Fleay: Vf. Fl. Hazlitt: lic. 27. Mai 1624. Fol., 1647. Dram. Works vol. III.
Wily	Wily Beguiled. Comedy. Fleay: Vf. Peele; 1596/97. 4⁰, 1606. Hawkins vol. III.
Wint.	The Winter's Tale. Comedy. Vf. Shakespeare. Dowden: 1610/11. Fol., 1623.
Wisd.	The Marriage of Wit and Wisdom. Halliwell: c. 1579. Hrsg. von Halliwell, Shakespeare Soc., London 1846.
Wit	Wit without Money. Comedy. Vff. Beaumont & Fletcher. Fleay: Vf. Fl.; „produced soon after 1614, Aug. 24". 4⁰, 1639. Works vol. II.
Wiv.	The Merry Wives of Windsor. Comedy. Vf. Shakespeare. Dowden: 1598 (?). 4⁰, 1602.
Wom.	Every Woman in Her Humour. Comedy. Fleay: c. 1602. 4⁰, 1609. Bullen vol. IV.
World	The World and the Child. Pollard: noch zur Zeit Heinrichs VII., also vor 1509 abgefasst. Brandl (S. XLII): nicht lange vor 1522. Druck 1522. Dodsley⁴ I.
Wounds	The Wounds of Civil War. Tragedy. Vf. Lodge. Fleay: 1587. 4⁰, 1594. Dodsley⁴ VII.
Wyat	The Famous History of Sir Thomas Wyat. Vff. Dekker & Webster. Fleay: zwischen 15. u. 27. Okt. 1602 aufgeführt. 4⁰, 1607. D.'s Dr. Works vol. III.
Youth	Interlude of Youth. Zeit der Königin Maria (1553—58). Dodsley⁴ II.

I. Einleitung.

Der Ausdruck „lustige“ oder „komische Person“ scheint zunächst, wenn man sich an ihn allein hält, eine jede Person zu bezeichnen, die überhaupt als Träger irgend welcher Komik auftritt. Dass aber eine derartige Fassung des Begriffs zu weit wäre, lehrt schon der Sprachgebrauch: indem wir von der lustigen Person eines Dramas reden, drücken wir mit genügender Deutlichkeit aus, dass im betreffenden Stück immer nur eine einzige Person als „lustige Person“ zu gelten hat[1]), sei es, dass diese Person zugleich den einzigen Träger der Komik darstellt, oder dass daneben noch eine Reihe von andern Personen als deren Träger vorkommen. Nun könnte man vielleicht sagen, die lustige Person sei der Hauptträger der Komik, diejenige Person, deren Rolle die meiste Komik enthalte. Aber auch diese Definition wäre ungenügend. Damit wäre nur ein relativer Massstab gegeben, der sich mit jedem Drama verschieben würde. Setzen wir den Fall, dass den Personen irgend eines bestimmten Stückes überhaupt nur ein geringes Mass an Komik zugemessen sei, dass aber eine Person etwas, wenn auch nur ein wenig, mehr Komik entfalte als die übrigen, so hätten wir in jener Person nach obiger Definition die lustige Person des Stückes zu suchen. Es leuchtet ein, dass dies ungerechtfertigt wäre. Wenn obige Definition Geltung hätte, würde das gleiche Quantum Komik in einem Drama die komische Hauptfigur bezeichnen, in einem andern Stücke, mit reicherer

---

[1]) Diese Regel hat freilich einige Ausnahmen, von denen weiter unten die Rede sein wird.

Komik, nur gerade notdürftig zur Charakteristik einer der komischen Nebenpersonen ausreichen. Oder, wenn alle Personen in einem Drama bis auf eine durchaus ernst gehalten sind, und auch diese eine nur eine leichte komische Färbung bekommen hat, im übrigen aber ebenfalls einen im Grunde ernsten Charakter darstellt, so würde jene leichte komische Färbung doch gewiss nicht genügen, um letztere Person zu einer lustigen Person zu stempeln.

Viele Dramengestalten sind gleich von vornherein als lustige Personen zu erkennen; bei andern aber ist es recht schwierig, zu entscheiden, ob sie als solche Personen anzusehen seien oder nicht. Wie steht es z. B. in dieser Hinsicht mit Falstaff? Diese Frage lässt sich wohl kaum ohne weiteres mit Sicherheit beantworten. Erst dann ist ihre Beantwortung möglich, wenn es uns gelungen ist, für den Begriff „lustige Person" Merkmale von absoluter Giltigkeit festzustellen, und eine jenen Begriff erschöpfende Definition zu geben. Indem wir dies im Folgenden versuchen, müssen wir ziemlich weit ausholen.

An der einzelnen Gestalt im Drama, wie überhaupt in jedem Litteraturdenkmal, sind zwei Hauptbestandteile zu unterscheiden: 1) ihr Charakter; 2) die Situation, wenn wir das Wort im weitesten Sinne nehmen, als Inbegriff einerseits der Handlungen und Reden, die jener Gestalt zugeschrieben werden, andererseits der Schicksale, die sie erlebt. Für die Schicksale, die von aussen an sie herantreten, liegt die Bezeichnung „äussere Situation" nahe; ihre Handlungen und Reden, überhaupt alle Thätigkeit, die von ihr ausgeht, erlaube ich mir durch den Ausdruck „innere Situation" zusammenzufassen. An dieser „inneren Situation" liesse sich wieder eine formale und eine inhaltliche Seite unterscheiden. Zu ersterer gehören Kostüm, Mienen- und Geberdenspiel, die Form der Rede (Sprechen oder Singen), Rhythmus, Klang der Worte, überhaupt alle von der betreffenden Person willkürlich herbeigeführten äusseren Begleitumstände der eigentlichen

Reden und Handlungen, zu letzterer der Inhalt dieser Reden
und Handlungen selbst. — Beide Bestandteile, Charakter
und Situation, erscheinen im einzelnen Falle stets eng mit
einander verbunden, so dass der eine den andern mit Notwendigkeit voraussetzt. Ein Charakter kann gar nicht unmittelbar dargestellt werden, sondern kommt erst mittelbar,
in den der betreffenden Person beigelegten Handlungen
und Reden, also in der „inneren Situation" zum Vorschein.
Die „äussere Situation" wird oft gleichfalls durch den
Charakter herbeigeführt; insbesondere ist die Behandlung,
die ein Mensch von andern Menschen erfährt, zum grossen
Teil eine Folge seines Charakters und seines daraus ent-
springenden Benehmens gegen jene. Unter Umständen
ist zwar die „äussere Situation" auch unabhängig vom
Charakter, an den sie sich knüpft, ein blosses Spiel des
Zufalls, ein unverschuldetes Unglück, ein unverdientes
Glück; aber in der Art und Weise, wie die einzelne Persönlichkeit ihr zufälliges Schicksal aufnimmt, in ihren dadurch hervorgerufenen Handlungen und Reden, offenbart
sich doch wieder ihr Charakter. Wir können uns auch
keine Dramengestalt denken, bei der etwa nur Charakter
und „innere Situation" vorliegen, die „äussere Situation"
hingegen wegfällt; deren Vorhandensein wird schon dadurch bedingt, dass auch noch andere Personen im Stück
auftreten, und zu jener Gestalt in einem bestimmten Verhältnis stehen.

Sind also Charakter und beide Arten der Situation
unentbehrliche Bestandteile einer jeden Gestalt, so ist
doch im einzelnen Falle der Grad der Wichtigkeit des
einen oder des andern Bestandteils sehr verschieden. Es
kann der Charakter zur Hauptsache werden, und die damit verbundene Situation nur insoweit in Betracht kommen,
als sie dazu dient, jenen zu erläutern. Haben wir es mit
einem komischen Charakter zu thun, so herrscht in obigem
Falle Charakterkomik vor. Sie bildet ein Kennzeichen
vieler feinerer Lustspiele. — Es kann aber auch die
„äussere Situation" das Übergewicht erlangen, und der

1*

Charakter als deren Träger sich nur noch ganz nebenbei, und zwar deshalb geltend machen, weil nun einmal Situation und Charakter unlösbar mit einander verbunden sind, und auch die „äussere Situation" gegenüber dem Charakter niemals völlige Selbständigkeit erlangen kann, wenn auch freilich ihr Verhältnis zu diesem nicht immer das der Wirkung zur Ursache ist. Ist die „äussere Situation" von komischer Art, so ergiebt sich aus ihrem Übergewicht das, was wir gewöhnlich schlechthin Situationskomik nennen, aber genauer als „Komik der äusseren Situation" bezeichnen müssten. Wir finden diese Art der Komik in den meisten Possen. — Endlich kann aber auch die „innere Situation" in den Vordergrund treten, Charakter und „äussere Situation" zur Nebensache werden; wenn die so in ihrer Bedeutung erhöhte „innere Situation" komisch ist, entsteht eine dritte, sowohl von der Charakterkomik als auch von der Situationskomik im engeren Sinne verschiedene besondere Art der Komik, die „Komik der inneren Situation", oder, wie man auch sagen kann, die Komik der lustigen Person.

Natürlich lassen sich innerhalb jeder einzelnen der drei eben aufgestellten Arten der Komik zahlreiche Abstufungen unterscheiden, je nach dem verschiedenen Grade der Wichtigkeit, der im einzelnen Falle dem vorherrschenden Bestandteil zukommt. Auch ist es unmöglich, feste Grenzen zwischen jenen drei Arten zu ziehen: manche Gestalten stellen Übergänge von der einen zur andern Art, oder Mischungen mehrerer Arten dar[2]).

---

[2]) Nahe verwandt mit der Komik der lustigen Person ist die des lustigen Intriganten, die weiter unten ausführlicher besprochen werden soll. Beim Intriganten ist nicht die Persönlichkeit, sondern die Intrigue, also, wie bei der lustigen Person, die „innere Situation" die Hauptsache. Die Eigenart der Komik des Intriganten beruht nicht auf einem Übergangs- oder Mischungsverhältnis von der oben geschilderten Art, sondern vielmehr darauf, dass die lustige Intrigue einen Übergang vom Nichtkomischen zum Komischen darstellt. Je grösser bei diesem Übergang die Annäherung der Intrigue an das Komische ist, desto mehr gleicht die Komik des Intriganten der einer

Ausserdem kann im gleichen Stück an einer Gestalt die eine, an einer andern eine andere Art der Komik überwiegen.

In der vorliegenden Untersuchung beschäftigt uns zunächst allein die Komik der lustigen Person; die andern Arten der Komik gehen uns nur in dem Fall an, dass aus ihnen durch allmählichen Übergang jene Art der Komik hervorgeht. Während für den Übergang von der Komik der „äusseren" zu der der „inneren Situation" mir Beispiele nicht bekannt sind, ist es leicht, für den Übergang von der Charakterkomik zu der der „inneren Situation" Beispiele aufzufinden. Auf diesen Übergang müssen wir hier etwas näher eingehen.

Die komischen Charaktere stellen, mit wenigen Ausnahmen, irgend einen Typus dar[3]. Es giebt komische Typen von allen möglichen Arten: Standes- und Berufstypen, Alterstypen, Geschlechtstypen, Nationalitätstypen, Orts- und Zeittypen, Charaktertypen. Von welcher Art aber auch jede einzelne dieser Typenarten sein möge, im Grunde beruhen sie doch alle auf einem Charaktertypus. Immer sind es bestimmte Charaktereigenschaften, durch die an einer einzelnen Persönlichkeit ein Stand oder Beruf, ein Alter oder Geschlecht, ein Volk, eine Gegend, ein Ort oder eine Zeit gekennzeichnet werden. Der Bauer wird durch tölpelhafte Plumpheit charakterisiert, der Höfling durch schmeichlerisches Wesen; Geschwätzigkeit ist besonders dem Alter eigentümlich; Koketterie ist vor allem eine weibliche Eigenschaft; der Franzose wird als Windbeutel aufgefasst; der Jude ist geldgierig; der Rheinländer gilt als leichtblütig und lebenslustig; der Berliner ist durch seinen sarkastischen und gemütlosen Witz bekannt; der

---

lustigen Person. Schliesslich, bei völligem Abstreifen seiner nicht-komischen Bestandteile, fällt der lustige Intrigant mit einer lustigen Person zusammen.

[3]) Die wenigen Fälle, in denen ein komischer Charakter, z. B. der Sonderling, ein vorwiegend individuelles Gepräge trägt, kommen hier für uns nicht in Betracht.

Mensch des Mittelalters erscheint uns als naiv, kritiklos, und voller Vorurteile. Im weiteren Sinne ist also jeder Typus ein Charaktertypus; im engeren Sinne gehören zu den Charaktertypen der Prahlhans, der Schwätzer, der Geck, u. s. w.

Alle diese Typen verkörpern immer nur, wenn sie als komische Typen dargestellt werden, je einen einzelnen komischen Charakter. Sie vertreten das Komische in seinen besonderen Einzelformen, und sind unter einander qualitativ verschieden, durch die Unterschiede ihrer Eigenschaften. Fassen wir nun alle diese einzelnen komischen Charaktere als Gesamtheit zusammen, und stellen sie der Gesamtheit der möglichen lustigen Personen gegenüber, so ist der Unterschied nur ein quantitativer: theoretisch betrachtet, kann jeder einzelne komische Charakter dadurch, dass seine Komik über ein gewisses Mass hinaus gesteigert wird, zur lustigen Person, im weitesten Sinne, werden[4]). In diesem Sinne genommen, ist somit die lustige Person nicht an eine bestimmte Einzelform des Komischen gebunden, sondern kann unter gewissen Voraussetzungen jede beliebige dieser Einzelformen annehmen. Der Begriff „lustige Person" ist also viel umfassender und allgemeiner als der irgend eines jener komischen Einzeltypen; sein begrifflicher Umfang schliesst ja deren Gesamtheit in sich.

Versuchen wir nun, die Grenzlinie zwischen der Charakterkomik und der Komik der lustigen Person ungefähr zu bestimmen.

Bei der Charakterkomik ist das Charakteristische die Hauptsache; da die an den betreffenden Charakter sich knüpfende „innere Situation" nur dazu dient, jenen darzustellen und ins rechte Licht zu setzen, ist sie nicht Selbstzweck, sondern nur Mittel zum Zweck der Charakteristik. — Hingegen ist bei der lustigen Person

---

4) Damit soll nicht gesagt sein, dass in den verschiedenen Litteraturen alle jene theoretisch möglichen Übergänge von einem einzelnen komischen Charakter zur lustigen Person auch thatsächlich vor sich gegangen sind.

die Komik der „inneren Situation", ihres Thuns
und Redens, Selbstzweck. Es ist ihre Hauptaufgabe,
eine komische „innere Situation" zu schaffen, oder, mit
andern Worten, durch ihre Spässe das Publikum zu belustigen; sie ist eine eigens zu diesem Zweck bestimmte
Gestalt.

Der Übergang von der Charakterkomik zur Komik
der „inneren Situation" geht nun in der Weise vor sich,
dass d i e der betreffenden Gestalt im einzelnen Falle anhaftende Komik der „inneren Situation" über das
Charakteristische hinaus bis zum Selbstzweck gesteigert wird. Indem dies geschieht, gewinnt die „innere
Situation" dem Charakter gegenüber eine relativ selbständige Bedeutung; sie wächst diesem ihrem Träger gleichsam
über den Kopf. Da mithin bei der lustigen Person der
Charakter Nebensache ist[5]), verblasst er meist mehr oder
weniger, zuweilen sogar bis zur Farblosigkeit, und zwar
um so eher, je mehr jene ihre Hauptaufgabe, eine komische
„innere Situation" zu schaffen, betont wird.

Unter Umständen deckt sich die Charakterkomik mit
der Komik der „inneren Situation", nämlich wenn eine
Gestalt als Verkörperung der Lustigkeit („Mirth" in der
englischen Moralität Pride), oder als gewohnheitsmässiger
Spassmacher vorgeführt wird. Hierbei dient die Komik
der „inneren Situation", obgleich sie sich von der der
sonstigen lustigen Personen gar nicht unterscheidet, zunächst nicht dem Selbstzweck, sondern dem Zweck der
Charakteristik; aber die Gestalt selbst und damit auch
der Charakter ist schon von vornherein dazu bestimmt,
Komik der „inneren Situation" herbeizuführen. Solche
Fälle bilden also nur scheinbar eine Ausnahme von der
oben aufgestellten Regel.

Der Selbstzweck der Komik der „inneren Situation"
scheint mir bei den lustigen Personen den eigentlichen
Kernpunkt ihrer Verschiedenheit von der Komik des

___

[5]) Der Ausdruck „lustige Person" ist also eigentlich irreleitend;

Charakteristischen auszumachen. Nun ist allerdings oft eine sichere Entscheidung darüber, ob im einzelnen Falle jene Komik als Mittel zum Zweck der Charakteristik oder als Selbstzweck zu betrachten sei, schwierig, ja unmöglich. Das rein subjektive Ermessen lässt sich hier nicht immer vermeiden. Es giebt aber doch einige objektive Merkmale, die vielfach die Beurteilung des einzelnen Falles erleichtern.

Das gewöhnlichste Kennzeichen eines jenseits der Grenzen des Charakteristischen liegenden Selbstzwecks der Komik ist die Übertreibung. Je stärker sie an der „inneren Situation" hervortritt, desto eher ist der Selbstzweck von deren Komik offenbar.

Es giebt aber auch noch andere Merkmale für obigen Selbstzweck. Vielfach werden z. B. der aus einem bestimmten komischen Einzeltypus hervorgegangenen lustigen Person solche komische Züge beigelegt, die mit dem Charakter des betreffenden, ihr zu Grunde liegenden Einzeltypus wenig oder gar nichts zu thun haben. Tritt z. B. ein Bauerlümmel als Clown auf, so gehört die ihm zukommende Eigenschaft der Plumpheit noch zur Charakteristik des Bauerlümmels als des in diesem Falle vorliegenden Einzeltypus; treibt aber dieser Bauerlümmel seine improvisierten Spässe mit dem Theaterpublikum, so zeigt er sich eben in solchen nicht notwendig zu seinem Charakter als Bauerlümmel gehörigen Zügen als Clown, d. h. als lustige Person. Die vom Clown improvisierten Spässe mit dem Publikum liegen gleichsam auf einem in Bezug auf das für ihn als Bauerlümmel Charakteristische neutralen Boden: sie entsprechen weder, noch widersprechen sie seiner bäurischen Tölpelhaftigkeit. Dass ein derartiger Widerspruch vermieden werde, verlangt freilich die auch für die lustige Person, wenn auch weniger als für andere Gestalten, geltende künstlerische Forderung der Einheitlichkeit in der Charakterzeichnung. Völlig verfehlt wäre es also, auf einen als Clown verwendeten Lümmel, so lange dieser noch als Lümmel gelten soll,

die Komik eines geistreichen Witzboldes oder eines haupt-
städtischen Gecken zu übertragen. Im älteren englischen
Drama wird allerdings zuweilen gegen jene unumgängliche
künstlerische Forderung gesündigt. — Wo also, wie bei
den improvisierten Spässen des Bauerlümmels mit dem
Publikum, die Komik ausserhalb der Grenzen des für die
betreffende Gestalt als Einzeltypus notwendig Charakteristischen liegt, da ist ein sicheres objektives Merkmal
dafür gegeben, dass ein Fall von zum Selbstzweck gesteigerter Komik der „inneren Situation" vorliegt.

Mit obigen Ausführungen habe ich freilich nur das
ideelle Bild einer lustigen Person im Auge. Wie weit es
im einzelnen konkreten Falle einem Dichter gelingt, auch
wo er die Komik der sich an eine Person knüpfenden
„inneren Situation" bis zum Selbstzweck zu steigern beabsichtigt, diese Komik wirksam und kräftig auszugestalten,
das hängt natürlich ganz von der Individualität des Dichters,
besonders seiner Begabung für komische Darstellungen,
sowie von der zur betreffenden Zeit überhaupt erreichten
Kunststufe ab. Man muss sich also hüten, nur durch das
Ungeschick eines Dichters herbeigeführte Entgleisungen
der Charakteristik, Zerfahrenheit und Zusammenhangs-
losigkeit der komischen Charakterschilderung als Kennzeichen einer über das Charakteristische hinaus gesteigerten
Komik aufzufassen.

Mit der verschiedenen Wichtigkeit der Komik der
„inneren Situation": bloss Mittel zum Zweck der Charakteristik einerseits, Selbstzweck andererseits, hängt noch
ein weiterer Unterschied zwischen der Charakterkomik
und der Komik der lustigen Person zusammen: die
komischen Charaktere knüpfen in viel grösserem Mass
an das Leben an, als die lustige Person. Wenn auch
selbstverständlich eine Gestalt in der Litteratur nie völlig
unabhängig von der Wirklichkeit sein kann, so ist doch
der Grad dieser Abhängigkeit sehr verschieden. Die Urbilder der einzelnen komischen Charaktere sind in unend-
licher Mannigfaltigkeit und Fülle im Leben selbst vorhanden,

und werden von diesem in immer neuen Formen erzeugt.
Dem Dichter, der komische Charaktere schafft, dient das
Leben als nie versiegende Hauptquelle. — Hingegen liegt
es im Wesen der lustigen Person begründet, dass sie einer
realistischen, lebenswahren Ausgestaltung alles dessen, was
an ihr rein persönlich ist, widerstrebt. Auch sie knüpft
freilich durch den jeweiligen in ihr steckenden komischen
Einzeltypus an die Wirklichkeit an. Aber ob sie lebenswahr dargestellt ist oder nicht, darauf kommt es, wenn
die Komik der „inneren Situation" zum Selbstzweck geworden ist, ja gar nicht mehr hauptsächlich an; die lustige
Person hat, wenn sie nur ergötzt, ihren Zweck erfüllt;
mag sie lebenswahr gezeichnet sein oder nicht. Ihr persönlicher Charakter kommt eigentlich nur insofern in
Betracht, als er den Zweck hat, sehr verschiedenartige
komische Motive, denen oft jede innere Beziehung zu
einander fehlt, zu einer äusseren Einheit zusammenzufassen. — Ausserdem drängt auch die zum Selbstzweck
gewordene Komik der „inneren Situation" ganz von selbst
zu Übertreibungen. So führt das Prinzip des Selbstzwecks
dieser Komik immer wieder dazu, die lustige Person von
der Wirklichkeit zu entfernen.

Dies führt uns weiter zu folgenden Darlegungen. Der
Nachteil, der darin liegt, dass bei der lustigen Person der
Charakter nebensächlich ist, wird durch einen grossen
Vorteil aufgewogen. Die charakterisierende Komik ist
nämlich naturgemäss in der Auswahl ihrer Mittel be-
schränkt; gerade in der Beschränkung auf die im einzelnen
Falle passenden Mittel zeigt sich ja die Meisterschaft der
Charakterzeichnung. Dagegen kann die lustige Person
alles brauchen, was nur irgendwie rein komisch wirkt;
innerhalb der Sphäre des Reinkomischen [6]) sind ihre

komischen Mittel unbegrenzt. Die Komik der lustigen
Person wird daher weit eher und öfter ins Gebiet des
Grotesken[7]) hinüberschweifen, wo wir die Dinge in
einem alle normalen Verhältnisse völlig verzerrenden
Hohlspiegel erblicken, oder wo sogar aller Zusammenhang
mit der Wirklichkeit zu schwinden scheint. Gerade diese
groteske Komik der lustigen Person ist unter Umständen
von der allerstärksten Wirkung. Es können freilich auch
komische Einzeltypen in grotesker Zeichnung auftreten,
und sehr komisch wirken; aber diese komische Wirkung
wird dann doch in jedem Falle erkauft durch eine Einbusse an lebenswahrer Charakteristik. Solche grotesk-
komische Charaktere nähern sich eben durch ihre groteske
Komik den lustigen Personen.

Ferner noch ein Unterschied: das verschiedene Verhältnis der Charakterkomik und der Komik der „inneren
Situation" zur Satire. Die Satire als solche gehört nicht
in's Gebiet des Reinkomischen (vgl. Anm. 6); sie kann
aber einzelne reinkomische Bestandteile enthalten. Unser
Vergnügen an einer Satire hat sehr verschiedene Ursachen, von denen nur die wichtigsten hier genannt
seien: 1) Die Satire wird in witziger Form dar-

Genuss beeinträchtigen, und der Komik, die dabei immer noch in
reichlicher Menge vorhanden sein kann, einen herben Beigeschmack
verleihen. Jene erste Art nennen wir das Reinkomische oder
die freie Komik, die zweite Art ist das stofflich getrübte
Komische oder die unfreie Komik (nach der im W.-S. 1897/98
von Herrn Prof. Dr. Joh. Volkelt in Leipzig gehaltenen Vorlesung
über „Ästhetik des Tragischen und des Komischen"). Wenn es nun
die Hauptaufgabe der lustigen Person ist, durch ihre Spässe Heiterkeit zu erregen, so leuchtet ohne weiteres ein, dass die unfreie
Komik für eine solche Aufgabe ungeeignet ist, und nur das Reinkomische sich für die Zwecke der lustigen Person als brauchbar
erweist.

[7]) Als „grotesk" bezeichne ich mit Schneegans (S. 29 ff.) und
Lipps (S. 170) „die komische Darstellung, für welche die Karikatur,
die Übertreibung, die Verzerrung, das Unglaubliche, das Ungeheuerliche, das Phantastische das Mittel zur Erzeugung der komischen
Wirkung ist."

geboten. Wir freuen uns über diese witzige Form. Der
Witz in der Satire stellt das Reinkomische in ihr dar,
und befriedigt unser Bedürfnis nach Komik. — Jede
Satire enthält aber auch eine Tendenz; diese gehört zu
den stofflichen Bestandteilen, die eine Trübung der Komik
bewirken. Freilich kann auch jene Tendenz uns Vergnügen gewähren; nur hat ein solches Vergnügen mit der
Lust an der Komik nichts zu schaffen. 2) Die satirische
Tendenz ist gegen die Schlechtigkeit im Menschen überhaupt, oder gegen den einzelnen Vertreter des Schlechten
gerichtet. Dann befriedigt sie ein sittliches Bedürfnis.
Das Reinkomische liegt aber völlig ausserhalb des Bereichs der Ethik. 3) Die Satire befriedigt ein persönliches
Interesse; dies geschieht nicht nur, wenn sie unsern persönlichen Feinden gilt, sondern auch, wenn sie sich gegen
eine Gemeinschaft oder einzelne Glieder derselben wendet,
die der engeren oder weiteren Gemeinschaft, in der wir
selbst leben, irgendwie feindlich gegenübersteht. Die
politische Satire unserer Witzblätter gegen die Franzosen
oder Engländer z. B. befriedigt unser deutsches National-
bewusstsein. Dagegen ist es gerade eines der Merkmale
des Reinkomischen, dass das Vergnügen, das uns dadurch
gewährt wird, von durchaus unpersönlicher Art ist, dass
unsere persönlichen Interessen in keiner Weise daran beteiligt sind. — Aus alledem ergiebt sich nun folgendes:
Die komischen Einzeltypen sind durch ihre unmittelbaren
Beziehungen zum wirklichen Leben besonders geeignet für
satirische Darstellungen. Sie werden natürlich häufig auch,
ohne Beimengung satirischer Züge, rein komisch gezeichnet;
es kann aber auch jeder einzelne komische Charakter in
satirischer Beleuchtung vorgeführt werden. — Dem widerstreitet die lustige Person. Da der Begriff der Satire von
dem des Realismus unzertrennlich, die lustige Person
aber ihrem innersten Wesen nach eigentlich unrealistisch
ist, eignet sie sich als Person nicht dazu, eine
typische Gestalt aus dem Leben in satirischer
Weise zu verkörpern. Ja sie lässt sich nicht ein-

mal zu satirischen Nebenzwecken, zur Satire auf
andere Personen und ausserhalb ihr selbst liegende Verhältnisse gebrauchen. Wo solche Neben-
zwecke doch hervortreten, wie beim Narren in Lr., da
empfinden wir das als Störung der Komik. Eine so gross-
artige Gestalt dieser Narr auch ist, seine schneidende
Bitterkeit entfernt ihn doch recht weit von einem Narren
im gewöhnlichen Sinne, von einer lustigen Person. Wie
durch die Beigabe grotesker Komik der komische Einzeltypus einer lustigen Person näher kommt, so erhält umgekehrt die lustige Person einen Anstrich von Charakterkomik, wenn sie anfängt, die Geissel der Satire zu
schwingen, und noch mehr, wenn sie einem Typus des
wirklichen Lebens in satirischer Weise angeglichen wird.
Indem die lustige Person als Satiriker auftritt, nähert sie
sich z. B. mehr oder weniger dem Typus des cynischen
Witzboldes. Dass die lustige Person sehr oft den Dichtern
zum Sprachrohr der Satire dient, ändert also nichts an
der Giltigkeit obiger Bemerkungen. Je mehr in der Satire
die reinkomischen Bestandteile zurücktreten, und die eine
reinkomische Wirkung hemmende Tendenz betont wird,
desto weniger ist die Satire für die Rolle der lustigen
Person verwendbar. Und umgekehrt, je harmloser die
Komik der lustigen Person ist, desto eher bleibt sie
ihrem eigenen Wesen getreu, desto vollkommener ist der
ästhetische Genuss, den sie uns bereitet, natürlich vorausgesetzt, dass ihre harmlose Komik zugleich genügende
Kraft besitzt.

Um das Komische in seine Unterarten einzuteilen,
sind sehr verschiedene Einteilungsgründe möglich. Wenn
man von der Wirkung ausgeht, die durch das Komische
hervorgebracht wird, lassen sich die beiden Gattungen
des Reinkomischen und des stofflich getrübten
Komischen unterscheiden (vgl. Anm. 6). Das Reinkomische zerfällt wieder in das Derbkomische, das ein
herzhaftes Lachen hervorruft, und das Feinkomische,
dessen physiologische Wirkung das Lächeln ist. Welche

dieser beiden Arten des Reinkomischen in der Rolle einer lustigen Person zur Verwendung gelangt, das hängt von der Geschmacksrichtung des Dichters und des Publikums, überhaupt vom Kulturzustand der betreffenden Zeit ab. Dass z. B. im ältesten englischen Drama das Derbkomische allein Geltung hat, ist für jene noch recht rohe Zeit ganz natürlich. — Zu den Unterarten des Derbkomischen gehören das Possenhafte, das Burleske und das Groteske (vgl. Anm. 7). Unter „possenhaft" verstehe ich mit Lipps (S. 169) die Komik, die sich aus der zur Anschauung gebrachten Dummheit ergiebt. „Burlesk" nenne ich mit Schneegans (S. 33 ff.) und Lipps (S. 170) die durch „unmittelbare Aneinanderrückung des Erhabenen und des Nichtigen" entstehende Komik, die in der Litteratur in den beiden Unterarten der Parodie und der Travestie zur Darstellung gelangt.

Wir haben oben (vgl. S. 3 ff.) Charakterkomik, Situationskomik im engeren Sinne und Komik der lustigen Person unterschieden, wobei der in den einzelnen Fällen verschiedene Grad der Wichtigkeit des komischen Charakters oder der beiden Arten der komischen Situation den Einteilungsgrund darbot.

Wir unterscheiden ferner formale und inhaltliche . Komik (vgl. S. 2 ff.). Singt jemand z. B. mit krähender Stimme ein Lied, das keinen komischen Inhalt hat, so liegt bloss formale Komik vor; ist aber das Lied selbst komisch, die Stimme des Sängers aber nicht, so haben wir es mit einer bloss inhaltlichen Komik zu thun. Natürlich können beide Arten der Komik auch vereint auftreten. Alle Wort- und diejenigen Klangspiele, die mit einem Sinnspiel verbunden sind, stellen eine solche Vereinigung beider Arten dar, während die Klangspiele ohne Sinnspiel bloss formale Komik enthalten.

Wir können die Komik auch nach ihrem verschiedenen Verhältnis zu der Person, an die sie sich knüpft, einteilen, nämlich je nachdem diese Person sich der von ihr erzeugten Komik bewusst oder nicht bewusst ist, oder je nachdem sie diese Komik gewollt oder nicht gewollt hat. Danach unterscheiden wir bewusste oder unbewusste, freiwillige oder unfreiwillige, subjektive oder objektive, aktive oder passive Komik. Natürlich können sich die verschiedenen Einteilungsgründe auch gegenseitig kreuzen. Die aktive Komik kann z. B., ebenso wie die passive, derb oder fein sein. Die gewöhnlichsten Mittel der derben aktiven Komik auf den Anfangsstufen der dramatischen Kunst sind Prügel und Schimpfworte. Diese können, wenn sie ein bestimmtes Mass der Derbheit überschreiten, überhaupt aufhören, komisch zu wirken. Ebenso verfehlen auch andere zur aktiven Komik gehörige Motive, wie der Spott und der Schabernack, eine komische Wirkung gänzlich, der Spott, wenn er in giftigen Hohn, der Schabernack, wenn er in eine bösartige Intrigue ausartet; andererseits können sie aber auch in der Form der harmlosen Neckerei sich dem Feinkomischen nähern, oder gar in dieses übergehen. In allen obigen Fällen, in denen die komische Wirkung verfehlt wird, handelt es sich um stoffliche Trübungen des Reinkomischen (vgl. Anm. 6). — Ferner ist zur aktiven Komik, zur derben sowohl als zur feinen, vor allem der absichtliche Witz zu rechnen, der sehr verschiedenartige Formen annehmen kann, und sich im Drama Shakespeare's und seiner Zeitgenossen besonders gern in die Form des Wortspiels kleidet. Witz und Wortspiel können eine Spitze gegen andere Personen enthalten; oft sind sie aber auch ohne jede Beziehung auf eine bestimmte Person, blosse Übungen einer geistigen Gymnastik, und gerade dieser völlig tendenzlose unpersönliche Witz gewährt am ehesten, wenn auch alle sonstigen Bedingungen erfüllt sind, einen reinen ästhetischen Genuss. Dadurch, dass Witz und Wortspiel nicht notwendig bestimmte Personen zu treffen brauchen, unterscheiden sie sich von den Prügeln und Schimpfworten, dem Spott und Schabernack, wo immer zwei aus einer oder mehreren Personen bestehende Parteien, eine handelnde und eine leidende, sich gegenüberstehen [8]). Erstere vertritt in solchen Fällen die aktive, letztere die passive Komik. Wirklich komisch können aber obige Motive nur dann wirken, wenn die angegriffene Person oder Partei den Eindruck in uns erweckt, als verdiene sie es, andern als Zielscheibe zu dienen, kurz wenn sie durch irgend welche mehr oder weniger lächerliche Eigenschaften Angriffe herausfordert. Ein edler oder gar ein erhabener Charakter ist durchaus ungeeignet, als Träger einer passiven Komik verwendet zu werden.

Von obiger Art der passiven Komik, die nur das Correlat der aktiven Komik einer andern Person darstellt, zur Komik der „äusseren Situation" gehört, und als passive Komik im engeren Sinne bezeichnet werden kann, ist eine andere Art jener Komik zu unterscheiden, bei der es keines Correlats einer aktiven Komik bedarf, die vielmehr unabhängig von einer solchen von ihren Vertretern unmittelbar an den Tag gelegt wird, und als passive Komik der „inneren Situation" zu gelten hat. Hieher gehören zunächst alle die zahlreichen komischen Eigenschaften und Einzelmotive, die wir im Begriff des Lächerlichen zusammenzufassen pflegen. Das Vorhandensein des Lächerlichen ist zwar, wie schon betont wurde, auch für jene andere Art der passiven Komik eine notwendige Grundlage, aber noch nicht wie hier der eigentliche Kern der Komik. Solche lächerliche Eigenschaften sind z. B. Dummheit, physische oder geistige Plumpheit, Feigheit, deren Lächerlichkeit durch Prahlsucht noch gesteigert werden kann, die aber auch ohne eine solche Steigerung auftritt, Eitelkeit u. s. w.; Einzelmotive des Lächerlichen liegen in allen den zahlreichen Fällen vor, in denen sich die lächerlichen Eigenschaften im einzelnen äussern. — Es giebt jedoch auch passiv-komische Eigenschaften, die nicht

---

[8]) Der Spott über bestimmte menschliche Fehler im allgemeinen ist nur scheinbar eine Ausnahme; denn auch wenn jemand z. B. über die Eitelkeit im allgemeinen spottet, so richtet sich dieser Spott im Grunde doch gegen die Gesamtheit aller eitlen Menschen, also auch gegen Personen.

notwendig lächerlich zu sein brauchen, z. B. die Naivetät.
Das Lächerliche an Personen (mit persönlicher Komik
haben wir es ja überhaupt hier allein zu thun) setzt immer
zugleich den Begriff des Geringzuschätzenden oder gar
des Verächtlichen voraus; ein naiver Mensch kann aber
unter Umständen gerade unserer höchsten Wertschätzung
würdig sein.

Während die aktive Komik immer freiwillig oder subjektiv ist, deckt sich die passive nicht mit der unfreiwilligen oder objektiven Komik. In den oben angeführten
Fällen ist die passive Komik unfreiwillig. Es giebt
aber ausserdem auch eine freiwillige passive Komik.
Es kann nämlich jemand eine lächerliche Eigenschaft, die
er in Wirklichkeit gar nicht besitzt, zum Zweck der Komik
erheucheln. Hier kommt vor allem die zu diesem Zweck
erheuchelte Dummheit in Betracht, ein Motiv, das gerade
von den lustigen Personen mit Vorliebe verwertet wird.
Jener Zweck kann auf vielen verschiedenen Wegen erreicht werden. Das Erheucheln lächerlicher Eigenschaften
ist für vorliegende Untersuchung ganz besonders wichtig,
da in den meisten Fällen ein Selbstzweck der Komik der
„inneren Situation" damit verknüpft ist.

Die absichtliche passive Komik kann aber auch ohne
das Erheucheln einer lächerlichen Eigenschaft dadurch
zustande kommen, dass jemand Scherze über sich selbst,
zu seinen eigenen Ungunsten macht, also die beiden Cor-
relate der aktiven und der passiven Komik in sich vereinigt. Wir könnten diese Art der freiwilligen passiven
Komik noch genauer „reflexive Komik" nennen, wenn
es erlaubt ist, grammatische Bezeichnungen auf das Gebiet
ästhetischer Kategorien zu übertragen.

Die absichtliche passive Komik teilt mit der aktiven
die Eigenschaft der Absichtlichkeit, mit der unabsichtlichen passiven Komik die der Passivität. So bildet sie
das vermittelnde Bindeglied zwischen den beiden Gegensätzen der (stets freiwilligen) aktiven und der unfreiwilligen
passiven Komik. Auch hier ist es unmöglich, die drei

Arten der Komik genau gegen einander abzugrenzen; zahlreiche Abstufungen führen unmerklich von der einen zu einer andern hinüber. Die aktive Komik kann auch ohne das Zwischenglied der freiwilligen direkt in unfreiwillige passive Komik übergehen, indem der Charakter ihres Trägers eine Beimengung von Lächerlichkeit erhält. Es ist mitunter schwer zu entscheiden, in welcher Art der Komik ein bestimmtes einzelnes Motiv unterzubringen sei. Eine solche Schwierigkeit bereiten z. B. die Missverständnisse. Sehr oft ist es unmöglich, zu erkennen, ob das betreffende Missverständnis als von der Person, die es sich zu Schulden kommen lässt, beabsichtigt oder nicht beabsichtigt hingestellt werden soll. Hier hilft meist nur eine Vergleichung mit dem Gesamtcharakter der Komik jener Person: ist diese Komik von vorwiegend objektiver Art, so lässt sich das betreffende Missverständnis, wenn keine andern Gründe dagegen sprechen, gewöhnlich als ein unabsichtliches auffassen; beim Vorherrschen der subjektiven Komik ist Absichtlichkeit des Missverständnisses anzunehmen. Aber auch wenn das Missverständnis ohne Weiteres als absichtliches erkennbar ist, macht seine Beurteilung häufig Schwierigkeiten. Hierbei kommt es vor allem auf den Zweck eines solchen Missverstehens an: wenn die betreffende Person damit Dummheit erheucheln will, ist das Missverständnis zur freiwilligen passiven Komik zu rechnen; unter Umständen gehört aber das absichtliche Missverständnis sogar ins Gebiet der aktiven Komik, nämlich wenn derjenige, dessen Worte missverstanden werden, dadurch geneckt oder geärgert werden soll, oder wenn der Angeredete auf obige Weise einen für ihn selbst unbequemen Sinn der an ihn gerichteten Worte von sich abwälzt. — Ähnlich ist das im älteren englischen Drama häufige Motiv des unabsichtlichen oder absichtlichen Unsinnsprechens zu beurteilen. Geschieht dies im Selbstgespräch, so kann ein solcher mittelbar an die Zuschauer gerichteter absichtlicher Unsinn gewöhnlich als ein Motiv der freiwilligen passiven Komik gelten; wird aber eine andere Person des Stückes mit solchen sinnlosen Worten angeredet und so geneckt, so dürfen wir diesen Unsinn oft als ein aktiv-komisches Motiv hinstellen.

Wo bei der lustigen Person aktive Komik vorliegt, lässt sich diese Person, insofern es ihre Aufgabe ist, komische Verwickelungen herbeizuführen, unter den komischen Einzeltypen am ehesten mit dem des mehr oder weniger harmlosen Intriganten vergleichen[9]). Doch dürfen wir einen wichtigen Unterschied nicht übersehen. Die Verwickelungen, die jener Intrigant anstrebt oder erzielt, sind von grösserer Tragweite, als die von der lustigen Person hervorgerufenen Verwickelungen. Jene können den Kern des ganzen Stückes bilden, oder wenigstens den Mittelpunkt einer umfangreichen Nebenhandlung, und selbst wo der harmlose Intrigant nur eine Reihe von einzelnen kleinen Verwickelungen schafft, pflegen diese alle einer grösseren gemeinsamen intriguenartigen Grundidee zu dienen, die sie unter einander verbindet. Bald liegt also eine einfache Intrigue vor, bald ist sie aus mehreren Gliedern zusammengesetzt. Die Intrigue ist jedenfalls die Hauptsache; die dadurch herbeigeführte Komik ist eine blosse Begleiterscheinung der Intrigue. — Die komischen Verwickelungen, die von der lustigen Person ausgehen, haben mit dem Gesamtverlauf des Stückes kaum jemals etwas zu thun; sie pflegt nur augenblickliche kleine Verwickelungen zu schaffen, die sofort wie Seifenblasen zerplatzen, ohne irgend eine nachhaltige Wirkung zu hinterlassen. Kein gemeinsamer intriguenartiger Gesamtplan verbindet diese einzelnen kleinen Verwickelungen; gemeinsam ist ihnen allen nur der Zweck der Belustigung. Wieder ist also hier die Komik Hauptsache; die Intrigue als solche kommt kaum in Betracht, weil sie gar zu harmlos, zu wenig folgenschwer ist. — Wir sehen, wie leicht trotz des

---

[9]) Der durchaus bösartige Intrigant kommt hier natürlich überhaupt nicht in Betracht, da er gar nicht zu den komischen Charakteren gehört (vgl. auch Anm. 2).

2*

angeführten Unterschiedes der harmlose Intrigant in eine
lustige Person übergehen kann, und umgekehrt. Es braucht
bloss die Harmlosigkeit des Intriganten noch gesteigert,
den Wirkungen seiner Intrigue alle Nachhaltigkeit genommen zu werden, so verwandelt sich der Intrigant in
eine lustige Person; durch das entsprechende Verfahren
in entgegengesetzter Richtung wird die lustige Person zum
mehr oder weniger harmlosen Intriganten. Ein solcher
hier nur theoretisch hingestellter Übergang hat im englischen Drama auch thatsächlich einmal stattgefunden, in
der Gestalt des Vice der Moralitäten, der sich allmählich
aus einem ursprünglichen Vertreter des Lasters, also einer
Art von bösartigem Intriganten, durch die Zwischenstufe
des harmlosen Intriganten hindurch, zur lustigen Person
entwickelte.

Wie alle organischen Gebilde physischer oder geistiger
Art, sind auch die Typen in der Litteratur fortwährenden
Veränderungen unterworfen, in stetiger geschichtlicher
Entwickelung begriffen. Bei den komischen Einzeltypen
ist dies ohne weiteres klar, da sie ja immer an das Leben
anknüpfen, und dieses selbst seine Formen ewig wechselt.
Die einzelnen typischen Charaktere folgen somit der kulturgeschichtlichen Entwickelung der ganzen Menschheit, oder
eines einzelnen Volkes. — Aber auch die Anschauungen
über das, was überhaupt als komisch zu gelten hat, wechseln
mit dem ewig wandelbaren Zeitgeist: manches, was in
einer rohen Zeit als reinkomisch empfunden und belacht
wurde, hält das reifere Urteil einer späteren, höheren
Kulturstufe für plump und abgeschmackt, oder gar für
durchaus ungeniessbar[10]), so dass es nun aus dem Gebiet
des Reinkomischen völlig ausscheidet. So verschieben sich
beständig die Grenzen des Reinkomischen, speziell des
Derbkomischen, durch Einschränkung dessen, was als

---

[10]) Auch zu derselben Zeit ist die Fähigkeit, die derbste Komik
als komisch zu empfinden, unter den verschiedenen Ständen verschieden: sie ist bei einem Gebildeten geringer als bei einem Un- ·
gebildeten.

ästhetisch zulässig gilt. Daher unterliegt auch die Gestalt
der lustigen Person kulturgeschichtlich bedingten Veränderungen. Die Veränderungen, welche die lustige Person
durchmacht, sind aber natürlich nur teilweise aus Ver-
feinerungen oder überhaupt Wandlungen des künstlerischen
Geschmacks herzuleiten. Manche dieser Veränderungen
sind nicht kulturgeschichtlichen, sondern bloss litterarischen
Ursprungs. Ist einmal aus einem bestimmten komischen
Einzeltypus eine lustige Person hervorgegangen, so kann
sich diese. wie überhaupt jede typische Gestalt in der
Litteratur, als selbständiges Gebilde von sich aus weiter
entwickeln, so dass es nicht bei jeder folgenden nach dem
Muster jener lustigen Person geformten Gestalt eines
Zurückgreifens auf den betreffenden zu Grunde liegenden
Einzeltypus bedarf. So entstehen auch für die lustige
Person bestimmte Typenreihen, wobei das jüngere Glied
an ein älteres anknüpft. Dass durch eine solche rein
litterarische Entwickelung der ohnehin schon bei der
lustigen Person nicht sehr enge Zusammenhang mit dem
wirklichen Leben nur noch mehr gelockert wird, liegt auf
der Hand.

Die lustige Person liegt nicht von vornherein als
fertige Rolle vor; und wenn einmal ein Einzeltypus zu
dieser Rolle ausgebildet worden ist, bleibt er innerhalb
derselben nicht unverändert. Wie der einzelne komische
Charakter sich zu einer bestimmten Unterart der lustigen
Person entwickeln kann, so kann auch umgekehrt eine
solche Unterart im Laufe ihrer Entwickelung wieder in
mehrere komische Einzeltypen zerfallen.

Nach den allgemeinen Merkmalen, die wir oben (S. 6 ff.)
für alle überhaupt möglichen lustigen Personen festgestellt
haben, wäre der Begriff „lustige Person" also zu definieren:
eine lustige Person ist eine solche Person, bei
der die Komik der „inneren Situation" Selbstzweck, der Charakter dagegen Nebensache ist.
Theoretisch betrachtet, liegt für jeden komischen Einzeltypus die Möglichkeit vor, sich in eine lustige Person zu

verwandeln (vgl. S. 6). Wenn wir dagegen nur die in den verschiedenen Litteraturen vorliegenden thatsächlichen Verhältnisse ins Auge fassen, ist die eben gegebene Definition zu weit. Die lustigen Personen einer bestimmten einzelnen Litteratur knüpfen nämlich nicht an jeden beliebigen komischen Einzeltypus, sondern nur an eine beschränkte Anzahl ganz bestimmter Typen an, und zwar gewohnheitsmässig. Es ist klar, dass nicht alle komischen Einzeltypen in gleicher Weise zur Darstellung von lustigen Personen geeignet sind. Natürlich erscheinen zu diesem Zwecke solche Personen am geeignetsten, deren Urbilder im wirklichen Leben eine Funktion bekleiden, die mit der einer lustigen Person im Drama sehr nahe verwandt ist (Narr, Sot). Es giebt aber auch lustige Personen, deren Urbilder in der Wirklichkeit der Rolle eines Spassmachers ursprünglich durchaus fernstehen, bei denen der zu Grunde liegende komische Einzeltypus sich aber doch, durch bestimmte Ursachen begünstigt, schliesslich zu einem solchen Spassmacher entwickelt (Clown, Gracioso, Hanswurst, Badin, Arlecchino). Jene Ursachen liegen zumeist in den Kulturverhältnissen des betreffenden Landes und der betreffenden Zeit.

Shakespeare's Narren und Clowns sind beide bestimmte einzelne Arten der lustigen Person. Doch ist der Typus des Narren, vom geschichtlichen Standpunkt aus, zugleich eine dramatische Nachbildung der Gestalt des Hof- und Hausnarren, also eines komischen Einzeltypus, der dem Leben jener Zeit angehört. Der Clown vertritt ursprünglich die niederen Volksklassen in ihrer Berührung mit den höheren Ständen; er ist der Inbegriff all der komischen Eigenschaften, die, in den Augen der damaligen Aristokraten oder aristokratisch denkenden Dichter, einfachen Leuten anhaften, wenn sie mit Höherstehenden zusammentreffen; er ist also gleichfalls eigentlich ein besonderer komischer Einzeltypus. Da aber die Narren und Clowns des englischen Dramas zu Shakespeare's Zeit hauptsächlich dazu dienen sollen, die Zuschauer zum Lachen

zu reizen, da eine getreue Schilderung des Hof- und Hausnarrentums, oder des gemeinen Mannes der damaligen Zeit
mit jenen Gestalten gar nicht, oder höchstens nur nebenbei
beabsichtigt wird, haben wir gewiss ein Recht, die Narren
und Clowns als lustige Personen anzusehen. Allerdings
wird trotz alledem der in ihnen steckende ursprüngliche
Einzeltypus durch ihre Bestimmung, als lustige Personen
die Zuschauer zu ergötzen, nur selten völlig verdeckt; er
ist meist genügend bemerkbar, um sie nicht als lustige
Personen schlechthin[11]), sondern als zwei besondere Unterarten dieser Rolle erscheinen zu lassen.

Im engeren Sinne sind lustige Personen freilich nur
die Vertreter subjektiver Komik, also alle Spassmacher
von Beruf, und damit auch die Narren; dabei sind alle
diejenigen Züge, worin allein der persönliche Charakter
der betreffenden Gestalt, nicht ihr Spassmachertum zum
Vorschein kommt, als nicht zur Rolle einer lustigen Person
gehörig zu betrachten. Im weiteren Sinne können aber
auch die Darsteller objektiver Komik, wo diese Selbstzweck
ist, als lustige Personen gelten, demnach auch die Rüpel
des englischen Dramas.

Das Leben der Neuzeit kennt die Einrichtung des
Hof- und Hausnarrentums schon längst nicht mehr, und das
Verhältnis des niederen Volkes zu den höheren Gesell-
schaftsschichten hat sein früheres komisches Gewand ab-
gelegt, und sich zur tiefernsten sozialen Frage ausgestaltet.
So sind auch die Narren und Clowns aus dem Drama der
Gegenwart verschwunden. Nur noch der Zirkusclown ist
ein verkümmerter Überrest jener alten Dramengestalten;
er ist die wichtigste Art einer lustigen Person, die sich in
den Schaustellungen unserer Zeit erhalten hat. Wenn
wir von der Geschichte des Wortes und Begriffes „clown"
ganz absehen, ist der lustige Zirkusclown mit dem Berufs-

---

[11]) Solche Personen giebt es ja auch gar nicht: jede lustige
Person lässt sich immer auf einen bestimmten komischen Einzeltypus
zurückführen.

narren im englischen Drama des 16. und 17. Jahrhunderts viel eher wesensverwandt, als mit seinem damaligen Namensvetter, dem Clown jenes Dramas. Das Vergnügen, das uns ein guter Zirkusclown bereitet, vermittelt uns zugleich auf psychologischem Wege ein Verständnis für all das innige Behagen, womit das Theaterpublikum zur Zeit des „lustigen alten England" die Spässe der Narren und Clowns genossen haben mag, Spässe, die unsere verwöhntere Neuzeit oft nicht mehr zu würdigen imstande ist. Auch die Komik des heutigen Zirkusclowns besitzt die Eigenschaften, die ich oben als Kennzeichen der Komik der lustigen Person überhaupt hingestellt habe. Ein besonders lehrreiches Beispiel ist der Zirkusclown dafür, wie sehr die lustige Person sich als Person vom wirklichen Leben loslösen kann; denn ein Urbild für die Gestalt des Zirkusclowns bietet die Wirklichkeit der Gegenwart überhaupt nicht mehr.

Wenn auch die lustigen Personen in einer einzelnen Litteratur immer nur aus wenigen komischen Einzeltypen hervorgegangen sind, so sind doch gewöhnlich auch einige andere dieser Einzeltypen im Übergange zur lustigen Person begriffen, freilich ohne dass ein solcher Übergang schon ganz oder fast ganz abgeschlossen ist, wie beim Vice, und bei den Narren und Clowns. Es giebt unter jenen im Übergange zur lustigen Person begriffenen Einzeltypen auch wieder mannigfaltige Abstufungen, je nachdem wie weit im einzelnen Falle dieser Übergang vorgeschritten ist. Im ältesten englischen Drama bietet die Gestalt des Teufels das Beispiel eines solchen in sich noch unfertigen Übergangs; seine Entwickelung ist von ganz ähnlicher Art wie die des Vice (vgl. S. 20).

Die lustige Person im engeren Sinne, d. h. als Vertreter der subjektiven Komik, ist gewöhlich eine einzige Gestalt, die sich schon durch diese ihre Sonderstellung von allen andern Personen des betreffenden Stückes scharf unterscheidet, so dass es durchaus berechtigt erscheint, von ihr als von der lustigen Person jenes Dramas zu reden. So lange die Clowns des englischen Dramas noch hauptsächlich die objektive Komik vertreten, und somit als lustige Personen höchstens im weiteren Sinne anzusehen sind, kommt es freilich vielfach vor, dass die Rolle des Clowns im betreffenden Stücke nicht durch eine einzige Person, sondern durch eine ganze, allerdings in sich einheitliche und gleichartige Gruppe von Personen dargestellt wird (vgl. auch Anm. 1). Letzteres ist z. B. bei den Rüpeln in Shakespeare's Mids. der Fall. Der Clown entwickelte sich erst allmählich zu einer lustigen Person, im Gegensatz zum Narren, der gleich von vornherein als solche zu gelten hat. So lange jene Entwickelung noch nicht vollendet ist, begegnet daher in manchen englischen Stücken eine Mehrzahl auch von solchen Clowns, deren Komik vorwiegend subjektiv ist. Nachdem aber der Begriff „Clown" völlig im Begriff „lustige Person" aufgegangen war, erscheint auch der Clown stets als einzelne Gestalt. Dies veränderte Verhältnis des Clowns zum betreffenden Drama wird auch äusserlich dadurch hervorgehoben, dass allein der Clown als lustige Person *„the clown"* genannt wird, während ein noch im Übergang zu einer lustigen Person begriffener Clown nur *„a clown"* heisst.

Versuchen wir nun auf Grund unserer gewonnenen Ergebnisse die zu Anfang unserer Untersuchung (vgl. S. 2) gestellte Frage zu beantworten: „ist Falstaff eine lustige Person oder nicht?", so kann die Antwort nur lauten: nein, obgleich Falstaff sowohl in den betreffenden Königsdramen als auch in Wiv. unzweifelhaft die komische Hauptfigur darstellt. Zur Zeit Shakespeare's knüpft sich die Rolle der lustigen Person gewohnheitsmässig nur an die Narren und (in eingeschränktem Sinne) die Clowns. In jenen Königsdramen aber gehört Falstaff nach seinem litteraturgeschichtlichen Stammbaum, wenn bei einem so grossartig individuellen Charakter überhaupt noch vom Typischen geredet werden kann, zum Typus des „Miles gloriosus". Seine Komik ist hier vor allem Charakter-

komik; die Komik der „inneren Situation" ist in seiner
Rolle zwar sehr bedeutend, aber doch nicht Selbstzweck,
sondern dient dazu, ihn als genialen Witzbold zu kennzeichnen. In Wiv. dagegen, wo Falstaff als komischer
Einzeltypus übrigens eher Pantalone als Miles gloriosus
ist, tritt die Komik der „äusseren Situation" sehr stark
in den Vordergrund, und die der „inneren Situation"
eigentlich noch mehr zurück als in den Königsdramen.

Zunächst ist es die Aufgabe vorliegender Abhandlung,
nachzuweisen, wie die in den Narren und den Clowns des
eigentlichen englischen Dramas dargestellte Rolle der
lustigen Person schon auf den Vorstufen dieses Dramas,
in den Misterien, Mirakelspielen, Moralitäten und komischen
Zwischenspielen *(„merry interludes")* durch mancherlei
Gestalten vorbereitet wird[12]). In den beiden letzten Abschnitten sollen endlich die Narren und die Clowns selbst
vorgeführt werden.

[12]) Als Teufel und besonders als Vice greifen übrigens diese
Vorläufer der Narren und Clowns schon in das eigentliche Drama
hinüber.

II. Clownartige Gestalten in den Misterien und ältesten Mirakelspielen.

Obwohl auch die französischen Misterien der Komik einen weiten Spielraum gewähren, so sind doch die komischen Bestandteile im englischen Misteriendrama nicht nur zahlreicher, sondern ihre Komik auch zugleich derber und kräftiger. In der Menge der komischen Züge und in der Stärke ihrer Wirkung kommen die englischen Misterien den deutschen ungefähr gleich. Dagegen sind die Verhältnisse, die das Entstehen und die Fortentwickelung der Komik im geistlichen Drama bedingten, in Deutschland von anderer Art als in England. Auf die Komik der deutschen geistlichen Spiele haben die fahrenden Spielleute jedenfalls bedeutend eingewirkt, wenn es auch nicht gerechtfertigt ist, diese Komik mit Wirth (S. 201) ausschliesslich auf den Einfluss der fahrenden Leute zurückzuführen. In den englischen Misterien liegt ein Einfluss der Minstrels kaum vor, jedenfalls nicht in nennenswertem Umfange; denn in England fiel die Aufführung der Misterien, als sie den Händen der Geistlichkeit entglitten war, nicht den Spielleuten, sondern den städtischen Handwerkerzünften anheim.

An dem schon von vornherein als fertig gegebenen biblischen Stoff der Misterien kann sich die dichtende Phantasie nur in beschränktem Masse bethätigen. So weit dies aber geschehen ist, weisen die englischen Misterien, ebenso wie das geistliche Drama in Frankreich und Deutschland, ein nationales Gepräge auf. Nur hier und da, besonders in den Ch. Pl., sind Anklänge an das entsprechende Drama der Franzosen wahrzunehmen; nirgends aber sind in den englischen Misterien Einwirkungen anderer Litteraturen nachgewiesen[13]. Hier haben wir es nur mit solchen französischen Einflüssen zu thun, die an den u den Rahmen dieser Abhandlung gehörigen Gestalten hervortreten.

Der eben behaupteten verhältnismässigen Selbständigkeit der englischen Misterien widerspricht es keineswegs, dass ihre komischen Gestalten uns vielfach an die entsprechenden Personen im französischen und deutschen Drama erinnern. Die als Träger der Komik dienenden Personen sind ja in den genannten drei Litteraturen auch nur zum Teil identisch oder gleichartig, und selbst wo dieselben Gestalten in allen drei Litteraturen übereinstimmend mit komischen Zügen ausgestattet werden, erklären sich fast alle derartigen Übereinstimmungen, ohne dass eine unmittelbare Beeinflussung der einen Litteratur durch die andere angenommen zu werden braucht, aus der Gemeinsamkeit des Stoffes, die in den verschiedenen Ländern unabhängig von einander gleichartige Erscheinungsformen zeitigte[14].

Trotz des Reichtums an Komik, den die englischen Misterien besitzen, ist eine eigentliche lustige Person als besondere feststehende Rolle in ihnen nicht vorhanden. Natürlich war es nicht etwa der Ernst der heiligen Handlung, der ihr Auftreten verbot; diese Handlung ist ja, wie schon angedeutet wurde, vielfach mit Zügen derbster Possenhaftigkeit untermischt. Der Grund für ihr Fehlen liegt vielmehr einfach darin, dass sie noch nicht zu einer selbständigen Rolle ausgebildet war.

Zahlreich sind dagegen in diesen Misterien die Personen, die einzelne komische Typen darstellen, und als solche einer lustigen Person mehr oder weniger nahe

---

[13] Natürlich abgesehen von der mittellateinischen dramatischen Litteratur des eigenen Landes und der internationalen Legendendichtung in lateinischer Sprache.

[14] Vgl. auch Creizenach S. 361.

kommen. Teils sind diese Personen der Bibel entnommen[15]),
teils frei erfunden. Bestimmte Gestalten der biblischen
Geschichte werden mit Vorliebe mit komischen Zügen
ausgestattet. Bei den meisten dieser Gestalten bietet die
Bibel selbst einen gewissen Anhalt für die ihnen zugeschriebenen komischen Eigenschaften. Ohne schon in der
Bibel irgendwie als komische Charaktere gezeichnet zu
sein, tragen sie doch schon dort einen mehr oder weniger
deutlich hervortretenden Keim der Komik in sich, der nur
entwickelt zu werden brauchte. Wie nahe lag es z. B.,
die das Grab Christi bewachenden Soldaten als bramar-
basierende Feiglinge aufzufassen!

Jene in den englischen Misterien zu komischen Gestalten ausgearbeiteten Personen der biblischen
Geschichte gehören nach ihren Charakteren zu drei verschiedenen Gruppen: obenan steht ihrer Bedeutung nach
die Gruppe der bramarbasierenden Tyrannen, und,
diesen nahe verwandt, der prahlerischen und feigen
Soldaten; der zweiten Gruppe gehören die „bösen
Sieben" an[16]); die dritte besteht aus den rohen und
plumpen Bauerntölpeln und andern Lümmeln von
ähnlicher Art. Nur die letzte der eben genannten
Gruppen liegt innerhalb des Bereichs meines Themas, da
sie den Clowntypus des späteren Dramas vorbereitet. Damit ist nicht gesagt, dass die zu jener dritten Gruppe
gehörigen Lümmel auch als solche lustigen Personen besonders nahestehen. Komische Züge sind nur ungleich-
mässig unter diese Lümmel verteilt. Überdies ist ihre

---

[15]) Eine Hauptquelle der Misterien sind neben der Bibel auch
die Apokryphen. Für die vorliegende Untersuchung kommen sie
aber kaum in Betracht. Ihnen sind zwar einige Situationen entlehnt, die sich zum Zwecke der Komik ausbeuten liessen; aber von
den komischen Charakteren der Misterien lässt sich schwerlich auch
nur ein einziger auf die Apokryphen als seine eigentliche Quelle
zurückführen.

[16]) Nur vertreten durch Noah's Frau, die in allen Misteriensammlungen ausser den Co. Pl. als „Shrew" gezeichnet ist.

Komik grösstenteils von der charakterisierenden Art; und
auch wo sie über das Charakteristische hinaus gesteigert
wird, geschieht dies keineswegs in höherem Grade als
z. B. bei Herodes. Jene Lümmel kommen also hier
weniger wegen ihrer eigenen Komik in Betracht; ihre
besondere litteraturgeschichtliche Bedeutung beruht vielmehr vor allem darauf, dass der spätere Clowntypus an
sie anknüpft.

Zur Gruppe der Lümmel gehört zunächst die Gestalt
des Cain. Die vier Misteriensammlungen stellen ihn in
nicht ganz einheitlicher Weise dar. Die Co. Pl. und Ch. Pl.
bieten eine blosse Umschreibung der biblischen Erzählung.
In den Y. Pl. sehen wir Cain schon mit einigen komischen
Zügen ausgestattet. Den von Gott abgesandten Engel
behandelt er höchst unverschämt, indem er den Fluch, den
jener über ihn verhängt, auf dessen eigenes Haupt zurück-
schleudert. Am meisten ist Cain als komischer Charakter
in den T. Pl. ausgearbeitet, die überhaupt an wirksamen
komischen Bestandteilen am reichsten sind. Hier trägt
Cain schon ganz deutlich die Züge eines nordenglischen
Bauern, etwa aus dem 14. Jahrhundert. Als solcher wird
er mit nicht geringer Lebenswahrheit und Lebendigkeit
geschildert. Als mittelalterlicher Bauer ist Cain, ganz
seiner Rolle gemäss, überaus roh und plump, und dazu
auch gewaltthätig; auch die Komik, die er vertritt, entspricht im allgemeinen seinem bäurischen Wesen, und geht
nur selten über das für einen solchen Lümmel Charakteristische hinaus. Diese Komik ist natürlich von der aller-
niedersten Art; sie besteht hauptsächlich aus den unflätigsten Schimpfreden, besonders dem sanften Abel gegenüber, sowie Flüchen und Ohrfeigen, womit er seinen Knecht
reichlich bedenkt. Wenn aber Cain als Grund für diese
seine Freigebigkeit mit Ohrfeigen ganz unverfroren angiebt (p. 17): „*I dit it bot to use my hand*“, so scheint mir
darin ein vereinzeltes Pröbchen eines Selbstzwecks der
Komik zu liegen; noch mehr an einer andern Stelle, wo
Cain sich in einem Anflug von grotesker Titanenhaftigkeit

nicht scheut, selbst Gott zu verhöhnen, als dieser ihn zur
Mässigung gegen Abel mahnt (p. 14):

„Whi, who is that Hob[17]) over the walle?
We, who was that that piped so smalle? . . . .
God is out of hys wit."

Als rohe Lümmel werden auch die Folterer und
Henkersknechte dargestellt, die an Christi Marter und
Kreuzigung beteiligt sind. In den Co. Pl. wird die Passion
sehr kurz abgethan. Komische Züge fehlen, wenn wir
vom Tanzen der vier jüdischen Henkersknechte (hier als
„Judaei" bezeichnet) um das Kreuz, an dem der Heiland
hängt, im Stück „The Crucifixion of Christ" absehen; dies
Tanzen sollte jedenfalls, so ungeheuerlich dies uns auch
scheinen mag, komisch wirken. Auch bei den vier jüdischen
Henkersknechten der Ch. Pl. (ebenfalls „Judaei" genannt)
tritt nur wenig Komik hervor[18]). Die Y. Pl. behandeln
zwar die Passion Christi, besonders die Kreuzigung, ausführlich unter Ausmalung grobrealistischer Einzelheiten,
aber schicklicherweise ebenfalls noch ohne Beimischung
von Komik, durchaus im Gegensatz zu den T. Pl., die
sonst meist eine engere Verwandtschaft mit jener Misteriensammlung zeigen. In den die Passion Christi behandelnden
Stücken der T. Pl. spielen die Folterer („Tortores") eine
Hauptrolle. Die Roheit ihres Wesens war schon durch
ihre Rolle als selbstverständlicher Zug begründet. Blosse
Roheit kann aber niemals komisch wirken, auch nicht einmal in jenen naiv rohen Zeiten des Mittelalters[19]). Um

---

[17]) Typischer Name für einen Bauerlümmel.

[18]) Ein Zug rohester Komik liegt in den Worten des dritten
Juden, II 48, Zeile 14—17 v. o.

[19]) Selbst wenn das mittelalterliche Publikum, wie wir wissen,
über die Marter menschlicher Schlachtopfer lachte, galt dies Lachen
nicht eigentlich der rohen Handlung selbst, sondern den komisch
erscheinenden Gesichtsverzerrungen, Gliederverrenkungen und Angst-
schreien, über die ein roher Mensch lachen kann, weil er die Qualen,
die Ursache jener an sich durchaus komischen Erscheinungen, nicht
mit empfindet.

eine komische Wirkung zu erzielen, wurden daher zu der
Roheit dieser Folterer andere Züge hinzugefügt, die als
komisch gelten sollten, wenn sie auch freilich in unserer
Zeit nur noch einen verletzenden Eindruck machen können.
In der „Coliphizatio" (Misshandlung) treten zwei Folterer
auf, Lümmel der plumpsten Art. Während sie, unterstützt
von ihrem Knechte Froward, den Heiland mit Fäusten
schlagen, wechseln sie Scherzreden, die der Roheit ihrer
Handlung vollkommen entsprechen. Sie setzen Christus
auf einen niedrigen Schemel, um ihn bequemer ins Gesicht
schlagen zu können; wie der erste Folterer sagt, müssten
sie, wenn er aufrecht stände, um ihn herum hüpfen und
tanzen, wie Hähne auf einem Hühnerhofe. In der „Flagel-
lacio", wo drei Folterer den Herrn geisseln, tritt die Komik
zurück; die Erzählung schliesst sich hier enger an das
biblische Original an. Ebenso wenig ist die „Crucifixio"
komisch gehalten, an der vier Folterer betheiligt sind.
Eine stärkere Komik enthalten dagegen wieder die drei
Folterer im Stücke „Processus Talentorum". Sehr lebhaft
äussert jeder von ihnen seine Gier, den Mantel Christi zu
bekommen; der zweite, der sich selbst „Spille-payn"
(d. h. Schmerzzerstörer, wohl scherzhaft = Henker) nennt,
legt diese seine Gier sogar in recht übelriechenden Ausdrücken an den Tag, die offenbar, vom damaligen Standpunkt aus, komisch wirken sollten. Der dritte Folterer
kennzeichnet seine Gemütsart ausserdem auch durch die
Erklärung, nichts sei ihm so lieb, als eine Hinrichtung zu
vollziehen. Er gewinnt den Mantel im Würfelspiel, wird
aber von Pilatus gezwungen, seinen Gewinn diesem ab-
zutreten. Zum Schluss fallen alle drei Folterer ganz aus
ihrer Rolle: die beiden leer ausgegangenen schwören feierlich den Würfeln ab, und auch der von Pilatus so schnöde
behandelte Gewinner hält über die Verwerflichkeit des
Würfelspiels eine salbungsvolle Rede. Es liegt hier nicht
etwa die bekannte Politik des Fuchses den zu sauren
Trauben gegenüber vor; im Gegenteil, dieser überraschende
Schluss ist ganz ernst gemeint, und zeugt vom Ungeschick

des Dichters, einen Charakter folgerichtig durchzuführen,
oder, wo ein solcher eine Wandlung durchmacht, diese
Wandlung psychologisch zu begründen.

Bei diesen Folterern wird das Gebiet des Charakteristischen schon dadurch überschritten, dass sie überhaupt
komische Züge erhalten. An sich lag es doch viel näher,
das Entsetzliche ihrer Thätigkeit auch auf ihre Personen
zu übertragen, diese Gestalten als Furcht und Grauen
erregend aufzufassen. Dass sie auch wirklich so dargestellt worden sind, dürfen wir aus den Kostümanweisungen
schliessen, die sich auf ein zu Coventry von der Zunft der
Schmiede aufgeführtes Passionsspiel aus der ersten Hälfte
des 15. Jahrhunderts [20]) beziehen. Danach trugen die
Henker unter anderem Wämser aus schwarzem Steifleinen-
stoff, mit darauf gemalten oder geklebten Nägeln und
Würfeln [21]). Ein derartiges Kostüm hatte gewiss den Zweck,
den Henkern ein möglichst schreckliches Äusseres zu
geben. Wenn auch jene Kostümanweisung erst aus dem
15. Jahrhundert stammt, so dürfen wir doch annehmen,
dass eine solche Betonung des Furchtbaren und Entsetzlichen in den Gestalten der Folterer und Henker
gerade der älteren Anschauung entspricht, dass also in
den Misteriensammlungen, wo die Passion in durchaus
ernster Weise vorgeführt wird, in den Y. Pl., teilweise
auch in den Co. Pl. und Ch. Pl., die Henker gleichfalls
ein solches oder ähnliches grauenerregendes Kostüm zu
tragen pflegten. Verschiedene Gründe sprechen dafür,
dass die T. Pl. die jüngste der vier grossen Misteriensammlungen sind; ihr jüngerer Ursprung wird auch durch
die Komik bestätigt, die sich hier den Folterern anhaftet. Die
Entwickelung dieses Henkertypus ist der des Teufels im
englischen Drama parallel gegangen, der auch, wie wir
später sehen werden, aus einer ursprünglich schrecklichen

---

[20]) Dieses Spiel selbst ist verloren gegangen und nicht identisch
mit den entsprechenden Teilen der Co. Pl.

[21]) Sharp p. 16. Wülker S. 119.

allmählich zu einer komischen Gestalt wurde. Auch Cain
erlebte ähnliche Wandlungen; offenbar sind die Misterien,
in denen er einfach nach der Bibel geschildert wird, älter
als die andern, wo seine Person schon mehr oder weniger
mit komischem Beiwerk ausgeschmückt erscheint.

Viel mehr als Cain und die Folterer ähneln den
späteren eigentlichen Clowns die Hirten der Weihnacht.
In den Co. Pl., wo die beiden ersten Hirten Boosras und
Maunfras heissen, während der dritte nicht benannt ist,
enthält das Hirtenspiel kaum etwas Komisches. Höchstens
wäre als Kennzeichen ihrer bäurischen Einfalt zu erwähnen, dass die Hirten das „Gloria in excelsis deo" des
Engels in ihrer Weise sich zurechtlegen. Boosras behauptet, der Gesang habe „gle, glo, glory" gelautet,
während Maunfras „gle, glo, glas, glum" gehört zu
haben glaubt. Hierin erscheinen die komischen Wortverdrehungen von Shakespeare's Rüpeln schon im Keime
vorgebildet. Der dritte Hirte kommt der Wahrheit am
nächsten, indem er nur „glory" herausgehört hat.

In ausführlicherer Weise ist das Hirtenspiel in den
Ch. Pl. behandelt, wo es sich zu einem selbständigen
Genrebilde mittelalterlichen englischen Hirtenlebens erweitert. Die drei Hirten heissen hier Hancken, Harvye
und Tudde. Letzterer zeigt sich als Pantoffelheld: er
kocht eine Salbe für die Schafe, will aber nicht, dass seine
Ehehälfte Kenye etwas davon merke, und scheuert deshalb
die zum Kochen benutzte Pfanne sorgfältig wieder ab.
Er erklärt, die verheirateten Männer wüssten ja, dass sie
ihren Frauen zu gehorchen hätten. Da Essen, wie Tudde
meint, ihr bester Trost sei, nehmen sie eine recht üppige
Mahlzeit ein, bestehend aus ländlichen Leckerbissen. Nach
dem Mahle halten sie einen Ringkampf ab, wobei alle
drei nach einander von ihrem Knechte Trowle überwunden
werden. Das „Gloria in excelsis Deo" des Engels wird
von ihnen ebenso missverstanden wie von den Hirten der
Co. Pl.; nur wird ihr komisches Missverständnis hier
genauer ausgemalt. Als sie in Bethlehem angelangt sind,

will Hancken den Knecht Trowle zuerst bei Maria und
dem Christuskinde eintreten lassen; Harvye macht ihn
aber darauf aufmerksam, dass er, Hancken, als ältester
von ihnen den Vortritt haben müsse.

In den Y. Pl. entbehren die Hirten der Komik; die
kurze schlichte Erzählung beruht ganz auf der Bibel, ohne
irgend welche Ausschmückungen und Erweiterungen zu
komischem Zwecke.

Wieder gewähren die T. Pl. die weitaus reichste Aus-
beute an Komik. Während die andern Misteriensammlungen
sich mit einem Hirtenspiel begnügen, enthalten die T. Pl.
zwei. Das zweite Hirtenspiel ist nicht eine Fortsetzung
des ersten, sondern beide führen unabhängig von einander
die Hirten auf dem Felde und das Erscheinen des Engels
vor, laufen also einander parallel. Nur noch sehr lose
hängt die komische Handlung dieser Hirtenspiele mit dem
Faden der biblischen Erzählung zusammen. Letztere wird
besonders im zweiten Hirtenspiel völlig zur Nebensache;
daher tritt auch der Selbstzweck der Komik in diesem
besonders stark hervor.

Im ersten Hirtenspiel begegnen drei Hirten, die, gleich
Cain, als nordenglische Bauern geschildert werden, und
die Namen Gyb, John Horne und Slowpace tragen.
Jene drei Hirten sind natürlich, als die richtigen Clowns,
die sie sind, lümmelhaft und gefrässig, und dabei von einer
rührenden Einfalt und Gutmütigkeit, die sie von der Roheit Cain's und der Folterer vorteilhaft unterscheidet.
Diese gemeinsamen Eigenschaften vereinigen die drei
Hirten zu einer einheitlichen Gruppe; doch nehmen wir
schon hier den Versuch wahr, die einzelnen Personen bei
all ihrer Ähnlichkeit individualisierend zu sondern. Natürlich gelingt dieser Versuch nur recht unvollkommen; aber
es ist immerhin bemerkenswert genug, dass schon auf der
frühesten Entwickelungsstufe des englischen Dramas ein
Anlauf zur Individualisierung gleichartiger Charaktere
gemacht wird. Slowpace spielt sich nämlich gleich bei
seinem ersten Auftreten als den beiden andern geistig

3*

überlegen auf. Er lässt die Genossen in einen leeren
Mehlsack hineinblicken, und veranschaulicht ihnen so die
Schwäche ihres Verstandes. Zwar wird er unmittelbar
darauf vom hinzukommenden Jak Garcio, ihrem Knechte,
mit den andern in denselben Topf geworfen; denn dieser
sagt (p. 88):

> *„Of alle the folys I can telle,*
> *From heven unto helle,*
> *Ye thre bere the belle."*

Aber auch später bemüht sich Slowpace, seine vermeintliche
oder thatsächliche Überlegenheit über die Gefährten hervor-
zukehren. Ganz an Shakespeare's Rüpel erinnert es uns,
dass er fremdartige Wörter, oder wenigstens solche, die
den andern nicht geläufig zu sein scheinen, in entstellter
Form gebraucht, so (p. 90) *„restorcte"* statt me. *restauratif,*
„appete" statt me. *appetit*[22]). Dies trägt ihm Gyb's Bewunderung ein; dieser erklärt, Slowpace spreche ganz wie
ein Gelehrter: er sei ja auch durch seine Gelehrsamkeit
bekannt. Werden wir hier nicht speziell an Shakespeare's
Ado gemahnt, wo Verges voll andächtiger Bewunderung
zu Dogberry's mächtigem Geist emporblickt? Wie ungeschickt aber bei alledem die Kunst des Verfassers noch
ist, geht z. B. daraus hervor, dass er den Slowpace später
(p. 94) zwei Verse von Vergil zitieren lässt. Im Bestreben,
Slowpace einen Anflug von Gelehrsamkeit zu geben, schiesst
er hier weit über das Ziel hinaus.

Das erste Hirtenspiel zeigt in zwei Punkten eine auffallende Ähnlichkeit mit dem entsprechenden Stücke der

---

[22]) Obige Wortformen glaube ich wenigstens so auffassen zu
dürfen; da sie durch den Reim gesichert sind, wäre es unstatthaft,
sie auf Rechnung der allerdings argen orthographischen Verwilderung
der T. Pl. zu setzen. — Dagegen ist der Anachronismus, der Slowpace p. 93 in den Mund gelegt wird (: von Christus habe schon der
heilige Hieronymus gesprochen), nicht, wie obige Sprachfehler, vom
Dichter beabsichtigt. Zu einem solchen Anachronismus passt durchaus, dass die als Heiden charakterisierten biblischen Personen in
allen englischen Misterien so oft bei Mahomet schwören, u. a. m.

Ch. Pl. Das üppige Mahl, das die Hirten in den Ch. Pl. einnehmen, begegnet auch hier; aber während in den Ch. Pl. noch kein eigentlich komischer Zweck in diesem Motiv zu suchen ist, wird die Üppigkeit des Mahles in den T. Pl. gerade zum Angelpunkt der ganzen Komik gemacht, indem sie einerseits noch gesteigert wird, andererseits aber dies schwelgerische Mahl im lächerlichsten Gegensatz steht zu den vorherigen jämmerlichen Klagen John Horne's und noch mehr Gyb's über schwere Zeiten und bittere Armut. Ein anderer komischer Zug, der in den Ch. Pl. nur leicht angedeutet ist, wird hier etwas mehr ausgeführt. Nachdem der Engel erschienen war, und Christi Geburt verkündet hatte, war das Gespräch der Hirten zeitweilig in Ernst übergegangen; jedoch vor der Thür, die sie zum Christuskinde führt, kommt die allen innewohnende Clownsnatur wieder zum Vorschein: sie halten schüchtern inne, und beraten, wer zuerst eintreten solle, wobei einer den andern vorzuschieben sucht. Da das Mahl der Hirten in den Ch. Pl. überhaupt noch nicht als komische Episode verwertet wurde, fehlt dort auch ein weiterer komischer Einzelzug des ersten Hirtenspiels der T. Pl.: als während des Mahles der Bierkrug unter den Schlemmern kreist, ist jeder ängstlich besorgt, dass der andere zu lange daraus trinke, und ihm selbst nicht genug übrig lasse.

Das Darbringen der Geschenke ist ein allen Misteriensammlungen ausser den Co. Pl. gemeinsames Motiv[23]); im ersten Hirtenspiel der T. Pl. bestehen die Geschenke aus

---

[23]) Dies Motiv findet sich auch schon in dem von Manly (I p. XXVIII ff.) veröffentlichten Bruchstück eines Weihnachtsspiels in einer der Bibliothek von „Shrewsbury School" gehörigen Hds. Der dritte Hirte gesteht, er könne einem so hohen Fürsten wie Jesus kein angemessenes Geschenk darbringen: er schenkt ihm daher einen Hornlöffel, der hundert Erbsen fasst. Skeat setzt die Hds. in den Anfang des 15. Jahrhunderts. Das Stück selbst aber macht den Eindruck, als ob es viel älter sei, ja überhaupt die älteste Form der englischen Weihnachtsspiele darstelle. Die Hirten tragen hier noch gar keine komischen Züge.

einem kleinen schmucken Kästchen, einem Balle und einer
Flasche, die zwei englische Mass enthält.

Im zweiten Hirtenspiel stehen nicht die drei Hirten,
sondern der Schafdieb Mak im Mittelpunkt des komischen
Interesses. Doch entfalten die Hirten vor dem Auftreten
Mak's auch einige selbständige Komik. Der zweite Hirte
entspricht dem Tudde in den Ch. Pl., da er sich gleich
diesem als Pantoffelheld erweist. Er klagt über die Leiden
des Pantoffelregiments, das er in drolliger Weise mit dem
Familienleben von Hahn und Henne vergleicht, wo der
Hahn es auch schwer habe, wenn die Henne brüten wolle.
Er warnt die jungen Männer vor vorschneller Heirat;
nach dieser sei „hätte ich's gewusst!" zu nichts mehr
nütze. Der Pantoffelheld gehörte noch zu Shakespeare's
Zeit zu den Lieblingstypen des englischen Humors; der
Dichter schlägt also hier ein Thema an, das in seiner
komischen Wirkung besonders dankbar war. Jener zweite
Hirte ist nicht mit Namen genannt; der erste heisst Colle;
der dritte führt den bezeichnenden Namen Daw. Er zeigt
sich aber, trotz dieses Namens, als schlauer als der allzu
vertrauensselige Colle. Als Daw den Mak des Schaf-
diebstahls beschuldigt, erklärt Colle das für eine Verleumdung, während der zweite Hirte darauf schwört, Mak sei
der Dieb gewesen. Daw ist den beiden andern nicht
gleichgestellt, sondern steht in deren Diensten. Er klagt
über schwere Arbeit, dürftige Kost und kargen Lohn —
Die Geschenke der drei Hirten sind hier ein Ohrgehänge
aus Kirschen, ein Vogel und ein Ball zum Tennisspiel.

Das Darbringen der Geschenke wird in beiden Hirtenspielen der T. Pl. zu einem hübschen Zuge ausgestaltet.
In beiden redet der zweite Hirte das neugeborene Kind
mit dem gleichen Kosenamen an: „kleines winziges Fleder-
wischchen" (mop). Sie entschuldigen sich in rührender
Weise für die Kleinheit ihrer Gaben. Angesichts des
göttlichen Kindes streifen also die Hirten ihre Lümmelhaftigkeit ganz ab.

In den Hirtenspielen weisen manche übereinstimmende

Züge auf eine engere Verwandtschaft der englischen Misterien
mit den französischen hin. Gerade in bestimmten einzelnen Motiven gleichen die französischen Hirtenspiele
den englischen: „dass die Hirten sich zu einem fröhlichen
Mahle vereinigen, dass sie über Steuerdruck klagen, dass
sie dem Christuskinde Spielsachen und andere derartige
Geschenke bringen".[24]) Mit dem komischen Kern der
Handlung und der Charaktere haben jedoch diese Übereinstimmungen nichts zu schaffen. Die Komik der Hirten
in den englischen Misterien ist von ganz anderer Art als
in den französischen; sie scheint sich völlig unabhängig
von ausländischen Vorbildern herausgebildet zu haben.

Als Lümmel treten die Hirten in den französischen
Misterien nur vereinzelt auf.[25]) In den meisten französischen
Hirtenspielen wird nicht die bäurische Plumpheit der
Hirten, sondern die idyllisch-heitere Seite des Hirtenlebens
hervorgehoben. Nur selten klagen diese französischen
Hirten über schwere Zeiten; meist preisen sie gerade im
Gegenteil ihren Beruf als den schönsten, den es gebe.
Eine der plumpen Lümmelhaftigkeit der englischen Hirten
gerade entgegengesetzte graziöse Anmut pflegt in den
französischen Hirtenspielen als Grundton vorzuherrschen[26]).
Zu dieser heitern Liebenswürdigkeit passt allein das Motiv,
dass die Hirten dem Christuskinde Spielsachen als Geschenke darbringen. In den Ch. Pl. und T. Pl. erscheint
dieser Zug als ein fremdartiges Element, das mit dem
sonstigen Charakter der lümmelhaften Hirten durchaus
nicht im Einklang steht. Man wäre daher versucht anzunehmen, es sei dieser Zug ein ursprünglich nicht in die
englischen Misterien gehöriger späterer Zusatz französischen
Ursprungs, wenn nicht auch die Y. Pl. und sogar das bei

---

[24]) Creizenach S. 209.

[25]) So Gobelin und Riflart im anonymen Misterium „La
Nativité" (um 1450); vgl. Jubinal II 73; Petit de Julleville II 388.

[26]) So in Arn. Greban's „Nativité" und in vier andern französischen Weihnachtspielen; vgl. Petit de Julleville II 401. 428. 433.
437. 621.

Manly abgedruckte altertümliche, „Shrewsbury School"
gehörige Bruchstück eines Weihnachtspiels (vgl. Anm. 23)
das gleiche Motiv enthielten, ohne dass in diesen Misterien
die Hirten als Lümmel gezeichnet sind. Wir erkennen
hieraus, dass die Lümmelhaftigkeit der Hirten erst das
Ergebnis einer jüngeren Entwickelung, dagegen das Darbringen der Geschenke ein altüberlieferter Zug der englischen
Misterien ist. Im Gegensatz zu letzteren, tritt dieser Zug
im französischen geistlichen Drama erst spät zum ersten
Male auf, nämlich in Arnoul Greban's „Nativité" (das
MS. trägt das Datum 1473[27]), und dann auch in noch
jüngeren Stücken[28]). Die Übereinstimmung beider Litteraturen in diesem Motiv ist schwer zu erklären; dass sie
zufällig sei, darf bei einem so eigenartigen, von der
biblischen Überlieferung unabhängigen Zuge wohl als ausgeschlossen gelten, und eine Beeinflussung des französischen
Dramas durch das englische in jener Zeit widerstreitet
aller sonstigen Erfahrung. Am wahrscheinlichsten scheint
mir eine gemeinsame, und zwar französische Quelle obigen
Motivs für beide Litteraturen. Dann hätte schon die älteste
Form des englischen Hirtenspiels französische Einwirkungen
erfahren, und auch im französischen Drama handelt es
sich, wenn obige Erklärung richtig ist, um einen sehr alten
traditionellen Zug, dessen erst so spätes Hervortreten
zufälligen Umständen zuzuschreiben wäre.

Überblicken wir noch einmal die der Bibel selbst entnommenen clownartigen Gestalten der englischen Misterien,
so leuchtet ein, dass Cain und die Folterer nur in sehr
eingeschränktem Sinne zu den Clowns und damit zu den
lustigen Personen zu rechnen sind; ihre Roheit beein-
trächtigte allzusehr die komische Wirkung. In den Hirten
der Weihnacht dagegen tritt die Roheit nicht hervor. Ihre
bäurische Lümmelhaftigkeit erscheint mit Harmlosigkeit

---

[27] Vgl. Petit de Julleville II 395. 404. Die Geschenke bestehen
hier aus einer kleinen Flöte, einer Kinderklapper und einem hölzernen
[so!] Kalender.

[28] Vgl. Petit de Julleville II 621.

gepaart; diese Verbindung ergab als Produkt die Plump-
heit, eines der wirksamsten Elemente passiver Komik.
Dadurch kommen diese Hirten, besonders die des ersten
Hirtenspiels der T. Pl., den späteren Clowns schon viel
näher. Aber reine Clowns im vollen Sinne, d. h. lustige
Personen, sind auch diese Hirten noch lange nicht. Ihre
Komik bleibt grösstenteils innerhalb der Grenzen des
Charakteristischen. Höchstens im ersten Hirtenspiel der
T. Pl. gewinnt die Komik über diese Grenzen hinaus an
Bedeutung; denn die erlesenen Leckerbissen ihres üppigen
Mahles stehen mit der einfachen Kost damaliger Landleute
durchaus nicht im Einklang. Da die Üppigkeit des Mahles
hier absichtlich, und zwar zu komischem Zweck gesteigert
ist, haben wir hier einen vereinzelten Fall des Selbstzwecks der Komik der „inneren Situation", oder, was in
den meisten Fällen auf dasselbe hinauskommt, der Komik
überhaupt. Im zweiten Hirtenspiel kommt die Komik der
Hirten als selbständiges Element neben der Mak's nicht
recht auf. Mak kommt einer lustigen Person näher als
die Hirten, die er zwar zum Spielball seiner Spitzbübereien
macht, die aber doch noch nicht dumm genug sind, um
neben der aktiven Komik Mak's eine gleich starke passive
Komik zu entfalten. Die Anmut, welche die Hirten beim
Darbringen ihrer Geschenke an den Tag legen, entfernt
sie ebenfalls von den eigentlichen Clowns.

Die Komik der Clowns des eigentlichen Dramas
knüpfte an obige clownartige Gestalten an, insofern deren
brauchbarste komische Elemente auch später wiederkehren:
ihrer aller lümmelhafte Plumpheit; die Prügel und Schimpfreden Cain's und der Folterer; die Gefrässigkeit der Hirten,
ihre Missverständnisse und Wortverdrehungen. Dagegen
liess man später die unbrauchbaren Elemente fallen: vor
allem die unmenschliche Roheit jener, aber auch die liebens-
würdige Anmut der Hirten beim Überreichen ihrer Geschenke. Denn das Anmutig-Komische gehört ins Gebiet
der feineren Komik; es liegt ebenso ausserhalb des Bereichs des Derbkomischen, das für den Clown natürlich

allein in Betracht kommt, wie auf der andern Seite die
bis zur Grausamkeit gesteigerte Roheit.

Neben obigen biblischen Personen, von denen einige
freilich in der heiligen Schrift nur erwähnt, aber nicht
genauer geschildert werden, so dass die Ausmalung im
Einzelnen ganz den Misterien überlassen blieb, steht eine
lange Reihe von andern, ebenfalls komisch gefärbten
Gestalten, welche die Bibel nicht kennt. Da auch
sonst eine Quelle für die meisten von ihnen nicht nachgewiesen ist, dürfen wir von der Mehrzahl dieser Gestalten vermuten, sie seien von den Misteriendichtern zu
komischem Zweck hinzugedichtet worden. Auch hier haben
wir nur solche Gestalten zu berücksichtigen, die den
späteren Clowns am nächsten stehen. Es sind dies die
clownartigen Diener.

In allen Litteraturen wird die Gestalt des Dieners
gern und reichlich mit komischen Zügen versehen. Gar
oft stimmen diese Züge mit der Wirklichkeit nur recht
ungefähr überein. Fast durchweg haben die Diener auf
der Bühne Eigenschaften, die ihren Urbildern im wirklichen Leben nur vereinzelt zukommen; wenigstens würde
die dreiste Frechheit, die der Diener im Drama beinahe
stets ungestraft an den Tag legen darf, ihm in der Wirklichkeit meist recht schlecht bekommen. Um komische
Wirkungen zu erzielen, wird also der Diener des wirklichen
Lebens, indem er auf die Bühne verpflanzt wird, manchen
nicht naturwahren Umwandlungen unterworfen. Dadurch
nähert sich der Diener einer lustigen Person; in den clownartigen Dienern Shakespeare's und seiner Zeitgenossen
sind Diener und lustige Person schon zusammengefallen.

Nicht alle in den englischen Misterien vorkommenden
Diener gehören hierher; einige haben überhaupt nichts
Komisches an sich; so der Bote[29]) des Herodes in allen
vier Misteriensammlungen, der ein blosses Werkzeug in

---

[29]) In den Co. Pl. als *„Senescallus"*, in den Ch. Pl. als *„Preco"*,
sonst als *„Nuntius"* bezeichnet.

der Hand seines Herrn ist; die beiden Knaben in Abraham's
Diensten in den Y. Pl. und T. Pl. [30]), u. s. w. Es ist wohl
kein Zufall, dass die Diener in den Misterien, sobald sie
zusammen mit ihren Herrn auftreten, nur dann komisch
gezeichnet sind, wenn ihre Herren dem Typus der Lümmel
angehören. Alle diese Diener sind naseweis und frech;
sie lieben es, ihren Herren einen Schabernack zu spielen
und sie zu parodieren. Offenbar waren diese Diener dazu
bestimmt, gegenüber der passiven Komik ihrer Herren
aktive Komik zu entfalten und so einen wirksamen
komischen Kontrast zu jenen darzustellen.

Dem rohen Tölpel Cain wird in zwei Misteriensammlungen ein Diener an die Seite gestellt. In den
Y. Pl. heisst dieser „Brewbarret" [31]); doch tritt er hier
nur sehr flüchtig auf, so dass sich ihm kaum Gelegenheit
bietet, viel Komik aufzuwenden. [32]) Dagegen finden wir
wieder in den T. Pl. eine sorgfältiger ausgeführte komische
Gestalt in Cain's Ackerknecht Garcio. [33]) Er eröffnet das
betreffende Stück mit einer vorwitzigen Rede, worin er
sich selbst als einen lustigen Burschen bezeichnet, und die
versammelten Zuschauer, die er „harlots" anredet, nach
Art der bramarbasierenden Tyrannen in höchst unver-
schämter Weise zur Ruhe mahnt. Dann tritt Cain auf
und schilt Garcio, weil das Vieh so störrisch sei. Dieser
gesteht ein, dass er die Krippen mit Steinen statt mit
Futter gefüllt habe. Ein solcher Dummejungenstreich trägt
ihm natürlich eine Ohrfeige von seiten Cain's ein. Auch
später zeigt sich Garcio als ein fauler, aufsässiger, wenig
brauchbarer Knecht; er beklagt sich, dass er den ganzen
Tag umherrennen müsse und dafür immer wieder nur

---

[30]) Letztere sind übrigens nicht frei erfunden, sondern werden
in der Bibel erwähnt.

[31]) Wörtlich = Streitbrauer; me. *baret*, afz. *barat* = Streit.

[32]) Nach der Herausgeberin der Y. Pl., L. T. Smith, ist die
Episode mit Brewbarret ein späterer Zusatz.

[33]) Mlat. Form des franz. *garçon*; also kein Eigenname, sondern
Gattungsname.

Prügel bekäme. Als Cain ihm eröffnet, dass er Abel erschlagen habe, will ihn Garcio verlassen; Cain sucht ihn aber zu besänftigen, indem er ihm verspricht, ihn zum Freigelassenen zu machen. Wir haben uns also den Garcio als Cain's Leibeigenen zu denken. Die nun folgende Rede Cain's zieht Garcio durch beiseite gesprochene Bemerkungen ins Lächerliche.

Ein Knecht der Folterer tritt nur in einem einzigen Stücke der T. Pl. auf, der „Coliphizatio“. Er trägt den bedeutsamen Namen „Froward“, und ist, seinem Namen gemäss, ebenso widerspenstig wie obiger Garcio. Selbst wenn er die Befehle seiner Herren ausführt, geschieht dies immer erst nach längerem Sträuben. Froward's Klage über rückständigen Lohn und schlechte Ernährung ist ein für die clownartigen Diener der Misterien typischer Zug (vgl. Daw S. 38; ähnlich auch Garcio S. 43 ff.). Im übrigen steht Froward an Roheit den Folterern völlig gleich, wie er auch diesen hilft, den Heiland zu misshandeln. Für die Entfaltung von Komik bot die Rolle nur wenig Spielraum.

Eine komische Gestalt, die in den Diensten der Hirten der Weihnacht steht, begegnet uns in mehreren Misterien. In den Ch. Pl. heisst der betreffende Hirtenjunge „Trowle“.[34]) Auch hier finden wir ein ähnliches Motiv wie oben bei Froward: Trowle schlägt das ihm von den Hirten angebotene Essen aus, auf dem, wie er behauptet, Maden herumkröchen; überhaupt will er nichts geniessen, bevor er nicht seinen Lohn empfangen habe. Er klagt auch über seine zerlumpte Kleidung. In manchen Punkten sehen wir deutlich, wie die Komik seiner Rolle sich über das für letztere Charakteristische hinaus zum Selbstzweck erweitert. Er schildert sich selbst als eingefleischten Faulpelz: wenn er sich einmal zur Ruhe niedergelegt habe, pflege er nicht aufzustehen, selbst wenn ein König oder

---

[34]) Das Wort entspricht wohl dem heutigen, besonders in Schottland gebräuchlichen „troll“ (nordischen Ursprungs), das eine Art Kobold, einen Berggeist bedeutet.

Herzog käme; frage ihn dann jemand nach dem Wege, so
deute er diesen höchstens durch das Aufheben des Beines an.
Trowle's Unverschämtheit gegen die Hirten ist grenzenlos;
Harvye erklärt sie für unerträglich, und Tudde droht, ihn
im Ringkampf, der eben verabredet worden ist, lahm zu
schlagen. Aber dies erweist sich als leere Renommisterei;
denn Trowle, der schon vorher sehr siegesgewiss aufgetreten war, überwindet nach einander alle drei Hirten.
Seine Witze arten schliesslich in Unflätigkeit aus. Als
aber mit dem Erscheinen des Sterns die Stimmung der
Hirten umschlägt, nimmt auch Trowle an diesem Wandel
teil. Von da an steht er den Hirten völlig gleich, während
er zuvor ihnen gegenüber durchaus eine Sonderstellung
eingenommen hatte. Er teilt ihre naive Unwissenheit, als
sie das „Gloria in excelsis Deo" des Engels missverstehen.
Der Anblick des neugeborenen Kindes wirkt selbst auf
Trowle's Clownsnatur so mächtig ein, dass er feierlich
gelobt, nie mehr etwas zu thun, was dem Kinde leid wäre.
Seine ernste Stimmung hält bis zum Schluss an; auch
dass er dem Jesuskinde ein Paar alte Strümpfe seiner
Frau schenkt, ist nicht absichtliche Komik, sondern Kennzeichen einer rein kindlichen Naivetät. Dies ergiebt sich
aus Trowle's entschuldigender Begründung für die Kleinheit seiner Gabe: er habe sonst nichts, was überhaupt
etwas wert wäre, ausser seinem guten Herzen und seinen
Gebeten.

Jak Garcio[35]), der Hirtenjunge im ersten Hirtenspiel
der T. Pl., tritt nur einmal ganz flüchtig auf, um seinen
Herren, den Hirten, zu eröffnen, er habe niemals solche
Narren gesehen wie sie, ausser den Narren von Gotham.
Dieser Ort war eine Art englisches Schilda oder Schöppen-
stedt; die „mad men of Gotham" (in Nottinghamshire)[36])
werden auch in späteren Dramen zuweilen angeführt[37]),

---

[35]) Ein dritter „Garcio" kommt in der „Mortificacio Christi" der
Y. Pl. vor, entbehrt aber aller Komik.

[36]) Nach Wright p. 232.

[37]) In Knack treten sie sogar persönlich auf.

und erfreuten sich einer sprichwörtlichen Berühmtheit. Nach Jak Gracio hätten die drei Hirten durch ihre Geburt ihren Eltern grosses Leid gebracht; für diese wäre es besser gewesen, einen Hasen oder ein Schaf zu erzeugen, als solche ausgesuchte Narren. Als die Hirten nach ihrem Vieh fragen, sagt Jak, sie könnten ja selbst nachsehen, wie es diesem erginge. Dann tritt er ab, ohne dass wir von irgend welchen nachteiligen Folgen hören, die seine Liebenswürdigkeiten ihm zugezogen hätten.

Im zweiten Hirtenspiel spielt der schon behandelte dritte Hirte Daw die Rolle eines Knechts der beiden andern (vgl. S. 38).

Wir haben uns wohl alle eben vorgeführten Gestalten (diesen Daw vielleicht ausgenommen) als Jünglinge oder junge Männer zu denken. Bei den meisten von ihnen wird die Jugendlichkeit auch ausdrücklich hervorgehoben. [38]) Froward und Trowle sind zwar ebenso frech gegen ihre Arbeitgeber, wie Brewbarret-Garcio gegen Cain, oder Jak Garcio gegen die Hirten; aber während diese beiden nicht auf gleicher Stufe mit ihren Herren stehen, deren bäuerischer Plumpheit überlegen erscheinen, ist Froward zwar anfangs aufsässig gegen die Folterer, aber bei der Geisselung selbst in keiner Weise von ihnen abgesondert, ein ebensolcher Lümmel wie seine Herren. Ebenso teilt Trowle, wie schon

---

[38]) Cain's Ackerknecht Garcio nennt sich selbst, wie wir gesehen haben, „a mery lad" (T. Pl. p. 8). Ausserdem bezeichnet das Wort „Garcio" selbst zwar einen Diener oder Knecht, schliesst aber natürlich auch den Begriff der Jugend in sich ein. Froward wird (T. Pl. p. 200) „good son" angeredet. Auch Trowle wird (Ch. Pl. l 125) „ladde" genannt, während der Bezeichnung „boy", die ihm ebenfalls beigelegt wird, wohl kaum besonderes Gewicht zukommt, da auch Männer „boys" genannt werden, so in den Y. Pl. Christus (p. 265. 269. 334, u. s. w.) und Petrus (p. 259). Da Trowle (nach Ch. Pl. I 141, Zeile 9 v. u.) verheiratet zu sein scheint, haben wir ihn uns wohl als etwa zwanzigjährigen jungen Mann vorzustellen. Die Komik des Ringkampfs beruht eben darauf, dass der jüngere Trowle seine weit älteren Herren überwindet, von denen man doch annehmen sollte, sie seien ihm an Körperkraft überlegen.

betont wurde, die naive Unwissenheit der Hirten; auch
später nimmt er an deren Ernst ebenso teil, wie zuvor an
ihrer komischen Unwissenheit. Er ist also den Hirten in
mehrfacher Beziehung gleichgestellt. So treten uns bei
diesen Gestalten drei Züge, in verschiedener Mischung
verteilt, entgegen: allen gemeinsam ist eine vorlaute Frechheit; Jugendlichkeit ist bei allen vorauszusetzen und wird
bei den meisten auch angedeutet; bei einigen kommt auch
eine clownartige Tölpelhaftigkeit hinzu. Vielleicht dürfen
wir in diesen Motiven schon die freilich noch unentwickelten,
nur undeutlich erkennbaren Keime zweier verschiedener
Unterarten des späteren Dienertypus erblicken: einerseits
des vorlauten jungen Burschen, der als frühreif,
intelligent und witzig hingestellt wird, Eigenschaften, die
im späteren Drama besonders auf die Gestalt des Pagen
übertragen werden; andererseits des eigentlichen clownartigen Dieners, einer Mischung von Einfalt und Witz.
wie wir sie bei Shakespeare z. B. in Launcelot Gobbo
finden. Dieser eigentliche clowartige Diener wird freilich
später stets als völlig erwachsener Mann hingestellt. Es ist
eine merkwürdige Eigentümlichkeit des späteren englischen
Dramas, dass der noch im Knaben- oder Jünglingsalter
befindliche Diener (besonders natürlich der Page) immer
als intelligenter, mehr oder weniger witziger Bursche gekennzeichnet wird, und eine frühreife Altklugheit besitzt,
die gegen die übliche Naivetät seines älteren Berufsgenossen
nur um so auffälliger absticht. Der schnippische witzige
Page des späteren Dramas steht der Rolle einer lustigen
Person meist fern; der clownartige Diener ist als Clown
eine lustige Person (doch vgl. S. 25).

In Sacr. und in Magd. A, Mirakelspielen [39], aus der
zweiten Hälfte des 15. Jahrhunderts, wird der Typus des
Dieners fortgesetzt und weiter ausgebildet, indem seine

---

[39]) Der Einfachheit wegen rechne ich das „Hostienspiel" zu den
Mirakeln, obgleich es eigentlich weder zu diesen noch sonst zu irgend
einer der üblichen älteren Dramengattungen gehört.

komischen Züge vermehrt werden, und er überhaupt als komische Gestalt an Bedeutung gewinnt. In beiden Stücken sind die Diener Hauptträger der Komik, und zwar haben wir hier den Dienertypus in der soeben besprochenen Unterart des naseweisen jungen Burschen.[40]) Colle, der Diener des Quacksalbers Master Brundyche von Brabant, tritt mit seinem Herrn in einer Episode des „Hostienspiels" auf, die mit dessen eigentlicher Handlung nur sehr lose verbunden ist. Schon letzterer Umstand weist darauf hin, dass die reichliche, wenn auch noch recht plumpe aktive Komik, die Colle auf Kosten seines Herrn zu Tage fördert, in bedeutendem Masse Selbstzweck ist. Colle wünscht seinem Herrn — natürlich in dessen Abwesenheit —, er möge am Pips erkranken, vermutet ihn, als er lange ausbleibt, in irgend einer Kneipe, wo er gewiss seine Kleider werde zurücklassen müssen; denn er sei in allen Wirtshäusern verschuldet. Er werde sicher dereinst am Galgen endigen. Schliesslich erlässt Colle eine Art mündlichen Steckbriefes hinter seinem Herrn: ein jeder, der ihn sehe oder seine Aufenthalt wisse, möge ihn herbeischaffen und zum Pranger führen. Er beschreibt das Äussere seines Herrn, wobei dessen platte Nase und zerrissene Hosen natürlich nicht unerwähnt bleiben. So parodiert Colle mit ergötzlicher burlesker Komik einen Büttel. Den letzten Teil seines Redeergusses hat aber der inzwischen, unbemerkt von Colle, herbeigekommene Brundyche mitangehört. Er fährt seinen Diener mit der Frage an, was er da schwatze. Aber dieser versichert ganz unverfroren, er habe nur Gutes von ihm geredet, und lenkt sogleich in

---

[40]) Colle wird zwar im Personenverzeichnis des „Hostienspiels" und V. 523 „the lechys man" genannt; aber V. 571 nennt ihn sein Herr „boy". Wenn auch damit nicht viel gesagt ist (vgl. Anm. 38), so sind wir doch nach der Analogie vieler gleichartiger Gestalten zur Annahme berechtigt, der Verfasser habe sich ihn als jungen Mann gedacht. Die Diener in Magd. A. sind noch Jünglinge. Der Name „Colle" begegnete uns schon im zweiten Hirtenspiel der T. Pl. (vgl. S. 38).

geschickter Weise von dem für ihn verfänglichem Thema
ab, indem er sich teilnahmvoll nach dem Befinden einer
Patientin seines Herrn erkundigt. Als Brundyche sagt
(V. 581): *„I warant she neuer fele annoyment"*, fragt der
boshafte Colle: *„Why ys she in hyr graue?"* Der Quacksalber beauftragt Colle, den Leuten seine Heilmittel an-
zupreisen. Dieser verkündet darauf dem versammelten
Volk in marktschreierischer Weise, alle, die an irgend
einer Krankheit litten, sollten sich an seinen Herrn wenden,
der nicht eher ruhen werde, als bis sie im Grabe lägen, u. s. w.
Die Episode endet damit, dass Brundyche und Colle vom
Schauplatz hinweggeprügelt werden.

In Magd. A begegnen zwei clownartige Diener: der
dem heidnischen Priester zu Marseille dienende unbenannte
Chorknabe, und Grobbe, eine Art Schiffsjunge auf dem
Schiffe, das die Titelheldin nach Marseille bringt. Die
Komik beider ist von der niedersten Art, und bedeutet
gegenüber der zwar derben, aber sehr wirksamen Komik
Colle's einen Rückschritt. Ein stark sinnliches Element
tritt in beiden Gestalten zuerst hervor: sie äussern ihren
Geschlechtstrieb sehr unverhohlen. Dem Chorknaben
dient sein Herr, der Priester, als Zielscheibe des Mut-
willens. Er erklärt, bei den Weibern beliebter zu sein als
der Priester, der so fett sei, dass seine Last eines Pferdes
Rücken entzweibrechen würde. Der entrüstete Priester
droht in den unflätigsten Ausdrücken mit der Peitsche;
aber der Chorknabe ist seinem Herrn an Unflätigkeit
gewachsen, wie seine Antwort zeigt. Den heidnischen
Gottesdienst zu Ehren Mahomets macht der Chorknabe
durch das Hersagen sinnloser, lateinisch klingender Wörter
lächerlich, um endlich alle Anwesenden an den Galgen zu
verwünschen. Darauf befiehlt der Priester dem Chorknaben, mit ihm zusammen zu singen; natürlich lässt sich
letzterer auch diese Gelegenheit, seinen Herrn zu ärgern,
nicht entgehen, indem er ihn durch sein schlechtes Singen
ganz aus dem Text bringt.

Ein ebenso widerspenstiger Bursche wie dieser Chorknabe ist der Schiffsjunge Grobbe. Während aber ersterer durchweg komisch gehalten ist, weicht Grobbe's anfängliche Komik sehr bald dem Ernste. Er weigert sich, der Schiffsmannschaft das Essen zu bereiten: er habe einen Krampf in den Gliedern, den nur ein schönes Fräulein beseitigen könne. Der Kapitän (*„nauta"*) des Schiffes, Grobbe's Dienstherr, sagt, er werde ihn lehren, sich mit Weibern einzulassen, und verabfolgt ihm eine Tracht Prügel, worauf Grobbe den Kapitän zum Teufel wünscht, aber gleich danach durch seine jämmerlichen Klagen beweist, dass sein Trotz gebrochen sei. Von da an gehorcht er willig seinem Herrn. Diese Wandlung giebt Grobbe eine Ausnahmestellung unter den clownartigen Dienern, über die ihre Herren sonst nirgends im Drama jener Zeit die Oberhand gewinnen; meist machen sie ja nicht einmal einen Versuch, dies zu erreichen.

Die Personen, in deren Diensten die drei zuletzt besprochenen Diener stehen, sind keine Lümmel, wie die entsprechenden Gestalten der Misterien, sondern gehören mehreren verschiedenen Typen an. Dadurch kommt unter die Vertreter der passiven Komik grössere Mannigfaltigkeit; doch bleibt, wie wir gesehen haben, das typische Verhältnis zwischen Herrn und Diener im allgemeinen noch unverändert. Auch Colle's, des Chorknaben und Grobbe's aktive Komik scheint von dem grösseren oder geringeren Grade von passiver Komik abzuhängen, die ihre Gebieter an den Tag legen. Der Quacksalber war in England eine besonders beliebte komische Gestalt, die sich bis auf die Gegenwart hier und da in Weihnachtsvermummungen und Spielen von St. Georg und dem Drachen erhalten hat[41]). Eine so volkstümliche Gestalt war besonders geeignet, als Unterlage für die lebhafte Komik Colle's zu dienen. Auch der heidnische Priester

---

[41]) Vgl. Marriott p. XXXV ff. — Pollard, Introduction p. XLV. — Manly I 289 ff. (Oxfordshire St. George Play); 292 ff. (Lutterworth Christmas Play). — Ferner „A Derbyshire Mummer's Play" in J. O. Halliwell's „Contributions to Early English Literature". London 1849.

war für die naive Auffassung der mittelalterlichen Christen-
heit an sich schon eine durchaus lächerliche Figur; der
Chorknabe sollte diese Lächerlichkeit auch thatsächlich
erweisen. Und da der Kapitän überhaupt nicht als komische
Gestalt gezeichnet ist, bot sich Grobbe nur wenig Gelegenheit, aktive Komik zu entfalten.

Eine abgesonderte Stellung nimmt der Diener des
Paulus in Conv. ein. Dieser Diener („seruus") nimmt
nämlich nicht seinen Herrn auf's Korn; dazu war letzterer
als Apostel doch zu sehr Respektsperson, wenn er auch
zur Zeit der betreffenden Szene noch unbekehrt war, und
zu Anfang des Stückes eine prahlerische Rasselrede nach
Art des Herodes vom Stapel gelassen hatte. Der Diener
fällt vielmehr über eine Person seinesgleichen her, nämlich den Stallknecht („stabularius") des Gasthofs, in dem
Saulus absteigt. Die Komik dieses Dieners steht auf einer
sehr niedrigen Stufe; sie besteht aus groben Schimpfereien
und unappetitlichen Ausdrücken, die er. in reichlicher Fülle
auf das Haupt seines Opferlammes niederhageln lässt [42]),
offenbar zu dem alleinigen Zweck, die Lachlust der Zuschauer zu befriedigen; bei den bescheidenen Ansprüchen
des damaligen Publikums wurde dieser Zweck wohl auch
vollauf erreicht. Darin dass das Auftreten des Dieners
gegen den Stallknecht trotz dessen anfangs ziemlich hoch-
mütigen Benehmens nicht genügend begründet erscheint,
kommt der Selbstzweck der Komik zum Vorschein; es
scheint dem Verfasser nur darauf angekommen zu sein,
jene Schimpfereien, die komisch wirken sollten, irgendwie
anzubringen.

Ebenso abseits von den übrigen Dienern steht ein
Pförtner des Pilatus im Stücke „The Conspiracy to

---

[42]) Brandl schrieb das Motiv dieses Streites zwischen Lakai und
Wirtshausknecht früher (Me. L. S. 705) dem Einfluss des Plautus zu,
dessen Sklavenszenen hier eingewirkt haben sollen; jetzt rechnet er,
jedenfalls mit grösserem Recht, obigen Streit zu den einheimischen
englischen Schwankmotiven (Qu. S. XLVII).

4*

take Jesus" der Y. Pl.[43]). Als Judas an der Pforte von
Pilatus' Halle klopft, zögert dieser Pförtner, den verdächtigen Eindringling, der das Aussehen eines Verräters
und Diebes habe, einzulassen. Auf des Judas Grobheiten
bleibt er ihm eine Antwort nicht schuldig, die natürlich
auch nicht gerade in den gewähltesten Ausdrücken abgefasst ist. Er lässt den Judas erst eintreten, nachdem
er dazu des Pilatus ausdrückliche Vollmacht eingeholt hat.
Wir haben es hier mit einem Urahn des Pförtners in
Shakespeare's Mcb. zu thun. Zugleich ist dieser Pförtner
des Pilatus ein allerdings recht entfernter jüngerer Verwandter des Höllenpförtners in Harr. (über letzteren vgl.
den folgenden Abschnitt), der beim Nahen des Heilandes
ohne weiteres davon läuft. Die Ähnlichkeit beider Gestalten beschränkt sich freilich darauf, dass beide Pförtner,
und beide mit einem Anflug von Komik versehen sind.
In ihren Einzelheiten ist aber diese Komik in beiden Fällen
völlig verschieden. — Dass der Pförtner dem Einlass Begehrenden Schwierigkeiten macht, ist ein in mittelenglischen
epischen Dichtungen häufiges Motiv, das vielleicht von hier
aus in die Y. Pl. eingedrungen ist. Dem Judas gegenüber ist das Misstrauen des Pförtners besonders begreif-
lich; so hält sich die Komik hier im ganzen innerhalb der
Grenzen des Charakteristischen.

---

[43]) Ein zweiter Pförtner im vorhergehenden Stücke derselben
Sammlung, der Petrus und Philippus den Esel liefert, auf dem Jesus
in Jerusalem einzieht, entbehrt komischer Züge.

III. Der Teufel.

A. Ursprung der Komik des Teufels.

Eine andere Gestalt, oder vielmehr eine ganze Gruppe von Gestalten, nämlich der Teufel und seine Sippe, nähert sich gleichfalls im Lauf ihrer Entwickelung der Rolle einer lustigen Person, nur von einer andern Seite her, als die eben behandelten clownartigen Charaktere. Von diesen sind höchstens die Folterer durch ihr grausames Amt und ihre erbarmungslose Roheit entfernte Verwandte des Teufels. Zu einer lustigen Person im vollen Sinne wird freilich der Teufel noch nicht; doch haben Umstände verschiedener Art zusammengewirkt, um den Abstand zwischen ihm und einer lustigen Person zuweilen nicht mehr allzu gross erscheinen zu lassen. Zunächst führte ein allgemeiner Grund von psychologischer Art dazu, dass überhaupt komische Züge auf den Teufel übertragen wurden. Es ist eine psychologisch bemerkenswerte, wenn auch leicht erklärliche Thatsache, dass unsere abendländischen Kulturvölker das Schlechte so gern mit dem Fluch der Lächerlichkeit bekleiden. Offenbar lag ein gewisser Trost für die arme, durch das Bewusstsein von Sünde und Schuld gequälte Menschenseele darin, sich über all dies Elend mit überlegenem Humor hinwegzusetzen, indem man die Figur, die nach altchristlicher Auffassung die Personifikation und zugleich der Urheber alles Bösen in der Welt ist, mit Spott und Hohn übergoss. So macht der Teufel in den mittelalterlichen Litteraturen des Abendlandes oft einen durchaus lächerlichen Eindruck [44]). Erst als die herrschende

[44]) Diese Auffassung des Teufels beginnt nach Roskoff I 316 seit dem Ausgang des 11. Jahrhunderts hervorzutreten.

Orthodoxie ihre allgemeine Geltung zu verlieren begann,
und die immer zahlreicher werdenden Angriffe auf den
altersschwachen Bau mittelalterlicher Dogmatik diesen
selbst zum Wanken zu bringen drohten, da verlor man
auch dem Teufel gegenüber die zum Humor nötige Unbefangenheit. Waren doch diese Angriffe selbst nach
orthodoxer Anschauung sein Werk; ihre Erfolge lehrten,
dass man den Höllenfürsten doch nicht für so harmlos
halten dürfe, als dies bisher geschehen. So gewinnt im
späteren Mittelalter der Teufel immer mehr an Bedeutung:
er wird nicht mehr als lächerliche Figur aufgefasst, sondern
als der unerbittliche Feind des Menschengeschlechts, mit
dem nicht zu spassen sei. Gerade in diese Zeit des gesteigerten Teufelsglaubens fiel nun die Blüte der englischen
Misterien. So ist es natürlich, dass letztere ihren Zuschauern den Teufel als höllischen Feind recht lebendig
zu veranschaulichen suchten; dazu war es nötig, ihm ein
möglichst abstossendes und widerwärtiges Äusseres zu
geben. Der Teufel erschien also in den Misterien als ein
groteskes Ungeheuer. Seine groteske Erscheinung entsprach nicht nur ganz folgerichtig den Vorstellungen, die
der naive Sinn des Mittelalters sich vom Wesen der
höllischen Majestät gebildet hatte, sondern diente zugleich
moralisch-erzieherischen Absichten: sie sollte die Zuschauer abschrecken und ihnen eine heilsame Furcht vor
der Hölle einjagen. Aber gerade das übermenschliche
Wesen des Teufels, das Ungewöhnliche, Auffallende seiner
Erscheinung brachte die Gefahr mit sich, dass der bis zur
Furchtbarkeit gesteigerte Ernst, der seinem Äusseren anfangs eigen war, in sein Gegenteil umschlug. Wie leicht
konnte bei weniger furchtsamen Gemütern jene erziehe-
rische Absicht verfehlt, statt eines abschreckenden ein
bloss belustigender Eindruck erzielt werden. Zudem waren
in England ja mehrere Jahrhunderte lang die Misterien
die einzige Dramengattung, an der das Volk seine Schau-
lust befriedigen konnte. So stumpfte die Gewohnheit allmählich auch die furchtsamsten Gemüter gegen das schreck-

liche Äussere des Teufels ab; schliesslich wurde er allen eine besonders vertraute Gestalt, ein guter alter Bekannter, den man immer wieder mit Freuden begrüsste, weil man sich längst daran gewöhnt hatte, in ihm den Hauptvertreter einer sehr packenden grotesken Komik zu erblicken. Auf diese Weise kehrte die Entwickelung der Gestalt des Teufels im englischen Drama wieder zu der älteren humoristischen Auffassung zurück; der übertriebene Ernst führte mit Notwendigkeit zur Komik.

Die Bestandteile der äusseren Erscheinung des Teufels im englischen Drama waren grösstenteils traditionell, und stimmen daher in ihren allgemeinen Grundzügen mit den Beschreibungen seines Aussehens in der reichen theologischen Litteratur des englischen Mittelalters überein[45]). Während aber in einer blossen Beschreibung auch sehr groteske Einzelheiten immer noch einen durchaus ernsten Eindruck machen können, wirken dieselben, oder selbst viel weniger groteske Einzelheiten meist komisch, sobald man sie in konkreter Leibhaftigkeit auf der Bühne erblickt. Auch dieser Umstand mag dazu beigetragen haben, den Teufel aus einer ernsten in eine komische Gestalt übergehen zu lassen[46]).

Die Aufführungen der Misterien wurden aus dem Inneren der Kirchen vor die Kirchenthüren, und von hier auf die öffentlichen Plätze der Städte verlegt; die Darstellung der Rollen ging von den Geistlichen auf die städtischen Handwerkerzünfte über. Diese Umstände hatten eine allmählich zunehmende Verweltlichung der Misterien zur Folge; sie haben jedenfalls auch bei der Umwandlung des Teufels in eine komische Gestalt mitgewirkt.

Die ursprünglich gewiss nicht beabsichtigte Komik des Teufels musste bald vom Publikum auf die Verfasser

---

[45]) Vgl. Cushman p. 1.

[46]) Ähnlichen Ursprungs ist auch vielfach die Komik des Vice; vgl. den folgenden Abschnitt.

der Misterien, und noch mehr auf die Darsteller des Teufels zurückwirken. Als man einmal gemerkt hatte, wie sehr dessen ungeheuerliche Erscheinung geeignet war, einen nachhaltigen komischen Eindruck zu erwecken, da verzichtete man gern völlig darauf, durch ihn abzuschrecken, um sich nur die so überaus dankbare Komik der Rolle nicht entgehen zu lassen.

B. Die einzelnen Teufelsgestalten.

1. Der Teufel in den Misterien.

Schon im ältesten erhaltenen Drama der englischen Litteratur, in dem auf dem „Evangelium Nicodemi" beruhenden Harr., das uns freilich gegenüber jüngeren Stücken als ein blosser dramatischer Embryo erscheint, begegnet eine zur Sippe der Teufel gehörige Gestalt, die einige Ansätze zur Komik aufzuweisen hat. Es ist dies der Höllenpförtner (,,Janitor") (vgl. S. 52). Als Christus sich dem Höllenthor nähert, und seine Absicht, es zu sprengen, offenbar wird, läuft dieser Pförtner einfach davon, indem er spricht (V. 140 ff.):

> „Ne dar I her no lengore stonde;
> Kepe þe ʒates whoso mai,
> I lete hem [= them] stonde and renne awei."

Im „Evangelium Nicodemi" fehlt dieser Zug der Feigheit, der eine ausschliessliche Eigentümlichkeit des englischen Stückes ist. — Satan selbst ist hingegen in Harr., wenn wir den Wortlaut des Stückes allein in Betracht ziehen, noch durchaus ernst gehalten; über seine äussere Ausstattung in diesem Stück wissen wir nichts, dürfen aber vermuten, dass sie, der überaus unbeholfenen Bühnentechnik dieses ältesten englischen Dramas entsprechend, noch recht einfach war, und somit von der grotesken Komik der äusseren Erscheinung des Teufels in den eigentlichen Misterien, die einen nicht unbedeutenden Aufwand erforderte, wenig oder gar nichts an sich hatte.

Auch in den vier grossen englischen Misteriensammlungen tritt die Komik in der Rolle des Teufels gar
nicht besonders hervor, wenn man sich allein an den Text
dieser Misterien hält. Über das grotesk-komische Kostüm
der Teufel bieten die Misterien selbst auch nur sehr
spärliche Andeutungen von ganz allgemeiner Art; z. B.
in Co. Pl. p. 307: *„Here enteryth Satan . . . in the most
orryble wyse."* Erst nachdem wir gleichsam einen Blick
hinter die Kulissen geworfen, d. h. die sonstigen Hilfs-
mittel zu Rate gezogen haben, die über die Ausstattung
der Stücke, die Schauspieler, überhaupt die technische
Seite der Misterienaufführungen Nachrichten überliefern,
können wir uns vom grotesken Charakter der teuflischen
Komik ein deutliches Bild machen. Genauere bühnen-
technische Einzelheiten teilen uns freilich nur die Rechnungsbücher mehrerer Coventryer Handwerkerzünfte [47])
mit, denen die Aufführung bestimmter einzelner Stücke
des gesamten Misterienzyklus oblag. Diese Rechnungsbücher, gesammelt und zusammengestellt von Sharp in
seiner „Dissertation", sind eine reichhaltige Fundgrube
für die Kenntnis der damaligen Theatereinrichtungen;
denn wir dürfen annehmen, dass die Bühnentechnik an
den andern Orten, wo auch Misterienaufführungen statt-
fanden, ganz ähnlich der von Coventry gewesen ist. Zur
Ergänzung der in den Rechnungsbüchern überlieferten
Nachrichten über das teuflische Kostüm mögen die zahlreichen bildlichen Darstellungen des Teufels dienen, die
uns die Kunst des Mittelalters überliefert hat. Die vielen
Illustrationen bei Wright enthalten ein reichhaltiges hierher gehöriges Material, und ermöglichen uns, die mittelalterliche Auffassung der Engländer von der äusseren

---

[47]) Diese Rechnungsbücher beziehen sich auf eine Reihe verloren gegangener Stücke, die von den verschiedenen Zünften zu
Coventry aufgeführt wurden. Mit dem „Ludus Coventriae" bezeichneten Misterienzyklus haben sie nichts zu thun; bei diesen Misterien
waren, im Gegensatz zu den drei andern grossen Misteriensammlungen, Geistliche, nicht Handwerker, die darstellenden Personen.

Erscheinung des Teufels schon seit der angelsächsischen
Zeit zu verfolgen. Von den dem Werke Sharp's bei-
gegebenen Bildern sind besonders No. 5 und 6 für diesen
Teil unserer Untersuchung von Wichtigkeit. Alle diese
Bilder gehören dem früheren Mittelalter an.

Dass wir berechtigt sind, die genannten Bilder zur
Ergänzung heranzuziehen, lässt sich leicht erweisen. Im
Drama des 16. Jahrhunderts werden nämlich die das
Kostüm des Teufels betreffenden Bühnenanweisungen und
Anspielungen im Text häufiger. Nun entspricht die Vorstellung, die wir dadurch von der äusseren Erscheinung
der Teufel gewinnen, in ihren wesentlichen Einzelheiten
den oben angeführten bildlichen Darstellungen dieser Gestalten, die zum Teil schon der angelsächsischen Zeit
entstammen. Die Teufel können daher auch in den
zwischen jene Bilder und das spätere Drama fallenden
Misterien nicht anders ausgesehen haben.

Wenn wir die Hilfsquellen, die uns zur Beurteilung
der Rolle des Teufels in den Misterien zur Verfügung
stehen, zusamenfassen, so ergiebt sich etwa folgendes Bild:

In den Misterien lag der Schwerpunkt der Komik des
Teufels weder in seinen Worten noch in seinen Handlungen,
sondern in seiner grotesken äusseren Erscheinung.
Vor allem kommt es also hier auf das Kostüm des Teufels
an. Dieses ist in seinen einzelnen Teilen nicht immer
dasselbe, weder auf den Bildern noch auf der Bühne;
aber die Gesamtwirkung wird von diesen im ganzen nur
nebensächlichen Unterschieden in den Einzelheiten nicht
berührt: das groteske Wesen des Teufels wird durch sein
Kostüm immer gleich kräftig ausgeprägt. Die meisten
Kostümanweisungen erwähnen des Teufels bemalte Gesichtsmaske. Die Bilder bei Wright und Sharp lehren,
wie wir uns diese Maske ungefähr zu denken haben. Sie
stellte gewöhnlich irgend einen phantastischen Tierkopf dar. Der gewaltige Mund ist meist weit auf-
gerissen, so dass die grimmig gefletschten Zähne
blossgelegt sind. Statt der meist unförmlich grossen

Nase, die zuweilen wie der Schnabel eines Vogels aussieht, begegnet mitunter eine Art Schweinerüssel[48]). Die Ohren sind sehr lang. Die Stirn schmücken fast stets zwei Hörner; nur selten tritt an deren Stelle eine Art Hirschgeweih. Wenn in vereinzelten Fällen der Teufel einen Bart trug, so war dieser wohl rot. — Die eigentliche Kleidung des Teufels war in dem die Passion Christi darstellenden Spiel der Schmiede, das wir bis in den Anfang des 15. Jahrhunderts zurückverfolgen können[49]), aus wahrscheinlich schwarzem bemaltem Leder[50]). Die Bemalung bestand, wie besonders Bild 6 bei Sharp vermuten lässt, aus Fratzen. In dem das jüngste Gericht darstellenden Spiel der Tuchmacher, deren älteste erhaltene Rechnungsbücher freilich erst mit dem Jahre 1534 anfangen, die aber gewiss auch schon viel früher gespielt haben, war der Teufel in mit schwarzem Rosshaar überzogene Leinwand gekleidet[51]), muss also sehr zottig ausgesehen haben. In den Ch. Pl. trug er ein Gewand aus Federn[52]). — Wie wir auf den Bildern sehen können, gehörte zum Kostüm des Teufels meistens auch ein Schwanz[53]), und statt menschlicher Füsse hat

---

[46]) In dem bei Sharp p. 223 ff. abgedruckten Newcastler Misterium „Noah's Ark", das zwar in sehr modernisierter Form überliefert ist, aber in seiner ursprünglichen Gestalt wohl bis ins 14. Jahrhundert hinaufreicht, sagt der Teufel zu Noah's Frau: *„I swear thee by my crooked snout."*

[49]) Sharp p. 19.   [50]) Sharp p. 57.   [51]) Sharp p. 57. 66.

[52]) Sharp p. 31. Furnivall, Forewords to the D. Pl. p. XXIII.

[53]) In den Ch. Pl. (II 176) tragen zwei Dämonen den toten Körper Antichrists, der auch als Teufel aufzufassen ist, in die Hölle. Hierbei sagt der zweite Dämon zum ersten: *„Thou take hym by the toppe and I by the tayle."* Im Rechnungsbuch der Gewürzkrämer zu Norwich, welche die Versuchung des Menschen und die Vertreibung von Adam und Eva aus dem Paradiese darstellten, wird als zum Inventar dieser Gilde im Jahre 1565 gehörig angeführt: *„A Cote wt [= with] hosen & tayle for ye serpente, steyned"* (p. 23). Dass die Schlange hier nicht etwa als Tier, sondern als Dämon aufzufassen sei, geht nicht nur aus der Erwähnung des *„Cote with hosen"* hervor, sondern auch daraus, das Eva Adam gegenüber von ihr als von einem Engel spricht.

er gewöhnlich gespaltene Klauen, oder Krallen, mit
denen auch seine Hände versehen sind[54]). — Wenn der
Teufel überhaupt einem bestimmten Tiere nachgebildet
wird, gleicht er am häufigsten einem Ziegenbock[55]), so
dass eine gewisse, aber wohl nur zufällige Ähnlichkeit mit
Pan und den Satyrn des klassischen Altertums nicht zu
verkennen ist[56]).

Im Spiel der Mützenmacher, die Christi Höllenfahrt
und Auferstehung darstellten, und deren Rechnungsbuch
bis 1485 zurückreicht, führte der Teufel eine Keule aus
bemalter Steifleinwand mit sich[57]). Auf Bild 6 bei
Sharp schwingt einer der Teufel ebenfalls eine Keule, und
zwar von so mächtigem Umfang, dass, wäre sie aus
massivem Holz, sie für die meisten Menschen zu schwer
sein würde. Wahrscheinlich war die Keule des Teufels
im Spiel der Mützenmacher von ähnlicher Grösse. So
erklärt es sich am einfachsten, dass sie nicht aus Holz,
sondern aus leichterem Stoff bestand; ähnlich den heutigen
pappenen Gigerlknütteln konnte sie so trotz ihrer scheinbaren
Schwere leicht gehandhabt werden; denn ihr hohles Inneres
war wohl leer, oder mit Wolle ausgestopft, wie die Keule
des Pilatus[58]). Seine so schrecklich scheinende Waffe

---

[54]) In Gurt. werden (p. 44) Hörner auf der Stirn, so lang wie
die Arme eines erwachsenen Menschen, ein Kuhschwanz, krumme
gespaltene Füsse und Krallen als Abzeichen des Teufels erwähnt. Mit den zuletzt genannten Merkmalen wird auch „Friar
Rushe", einer der Kobolde des englischen Volksglaubens, an dieser
Stelle ausgestattet; er wird hier ausdrücklich mit dem Teufel auf
gleiche Stufe gestellt.

[55]) Vgl. besonders Wright Bild No. 35.

[56]) Eher hat der Teufel seine Bocksgestalt dem Donar zu verdanken (vgl. Roskoff II 5). Mit der Einführung des Christentums
wurden ja überhaupt die heidnischen Gottheiten der Germanen zu
teuflischen Wesen herabgedrückt (vgl. Roskoff II 1 ff.). Zu bedenken
ist freilich, dass Donar (ags. *þunor*) bei den Angelsachsen eine viel
unbedeutendere Stellung einnahm als bei den übrigen Germanen.

[57]) Sharp p. 42. 45. 56. 60.

[58]) Sharp p. 51. Bild No. 9.

brauchte der Teufel nicht nur im betreffenden Stück selbst, entsprechend seiner Rolle, sondern auch ausserhalb dieser, zu improvisierten Scherzen nach Art des späteren Vice, indem er etwa die ihm zunächst stehenden Zuschauer damit bedrohte[59]. — Im Spiel der Schmiede gehört zu den Abzeichen des Teufels auch ein Stab[60]), über den nichts Näheres mitgeteilt wird. Wie wir uns aber diesen Stab zu denken haben, darüber geben uns zahlreiche Bilder Auskunft, auf denen wir den Teufel mit einem in Zacken auslaufenden Stabe von verschiedener Länge erblicken[61], der ihm als Folterwerkzeug diente. Einen solchen Stab schwingt der Teufel auch an der oben erwähnten Stelle der Ch. Pl. (vgl. Anm. 59).

Zu den mit der Rolle des Teufels eng verknüpften Erfordernissen der mittelalterlichen Bühnentechnik gehört auch der Höllenrachen. Er wurde mit grosser Sorgfalt ausgestattet. Im Spiel der Tuchmacher bestand er aus Tuch (,,cloth"; wahrscheinlich ist Leinwand gemeint), und wurde häufig bemalt[62]). Eine oder mehrere Personen waren angestellt, ihn nach Bedürfnis zu öffnen oder zu schliessen[63]), oder ein Feuer darin zu unterhalten[64]). Der Höllenrachen stellte das weit aufgesperrte Maul eines ungeheuren phantastischen Tieres dar; er musste gross genug sein, die Teufel mit ihren Opfern bequem durch seine Öffnung ein- und ausgehen zu lassen. Ein oder zwei entsetzliche Augen erhöhten das Furchtbare seines Anblicks. Den Höllenrachen finden wir auf zahlreichen Bildern des englischen Mittelalters[65]).

---

[59]) Im Text festgelegt ist eine solche Improvisation nur an einer Stelle der Ch. Pl. (I 186; Slaughter of the Innocents): freilich ist die Waffe des Teufels hier nicht eine Keule, sondern ein krummer Stab.

[60]) Sharp p. 31.

[61]) Vgl. Wright Bild No. 29. 35. 38. 43. Das Bild bei Hone p. 138. Sharp Bild No. 6.

[62]) Sharp p. 61.   [63]) Sharp p. 61.

[64]) Sharp p. 67. 73.

[65]) Vgl. das Bild bei Wülker p. 35. Wright Bild No. 40. Sharp Bild No. 5 und 6.

Aus alledem erkennen wir, was für ein grosses Gewicht auf die äussere Ausstattung des Teufels gelegt wurde. Der Aufwand für das Kostüm des Teufels steigerte sich im Laufe der Zeit bis zum Luxus; er hielt mit der wachsenden Komik dieser Gestalt gleichen Schritt. Während beim Spiel der Schmiede die Rechnungsbücher in der Zeit von 1451—1565 8 sh. 2 d. als Ausgaben für das Kostüm Gottes, und 8 sh. 9 d. für das des Teufels verzeichnen [66]), geben die Tuchmacher für Gott von 1556—1565 4 sh 10 d aus, für die beiden Dämonen ihres Stückes dagegen von 1536—1572 20 sh. 1 d.[67]). Wenn auch die Ausgaben für die Teufel sich hier auf einen längeren Zeitraum erstrecken, als die Ausgaben für Gott, so ist doch zu vermuten, dass für Gott überhaupt nur in jenem kürzeren Zeitraum Ausgaben erwuchsen, da für die übrige Zeit, wo für die Teufel so viel Geld verwendet wurde, von Ausgaben für Gott nichts verlautet. Und selbst wenn wir berücksichtigen, dass die Tuchmacher zwei Teufel zu versorgen hatten, so kommen doch auf jeden. von diesen durchschnittlich über 10 sh., also mehr als doppelt so viel als auf Gott. Dabei sind die beträchtlichen Ausgaben, die der Höllenrachen der Tuchmacherzunft im gleichen Zeitraum verursachte (17 sh. 4 d.)[62]), nicht einmal mitgerechnet.

Die sich an den Teufel knüpfende Komik der Situation ist von viel schwächerer Wirkung als die groteske Komik seiner äusseren Erscheinung. Aktive und passive Elemente mischen sich in jener Komik. Seine aktive Komik ist durch ihre Roheit mit der der oben besprochenen Folterer (vgl. S. 31 ff.) nahe verwandt. Es war eine Hauptaufgabe des Teufels in den Misterien, die höllischen Qualen, mit denen er die Seelen der Verdammten in der Hölle peinigte, dem Publikum recht lebhaft zu veranschaulichen. Dieses sah ja die Hölle selbst leibhaftig auf der Bühne vor sich; das ewig brennende höllische Feuer loderte vor seinen

---

[66]) Sharp p. 26. 31.
[67]) Sharp p. 69.

Augen aus dem Höllenrachen hervor, und das aus diesem ertönende fürchterliche Angstgekreisch der von den erbarmungslosen Teufeln gefolterten Seelen vergegenwärtigte den Zuschauern, welche Zukunft sie selbst dereinst im Jenseits zu erwarten hätten, wenn sie nicht von ihren Sünden abliessen. Hier hat der Teufel für die Entfaltung von Komik natürlich nur wenig Spielraum. Lebhaftere komische Wirkungen werden erreicht, wenn die verdammten Seelen dazu dienen, bestimmte missliebige Persönlichkeiten des wirklichen Lebens darzustellen. Im Stücke „The Harrowing of Hell" der Ch. Pl. sehen wir z. B. in der Hölle eine betrügerische Wirtin aus Chester, deren Urbild offenbar eine in dieser Stadt zu ihrer Zeit wohlbekannte Persönlichkeit gewesen sein muss; sie war berüchtigt durch ihr schlechtes Einschenken, ihre Bierpantschereien, ihr Fluchen, das Karten- und Würfelspiel, das in ihrer Kneipe getrieben wurde. Satan und zwei andere Teufel begrüssen sie zum allgemeinen Ergötzen des Publikums auf's herzlichste in der Hölle. Der zweite Teufel verheisst ihr gar, sie zu heiraten[68]). Wenn auch die Komik hier, besonders auf die Zeitgenossen jener Wirtin, eine starke Wirkung ausgeübt haben mag, so ist sie doch als Satire unfähig reinkomisch zu wirken. Ausserdem sind die Teufel ja an dieser Satire nicht einmal direkt beteiligt; sie knüpft sich unmittelbar doch nur an die Wirtin von Chester. So lange der Teufel in seinem grotesken Gewande auftritt, eignet er sich überhaupt nicht zum Träger einer direkten Satire.

Fernere Bestandteile der aktiven Komik der Teufel sind Grobheiten, Schimpfereien und Unflätigkeiten, mit denen sie ihre Reden reichlich pfeffern. Glichen sie als Peiniger der verdammten Seelen speziell den Folterern, so haben sie die Neigung zum Schimpfen mit den clown-

---

[68]) Cushman (p. 27) vermutet, wohl mit Recht, dass obige Stelle eine spätere Interpolation sei. Die Stelle fehlt nach Halliwell in der Harleian-Hds.; ausserdem macht der Heiratsantrag des zweiten Teufels den Eindruck eines jüngeren Zuges.

artigen Misterienlümmeln überhaupt gemein. Wie Cain's
Unverschämtheit sich einmal auch gegen Gott selbst
wendet (vgl. S. 30 ff.), so wird auch Jesus in den T. Pl.
(p. 247) von Belzabub „brodell", an einer andern Stelle
(p. 249), die mit den Y. Pl. (p. 384) fast wörtlich übereinstimmt, von Satan „dastard" genannt. Eine wahre Flut
von Schimpfwörtern schleudert der Antichrist im gleichnamigen Spiele der Ch. Pl. auf Enoch und Elias herab.
Angemessener erscheinen solche Liebenswürdigkeiten, wenn
die Teufel sie sich gegenseitig an den Kopf werfen, so
dass in derselben Szene aktive und passive Komik durcheinander gemengt wird, ja zuweilen sogar, wenn auf eine
Schimpfrede eine entsprechende Antwort erfolgt, derselbe
Teufel abwechselnd beide Arten der Komik an den Tag
legt. In der zuletzt genannten Szene des T. Pl. und
Y. Pl. befiehlt Satan dem Belzabub, den die Pforten
der Hölle öffnenden Jesus[69]) niederzuschlagen (in den T. Pl.
redet Satan seine Untergebenen mit „Thefys" an), worauf
Belzabub seinem Gebieter erwidert, das sei leichter gesagt
als gethan; er möge doch selbst kommen und es versuchen.
An andern Stellen rücken die Teufel mit schwererem Ge-
schütz gegen einander vor. P. 247 der T. Pl. droht Satan
dem vor Angst brüllenden Belzabub den Schädel einzu-
schlagen. P. 5 der Y. Pl. macht einer der Teufel dem
Lucifer, der hier als der oberste Teufel auftritt, bittere
Vorwürfe, weil er ihren Sturz aus dem Himmel in die
Abgründe der Hölle veranlasst habe; er nennt den Teufel
hier „lurdane"[70]), worauf Lucifer ihn der Lüge zeiht und
mit der gleichen Benennung beglückt. Jener Teufel spricht
gleich darauf mit einer köstlichen Naivetät, die das Schimpfwort den Teufeln gegenüber als normale Bezeichnung behandelt, von „ We lurdans". Dasselbe Motiv der Vorwürfe

---

[69]) Die „Höllenfahrt Christi" in den Misterien beruht auf dem
im Mittelalter so beliebten „Evangelium Nicodemi". Irgend welche
komische Züge im Charakterbilde der Teufel haben aber die Misterien
jenem apokryphen Evangelium nicht zu verdanken.

[70]) Etwa = dummer Tölpel, vom franz. lourd abzuleiten.

enthalten auch die Ch. Pl. Hier sagt einer der Teufel zu Lucifer (I 16): „*The devill may speade thy stincking face*". Gestank gehört überhaupt zu den charakteristischen Merkmalen des Teufels. P. 275 der Co. Pl. verkündigt der Teufel dem Judas: „*In fyre and stynk thou xalt sytt me by*". An drei Stellen der Co. Pl. (p. 21. 30. 211) wird aber diese teuflische, ins Gebiet der rohesten objektiven Komik gehörige Eigentümlichkeit in gar zu drastischer Weise genauer ausgemalt, mit allzumenschlichen Einzelheiten, die zu der übermenschlichen Natur des bösen Geistes durchaus nicht stimmen. Auch dies beweist den dieser Misteriensammlung eigenen Mangel an echter Komik, der sie besonders zu den T. Pl. in Gegensatz stellt. Blosse Unflätigkeit soll an jenen Stellen der Co. Pl. die reine Komik vertreten, die in den T. Pl. schon hier und da einige Blüten treibt,

Schon die Maske, die der Teufel auf der Bühne zu tragen pflegte, verleiht ihm ein starr typisches Gepräge; auch in seinen Reden kehren immer wieder bestimmte typische Ausdrücke wieder, nämlich „*out, out! harrow!*" „*out! harrow! out!*" oder andere Variationen dieses Ausrufs, der einen altenglischen Alarm- oder Schreckensruf darstellt. Das Wort „*harrow*" oder „*harro*" ist normannischen Ursprungs, und in eigentümlicher Verwendung noch gegenwärtig auf den normannischen Inseln und in der Normandie gebräuchlich.[71]) Durch den Ruf „*out, out!*" wurden wohl ursprünglich die Nachbarn aus ihren Häusern heraus zu Hilfe gerufen. Die Häufigkeit des Rufes „*out, out! harrow!*", u. s. w.[72]) zeigt, wie oft der Teufel, zur

---

[71]) Vgl. Murray, New English Dictionary, V 104.

[72]) Häufig wird der Ruf „*out, out! harrow!*" nur von den Teufeln ausgestossen, so dass er als eines der Merkmale dieser Gestalten gelten darf. Daneben wenden ihn aber auch gelegentlich andere Personen an: in der Co. Pl. ein jüdischer oder heidnischer Bischof (p. 396) und ein heidnischer Fürst (p. 398); in den Ch. Pl. eine der Frauen, deren Kinder auf des Herodes Geheiss getötet werden (I 183); in den Y. Pl. Noah's Frau (p. 48) und Pharao (p. 91); in den T. Pl. Cain (p. 17).

lebhaften Schadenfreude der Zuschauer, in eine hilflose
Lage geriet.

Während in jenem Ausruf nur die passive Seite der
teuflischen Komik zum Vorschein kommt, dient das gelegentliche Schreien und Brüllen des Teufels, das geeignet
war, in kindlich rohen Zeiten komisch zu wirken, zum
Ausdruck einer bald aktiven, bald passiven Komik.

Die Hölle bildete nach den Anschauungen des Mittelalters eine vielgliedrige Hierarchie mit zahlreichen Abstufungen des Ranges von Lucifer oder Satan bis herab
zu den niederen Dämonen, die das plebejische Element in
der Hölle darstellten. Unter diesen nimmt der jugendliche Tutivillus im Stücke „Juditium" der T. Pl. eine
hervorragende Stelle ein [73]). Über sein Kostüm wissen wir
nichts. Auch er entfaltet wenig direkte persönliche Komik,
sondern wird zum Träger einer indirekten Satire auf die
verschiedenen Typen von Sündern, die ihm in die Hände
fallen. Wie die andern Teufel, schleppt auch Tutivillus
einen Sack herbei, der Sündenverzeichnisse der verdammten
Seelen enthält. Die Inhaltsangabe dieser Verzeichnisse
giebt besonders zu satirischen Schilderungen Gelegenheit,
wobei vor allem die Putzsucht der Frauen verspottet wird,
aber auch die modischen Gecken männlichen Geschlechts
nicht verschont werden. In der langen Liste von sonstigen
zur Hölle verdammten Sündern befinden sich auch solche
Personen, die in der Kirche zu schwatzen pflegten
(„kyrkchaterars"). Einmal wird sogar die sich an Tutivillus knüpfende Satire direkt, indem er sich selbst (p. 310)
einen Lollarden („Lollar") nennt. Der Verfasser des
Stückes stellt sich also in den Dienst der herrschenden
kirchlichen Orthodoxie. — Der in der Rolle des Tutivillus

---

[73]) Cushman (p. 33) erweist mit guten Gründen, dass die Tuti-
villus-Szenen der T. Pl. jüngere Interpolationen sind. Dies geht aus
dem von den übrigen Teilen des Stückes abweichenden Versmass
jener Szenen, und daraus hervor, dass sie im Stück „Doomsday" der
Y. Pl. fehlen, das sonst mit dem vorliegenden Stück der T. Pl. im
wesentlichen übereinstimmt.

so stark hervortretende satirische Zweck entfernt im allgemeinen diese Gestalt von einer lustigen Person. Nur wenige Züge geben ihm einen schwachen Anstrich eines Hanswurstes. An einer Stelle sucht er z. B. zwei andern älteren Dämonen dadurch zu imponieren, dass er zwei lateinische Verse zitiert, von denen der zweite, wie es scheint, sinnlos ist. Der zweite Dämon erkennt auch bereitwillig seine Gelehrsamkeit an, and bedauert, keinen Penny für Tutivillus bei sich zu haben. Diese Szene erinnert an die oben (Seite 35 ff.) geschilderte des ersten Hirtenspiels der T. Pl., wo Slowpace seinen beiden Gefährten gegenüber in ähnlicher Weise auftritt. Auch sonst bemüht sich Tutivillus hier und da, sich den Schein der Überlegenheit über die beiden älteren Teufel zu geben. Da das Merkmal der Jugendlichkeit ihm ausdrücklich beigelegt wird, und er ein Untergebener der beiden andern zu sein scheint, so sehen wir hier wieder das bekannte typische Verhältnis zwischen Herrn und Diener wenigstens angedeutet. Es tritt nicht so deutlich hervor. wie sonst in den Misterien, weil das Hauptgewicht auf die Satire gelegt wird.

Ein gleichnamiger Teufel kommt auch in den französischen und deutschen Misterien vor, und zwar begegnet neben der gewöhnlichen Form des Namens „Tutivillus“ oder „Tutevillus“ auch eine Nebenform „Titinillus“. In den französischen Misterien kommt allein letztere Namensform vor (geschrieben „Tithinilus“ oder „Titynillus“) [74]. Wenn wir von einem vereinzelten Fall absehen, wo der betreffende Teufel auch in einem deutschen geistlichen Drama „Titinill“ heisst [75]), stimmen die deutschen Misterien mit dem englischen Drama in der Namensform „Tutivillus“ überein [76]). Diese darf wohl als die ursprünglichere gelten;

---

[74]) Vgl. Petit de Julleville II 470. 528. Wieck S. 11 bezeichnet obige Formen als ihm unerklärlich.

[75]) Im vierten Tiroler Spiel, vgl. Wackernell S. 99.

[76]) „Tutivill" heisst ein Teufel im Erlauer Spiel von der Maria Magdalena (vgl. Kummer S. 97, V. 72). Im Redentiner Osterspiel lautet der Name „Tutevillus“ (Mone II 56, V. 616. 83, V. 1382).

5*

das Wort ist wahrscheinlich aus dem Französischen abzuleiten, und als Zusammensetzung von „tout" = ganz und
„vil" = niedrig, gemein, mit angehängter lateinischer Endung
aufzufassen [77]). Hier hätten wir also eines der wenigen
Beispiele für eine direkte französische Einwirkung auf die
englischen Misterien (vgl. S. 27 ff. und 39 ff.): sie erstreckt
sich in diesem Falle zugleich auch auf das deutsche geistliche Drama. „Titinillus", obwohl in den französischen
Misterien die alleinige Namensform, scheint eine blosse
Entstellung der ursprünglichen Grundform „Touterilus" zu
sein. — Nach Creizenach (S. 203) ist Tutivillus ursprünglich ein „Geschöpf des klösterlichen Witzes", ein teuflischer Kobold, dessen besondere Obliegenheit es war, die
Klosterbewohner in ihrer kirchlichen Andacht zu stören.

Ein anderer Teufel niederen Ranges im Stück „Ex-
tractio Animarum ab Inferno" der T. Pl. führt den bedeutsamen Namen „Rybald" (ne. ribald = ruchloser Mensch);
er ist aber unter den ihm gleichartigen Gestalten durch
keine besonderen Merkmale ausgezeichnet.

Ein Fall von direkter, in einem Teufel verkörperter
Satire ist uns bisher nur einmal begegnet (S. 66). Im
Stücke „The Council of the Jews" der Co. Pl. entäussert
sich aber Lucifer oder Satan selbst völlig seines über-

---

[77]) Obige Erklärung passt ganz ungezwungen zum Namen eines
Teufels und lässt sich auch noch durch andere Gründe stützen. In
Skelton's Magn. zählt „Folly" unter den Narren, die seiner Leitung
folgen, auch „Symkyn [= Simonchen] Tytyuell" auf. In Roist. wird
„Tom Titivile" als Bezeichnung für einen bösartigen Menschen ge-
braucht (p. 58). Ebenso in Hest., wo Hardy-dardy spricht (p. 48):
    „How the smith Perillus, like a tuta vilus,
      Made a bull of bras."
Einen Teufel namens „Tytivillus" treffen wir ausserdem auch in der
Moralität Mank.; hier (V. 873) wird auch eine freilich zu allgemeine
Deutung des Wortes gegeben: „propyrly titiuilly sygnyfyth the fend
of helle". Collier (II 222) erklärt „Tutivillus" nicht ganz zutreffend
als eine Zusammensetzung der lat. Wörter „totus" und „vilis". Douce
(und ihm folgend auch Cushman) leitet das Wort aus dem bei Plautus
vorkommenden „titivillitium" = Kleinigkeit, etwas Unbedeutendes,
ab, eine Erklärung, die mir wenig befriedigend erscheint.

menschlichen Wesens, indem er als ein von der damaligen
Kultur beleckter Stutzer auftritt, und sich auch selbst als
solchen beschreibt. So gewinnen wir ein kulturgeschichtlich interessantes Bild eines Modenarren aus dem späteren
Mittelalter [78]). Lucifer trägt Schnabelschuhe aus Corduan-
leder; carmoisinrote Strümpfe; zwei Dutzend ziegenlederne
Nesteln mit Stiften aus feinem Silber; ein Hemd aus feiner
holländischer Leinwand; einen Busenlatz von bester Art;
ein Wams, das mit Cadizer Wolle ausgestopft ist, um den
Körper voller erscheinen zu lassen; einen drei Ellen langen
Mantel; lange Locken [79]), welche die Ohren verdecken und
bis zum Halskragen herabhängen; auf dem Kopfe eine
hohe, aber schmale Kappe. Ein Geldbeutel ohne Inhalt
und ein Dolch vervollständigen die Ausrüstung des Gecken,
der auch abgesehen von seiner Kleidung sonderbar genug
ausgesehen haben muss, da sein sehr grosser Oberkörper,
der freilich erst auf künstlichem Wege zu so beträcht-
lichem Umfang gebracht worden ist, von zwei nur ganz
dürren Beinen gestützt wird. Lucifer stellt hier offenbar
eine Karikatur des damaligen Modenarrentums dar. Als
satirisches Abbild eines durch Zeit und Ort begrenzten
Typus steht er der lustigen Person fern; höchstens dadurch, dass dieser Typus bis zur grotesken Karikatur ver-
zerrt, seine Komik somit über das notwendig Charakteristische hinaus gesteigert wird, tritt der Teufel in Gecken-
gestalt einer lustigen Person etwas näher, als dies bei

---

[78]) Auch in der bildenden Kunst des englischen Mittelalters
stossen wir auf den Teufel in der Rolle eines Gecken. Bild No. 70
bei Wright stellt „Sin in Satins“ dar. „Sin“ ist ein Dämon und mit
dem langärmeligen Rock bekleidet, der gegen Ende des Mittelalters
Mode war. Er verkörpert in seiner äusseren Erscheinung eine Satire
auf die damalige Kleidertracht, und besitzt zugleich alle Merkmale,
die den Teufel in den englischen Misterien kennzeichnen: Hörner,
eine lange schnabelartige Nase, Klauen, Krallen und einen Schwanz.

[79]) Kreyssig (III 8) übersetzt „syde lokkys“ mit „seidene Locken“;
„syde“ entspricht aber dem ags. sid — lang, weit; das ags. side, Seide
scheint im Me. untergegangen zu sein. — Vgl. auch Mank. V. 657
„syde gowne“.

einem lebenswahren Abbild eines damaligen Gecken der Fall sein würde.

Die Teufel werden oft nur mit ihren Gattungsnamen „*diabolus*" oder „*demon*" genannt. Die teuflischen Eigennamen bieten nichts besonders Bemerkenswertes, da sie meist biblischen Ursprungs sind: *Lucifer*[80]) = *Lightborne* (Ch. Pl., Creation), *Satan, Belzabub, Belial.* Die einzigen Ausnahmen sind *Tutivillus* (vgl. S. 66 ff.) und *Rybald* (vgl. S. 68)[81]).

2. Der Teufel in den Moralitäten, Mirakelspielen und komischen Zwischenspielen.

In den vier grossen englischen Misteriensammlungen tritt der Teufel im allgemeinen nur in solchen Stücken auf, wo schon der Stoff selbst sein Auftreten erforderte, also bei der Schöpfung, beim Sündenfall, bei Christi Versuchung[82]) und Höllenfahrt, sowie beim jüngsten Gericht. Vereinzelt begegnet er freilich auch sonst, ohne dass der Stoff dies mit innerer Notwendigkeit veranlasst hätte[83]). In allen diesen Fällen hat aber die Rolle des Teufels nur

---

[80]) Die Übertragung des Namens des Morgensterns auf den obersten Teufel beruht auf einer patristischen Deutung von Jes. 14, 12 (vgl. Luk. 10, 18).

[81]) Unbegreiflich ist das Versehen Cushman's, der (p. 18—20) die in zwei Stücken der Co. Pl. (25 und 27) vorkommenden Juden Rewfyn und Leyon, die mit Cayphas zu den „*jewgys of Jewry*" gehören (vgl. p. 248), ebenfalls zu den Teufeln rechnet.

[82]) Als ein verspätetes Misterien kann auch Bale's Tempt. gelten. Die Rolle Satan's enthält aber hier kaum irgendwelche Komik: sie dient höchstens einmal dazu, einen satirischen Ausfall gegen den Papst anzuknüpfen, den Satan (p. 25) seinen Freund nennt. Im übrigen ist Bale's Versuchung Christi nur eine ausführlichere Ausmalung der biblischen Erzählung.

[83]) Besonders in den Co. Pl., in den Stücken 19 (Slaughter of the Innocents): 25 (Council of the Jews); 27 (Last Supper); 31 (Pilate's Wife's Dream; wie es scheint, nur als Bruchstück überliefert: darin: Satan und ein niederer Teufel); 41 (Assumption of the Virgin: darin: zwei Teufel). Ferner in den Y. Pl., in den Stücken 30 und 45, von denen ersteres Stück 31 der Co. Pl. entspricht,

einen episodischen Charakter, und mit ,dem eigentlichen Kern der Handlung kaum etwas zu schaffen.

Auch in der ältesten aller vorhandenen Moralitäten, in Pride (nur unvollständig überliefert), spielen die Teufel keine bedeutende Rolle. Sie kommen nur in der verloren gegangenen zweiten Hälfte des Stückes vor: hier nehmen sie, wie sich aus dem Prolog (V. 96) erschliessen lässt, die Seele des Menschen nach dessen Tode in Besitz; doch entgeht ihnen schliesslich ihre Beute durch die Fürsprache der Jungfrau Maria.

Anders in den drei nächstältesten erhaltenen Moralitäten, den sogenannten „Macro Moralities", die den Kampf der als Personen auftretenden Tugenden und Laster um die menschliche Seele vorführen. Ein solcher Kampf bildete ja überhaupt den Inhalt der meisten Moralitäten; Verkörperungen des guten und des bösen Prinzips waren also deren wesentliche Bestandteile. Da lag es sehr nahe, als obersten Vertreter des bösen Prinzips den Teufel selbst hinzustellen. Dies geschah in den genannten drei Moralitäten; in jeder von diesen gehört der Teufel zu den Hauptpersonen. Als Verkörperung des bösen Prinzips war der Teufel hier für komische Zwecke nicht sehr geeignet, ebenso wie der Teufel der Misterien. Trotzdem wird er in jenen drei Moralitäten zum Hauptträger der Komik gemacht, einerseits, indem die Komik der formalen Seite seiner Rolle, die Komik seiner grotesken äusseren Erscheinung, kräftig ausgebeutet, und gegenüber den Misterien wenigstens in einem Falle noch gesteigert wurde; andererseits, indem man den Teufel seines eigentlichen bösartigen Wesens hier und da entkleidete, ihn zum mehr oder weniger harmlosen Possenreisser machte, und ihn zuweilen rein episodische, von der eigentlichen

letzteres sich mit Stück 41 derselben Sammlung inhaltlich berührt. In Stück 30 ist dem Satan jedoch kein niederer Teufel an die Seite gestellt: in Stück 45 kommt auch nur ein einziger Teufel vor. Ausserdem in Stück 10 der Ch. Pl. (Slaughter of the Innocents) und im Newcastler Misterium „Noah's Ark" (vgl. Anm. 48).

Handlung ganz abseits liegende Scherze improvisieren
liess. Von der schon in den Misterien entwickelten Komik
des Teufels geht also in den Moralitäten zunächst nichts
verloren; sie übernehmen diese Komik nicht nur, sondern
vermehren sie noch und erhöhen ihre Bedeutung. So
lässt sich in der Geschichte des englischen Dramas eine
ununterbrochene stetige Entwickelung des Teufels als einer
komischen Figur verfolgen, wobei der Umstand, dass eine
Dramengattung durch eine andere, die Misterien durch
die Moralitäten abgelöst werden, jene Entwickelung in
keiner Weise stört. In den späteren Moralitäten wurde
freilich der Teufel als komische Gestalt meist durch den
Vice ersetzt, und erlitt dadurch eine beträchtliche Einbusse
an Komik; in den älteren Moralitäten aber erblicken wir
den Teufel noch in seiner ganzen ungeschwächten Komik.

Gleich in der ersten der drei „Macro Moralities", in
Pers., artet die Komik des teuflischen Kostüms in Fratzen-
haftigkeit aus, wie wir aus einer zu diesem Stück gehörigen Bühnenanweisung erkennen können, die Sharp
(p. 60) abgedruckt hat: *„he p^t schal play belyal, loke p^t he
have gunne powd' brenning in pypys in h's hands &
in h's ers [= ears] & in h's ars whanne he gothe to batayl."*
Belial belagert als Anführer der als Unterteufel gedachten sieben Todsünden das Schloss der Beharr-
lichkeit, worin „Humanum Genus", der Held des Stückes,
eingeschlossen ist. Die sieben Todsünden ernten von
ihrem Gebieter Schimpfworte und Prügel, weil sie aus
Nachlässigkeit „Humanum Genus" haben entschlüpfen
lassen. Dieser wird das ganze Stück hindurch von einem
„guten" und einem „bösen Engel"[84]) begleitet. Am
Schluss nimmt der „böse Engel" „Humanum Genus" auf

---

[84]) Der böse Engel gehört zu den niederen Teufeln. Nach dem
Volksglauben des Mittelalters wurde ein „böser Engel" ebenso wie
ein „guter" jedem Menschen gleich bei seiner Geburt zugeteilt:
beide hatten den Menschen durch sein ganzes Leben zu geleiten,
der eine, um ihn zu versuchen, der andere, um ihn vor dem
Straucheln zu bewahren (vgl. Spalding p. 34).

den Rücken, und macht sich mit seiner Last zur Hölle auf. Die Seele von „Humanum Genus" wird ihm aber unterwegs von „Pax" entrissen.

In der zweiten der „Macro Moralities", Mind, ist Lucifer selbst die komische Hauptfigur. Er tritt in seinem teuflischen Gewande auf, trägt aber darunter das Kostüm eines Gecken. Er erklärt, in seiner wahren Gestalt würde er die Menschen nicht verführen, sondern nur erschrecken; deshalb wolle er sie durch die Verkleidung seines glänzenden Gewandes betrügen. Darauf zieht er sich zurück, um sein Teufelskostüm abzuwerfen, und erscheint wieder als eleganter Stutzer, ähnlich wie in den Co. Pl. (vgl. S. 69). Er eröffnet seine Rede mit dem üblichen Gebrüll: „Out herrowe I rore", und endet sein Auftreten damit, dass er, nachdem ihm sein Verführungswerk gelungen ist, einen bösen („shrewede") Knaben (wohl aus der Mitte der Zuschauer) mit sich nimmt, und sich schreiend mit diesem zusammen entfernt. Während also Lucifer sonst in diesem Stücke seiner Teufelsnatur treu bleibt, haben wir an jener Stelle offenbar ein Beispiel eines ursprünglich improvisierten Spasses vor uns. Mit der eigentlichen Handlung hat dieser Spass keinerlei Berührungspunkte; sein einziger Zweck ist, Gelächter zu erregen. — Zum Schluss tritt „Anima", die durch Geist, Willen und Verstand verführte Heldin des Stückes, in ihrem verkommenen Zustand auf, in grauenhafter Entstellung. Sie giebt sechs der sieben Todsünden das Leben, welches Ereignis auf merkwürdige Weise vor sich geht, indem nämlich diese sechs Todsünden unter ihrem greulichen Mantel als sechs kleine Knaben in Teufelskostümen hervorschlüpfen, um gleich darauf wieder darunter zurückzukehren. Als aber „Anima" am Schluss Busse thut, entweichen die Todsünden für immer.

Pers. teilt mit Mind den Zug, dass die Todsünden als niedere Teufel aufgefasst werden. Als Verkörperungen der Todsünden sind sie zugleich allegorische Gestalten. Sie bilden so eine Art Bindeglied zwischen den eigent-

lichen Teufeln, die von den Moralitäten aus den Misterien
übernommen wurden, und mithin vom litteraturgeschichtlichen Standpunkt aus nicht als allegorische Gestalten zu
gelten haben, und der in den späteren Moralitäten mehr
hervortretenden ursprünglich rein allegorischen Figur des
Vice, als der Verkörperung des Lasters im allgemeinen,
der als solche alle Sünden zur Einheit zusammenfasst.

Die dritte der „Macro Moralities" ist Mank. Hier ist
der uns schon bekannte Tutivillus (vgl. S. 66 ff.), hier
Tytivillus geschrieben, nicht, wie in den T. Pl.. ein
niederer Teufel, sondern gerade der oberste Vertreter des
bösen Prinzips[85]). Er erscheint nicht nur als höllischer
Hauptverführer des Titelhelden „Mankind", sondern auch
als Herr der drei allegorischen Unterteufel „Newguise", „Nought" und „Now-a-days", während der
ebenfalls als Teufel aufzufassende „Mischief" dem
Oberteufel gegenüber eine selbständigere Stellung einnimmt. Tytivillus schickt seine drei Untergebenen nach
Raub aus; er trägt ihnen auf, Pferde zu stehlen, und
überhaupt nach Möglichkeit zu plündern und Schaden zu
stiften. Später erteilt er ihnen nach echter Teufelsart
mit der Linken seinen Segen[86]). — In alledem erkennen
wir in Tytivillus den höllischen Intriganten; daneben aber
erscheint er auch gelegentlich als blosser harmloser Spassmacher, und zwar gleich bei seinem ersten Auftreten.
„Mischief" und seine drei Spiessgesellen wünschen sich

[85]) Collier (II 295) stellt verkehrter Weise den Tytivillus als
den blossen Vertreter einer ganz bestimmten einzelnen Sünde, nämlich der Fleischeslust, hin. V. 870 wird Tytivillus ausdrücklich der
oberste Gebieter aller drei Feinde des Menschen: der Teufel, der
Welt, und des Fleisches genannt.

[86]) Die negative Natur des Teufels äussert sich überhaupt in
seiner Neigung zum (ursprünglich unabsichtlichen) Parodieren: er
äfft die heiligen Handlungen nach, macht aber alles verkehrt; so
segnet er auch stets mit der Linken (vgl. Roskoff I 399). Diese
Verkehrtheit sah man zunächst als für den Teufel naturgemäss an;
als komisches Motiv wurde sie erst verwandt, nachdem man den
Teufel überhaupt als komische Gestalt anzusehen sich gewöhnt hatte.

zum Zeitvertreib einen Bänkelsänger herbei. Als solcher
tritt Tytivillus auf, wobei er sich in der Weise eines
echten Hanswursts mit den Worten einführt (V. 439):
„*I come, with my legges rndur me*". „Newguise" sammelt
für ihn Gelder ein. Gleich darauf macht Tytivillus den
Versuch, die drei allegorischen Taugenichtse anzupumpen;
jeder von ihnen versichert aber, sein Beutel sei völlig leer.
— Als Kennzeichen aller Teufel des Stückes diente, wie
es scheint, der Schwanz (vgl. V. 447). Tytivillus trug
ausserdem eine sehr grosse Gesichtsmaske (V. 446), und
ein Netz, um „Mankind" zu blenden[67]). Er besitzt auch
die Fähigkeit, sich unsichtbar zu machen (V. 515). — Wie
die Todsünden in den beiden andern Moralitäten, sind
auch „Newguise", „Nought" und „Now-a-days" als allegorische Teufel Vorläufer des Vice; sie werden daher
besser erst im folgenden Abschnitt besprochen, zusammen
mit dem gleichfalls teuflischen „Mischief", dem eigentlichen Vice des Stückes.

Bis zum Ende des 15. Jahrhunderts nahm die Beliebtheit des Teufels als einer komischen Figur immer
mehr zu. In Conv. hat die Hand eines späteren Inter-
polators in den sonst recht trockenen und langweiligen
3. Akt eine Teufelsszene eingeschoben, offenbar dem
Publikum zu Gefallen, das durch die Komik der Teufel
für die bisherige Trockenheit entschädigt werden sollte.
Belial, nach Lucifer der vornehmste Teufel, tritt unter
Donner und Flammen auf, und hält eine bombastische
Rede, worin er sich seiner Macht rühmt. Diese Rede
eröffnet er mit dem Rufe „*Ho, ho!*", dem man hier zum
ersten Mal, später aber recht häufig begegnet[68]), und der zu
den typischen Merkmalen des teuflischen Wesens in den
auf die Misterien folgenden Dramengattungen gehört. Der
Ruf giebt, wie hier auch aus dem Zusatz „*behold me*" &c.

---

[67]) Vgl. Brandl S. XXXIII.

[68]) Belegstellen bei Sharp p. 58 ff., der obigen Ausruf irrtümlicher Weise auch auf den Teufel der Misterien überträgt, bei dem
er nirgends vorkommt.

deutlich hervorgeht, einer übermütigen Stimmung des
Teufels Ausdruck, ist also, im Gegensatz zum Ausruf
„out, out! harrow!", ein Bestandteil der aktiven Komik. —
Darauf kommt noch ein zweiter Teufel. Belial's Bote
Mercury, schreiend und brüllend hinzu, auch inmitten
eines Feuers, um des Paulus Bekehrung zu berichten.
Nun stimmen beide ein Brüll- und Wehklageduett an, das
gewiss von steinerweichender Wirkung gewesen sein muss.
Zum Schluss verschwinden sie in Sturm und Feuer.

Einen viel breiteren Raum nehmen die Teufelsszenen
in Magd. A. ein. Hier begegnet eine ganze Gruppe von
Teufeln. An ihrer Spitze steht Satan. In der 7. Szene
betritt er die Bühne, unter der nach der Bühnenanweisung
die Hölle sichtbar ist. Der Einfluss der Moralitäten macht
sich in diesem Mirakelspiel schon stark bemerkbar: zu
Satan's Gefolge gehören in obiger Szene „Zorn" und
„Neid", zwei der sieben Todsünden; mit diesen berät
er sich, wie Maria Magdalena am besten zur Sünde zu
verführen sei. Das Ergebnis der Beratung, zu der auch
„Welt" und „Fleisch" herangezogen werden, ist der Beschluss, alle anwesenden bösen Geister sollten bei der
Verführung der Titelheldin zusammenwirken. In der 10. Szene
tritt Satan nur flüchtig auf. Szene 15 spielt in der Hölle,
wo Satan, nachdem er Magdalenens Bekehrung erfahren
hat, mit „owt, owt, and harrow!" das alte Jammerlied der
Teufel anstimmt. Er ruft seine Untergebenen Belfagour
und Belzabub herbei. Sie sollen über den „bösen Engel" [89])
der Magdalena zu Gericht sitzen, da dieser seine ihm besonders obliegende Pflicht, jene zum Bösen anzuhalten, so
mangelhaft erfüllt hat. Der „böse Engel" wird zu einer
tüchtigen Tracht Prügel verurteilt, die ihm auch sofort
auf Satan's Geheiss von den Richtern eigenhändig auf

---

[89]) Im vorliegenden Stück ist der Titelheldin neben dem „bösen"
auch ein „guter Engel" beigegeben (vgl. S. 72). Warum übrigens
Furnivall im Personenverzeichnis p. 54 den „bad Angyl" und den
„Spiritus Malignus" zwei verschiedene Personen sein lässt, ist nicht
einzusehen.

seinen Allerwertesten verabreicht wird[90]). Belfagour und
Belzabub werden bei dieser Gelegenheit ohne ersichtlichen
Grund von Satan mit den Ehrentiteln „*horsons*" und „*harlottes*" bedacht, und gleich darauf „*lordeynnes*" [= *lurdans;*
vgl. Anm. 70) genannt. Dann erleiden auch die sieben
Todsünden, die ebenfalls als Teufel aufgefasst werden,
dieselbe Strafe wie der „böse Engel" für ihre Pflicht-
vergessenheit. — Neben den schon vorgeführten kommt
noch ein Teufel, der Belfagour und Belzabub an Rang
gleichzustehen scheint, schon vorher, in der bereits erwähnten Szene 10, vor. Als Vorgesetzter des „bösen
Engels" giebt er diesem Verhaltungsmassregeln in Bezug
auf dessen Verführungswerk. Szene 22 ist die letzte
Teufelsszene des Stückes. Hier tritt ein Teufel „*in orebyll
a-ray*" auf, und bricht mit gellender Stimme in das typische
Jammergeschrei aus. Er erzählt von Christi Höllenfahrt
als von einem eben vorgefallenen Ereignis.

Magd. A. zeigt in einigen Punkten eine spezielle
Übereinstimmung mit der Moralität Pers.: ein böser und
ein guter Engel begleiten dort die Titelheldin, wie hier
den Helden des Stückes; der teuflische Gebieter lässt den
ihm untergebenen sieben Todsünden in beiden Stücken
Prügel zu teil werden. Die Todsünden treten als Teufel
freilich nicht nur in diesen Stücken, sondern auch in Mind
auf. Brandl (S. XLI) vermutet für die gemeinsamen Züge
in jenen beiden Stücken sowie in Nat. „ein verlorenes
Urbild von Mundus und den Todsünden, das ihnen allen

---

[90]) Brandl (S. XLI) hat diese Stelle anders aufgefasst, nämlich
so, dass nicht Belfagour und Belzabub, sondern die sieben Todsünden den bösen Engel züchtigen. Er bezieht also Satan's Worte
(V. 737 ff.):

„*cum vp, ʒe horsons, and skore* [= scour] *a-wey þe yche!
& with thys panne ʒe do hym pycche* [= thrash]!
cum of, ʒe harlottes, þat yt wer don!*"

auf die Todsünden. Dass sie aber nur auf Belfagour und Belzabub
Bezug haben können, beweisst die darauf folgende Bühnenanweisung:
„*Here xall þey serve all þe seuyne as þey do þe freste*". Wenn Brandl's
Auffassung richtig wäre, wer sind dann diese „*þey*"?

vorschwebte." Magd. A. ist überhaupt nur äusserlich
betrachtet, ein Mirakelspiel zu nennen; seinem inneren
Bau nach ist das Stück eine Moralität, wobei es sich aber
nicht mehr um den Kampf zwischen Gutem und Bösem
in der Seele des Menschen im allgemeinen handelt, sondern
dieser Kampf in die Seele eines bestimmten einzelnen
Menschen verlegt wird, nämlich der Titelheldin. Man
könnte Magd. A. daher eine individualisierte Moralität
nennen. Durch den Charakter des Stückes als einer
Moralität erklärt sich auch die hier so sehr gesteigerte
Bedeutung des bösen Prinzips. Die Teufel gehören in
Magd. A., ebenso wie in den drei „Macro Moralities", zu
den Hauptpersonen; gerade durch den Beschluss der
Teufel in der 7. Szene wird hier der dramatische Knoten
recht eigentlich geschürzt. Magd. A. bezeichnet den Höhepunkt in der Entwickelung des Teufels im englischen
Drama, nach Umfang und Bedeutung seiner Rolle überhaupt, während seine Komik sich hier und da noch weiter
steigerte, aber allmählich aus einer überwiegend aktiven
Komik immer mehr in eine ausschliesslich passive überging.

Es ist ein langer Weg, den die Entwickelung der
Gestalt des Teufels durch mehrere Jahrhunderte bis zu
diesem ihrem Gipfel zurückgelegt hat. In den Misterien
wurde der Teufel, wie alle übrigen biblischen Gestalten
dieser Dramengattung, zunächst nur in solche Stücke eingeführt, in denen der biblische Stoff es verlangte (vgl. S. 70).
Bald aber gewann der Gottseibeiuns durch seine groteske
Komik eine von der biblischen oder apokryphen (vgl.
Anm. 15 und 69) Quelle unabhängige Bedeutung. Wie
schon die Co. Pl., daneben auch die Y. Pl. und Ch. Pl.
beweisen (vgl. Anm. 83), deren überlieferter Text ja nicht
die Anfänge des Misteriendramas überhaupt, sondern eine
jüngere Entwickelungsstufe desselben darstellt, schaltete
man später die Gestalt des Teufels zuweilen als episodische
Nebenrolle ein. Und bis zum 15. Jahrhundert hatten sich
die Teufel schon so im Drama eingebürgert, dass in einer
neuen Dramengattung, den Moralitäten, wenigstens in

deren Anfangstadien, die Unentbehrlichkeit des teuflischen
Elements zum Grundprinzip erhoben werden konnte, und
die Teufel unter dem Einfluss der Moralitäten gelegentlich
auch sonst zu den Hauptpersonen gemacht wurden, in
solchen Stücken, wo sie, äusserlich genommen. eigentlich
entbehrlich waren.

Das Magd. A. zeitlich am nächsten stehende Drama,
worin der Teufel eine Rolle spielt, ist Skelton's Nigr.
Warton bietet eine ziemlich ausführliche Inhaltsangabe
dieses jetzt verschollenen Dramas. Hier ist „Balsebub"
immer noch die komische Hauptfigur, und seine Komik
noch durchaus von aktiver Art; er fungiert in obigem
Stücke, das in seinem Kern eine Satire auf verschiedene
kirchliche Missbräuche darstellt. als Richter über Simonie
und Geiz. Auf die Komik des teuflischen Kostüms scheint
auch hier grosses Gewicht gelegt zu werden: eine Bühnenanweisung lautet: *„Enter Balsebub with a berde"*, was
wahrscheinlich in prägnantem Sinne zu verstehen ist. indem nämlich, wie auch sonst, des Teufels Bart von un-
gewöhnlicher Grösse, oder überhaupt irgendwie auffallend
war. Der Schwarzkünstler spielt, obwohl Titelheld, doch
nur eine untergeordnete Rolle. Er eilt zu Beginn des
Stückes am frühen Morgen in die Hölle, um den Teufel
zur Gerichtssitzung abzuholen. Belsabub versetzt ihm
einen Fusstritt. weil er ihn so früh aus dem Schlaf ge-
stört habe. Vergebens versucht Simonie den Teufel durch
Bestechung zu einem günstigen Urteil zu verleiten. Am
Schluss wird der Höllenrachen sichtbar, vor dem Teufel
und Schwarzkünstler als die richtigen Hanswurste einen
Tanz aufführen. Dieser endet damit, dass der Teufel dem
Schwarzkünstler, dem ständigen Opfer seiner derben Spässe,
ein Bein stellt, worauf er unter einem Feuerregen in seiner
höllischen Behausung verschwindet.

In John Heywood's possenhaftem Zwischenspiel P.'s
treten die Teufel zwar nicht persönlich auf, kommen aber
doch insofern in Betracht, als sie in der Lügengeschichte
des Ablasskrämers von seinem Besuch in der Hölle aus-

führlich beschrieben werden. Weil gerade am betreffenden Tage in der Hölle ein Fest gefeiert wurde, waren die Teufel alle festlich gekleidet: ihre Hörner waren neu vergoldet, ihre Klauen gehörig gereinigt, ihre Schwänze gut ausgekämmt, und ihre Leiber mit frischer Butter gesalbt. Der Ruf „Ho, ho!“ wird als teuflischer Ausdruck wohlgefälligen Behagens erwähnt (vgl. S. 75 ff.). Der gut gelaunte Lucifer schüttelt die zottigen Ohren, lässt die riesigen Augen rollen und Feuer aus den Nasenflügeln ausströmen. Schliesslich läuft die Komik des Teufels auf die witzige Pointe hinaus, dass er das vom Ablasskrämer gewünschte Frauenzimmer mit Vergnügen aus der Hölle entlässt, da den Teufeln zwei Weiber in der Hölle mehr zu schaffen machten, als alle männlichen Höllenbewohner zusammen. Die Komik des Teufels ist hier also, wenigstens in ihrer Pointe, von passiver Art. In diesem Stücke bemerken wir auch zuerst deutlich ein Schwinden der mittelalterlichen Naivetät in der Auffassung des Teufels, einer Naivetät, die in der Schilderung des höllischen Festputzes mit bewusstem Spotte travestiert wird.

Das nächste Stück, worin ein Teufel vorkommt, ist die in ausgesprochen protestantischer Tendenz geschriebene Moralität Juv. von Wever. Das Stück ist besonders dadurch wichtig, dass hier zuerst das typische Verhältnis zwischen Teufel und Vice hervortritt. Als Vice, freilich ohne ausdrücklich als solcher bezeichnet zu sein, dient hier „Hypocrisy“; er ist Satan's eigener Sohn. Das Stück ist arm an Komik; so weit von einer solchen überhaupt die Rede sein kann, wird sie eher durch „Hypocrisy“ als durch Satan vertreten. Dieser dient dem Vice, wenn auch nur vorübergehend, als Zielscheibe des Spottes: an einer Stelle (p. 64) vergleicht „Hypocrisy“ wenig ehrerbietig die Stimme seines teuflischen Erzeugers mit dem Grunzen einer Sau. Sonst ist aber der Vice hier noch ein durchaus williges Werkzeug in den Händen Satan's. Das spätere Verhältnis zwischen Teufel und Vice, wobei der Teufel als hilfloses Opferlamm der aktiven

Komik des Vice erscheint[91]), ist hier also noch nicht
scharf ausgeprägt, aber doch schon angedeutet. Sonst
beschränkt sich Satan's Rolle auf Klagelieder über den
Verfall seiner Macht; dieser Verfall wird zu einer
satirischen Spitze gegen die katholische Kirche verwertet.
In Ingelend's Disob. (nach Brandl [S. LXXIII] einer
Nachahmung des lat. Humanistendramas „Studentes" (1549)
von Stymmelius) tritt der Teufel nur episodisch in einem
langen Monolog auf, worin er immer wieder sein *„ho, ho,
ho!"* übermütig ausruft. Er beginnt mit einer bombastischen
Prahlrede, fällt aber später völlig aus der Rolle, indem er,
in übel angebrachter Uneigennützigkeit, den jugendlichen
Teil der Zuschauer vor seinen eigenen Versuchungen warnt.
    In Magd. B., einem späteren Mirakelspiel von L. Wager,
das freilich wegen seiner überwiegend allegorischen Personen und wegen seines Inhalts noch eher als Magd. A.
eine Moralität genannt werden müsste, tritt der hier als
„Infidelity" bezeichnete Vice als komische Figur noch weit
mehr gegenüber dem teuflischen Element hervor, als bisher. Letzteres wird nur ganz flüchtig durch sieben
Teufel dargestellt, die von Christus aus der Titelheldin
ausgetrieben werden, und unter schrecklichem Gebrüll
entweichen. Zum Vice stehen sie in keinerlei Beziehung.
Das oben behandelte typische Verhältnis zwischen Teufel
und Vice tritt überhaupt nur da hervor, wo das teuflische
Element durch einen einzelnen Teufel vertreten wird.
    In Fulwell's Like spielt der Teufel, hier Lucifer,
auch nur eine vorübergehende Rolle, die sich an Bedeutung
mit der des Vice Nichol Newfangle auch nicht entfernt
messen kann. Hier erfahren wir auch wieder einiges
über das groteske Äussere des Teufels: er erscheint in so
zottigem Gewande, dass Newfangle einen Tanzbären vor
sich zu haben glaubt. Seine feuerrote Nase und sein

---

[91]) Freilich giebt es nur wenig Stücke, wo Teufel und Vice zusammen auftreten; aber wo dies geschieht, da ist ihr Verhältnis
fast stets von der eben bezeichneten Art, so dass wir es als ein
feststehendes, und somit typisches betrachten dürfen.

„böses Gesicht" werden erwähnt. Aufschriften auf Lucifer's
Rücken und Brust verkünden seinen Namen. Mit dem Ruf
„*Ho, ho!*" betritt er die Bühne. Newfangle nennt Lucifer
seinen Paten, während dieser ihn zärtlich „*my own boy*"
anredet (p. 310). Der im Titel des Stückes erwähnte
Köhler[92]) wird vom Vice dem Teufel vorgestellt, worauf
alle drei nach den Tönen eines damals bekannten Liedes
einen Tanz vorführen. Das typische Verhältnis zwischen
Teufel und Vice zeigt sich hier schon deutlicher: als der
Teufel von Newfangle verlangt, er solle ihm nachsprechen,
was er ihm vorsagen werde, verdreht der Vice jedes Wort
Lucifer's, so dass der von diesem vorgesprochene Hymnus
auf seine, des Teufels, eigene Macht und Herrlichkeit in
sein gerades Gegenteil verkehrt wird. Und am Schluss,
als Lucifer noch einmal erscheint, um Newfangle in die
Hölle zu entführen, begegnet uns zuerst ein später sprichwörtlich gewordenes Motiv: der Vice reitet auf des
Teufels Rücken in die Hölle ein. Newfangle bedauert
hierbei, nicht ein Paar Sporen zu haben, um zu erproben,
ob sein „Gaul" („*jade*") im Schritt gehe oder Trab laufe.
— Als Reittier diente ein Teufel schon in Pers. (vgl.
S. 72 ff.); nur reitet hier auf ihm nicht der Vice „Detractio",
sondern der Held „Humanum Genus".

W. Wager's dem eigentlichen Drama sich schon
nähernde Moralität Long. wiederholt das eben genannte
Motiv, wenn auch in abweichender Form. Der Teufel
kommt hier nicht einmal in Person vor; aber „*Confusion*"
trägt am Schluss den Helden „*Moros*", der ein im Übergang zum Clown begriffener Vice ist, auf seinem Rücken
zu jenem in die Hölle.

Die Moralität Mon. von Lupton enthält unter den
handelnden Personen den Oberteufel Satan, dem als
allegorische Unterteufel zwei der sieben Todsünden,

---

[92]) Dass Teufel und Köhler nach dem Volksglauben als Genossen
galten, wird schon durch das als Titel vorliegenden Stückes verwendete Sprichwort ausgedrückt. Den Vergleichungspunkt bildet in
diesem Falle das schwarze Äussere beider (vgl. S. 59).

„Gluttony" und „Pride". zur Seite stehen, und „Sin"
als Vice. Während „Sin" eine Hauptperson ist, hat Satan's
Rolle nur episodische Bedeutung, und noch weniger wichtig
sind die beiden Unterteufel, die nur an einer Stelle ganz
flüchtig auftreten. Das typische Verhältnis zwischen Teufel
und Vice offenbart sich in diesem Stücke besonders deutlich. Satan erscheint dem Vice gegenüber zu einer ausschliesslich passiven Komik verurteilt, so dass das Beiwort
the great devill, das ihm (p. 13),[93]) zu teil wird, sich wie
Ironie ausnimmt. Er tritt auf *as deformedly dressed as
may be* (p. 13). Auf seine feuerrote Nase und sein böses
Gesicht wird ebenso wie in Like angespielt; ferner wird
auch sein Schwanz erwähnt. Als Satan „Sin" zuerst erblickt, stösst er sein übliches Jubelgeschrei aus (*„ohe, ohe,
ohe, ohe!"* p. 13). „Sin" aber verhält sich recht spröde
gegen Satan's ungestümes Liebeswerben; er behandelt
diesen überhaupt stets sehr von oben herab. Er nennt
Satan einmal ironisch *Sir good face* (p. 13), gewöhnlich
aber „Rotznase" (*„snottie nose"*), erwidert dessen Liebenswürdigkeiten durch Grobheiten, und stellt sich, als wolle
er den Teufel für immer verlassen. Hierauf schlägt des
letzteren übermütig frohe Stimmung jäh um: Satan bricht
sofort in sein typisches Wehegeheul und Gebrüll aus.
„Sin" hält ihn dadurch von sich fern, dass er ihm mit
Schlägen auf die „Schnauze" droht. Der Vice ist sich
seiner Unentbehrlichkeit dem Teufel gegenüber sehr wohl
bewusst, und daher entschlossen, seine Dienste möglichst
teuer zu verkaufen. Da Satan selbst ihm gegenüber völlig
machtlos ist, trägt er den beiden Unterteufeln auf, „Sin"
zum Bleiben zu überreden. Endlich lässt sich dieser
erweichen. Er erklärt aber ausdrücklich, dies geschehe
nur um „Pride's" willen, der von allen drei anwesenden
Teufeln die besten Manieren habe. Erneutes Jubelgeschrei
Satan's, der sogleich einen Freudentanz aufführt, und jede

---

[93]) Um die unbequeme Seitenzahlbezeichnung der alten Drucke
zu vermeiden, zähle ich bei diesen, nach den im Brit. Mus. befindlichen Exemplaren, die Seiten fortlaufend, das Titelblatt eingerechnet.

6*

Bitte, die „Sin" an ihn richten werde, erfüllen will. „Sin"
bittet sich ein Stück von Satan's Schwanz aus, um sich
einen Fliegenwedel daraus zu machen; der Teufel aber
erklärt, sein Schwanz sei ihm unentbehrlich. Darauf
äussert der Vice den wenig ehrerbietigen Wunsch, Satan
möge ihm seine Nase zu einem gewissen unflätigen Zweck
zur Verfügung stellen; sollte sie zu diesem Zweck zu klein
sein, so wolle er sich auch noch das übrige Gesicht dazu
borgen. Selbst auf solche Dreistigkeiten hat der Teufel
nur die schwächliche Erwiderung, er merke, dass „Sin"
zur Lustigkeit aufgelegt sei. Am Schluss der Szene segnet
Satan den Vice sogar noch. — Dass die Komik der
Situation im Verhältnis des Vice zum Teufel hier schon
grösstenteils Selbstzweck geworden ist, leuchtet ohne
weiteres ein.

In der wie Juv. in streng protestantischem Sinne ab-
gefassten Moralität[94]) Confl. von Woodes, die auch darin
jener älteren Moralität gleicht, dass auch hier „Hypocrisy"[95]) wahrscheinlich als Vice zu betrachten ist, wird
Satan nur zu satirischen Nebenzwecken eingeführt: er
ist ein grosser Freund des Papstes, den er seinen teuren
Liebling und „ältesten Jungen" nennt, an dem er seine
helle Freude habe. Das Stück ist überhaupt als aus-
gesprochenes Tendenzstück arm an Komik. Vom typischen
Verhältnis zwischen Teufel und Vice kann hier um so
weniger die Rede sein, als beide nicht einmal zusammen
auftreten.

Confl. ist unter den zu den Vorstufen des eigentlichen
Dramas gehörenden Stücken das letzte, worin ein Teufel
vorkommt. Sharp (p. 58) teilt eine Stelle aus dem 1603
erschienenen Werke von Harsenet „Declaration of Popish
Impostures" mit: *„it was a pretty part in the old*

---

[94]) Als Moralität kann das Stück freilich nur in eingeschränktem
Sinne gelten, da seine Personen nur teilweise allegorisch sind.

[95]) Brandl (S. LXV) scheint „*Tyranny*" für den Vice zu halten,
meiner Ansicht nach mit Unrecht.

church-playes[96]) *where the nimble Vice would skip up nimbly like a Jack-an-apes into the Devil's necke, and ride the Devil a course, and belabour him with his wooden dagger, till he made him roar, whereat the people would laugh to see the Devil so vice-haunted.*" Dies wertvolle Zeugnis eines jüngeren Zeitgenossen ergänzt vortrefflich das, was wir sonst über das gegenseitige Verhältnis von Teufel und Vice wissen. Offenbar gehören die Prügel, mit denen der Vice den Teufel nach Harsenet so freigebig zu bedenken pflegte, zu den improvisierten Scherzen; daher findet sich dies Motiv im Text der betreffenden Dramen selbst nirgends aufgezeichnet, auch da nicht, wo sich eine Gelegenheit dazu geboten hätte, wie beim Ritt des Vice auf dem Rücken des Teufels in die Hölle, wobei · der Vice gewiss oft auf sein Reittier losgeprügelt haben mag.[97]) Aus diesem Prügelmotiv geht

[96]) Mit dem Ausdruck *„church-playes"* können hier nur die Moralitäten gemeint sein, da die Misterien, an die jener Ausdruck zunächst erinnert, die Gestalt des Vice ja gar nicht enthalten, die Mirakelspiele aber schon wegen ihrer spärlichen Anzahl ebenso wenig in Betracht kommen, Die Benennung *„church-playes"* erklärt sich wohl aus dem meist religiös-allegorischen Inhalt der Moralitäten, der sie vom eigentlichen weltlichen Drama der Zeit Elisabeth's unterscheidet, vielleicht auch daraus, dass viele Moralitäten von Geistlichen verfasst worden sind.

[97]) Cushman befindet sich meiner Meinung nach auf einer falschen Fährte, wenn er (pag. 69) obige Stelle bei Harsenet auf eine bestimmte einzelne verlorene Moralität, oder auf das an Feiertagen aufgeführte, und deshalb vielleicht *„church-play"* genannte Spiel „Punch and Judy" bezieht. Harsenet spricht doch ausdrücklich von *„church-playes"*, also von einer Mehrzahl; um einen vereinzelten Fall kann es sich hier also gar nicht handeln. Cushman beruft sich auf den Mangel eines feindseligen Verhältnisses zwischen Teufel und Vice in den uns überlieferten Moralitäten und sonstigen Stücken; dieser Mangel lasse obiges Prügelmotiv als eine Ausnahme erscheinen. Aus der angeführten Stelle bei Harsenet geht aber klar genug hervor, dass der Vice den Teufel gar nicht aus Feindschaft prügelt, sondern um das Publikum zu belustigen. Wir haben ja schon an mehreren Beispielen (Juv., S. 80 ff., noch mehr Like, S. 82 und Mon., S. 83 ff.) gesehen, dass in den jüngeren Moralitäten Teufel und Vice,

hervor, dass der Teufel dem Vice gegenüber noch weit
mehr zu einer passiv-komischen Rolle verurteilt war, als
dies schon durch den Wortlaut der Stücke angedeutet
wird. Jene Prügel werden von Harsenet als etwas ganz
Gewöhnliches hingestellt. Von den auf uns gekommenen
Stücken lassen aber, wie wir gesehen haben, nur sehr
wenige überhaupt Teufel und Vice zusammen auftreten.
Dieser Widerspruch lässt sich nur durch die Annahme
beseitigen, dass viele andere solcher Moralitäten verloren
gegangen sind; auf derartige grosse Verluste deuten auch
manche sonstige Umstände hin, wie ich im nächsten Abschnitt zu zeigen gedenke.

Die Weiterentwickelung des Teufels im eigentlichen
Drama bis ins Einzelne zu verfolgen, liegt ausserhalb des
Planes dieser Abhandlung, zumal da ja später die Rolle
einer lustigen Person von anderen Gestalten übernommen
wird. Einige Andeutungen mögen daher genügen[98]). Das
beliebte Motiv, dass der Teufel sich zum Reittier, meist
auf der Reise seines Reiters zur Hölle, hergeben muss,
wird auch später mehrfach verwendet, z. B. in Bac. und
Glass. Freilich wird der Teufel hier nicht mehr vom Vice,
sondern von einem Clown geritten. Im Elisabethanischen
Drama verschwindet ja der Vice, wenn auch erst allmählich: seine Komik erben die Clowns, wie obige Beispiele zeigen, und die Narren. Um so beachtenswerter

wo sie überhaupt zusammen auftreten, in einem festen Verhältnis
zueinander stehen, nämlich dem des Gefoppten zum Foppenden.
Jene Prügel haben daher gar nichts Auffallendes an sich; sie gehören zu den damals üblichen Mitteln einer noch rohen possenhaften
Komik, und sind weiter nichts als eine Steigerung und Erweiterung
des oben erwähnten Reitmotivs.

[98]) Brandl (S. XCIV) stellt den Mephistopheles in Fau. als eine
Fortsetzung des Vice hin, in dem „der ursprüngliche Teufelscharakter
dieser Figur nochmals zu voller Ausprägung komme". Da aber die
Entwickelung der Rolle des Teufels bis auf Marlowe niemals ganz
unterbrochen war, ist es einfacher, den Mephistopheles als reinen
Teufel direkt an die älteren Teufelsgestalten anzuknüpfen, ohne den
Vice als Zwischenglied.

ist Histr. Hier stossen wir nicht nur auf das Motiv des auf dem Rücken eines brüllenden Teufels reitenden Vice; jener Teufel trägt ausserdem auch noch in der einen Hand „Iniquity“, der sonst mit dem Vice identisch zu sein pflegt, in der andern „Juventus“. Ganz in alter Weise, nicht wie sonst in einer der Neuzeit angepassten Gestalt, tritt der Teufel hier auf, indem er triumphierend ausruft (p. 40): „Ho! ho! ho! these babes mine are all“. Hier liegt also, wenn auch nur in einer die eigentliche Handlung unterbrechenden Episode, eine absichtliche Rückkehr zu den damals schon veralteten Moralitäten vor. Auch in Ben Jonson's Dev. treffen wir Satan, den „grossen Teufel“, Pug[99]), den „kleineren Teufel“, und „Old Iniquity“, den Vice. Am Schluss trägt aber nicht der Teufel den Vice, sondern umgekehrt „Iniquity“ den Pug auf seinem Rücken zur Hölle. „Iniquity“ selbst betont auch, dass dies eigentlich das umgekehrte Verhältnis sei (p. 514).

Das anonyme Stück Wily enthält einige Andeutungen über die äussere Erscheinung des Teufels. Danach hatte dieser eine brennend-rote Nase und überhaupt ein feuerrotes Gesicht; er erscheint in ein Kalbfell gehüllt.[100]) Auch sein Ruf „ho, ho!“ wird ausdrücklich erwähnt. Diese spärlichen Angaben lassen sich durch eine Stelle in H 5 (IV, 4,74) ergänzen, wo Pistol mit einem brüllenden Teufel verglichen wird, der bei all seinem schrecklich klingenden Gebrüll doch so feige sei, dass ein jeder ihm mit einer hölzernen Narrenpritsche „die Nägel verschneiden“ könnte. Dies weist auf die krallenförmigen langen Nägel des Teufels hin, dem der Vice in improvisiertem Scherz mit einem hölzernen Dolch auf die Finger zu schlagen pflegte. In Middleton's Blurt spricht Lazarillo vom braunroten /

---

[99]) „Pug“ ist eine Nebenform von „Puck“; beide Wörter bedeuten „Kobold“.

[100]) Das Kalbfell war zu Shakespeare's Zeit eine der üblichen Trachten des Hausnarren (vgl. Delius I 592. Anm. 33).

("tawny") Satan; diese Bezeichnung deutet wohl auf die
Bart- oder die Gesichtsfarbe des Teufels hin.

Schliesslich hatte der Teufel von seinem ursprünglichen Wesen so gut wie gar nichts übrig behalten; er ist
zum Gegenstand des Gelächters herabgesunken, und als
solcher spielt er neben dem ihn in der Rolle einer lustigen
Person ablösenden Vice auch nur eine Nebenrolle. Jene
veränderte Auffassung spricht sich auch in der in späterer
Zeit beliebten Redensart „merry devil"[101]) aus, die den
Teufel einem Clown gleichstellt, und verrät sich auch
schon im Titel des oben erwähnten Lustspiels von Ben
Jonson „The Devil is an Ass". Pug sieht hier am Schluss
ein, dass er gegen die viel klügeren Menschen gar nicht
aufkommen könne.

C. Allgemeine Bemerkungen über die Entwickelung des Teufels.

Fassen wir noch einmal in einem allgemeinen Überblick die Komik des Teufels im Gesamtcharakter ihrer
Entwickelung zusammen. Diese Komik hat, wie schon
gelegentlich angedeutet wurde, eine formale und eine
inhaltliche Seite. Zu ersterer gehört die äussere Erscheinung,
das Kostüm des Teufels; letztere besteht aus den komischen
Situationen, die sich an seine Rolle knüpfen. In den
Misterien ist die groteske äussere Erscheinung des Teufels
der wichtigste Bestandteil seiner Komik. Man könnte nun
einwenden, diese groteske Komik des teuflischen Kostüms
sei von der charakterisierenden Art, da letzteres ja dazu
dienen soll, den Teufel als übermenschliches Wesen zu
kennzeichnen. Insofern liegt hier freilich charakterisierende
Komik vor; aber diese ist doch wesentlich verschieden
von der sonstigen charakterisierenden Komik, wie sie in

---

[101]) Ein pseudo-shakespeare'sches Stück heisst „The Merry
Devil of Edmonton". Vgl. auch Merch. II 8,2 ff.

der Darstellung von komischen menschlichen Typen hervortritt. Gerade die übermenschliche Natur des Teufels
schliesst ja eine lebenswahre Charakteristik aus; im wirklichen Leben giebt es keine Urbilder der höllischen Geister.
Beim Teufel gelangt also eine besondere Art von charakteri-
sierender Komik zur Verwendung, eine Art, die ihn nicht,
wie die andern Arten dieser Komik, von der Rolle einer
lustigen Person fernhält. Im Gegenteil, wie überhaupt
alle groteske Komik, bringt gerade das Groteske im Kostüm
des Teufels ihn einer lustigen Person recht nahe, obgleich
das Groteske in diesem Falle nicht ein Überschreiten der
Grenzen des Charakteristischen bedeutet, sondern mit dem
Charakteristischen zusammenfällt. Wenn wir nur die
äussere formale Seite seiner Rolle in Betracht ziehen, ist
somit der Teufel in hervorragender Weise geeignet, eine
lustige Person darzustellen. Dieser Umstand wurde auch
gehörig ausgebeutet: schon in den Misterien scheint der
Teufel, wenigstens dem Kostüm nach, seine ursprüngliche
echt teuflische Furchtbarkeit mitunter ganz abgestreift,
und sich zu einem Hanswurst derbster Sorte entwickelt
zu haben. Indem man die äussere Erscheinung des Teufels
absichtlich als wirksames Mittel der Komik verwertete,
wurde auch die nur anfangs charakterisierende formale
Komik des Teufels schliesslich Selbstzweck.

Mit dieser Entwickelung hielt der thatsächliche Inhalt
der Rolle des Teufels in den Misterien nicht gleichen
Schritt. Hier beharrte der Teufel in Thaten und Worten
bei dem eigentlich Teuflischen seines Wesens viel länger,
als man nach der gleichzeitigen, so sehr vorgeschrittenen
grotesken Komik seines Kostüms erwarten sollte. Dieser
Zwiespalt zwischen Inhalt und Form in der Rolle des
Teufels erklärt sich aus der Eigenart der Misterien. Deren
Verfasser hatten ja nicht einen neuen Stoff zu erfinden;
die Thätigkeit ihrer Phantasie konnte sich höchstens darauf
beschränken, den in der Bibel gegebenen, von vornherein
feststehenden Stoff weiter auszuschmücken, indem man
einzelne biblische Gestalten, besonders den Teufel, auch

in solchen Szenen auftreten liess, wo der Stoff an sich ihre Anwesenheit nicht erforderte, oder indem frei erfundene Gestalten zu den biblischen Personen hinzugefügt wurden. War also die dichterische Einbildungskraft keineswegs ganz aus den Misterien verbannt, so hatte sie doch jedenfalls hier weit weniger Spielraum als in irgend einer andern Dramengattung. Durch die biblische Überlieferung wurde auch der inhaltliche Teil der Rolle des Teufels mehr oder weniger eingezwängt, so dass er sich auch in den Szenen, wo sein Auftreten hinzugedichtet war, von seiner ursprünglichen Teufelsnatur nicht allzuweit entfernen konnte. Dagegen gelangte im teuflischen Kostüm die mittelalterliche Weltanschauung in origineller Weise, ganz unabhängig von der Bibel, zum Ausdruck.

Die inhaltliche Komik des Teufels kann von bloss aktiver, oder von gemischter, teils aktiver, teils passiver, oder von bloss passiver Art sein. In den Misterien legt der Teufel als handelnde Person seine aktive Komik überall da an den Tag, wo er in seinem Verhältnis zu den sündigen Menschen hervortritt. In diesem Verhältnis kann er aber naturgemäss nicht viel Komik entfalten. Sein Triumphgeheul, wenn es ihm gelungen ist, eine schwache Menschenseele zum Straucheln zu bringen, gewährt keinen ungetrübten Genuss, und wo er als Peiniger der verdammten Seelen auftritt, da wird eine komische Wirkung schon durch die Roheit seiner Thätigkeit vereitelt. Wirksamer wird die Komik, wenn der Teufel zum Träger einer indirekten oder gar einer direkten Satire gemacht wird. Nur gehört die Komik der Satire, wie schon hervorgehoben wurde, nicht ins Gebiet des Reinkomischen, das für die lustige Person allein in Betracht kommt. Somit erweist sich überhaupt die aktive Komik des Teufels in den Misterien als wenig brauchbar für die Zwecke einer lustigen Person. Aber gerade in seinem Verhältnis zu den sündigen Menschen auf Erden und den verdammten Seelen in der Hölle liegt der Inbegriff seines teuflischen Wesens; wird diese wenig wirksame, aber echt teuflische aktive Komik zu Gunsten einer wirksameren beiseite geschoben, so hört der Teufel auf, ein Teufel im eigentlichen Sinne zu sein.

Drastischere komische Wirkungen werden erzielt, wo der Teufel zugleich als handelnde und als leidende Person auftritt, nämlich in den Szenen, wo mehrere Teufel sich streiten und gegenseitig beschimpfen; hier ist die Komik von der oben bezeichneten gemischten Art.

Als bloss leidende Person erscheint der Teufel in den Misterien Christus und den Heiligen gegenüber. Durch seine ausschliesslich passive Komik, wie sie hier vorliegt, können kräftige komische Wirkungen erreicht werden; freilich verliert der Teufel sein eigentlich teuflisches Wesen, je mehr passive Komik er entfaltet. Wie oft erscheint er geradezu als der jämmerlich Gefoppte; wenn seine Versuchungen an der Heiligkeit seiner Gegner wirkungslos abprallen, wenn sündige Seelen, auf die er ein sicheres Anrecht zu haben glaubt, seiner Gewalt durch Christus auf des Heilandes Höllenfahrt jäh entrissen werden, wenn einer seiner Anhänger durch seine Bekehrung sich von ihm lossagt, und wenn dann jedesmal nach einem solchen Ereignis der Teufel sein typisches Wehegeheul anstimmt, so musste das nicht nur erbaulich, sondern auch zugleich in hohem Grade ergötzlich wirken.

In den auf die Misterien folgenden Dramengattungen wurde die groteske Komik des teuflischen Kostüms gelegentlich bis zur höchsten Possenhaftigkeit gesteigert (vgl. S. 72). Im übrigen erhielt sich dies Kostüm in seinen wesentlichsten Bestandteilen unverändert: ein langer roter Bart, Hörner, krallenförmige Fingernägel, Klauen an den Füssen, ein schwarzes zottiges Fell und ein Schwanz kommen als Kennzeichen des Teufels sowohl in den Misterien als auch im späteren Drama vor. Als einzige Veränderung wäre vielleicht festzustellen, dass das Gesicht des Teufels später mehr vermenschlicht worden zu sein scheint: während in den Misterien der Teufel gewöhnlich einen Tierkopf besass, werden ihm später ein feuerrotes Gesicht und besonders eine brennend-rote Nase zugeschrieben. Doch könnte die bemalte Gesichtsmaske des Teufels vielleicht auch schon zur Zeit der Misterien neben jenem Tierkopf zuweilen solch ein rotes Menschengesicht dargestellt haben, von dem uns dann nur zufällig keine Kunde erhalten wäre.

Stärkere Steigerungen erfuhr im Drama der Folgezeit die Komik des Teufels nach der inhaltlichen Seite seiner Rolle. Die Mirakelspiele freilich sind so spärlich in der englischen Litteratur vertreten, dass sie als besondere Dramengattung kaum in Betracht kommen, zumal da die wenigen vorhandenen Mirakelspiele so sehr mit moralitätartigen Bestandteilen durchsetzt sind, dass sie auch als Moralitäten gelten könnten. Die Moralitäten bedeuten aber schon dadurch einen Fortschritt gegenüber den Misterien, dass die dichterische Erfindungsgabe hier, wenn auch anfangs immer noch auf engumgrenztem Gebiete, viel freier walten konnte. Noch grössere Freiheit hatte die Einbildungskraft des Dichters in den komischen Zwischenspielen, den Vorläufern der späteren Posse; doch auch schon in den jüngeren Moralitäten wurde der Stoff immer mannigfaltiger gestaltet, nachdem man sich mehr und mehr vom ursprünglichen Grundgedanken der ersten Moralitäten entfernt hatte. Diese grössere Freiheit in der Ausgestaltung des dichterischen Stoffes kam auch dem Teufel zu gute; dadurch wurden die stofflichen Fesseln, die ihn in den Misterien in seiner Bewegungsfreiheit gehemmt hatten, allmählich immer mehr gelockert und schliesslich gelöst. So entwickelte sich der Teufel aus einer übermenschlichen Figur zu einer mehr menschlichen, wobei allerdings die alte Teufelsnatur in seinem späteren Possenreissertum völlig verloren ging. Doch begegnet schon viel früher, sogar in einer der ältesten Moralitäten (Mind; vgl. S. 73) vereinzelt ein Zug, der über das für einen Teufel Charakteristische weit hinausgeht und diesen zu einer Art Hanswurst stempelt.

In den älteren Dramen, die zeitlich den Misterien am nächsten stehen, macht sich die aktive Komik des Teufels

stärker geltend als in den späteren. Sie herrscht z. B.
noch durchaus in Nigr. (vgl. S. 79). Hier wird uns die
gegenüber den Misterien so bedeutend erhöhte stoffliche
Freiheit besonders offenbar. Nichts mehr von der wegen
ihrer Roheit die komische Wirkung meist verfehlenden
aktiven Komik des Misterienteufels. An die Stelle jener
Roheit tritt hier eine harmlose Derbheit. Die aktive Komik
ist dadurch viel wirksamer geworden. Dabei ist aber der
Teufel eigentlich nur noch dem Namen nach ein solcher;
seine komischen Handlungen und Worte haben nichts für
ihn allein Charakteristisches mehr, und könnten ebenso
irgend einem andern Lustigmacher beigelegt werden.

Zu den schon in den Misterien unter den Teufeln
vorkommenden Schimpfereien kommen später als neues
Mittel der Komik die teuflischen Prügeleien hinzu. Auch
dadurch wird uns die gegenüber den Misterien so beträchtliche Steigerung der inhaltlichen Komik des Teufels er-
läutert.

Als in den jüngeren Moralitäten der Vice immer mehr
zur komischen Hauptfigur emporstieg, wurde die aktive
Komik des Teufels in vollem Umfang von ihm übernommen.
Der Teufel wird zum hilflosen Spielball der derben Spässe
des Vice, und spielt seinem grausamen Plagegeist gegenüber eine gar klägliche Rolle. Zugleich wird seine jetzt
rein passive Komik immer matter, bis er endlich als
komische Gestalt aus dem englischen Drama verschwindet,
und nur noch gelegentlich auf seine frühere Komik als
auf etwas bereits Veraltetes angespielt wird. So verkehrt
sich die einstige Furchtbarkeit des Höllenfürsten in jahr-
hundertelanger Entwickelung schliesslich in ihr gerades
Gegenteil: der Teufel sinkt zuletzt auf die tiefste Stufe
der Erniedrigung herab; wie die aus H 5 angezogene
Stelle (vgl. S. 87) lehrt, war er damals bereits zum Gespött
aller geworden.

Im allgemeinen ist das Auftreten des Teufels in den
auf die Misterien folgenden Dramengattungen immer ein
Beweis dafür, dass der betreffende Dichter volkstümlichen

Neigungen huldigt; aus den Dramen mit vorwiegend gelehrtem Gepräge ist der Teufel verbannt. Dieser Volkstümlichkeit der Teufelsgestalt entspricht auch die derbe Komik, die der Rolle des Teufels in jenem Drama fast immer eigentümlich ist.

Anhang 1.

D. Die niederen Dämonen.

Während der eigentliche Teufel im englischen Drama sich aus einem dämonischen Wesen nach und nach in eine lustige Person verwandelte und als solche zur Zeit der höchsten Blüte Shakespeare's schon längst abgewirtschaftet hatte, ging eine andere Entwickelung von den niederen Dämonen aus, als deren Vertreter in den Misterien wir Tutivillus kennen gelernt haben (vgl. S. 66 ff.). Da aber diese Entwickelung von der Rolle einer lustigen Person weit abseits führt, sei sie hier nur nebenbei kurz gestreift. Der eigentliche Teufel ist, wenn auch durch altheidnische Vorstellungen beeinflusst, doch im wesentlichen eine Gestalt des christlichen Glaubens[102]); in den niederen Dämonen dagegen treten die Überlieferungen der heidnischen (keltisch-?) germanischen Vorzeit stärker hervor, freilich gemischt mit jüdischen und christlichen Anschauungen. Als die mittelalterliche Dogmatik ausgebaut wurde, brachte man auch diese niederen Dämonen in der höllischen Hierarchie unter. In den Misterien bot der biblische Stoff nur Raum für die christliche Seite im Wesen der niederen Dämonen, die in dieser Dramengattung überhaupt sehr zurücktreten; Tutivillus ist das einzige nennenswerte Bei-

---

[102]) Wie es kommt, dass der Teufel auch in den romanischen Litteraturen dem durch das altgermanische Heidentum beeinflussten Teufel im mittelalterlichen England und Deutschland in seiner äusseren Erscheinung so ähnlich ist, diese Frage hat meines Wissens noch niemand aufgeworfen. Selbst Roskoff lässt uns hier vollständig im Stich. Vielleicht haben auf die romanische Auffassung des Teufels germanische Vorstellungen eingewirkt. Jedenfalls wäre diese Frage einer eingehenden Untersuchung wert.

spiel einer solchen Gestalt innerhalb der Misterien. Doch lässt sich, wie mir scheint, auch in Tutivillus ein freilich nur wenig ausgebildeter koboldartiger Zug erkennen, der ihn den im Volksbewusstsein als Kobolde fortlebenden Gestalten der altheidnischen Mythologie nähert; als eine Art Kobold könnte Tutivillus wegen seiner Jugendlichkeit, und wegen seines damit zusammenhängenden Verhältnisses zu den beiden älteren Teufeln gelten. Dadurch erhält Tutivillus eine gewisse Ähnlichkeit mit dem Typus des vorlauten jungen Burschen und des Pagen (vgl. S. 47). — Auch in den Moralitäten war nur für den eigentlichen Teufel als Vertreter des bösen Prinzips, nicht aber für koboldartige Dämonen Platz. Höchstens liessen sich die allegorischen Unterteufel mancher Moralitäten, besonders in Mank. (vgl. S. 74 ff.), mit solchen Dämonen ungefähr vergleichen. Erst im eigentlichen Drama gelangt das Heidnische im Teufelsglauben, das in den Vorstellungen des Volks stets lebendig geblieben war, auf einmal an die Oberfläche. Die niederen Dämonen erscheinen jetzt als neckische Kobolde. Hierher gehört unter andern Gestalten der schon erwähnte „Friar Rushe" (vgl. Anm. 54), vor allem aber Robin Goodfellow, der in mehreren englischen Dramen (Wily, vgl. S. 87; Grim) auftritt, am bekanntesten aber durch Mids. geworden ist, wo er auch den Namen „Puck" trägt (vgl. S. 87 und Anm. 99). Als neckischer Kobold treibt er hier mit Mensch und Vieh seine harmlosen Possen. Die Komik dieser Gestalt Shakespeare's gehört durch ihre graziöse Anmut ins Gebiet des Feinkomischen, steht also der Komik der lustigen Person im gewöhnlichen Sinne des älteren englischen Dramas sehr fern.

Anhang 2.

E. Die „schwarzen Seelen".

Zum Schluss dieses Abschnitts sei noch einer Gruppe von Gestalten aus den Misterien gedacht, die insofern hier eine Besprechung verdienen, als sie zur Gefolgschaft der Teufel zu rechnen sind: der verdammten Seelen. Sie kommen hier hauptsächlich wegen ihres Kostüms in Betracht, worüber uns auch die Coventryer Rechnungsbücher Aufschluss gewähren. Im Spiel der Tuchmacher, das, wie erwähnt, das jüngste Gericht darstellte, kommen drei verdammte Seelen vor, denen drei gerettete Seelen gegenüberstehen. Erstere heissen auch „schwarze Seelen", wohl nach ihren geschwärzten Gesichtern [103]), während die geretteten Seelen nach ihren weissen Gewändern, vielleicht auch weil ihre Gesichter weiss angemalt waren, „weisse Seelen" genannt werden. Leider stammen die Angaben der Rechnungsbücher über das Kostüm der „schwarzen Seelen" erst aus verhältnismässig später Zeit: die früheste Notiz hierüber betrifft das Jahr 1536. So können wir uns von der äusseren Erscheinung der verdammten Sünder im Drama früherer Zeiten kein zuverlässiges Bild machen. Im Spiel der Tuchmacher trugen die „schwarzen Seelen" einen hemdartigen Überwurf aus Leinwand oder Steifleinen, und Strümpfe aus demselben Stoffe [104]). 1556 wurden 19 Ellen Leinwand für die Überwürfe der „schwarzen Seelen" angeschafft, von denen 9 Ellen gelb und 10 Ellen schwarz gefärbt wurden. Offenbar haben wir uns jene Überwürfe halb gelb und halb schwarz zu denken, etwa wie auch die heutigen Zirkusclowns oft in zweifarbigem Kostüm erscheinen; vielleicht waren die zwei Farben auch vertikal geschieden, wie bei den Zirkusclowns der Gegenwart, mitunter auch bei den Hausnarren der alten Zeit. In obigem Jahre wurden auch zwei Stück gelbe und vier Ellen rote Steifleinwand für die „schwarzen Seelen" gekauft. Für die gelbe Steifleinwand wurden 7 sh. 6 d., für die rote 2 sh. 8 d. bezahlt. Vielleicht diente die gelbe Steifleinwand, in Form von aus-

---

[103]) Anders Wülker S. 119. Doch vgl. Sharp p. 70: 1556. — „p'd [= paid] for blakyng the sollys fassys [= souls' faces]" (die Summe wird nicht erwähnt).

[104]) Sharp p. 66—71.

geschnittenen und auf die schwarze leinene Unterlage ge-
nähten Stücken, zur Darstellung von Flammen, die Sinn-
bilder des höllischen Feuers sein sollten. Die in geringerer
Menge verwendete rote Steifleinwand mag den Zweck gehabt haben, den Realismus der Flammen zu erhöhen.
Die Misterien selbst bieten uns zwar keine Unterlage für
solche Vermutungen, wohl aber das spätere Drama. In
Mon. (vgl. S. 82 ff.) findet sich (p. 11) folgende für die
Gestalt des „Damnation" geltende Kostümanweisung:
*„damnation shall haue a terrible vysard on his face, his
garmet shalbe painted with flames of fire,"* und an
einer anderen Stelle desselben Stückes (p. 35) tritt Judas
auf: *„like a damned soule, in blacke painted with
flames of fire, and with a fearfull vizard."* Auch der
reiche Mann des Evangeliums *("Dives")* trägt hier ein
gleiches Kostüm. — Inhaltlich bieten die Rollen der verdammten Seelen nur in solchen Fällen Komik, wo sie als
satirische Typen aufgefasst werden. Als solche haben sie
ja aber mit lustigen Personen wenig zu thun. Nicht wegen
ihrer komischen Bedeutung an sich sind die verdammten
Seelen hier zu erwähnen, sondern nur weil ihr Kostüm
mit dem buntscheckigen Gewande des damaligen Hausnarren einige Verwandtschaft zeigt, das von dieser Gestalt
des wirklichen Lebens auch auf den Narren im Drama,
zuweilen auch auf den Vice der Moralitäten überging.

IV. Der Vice.

A. Ursprung des Vice.

Dass der Vice ursprünglich eine allegorische Verkörperung des Lasters bedeutet, ist eine Ansicht, die heute
wohl kaum bestritten werden dürfte. Und doch stehen
dieser Annahme einige Schwierigkeiten entgegen, auf die
schon Pollard (p. LIII) aufmerksam gemacht hat. Die
beiden ältesten Stücke, worin eine der auftretenden Personen ausdrücklich als „Vice" bezeichnet wird, sind John
Heywood's komische Zwischenspiele Weath. und Love
(beide zwischen 1520 und 1530 entstanden). In jenem
Stück ist „Merry Report" der Vice, in diesem „Neither
Lover nor Loved". Der nichtliebende Nichtgeliebte könnte
nun allenfalls als eine Art lustiger Intrigant aufgefasst
werden, so dass ein innerer Zusammenhang zwischen ihm
und dem Vice der Moralitäten, der einen allegorischen
Intriganten darstellt, wohl vorhanden wäre. Einige schwache
Spuren eines Intrigantentums lassen sich zwar bei ge-
nauerem Zusehen auch in der Rolle „Merry Report's"
entdecken; im allgemeinen ist er aber ein blosser Spassmacher. Dass der Vice gleich in einem der beiden ersten
Stücke, worin er ausdrücklich als solcher bezeugt ist, einen
so harmlosen Charakter besitzt, einem Hanswurst viel eher
gleicht als einem Vertreter des bösen Prinzips, das ist
doch gewiss ein beachtenswerter Umstand, der gegen die
übliche Erklärung des Wortes „Vice" ins Gewicht fällt.

Trotz alledem schliesse auch ich mich der herrschenden
Auffassung über den Ursprung des Vice an; wenn die Bedenken, die dieser Auffassung im Wege stehen, auch nicht

ausser acht gelassen werden dürfen, so lässt sie sich doch
durch eine Reihe von Gegengründen verteidigen, die jene
Bedenken reichlich aufwiegen. Betrachten wir vor allem
die Rolle des Vice selbst: in den ältesten Moralitäten,
in denen er als selbständige, ausdrücklich „Vice" benannte
Gestalt auftritt, blickt in seinem Wesen ein dämonischer
Grundzug immer deutlich durch, der ihn als Vertreter des
bösen Prinzips, als nahen Verwandten des Teufels erscheinen lässt. Seine Bosheit und Frivolität, seine Ver-
führungskünste den harmloseren Personen gegenüber sind
Charakterzüge, die einem allegorischen Vertreter des
Lasters im allgemeinen sehr wohl angemessen sind. Ferner
weisen auch die vielen besonderen Namen, die in den
einzelnen Dramen dem Vice beigelegt werden: Iniquity,
Injury, Infidelity, Inclination, Desire, Idleness, Subtle Shift,
Sedition, Avarice u. s. w., auf seinen allegorisch-dämonischen
Ursprung hin: alle diese Namen bezeichnen ja nur besondere Unterarten des Lasters überhaupt. Dass auch
die Dichter der betreffenden Stücke sie so verstanden wissen
wollten, das deutet die beständige Hinzufügung des allgemeinen zum Einzelbegriff an: *„Iniquity the Vice"*, *„Sin
the Vice"* u. s. w. An manchen Stellen wird *„to play the
knave"* als die eigentliche Aufgabe des Vice betont.[105])
Eine Stelle in Dekker's Fort. (p. 100) ist besonders be-
weiskräftig:

> Andelocia. *„— — — my brother Virtue here."*
> Shadow [Andelocia's Page]. *„And you his brother Vice."*
> And. *„Most true, my little leane Iniquitie."*

Hier wird also der Vice als Gegenfigur des gleichfalls
männlich gedachten „Virtue" hingestellt, während „Iniquity"
als besondere Gestalt dem Vice zur Seite tritt.[106]) Dekker

---

[105]) Z. B. wird dies als Aufgabe von „Sedition" erwähnt, der in
Bale's John die Rolle des Vice spielt; ebenso als Aufgabe von
„Subtle Shift" in Clyom.

[106]) Gleich darauf (p. 104) treten „Vice" und „Virtue" selbst auf,
sonderbarer Weise beide als weibliche Personen, „Vice" wie ein Teufel
gekleidet, in einem auf der Rückenseite mit Narrenfratzen und Teufels-

7*

hat also unzweifelhaft mit seinem Vice eine Verkörperung
des Lasters beabsichtigt. In Dev. (vgl. S. 87) spricht
„Iniquity" als Vice am Schluss (p. 514), als er den Teufel
auf seinem Rücken zur Hölle bringt:

> *„The devil was wont to carry away the Evil,*
> *But now the Evil outcarries the devil."*

Diese Stelle bezeugt, dass auch für Ben Jonson der Vice
ein Vertreter des Lasters war. Auch die Stellen, an denen
bei Shakespeare der Vice erwähnt wird[107]), stimmen zu
obiger Auffassung bei Dekker und Ben Jonson. Dass
aber etwa das Wort „*Vice*" erst in späterer Zeit volksetymologisch als „Laster" umgedeutet wurde, ursprünglich jedoch etwas anderes bedeutete, können wir unmöglich annehmen: lassen sich ja schon die ältesten
ausdrücklich als „Vice" bezeichneten Gestalten, von
„Merry Report" abgesehen, als wirkliche Vertreter des
Lasters auffassen.

Auf Grund der obigen Beweisgründe sind wir vollauf
berechtigt, die etymologische Erklärung des Wortes „Vice"
als Laster trotz der zuerst angeführten Bedenken aufrecht-
zuerhalten, und andere Deutungen dieses Namens abzu-

---

köpfen bemalten Gewande. Dekker nennt diesen Vice auch immer
„Vice", nicht *„the Vice"*, wie dies in den Moralitäten üblich war.
Die Weglassung des Artikels ist hier nicht ganz bedeutungslos:
Dekker besann sich gleichsam wieder auf die ursprüngliche Bedeutung des Wortes, die man in den späteren Vice-Stücken, wo der
Vice schon mehr oder weniger zum Spassmacher geworden ist, vergessen zu haben scheint. *„The Vice"* bezeichnet also eine zwar auch
ursprünglich allegorische, aber allmählich individualisierte konkretere
Gestalt, während *„Vice"* eine rein allegorische und abstrakte Figur
ist. Den direkten Gegensatz zu *„Virtue"* bildet *„Vice"*, nicht aber
„the Vice".

[107]) Vgl. Alex. Schmidt unter „Vice". An einigen Stellen wird
„Vice" bei Shakespeare allerdings schon, entsprechend der jüngeren
Entwickelungsstufe dieser Gestalt, gleichbedeutend mit „Hanswurst"
gebraucht, was aber, in Anbetracht der thatsächlich vorliegenden
Entwickelung des Vice, durchaus nicht gegen obige Auffassung
spricht.

lehnen.[108]) Nun erhebt sich aber die Frage: wie vereinigt
sich mit obiger Auffassung des Vice der Umstand, dass
in Weath. der Vice von einem Vertreter des Lasters so
wenig an sich hat? Wir wollen versuchen, diesen auf-
fallenden Widerspruch hinwegzuräumen. Ein solcher Versuch führt uns bis zum Ursprung des Vice zurück; über
blosse Wahrscheinlichkeitsgründe gelangen wir freilich
hierbei nicht hinaus.

Die Anfänge des Vice hängen mit dem Teufel
eng zusammen, ja der Vice ist unmittelbar, wenn
auch nicht ausschliesslich, aus dieser Dramen-
gestalt hervorgegangen.[109]) Im Grunde ist der
Vice nichts anderes als ein dem rein allegorischen
Charakter der Moralitäten angepasster, gleich-
sam ins Allegorische übersetzter Teufel. In Pers.,
Mind und Magd. A werden die Todsünden als niedere
Teufel aufgefasst (vgl. S. 73 ff. 77; auch Mon., S. 82 ff.). Diese
Todsünden nehmen durch ihr teuflisches Wesen und ihren

---

[108]) Douce, der übrigens selbst „Vice" auch als „Laster" erklärt,
führt (I 468) einige von andern aufgestellte Deutungen jenes Wortes
an, die aber sämtlich so abgeschmackt sind, dass es überflüssig
wäre, sie hier zu besprechen.   Klein (II 3) nennt den Vice den
„moralisch-allegorischen Neckebold", „des Teufels Vice-Teufel";
mit dem Ausdruck „Vice-Teufel" scheint er aber nur ein Wortspiel
beabsichtigt zu haben, nicht eine etymologische Deutung des Namens
„Vice", die ja auch kaum statthaft wäre, obgleich die thatsächliche
Rolle des Vice in den meisten Fällen durch den Ausdruck „Vice-
Teufel" ganz zutreffend bezeichnet wird.

[109]) In der Auffassung des geschichtlichen Ursprungs des Vice
weiche ich völlig von Cushman ab, der durchaus mit Unrecht eine
Einwirkung der Rolle des Teufels auf die Entstehung der Vice-Rolle
leugnet (p. 63). Der Vice ist, litteraturgeschichtlich betrachtet, ebenso
vom Teufel abhängig, wie der Narr und der Clown vom Vice.   An
der Entstehung des Vice ist freilich, ebenso wie an der des
Narren und des Clowns, eine ganze Reihe von Faktoren beteiligt; der Teufel bildet nur einen unter diesen Faktoren.
Dass der Vice eine Vereinheitlichung der sieben Todsünden darstellt, ist Cushman zuzugeben, schliesst aber seinen
teuflischen Stammbaum keineswegs aus. Diese Todsünden sind
eben ein anderer jener Faktoren.

gleichzeitigen allegorischen Charakter eine Art Mittel-
stellung zwischen den eigentlichen Teufeln und dem Vice
ein. Besonders ist aber Mank. (vgl. S. 74 ff.) geeignet, den
höllischen Stammbaum des Vice zu veranschaulichen.
Hier ist „Mischief" der eigentliche und Ober-Vice; neben
ihm steht die Gruppe der drei allegorischen Unterteufel
„Newguise", „Nought" und „Now-a-days", die als Vice-
Figuren niederen Ranges gelten können. Sie alle sind
Gehilfen des Oberteufels Tytivillus; der Ober-Vice
„Mischief" aber nimmt diesem seinem Gebieter gegenüber
eine unabhängigere Stellung ein, als die drei zu einer
Gruppe vereinten Taugenichtse. Dass diese als Teufel
gedacht sind, beweisen die ihnen zugeschriebenen Schwänze.
„Now-a-days" spricht wenigstens vom Schwanz des
„Newguise" (V. 447): da liegt es sehr nahe zu vermuten,
dass auch die andern beiden Taugenichtse, und wohl auch
„Mischief" in derselben Weise als Teufel gekennzeichnet
waren.[110])

Die teuflische Abstammung des Vice wird zuweilen
auch äusserlich dadurch angedeutet, dass der Vice als
Sohn oder Sprössling des Teufels vorgeführt wird; so in
Juv. (vgl. S. 80) und Like (vgl. S. 82).[111])

Auch die bildende Kunst des Mittelalters stellte sich
die Verkörperung des Lasters mitunter als einen Dämon
vor, wie wir aus Bild No. 70 bei Wright erkennen (vgl.
Anm. 78), wo „Sin" als Dämon im Kostüm eines Gecken
abgebildet, aber im übrigen mit den üblichen Abzeichen
des Teufels versehen ist. Dieser Dämon „Sin" erinnert
uns durch sein teuflisches Geckentum sowohl an Lucifer
oder Satan im Stücke „The Council of the Jews" der Co.
Pl. (vgl. S. 69 ff.), als auch an den eben erwähnten allegorischen Unterteufel „Newguise" in Mank., der, wie schon
sein Name verrät, eine Personifikation des Geckentums

---

[110]) Auch noch in Fort. wird „Vice" im Teufelskostüm vorgeführt (vgl. Anm. 106).

[111]) Vgl. Cushman p. 62.

selbst ist. Denselben Namen „Sin" trägt aber auch in einem Falle der Vice, nämlich in Mon. (vgl. S. 83).

Wie wir im vorigen Abschnitt gesehen haben, wurde der eigentliche Teufel in den Moralitäten durch den Vice keineswegs verdrängt, sondern blieb neben diesem als ein Überbleibsel der Misterien bestehen. In den Moralitäten spaltete sich also gleichsam der alte Misterienteufel in den eigentlichen nicht allegorischen Teufel, der als solcher, streng genommen, gar nicht in das allegorische Drama hineingehört, und den Vice, der als rein abstrakte Verkörperung des Bösen eine echte Moralitätenfigur ist. Wir können den Vice auch so auffassen: eine blosse Eigenschaft des Teufels, aber seine Haupteigenschaft, nämlich die Schlechtigkeit oder Bosheit, wurde im Vice zu einer besonderen Person ausgestaltet. Indem sich der Vice so von der Gestalt des Teufels loslöste, übernahm er auch die ganze Komik, die dem Teufel der Misterien zur Zeit des Aufkommens der Moralitäten schon anhaftete. Somit muss der ursprüngliche Vice einer lustigen Person schon von vornherein viel näher gestanden haben, als der ursprüngliche Teufel in der ältesten Form der Misterien.

Von einem ursprünglichen Vertreter des Lasters, wenn er auch gleich anfangs schon mit komischen Zügen ausgestattet war, bis zu einem Spassmacher wie „Merry Report" ist aber bei alledem doch noch ein recht weiter Weg. Wir müssen daher vermuten, dass eine beträchtliche Anzahl von Moralitäten, die älter sind als die beiden oben genannten Zwischenspiele J. Heywood's, verloren gegangen ist, und zwar gerade von solchen Moralitäten, an denen wir die Entwickelung des Vice von seiner ursprünglichen allegorischen Verkörperung des bösen Prinzips bis zum Spassmachertum „Merry Report's" hätten verfolgen können. Beispiele für solche verlorene Stücke aus dem Zeitraum, der zwischen den „Macro Moralities" und J. Heywood liegt, sind H. Medwall's „Of the Finding of Truth. carried away by Ignorance and Hypocrisy" und

Skelton's „Vertu".[112]) Über ersteres Stück überliefert uns
Collier einige sehr dürftige Nachrichten; von letzterem ist
nichts als der Titel bekannt.

Von den aus der Zeit der Elisabeth stammenden
Dramen ist mindestens die Hälfte gegenwärtig verschollen,
wovon wir uns aus Halliwell's oder Hazlitt's biblio-
graphischen Verzeichnissen leicht überzeugen können. Der
Wandel der Zeiten ist die allgemeine Ursache dieser
grossen Verluste: besondere Gründe dafür waren der
fanatische Hass der Puritaner gegen das Theater, und
der grosse Londoner Brand im Jahre 1666. Dass zu den
verlorenen Stücken jener späteren Zeit auch manche
Moralitäten gehören, ist als selbstverständlich anzunehmen,
da wir wissen, dass vor dem ersten Auftreten Shakespeare's
immer noch zahlreiche Moralitäten, einige sogar auch noch
später, geschrieben wurden. Wir können den Verlust von
solchen jüngeren Moralitäten auch in bestimmten einzelnen
Fällen nachweisen, durch die noch erhaltenen Titel einiger
von ihnen. Eine sehr beliebte Moralität, die jetzt nicht
mehr vorhanden ist, war z. B. Secur.[113]); andere verlorene
Moralitäten hiessen „Man's Wit"[114]), „The Play of Plays"[115]),
u. s. w. Wenn schon so schwere Verluste das jüngere
Drama betroffen haben, so muss die Gefahr der Vernichtung für die älteren Stücke doch gewiss noch viel
grösser gewesen sein. Bei den älteren Moralitäten, die
noch vor Einführung der Reformation in England verfasst
worden waren, wurde jene Gefahr ja dadurch erhöht, dass
sie durch ihren mehr oder weniger hervortretenden katholischen Anstrich das so ausgesprochen protestantische

---

[112]) Skelton's ebenfalls verlorenes Stück „Achademios" war
keine Moralität, sondern wird von Skelton selbst als *„Comedy"* bezeichnet.

[113]) Vgl. Collier II 272. Eine kurze zeitgenössische Inhaltsangabe
dieses Stückes ist abgedruckt ebenda p. 274 ff. Anm. — Hazlitt p. 53.

[114]) Vgl. Collier II 272 Anm.

[115]) Von letzterer Moralität ist uns wenigstens der Inhalt bekannt:
vgl. Collier II 274 ff.

Bewusstsein der Folgezeit leicht verletzen konnten.[116]) Bei manchen Stücken kann man wenigstens durch ihre noch erhaltenen Titel ihr einstiges Vorhandensein nachweisen; ist aber der Titel ebenfalls verschwunden, so ist auch jener Nachweis unmöglich. Besonders bei den älteren Moralitäten mag die Sachlage oft derart sein.

Mit alledem ist aber immerhin erst die Wahrscheinlichkeit erwiesen, dass viele Moralitäten der älteren Zeit verloren gegangen sind. Das solche vermutlich verlorene Moralitäten gerade das Spassmachertum des Vice „Merry Report" vorbereitet haben, ergiebt sich aus inneren Gründen. Es ist höchst unwahrscheinlich, dass J. Heywood in seinen beiden oben angeführten Zwischenspielen den Ausdruck „Vice" auch thatsächlich zum ersten Male zur Bezeichnung einer bestimmten Dramenfigur gebraucht habe. Dass dies uns jetzt so erscheint, beruht gewiss auf einem Zufall. „Merry Report" macht als Vice durchaus nicht den Eindruck, als stelle er den Beginn einer Entwickelung dar. Selbst wenn der Ursprung des Vice ein anderer wäre, als wir oben angenommen haben, kann diese Gestalt doch unmöglich so auf einmal ganz unvermittelt, wie Athene aus dem Haupte des Zeus, als fertig entwickelter Spassmacher in Weath. auftauchen. Zudem steht die allegorische Rolle des Vice als „Merry Report" völlig im Gegensatz zu den übrigen, nicht allegorischen, sondern typischen Gestalten in Weath., dem Edelmann, dem Kaufmann, der Wäscherin. u. s. w. Auch sonst pflegen in J. Heywood's komischen Zwischenspielen die Personen nicht allegorisch, sondern typisch zu sein. Daher ist es klar, dass „Merry Report" als allegorische Figur von den Moralitäten her übernommen worden ist, wie ja überhaupt auch sonst der Vice aus den Moralitäten in andere Dramengattungen eindrang.

---

[116]) Dies ist wohl auch der Grund, weswegen nur so wenige englische Mirakelspiele auf uns gekommen sind; es ist unwahrscheinlich, dass auch wirklich nur eine so geringe Anzahl englischer Mirakelspiele verfasst worden ist.

Dies alles zwingt uns zu der Annahme, dass die
Komik, die schon den ältesten, noch nicht als solche ausdrücklich bezeichneten Vice-Gestalten beigelegt war, sich
im Laufe der Zeit schnell gesteigert hat, und bis zu der
Zeit, wo J. Heywood jene beiden komischen Zwischenspiele schrieb, in manchen jetzt nicht mehr vorhandenen
Moralitäten schon einen sehr hohen Grad erreichte, so
dass gelegentlich die ursprünglich dämonische Grundlage
im Wesen des Vice schon ausser acht gelassen, der Vice
zum Spassmacher ausarten konnte, wie wir ihn in Weath.
kennen lernen.[117])

---

[117]) Eine andere, auf den ersten Blick sehr ansprechende Erklärung für die Bezeichnung „Merry Report's" als Vice bietet Cushman
(p. 67 ff.). Er vermutet, dass der Name „Vice" als zusammenfassende
Benennung einer bestimmten Art von Rollen ursprünglich eine Erfindung der Schauspieler gewesen, und erst später, in der zweiten
Hälfte des 16. Jahrhunderts, als bühnentechnischer Ausdruck auch
von den Dichtern selbst übernommen worden sei. Cushman weist
darauf hin, dass erst in Hor. der Name „Vice" durchweg im ganzen
Stück gebraucht wird, während sonst jener Ausdruck nur in Personenverzeichnissen oder gelegentlich eingestreuten Bühnenanweisungen
vorkommt, und der Vice immer bei seinem speziellen Namen genannt
wird. Nach Cushman würde also die Bezeichnung „Vice" für „Merry
Report" nicht von J. Heywood selbst herrühren, sondern etwa von
dem obige Rolle spielenden Schauspieler, oder, im Anschluss an die
Sprache damaliger Bühnentechnik, vom Drucker des Stückes. Da
die uns erhaltenen Drucke mindestens 15—20 Jahre jünger sind als
das Stück selbst, das 1530 oder früher entstanden ist (vgl. S. 98 und
Brandl S. XLVII. L. LI), hat Cushman's Vermutung, wie es scheint,
manches für sich. Cushman hat in seiner Tabelle der einzelnen
Vice-Rollen (p. 55 ff.) weder „Merry Report" noch „Neither Lover nor
Loved" aufgeführt; er sieht also offenbar die Übertragung der Bezeichnung „Vice" auf obige Gestalten als willkürlich und ungerechtfertigt an. „Neither Lover nor Loved" weist aber ganz unverkennbar
eine Familienähnlichkeit mit dem Vice der Moralitäten als dem allegorischen Vertreter des Lasters auf; aber auch bei „Merry Report"
sind einige flüchtige Spuren einer Verwandtschaft mit jenem Moralitäten-Vice in einigen Ansätzen zur Intrigue zu erkennen (vgl.
S. 98), wie der spezielle Teil zeigen soll. Beide Gestalten tragen
also den Namen „Vice" doch nicht so ganz willkürlich. Gerade die
Geringfügigkeit der „Merry Report" anhaftenden Spuren von Ähn-

Als allegorische Gestalt wurzelt der Vice in demselben Boden, aus dem überhaupt die Moralitäten emporgewachsen sind. Der mittelalterliche Zeitgeist neigte zur Lehrhaftigkeit; daher hatte das Mittelalter eine besondere Vorliebe für die didaktische Litteratur. Eines der wichtigsten didaktischen Kunstmittel ist nun die Allegorie; sie nimmt daher in den mittelalterlichen Litteraturen, und zwar zunächst in der Didaktik und didaktischen Epik, einen sehr breiten Raum ein. In der Moralität, als der Allegorie in dramatischer Form, erreichte die Allegorie den höchsten Grad von Anschaulichkeit, dessen diese wenig lebensfrische Kunstform überhaupt fähig war.[118] Während die Neigung zu allegorischer Darstellung allen abendländischen Litteraturen des Mittelalters gemeinsam ist, haben die Moralitäten nicht in allen westeuropäischen Ländern festen Fuss gefasst. In England und Frankreich erlebte diese Dramengattung eine hohe Blüte. Der Entwickelung der englischen Moralitäten kam, ausser manchen andern Umständen, auch, wie Creizenach (S. 480) mit Recht betont, eine Eigentümlichkeit der englischen Sprache zugute, nämlich das allmähliche Schwinden des sprachlichen Gefühls für das grammatische Geschlecht schon im Mittelenglischen. Dadurch erhielten die Gestalten der englischen Moralitäten eine grosse Freiheit und Beweglichkeit, die auch sogar auf die lateinischen Abstrakta ausgedehnt wurde; dieselbe allegorische Rolle

lichkeit mit dem Moralitäten-Vice, einer Ähnlichkeit, die aber unleugbar ist, scheint mir eine längere vorhergehende Entwickelung des Vice als einer bestimmten typischen Gestalt der Moralitäten vorauszusetzen. Diese Ähnlichkeit beweist auch, dass dem Verfasser J. Heywood selbst bei der Ausgestaltung seiner beiden Vice-Figuren der Vice der Moralitäten mehr oder weniger deutlich als Vorbild vorgeschwebt haben muss. Dann liegt aber auch kein Grund vor, anzunehmen, dass ein anderer als J. Heywood selbst jenen beiden Gestalten die Benennung „Vice" gegeben habe. Ich kann mich daher Cushman's Hypothese, so beachtenswert sie auch ist, doch nicht anschliessen.

[118] Über die Anfänge der Moralitäten vgl. Creizenach S. 458 ff

konnte bald eine männliche, bald eine weibliche Person bezeichnen.

Schon in den Co. Pl., in denen die mittelalterliche Weltanschauung sich weit schärfer ausprägt als in den andern Misterien, begegnen viele allegorische Gestalten: Contemplatio, Mors, Veritas, Misericordia, Justitia, u. s. w. Doch wäre es verkehrt, die englischen Moralitäten deshalb mit Collier aus den Misterien abzuleiten; in diesen spielen solche Abstraktionen ja auch nur eine Nebenrolle. Richtiger ist es, die allegorischen Bestandteile der Misterien und die Moralitäten auf eine gemeinsame Hauptquelle zurückzuführen: die schon lange zuvor sehr beliebte epische oder didaktische Allegorie.

Es ist bezeichnend, dass in den Co. Pl. diejenigen Abstraktionen, welche eine Eigenschaft bezeichnen, immer nur Tugenden darstellen, aber keine Laster; in den Misterien waren eben noch die Teufel die alleinigen Vertreter des bösen Prinzips. In den Moralitäten dagegen verschwinden die Teufel zwar nicht, aber die eigentlichen Gegenspieler der Tugenden sind doch von vornherein die diesen entsprechenden Verkörperungen der verschiedenen Laster. In den meisten älteren englischen Moralitäten und auch in vielen jüngeren handelt es sich um einen ganz bestimmten allegorischen Stoff, der sich in immer neuen Variationen wiederholt, nämlich um den Kampf der Tugenden und Laster um die Seele des Menschen. Der christlich-lateinische Dichter Prudentius hat in seiner epischen Dichtung „Psychomachia" (um 400) dies Hauptmotiv der Moralitäten zuerst ausgebaut.[119]) Schon in der mittelenglischen Epik und Didaktik stehen sich „Vice" und „Virtue" zuweilen direkt gegenüber.[120]) Der Vice wurde

---

[119]) Creizenach S. 463.

[120]) Z. B. in Lydgate's „Assembly of Gods" (vgl. Brandl S. XLIII). Als besondere Gestalt finden wir „Vice", aber ohne „Virtue" als einheitliche Gegenfigur, schon in der frühmittelenglischen Homilie „Sawles Warde" (erste Hälfte des 13. Jahrhunderts), die einer lat. Predigt Hugo's von St. Victor nachgebildet ist (vgl. Wülker S. 84).

in den englischen Moralitäten bald zur komischen Hauptfigur; er streifte dabei, ähnlich dem Teufel, seine ursprüngliche Bösartigkeit immer mehr ab, und verwandelte sich
aus einem allegorischen Intriganten von teuflischer Art
in einen blossen Hanswurst.[121]) Die Gestalt des Vice
ist eine selbständige Schöpfung des englischen
Volksgeistes, und auch nicht aus der englischen
in andere Litteraturen eingedrungen; sie hat zur
Belebung der an sich trockenen und langweiligen Moralitäten das Meiste beigetragen, und eine solche Beliebtheit erlangt, dass sie von den Moralitäten aus auch in
andere Dramengattungen verpflanzt wurde. Während die
dürre Lehrhaftigkeit der Moralitäten einen reinen ästhetischen Genuss vereitelte, befriedigte der Vice, wenn auch
noch in roher und unvollkommener Weise, ein ästhetisches
Bedürfnis gerade dadurch, dass er, in disharmonischem
Verhältnis zu seiner Dramengattung, seine anfängliche
Lehrhaftigkeit nach und nach ablegte, und immer mehr
eine tendenzlose reine Komik entfaltete. So erwies sich
der Vice schliesslich als das einzige lebensfähige Element
der Moralitäten, als diese abzusterben begannen; er bildet
das Bindeglied zwischen ihnen und dem eigentlichen Drama,

---

[121]) Cushman (p. 61) führt die Einheit der Vice-Gestalt gegenüber der Vielheit der einzelnen Laster auf die Bedürfnisse der
Bühnentechnik zurück, die wegen der Schwierigkeit, viele gleichartige Gestalten zu unterscheiden, eine Verschmelzung jener einzelnen
Laster zu einer einzigen einheitlichen Figur, nämlich dem Vice, notwendig machte. Warum sind dann aber die verschiedenen Tugenden,
die ja eigentlich noch schwerer von einander zu sondern sind als die
Laster, nicht gleichfalls vereinheitlicht worden, so dass „Virtue“,
wie in Lydgate's „Assembly of Gods“ (vgl. Anm. 120) und in Fort.
(vgl. S. 99 und Anm. 106) dem Vice als einzige Gegenfigur gegenüber-
stand? Ausserdem bleiben in den Moralitäten die einzelnen Laster
neben dem Vice ja auch später noch immer weiter bestehen. Cushman's Beweisgrund ist also hinfällig. Die in der Entwickelung der
Moralitäten immer deutlicher hervortretende Sonderstellung des Vice
gegenüber den übrigen Lastern hat nichts mit der Bühnentechnik
zu schaffen, sondern beruht vielmehr auf der Rolle einer lustigen
Person, in die der Vice allmählich hineinwuchs.

und als auch er endlich an Altersschwäche zu Grunde
ging, da hinterliess er in den Narren und Clowns des
späteren Dramas eine zahlreiche und blühende Nach-
kommenschaft.

Natürlich tritt der allegorische Ursprung des Vice am
stärksten in den Moralitäten hervor, während der Vice in
den komischen Zwischenspielen und einigen der ältesten
Trauer- und Lustspiele schon durch die ihn umgebenden
nicht allegorischen Personen und durch den Gesamtcharakter des betreffenden Stückes auch an seinem eigenen
allegorischen Wesen Einbusse erleidet, sich mehr einer
wirklichen Persönlichkeit nähert, und so dem Vice der
Moralitäten gegenüber eine individuellere Färbung erhält.
So ergeben sich für unsere Betrachtung zwei Unterarten
des Vice, die getrennt zu behandeln ich für zweckmässig
halte: der allegorische Vice der Moralitäten, und der im
Vergleich zu diesem schon mehr individualisierte Vice der
komischen Zwischenspiele und des eigentlichen Dramas.

B. Die einzelnen Vice-Gestalten.

1. Der Vice in den Moralitäten.

Die älteste echte Moralität, in der eine Gestalt ausdrücklich als Vice bezeichnet wird, ist Resp. (1553 entstanden); hier wird im Personenverzeichnis „Avarice"
ausdrücklich mit dem Zusatz *„the Vice"* versehen. Dieser
älteste namentlich bezeugte Moralitäten-Vice ist also verhältnismässig recht jungen Datums. Dass es aber schon vor
1520—30 jetzt allerdings verschollene Moralitäten gegeben
haben muss, in denen ein Vertreter des bösen Prinzips
ausdrücklich durch das Beiwort *„the Vice"* gekennzeichnet
wurde, habe ich schon betont (vgl. S. 106). Selbverständlich
tritt der Vice auch in den erhaltenen Moralitäten
schon lange vor „Respublica" auf, doch ohne ausdrückliche Benennung, gleichsam inkognito, in irgend einer
Einzelform des Lasters. Wo der Vice nicht ausdrücklich
als solcher bezeichnet ist, da ist er nicht immer leicht zu

erkennen. Doch lassen sich aus den Moralitäten, die einen
ausdrücklich bezeugten Vice besitzen, einige allgemeine
Kriterien gewinnen, die einen objektiven Massstab für die
Beurteilung der übrigen Moralitäten in Bezug auf das
Vorhandensein oder Fehlen des Vice in ihnen darbieten.
Solche Kriterien sind die folgenden:

1) Der Vice wird in allen Moralitäten sowohl älterer
als jüngerer Zeit (ebenso auch in den komischen Zwischenspielen und im eigentlichen Drama) stets als männliche
Gestalt gedacht.[122])

2) In den älteren Moralitäten ist der Vice stets
eine Hauptperson des betreffenden Stückes. Als solche
ist er neben dem etwa vorhandenen Teufel in erster Linie
Hauptverführer des Helden, also der wichtigste Intrigant, dem die andern Vertreter des bösen Prinzips nur
als Werkzeuge dienen; doch erscheint er schon gleich von
Anfang an mit komischen Zügen ausgestattet, die über
das für seine eigentliche Rolle Charakteristische hinaus-
gehen. In den jüngeren Moralitäten, wo übrigens
der Vice gewöhnlich ausdrücklich so benannt ist, erlangt
der Spassmacher in ihm das Übergewicht über den Intriganten: der Vice ist hier vor allem der Hauptvertreter
der aktiven Komik, später der Komik überhaupt;
dabei haften ihm aber noch mehr oder weniger deutlich
erkennbare Spuren seines ursprünglichen Intrigantentums
an. Zur Erhöhung der komischen Wirkung legt der Vice
schon in den älteren Moralitäten zuweilen (unfreiwillige
und freiwillige) passive Komik an den Tag, die allmählich

---

[122]) „Vice" als weibliche Gestalt in Fort. (vgl. Anm. 106) gehört
nicht hierher. Erst nachdem der Vice als allegorisch-komische Gestalt im englischen Drama ausser Gebrauch gekommen und die Erinnerung an seine ursprüngliche Rolle nicht mehr lebendig war, wird
in absichtlich archaisierenden Stücken gelegentlich auch eine weibliche Gestalt als Vice aufgefasst, z. B. in Dev. (vgl. S. 87 und 100).
Hier bittet sich Pug von Satan Urlaub zu einem Besuch der Erde
aus. Er wünscht, dass ihm ein Vice als Begleiter beigegeben werde.
Satan stellt ihm mehrere Vice-Gestalten zur Auswahl: „Fraud",
„Lady Vanity" und „Old Iniquity". Pug's Wahl fällt auf letzteren.

immer mehr gesteigert wird und schliesslich in manchen
Fällen die aktive Komik überragte. Die starke Steigerung,
welche die Komik des Vice im Laufe der Zeit erfuhr,
wurde durch eine allmähliche Minderung seines Einflusses
auf den Gesamtverlauf des Stückes ausgeglichen.[123])

Zwei andere Kriterien betreffen nur die englischen
Moralitäten im engeren Sinne, gelten aber nicht für die
einzige vorhandene schottische Moralität Sat. Es sind die
folgenden:

3) Wo der Vice überhaupt Vertreter des bösen Prinzips
ist, vertritt er dies in den englischen Moralitäten unbedingt, d. h. er bekehrt sich niemals zum Guten.

4) Der Vice ist in den englischen Moralitäten
immer nur eine einzelne Person.[124]) Niemals stehen
zwei oder mehr für die Entwickelung des Stückes gleich
wichtige Vice-Gestalten nebeneinander; dagegen kommt es
wohl mitunter vor, dass der Einzelgestalt des eigentlichen
Vice mehrere diesem untergeordnete Helfershelfer an die
Seite gestellt werden, die man allenfalls als Vice-Figuren
niederen Grades betrachten könnte.

Die älteste englische Moralität, von der wir überhaupt
Kunde besitzen, ist das 1378 von Wiclif erwähnte, verloren gegangene Spiel vom Paternoster[125]), worin die sieben
Bitten des Vaterunsers mit den sieben Todsünden kämpfen.
Ob diese Todsünden als Teufel dargestellt waren, wissen
wir nicht; es ist dies aber wohl anzunehmen, wenn die
jüngeren „Macro Moralities" einen Rückschluss erlauben.

---

[123]) Vgl. Fischer S. 35.

[124]) Cushman stellt in seiner Tabelle (p. 55) für Pers. zwei Vice-
Gestalten auf, nämlich ausser *„Detractio"* auch *„Stultitia"*. Da das
Stück selbst noch immer grösstenteils ungedruckt ist, lässt sich eine
sichere Entscheidung über die Richtigkeit dieser Aufstellung nicht
treffen. Ich habe aus Collier's Inhaltsangabe, auf die Cushman doch
auch allein angewiesen war, nicht den Eindruck bekommen, dass
„Stultitia" als Vice gelten könnte. Dies ist auch bei der sonst so
streng durchgeführten Einheit der Vice-Gestalt durchaus unwahrscheinlich.

[125]) Creizenach S. 465.

Ebenso wenig ist uns bekannt, ob etwa eine jener sieben
Todsünden die übrigen an Bedeutung überragte, und auf
Grund einer solchen Sonderstellung beanspruchen könnte,
als Ansatz zu einem Vice zu gelten. Da die Ausbildung
des Vice zu einer selbständigen Dramengestalt in eine viel
spätere Zeit fällt, ist das wenig wahrscheinlich.
Die älteste der erhaltenen Moralitäten, Pride[126]) (vgl.
S. 71), steht innerhalb dieser Dramengattung vereinzelt da
dadurch, dass sie in der Gestalt des Boten „Mirth" eine
lustige Person besitzt, die sich aber nicht, wie sonst in
den Moralitäten, mit dem Typus des Vice deckt. Der
Vice-Typus war eben zur Zeit der Abfassung dieses Stückes
überhaupt noch nicht ausgebildet. Doch besitzt schon
„Mirth" einige Züge, die deutlich auf den späteren Vice
hinweisen und ihn als einen Vorläufer dieser Gestalt erscheinen lassen. Er schmeichelt dem Könige, der den Tod
zum Kampf herausfordern will. Diese Absicht hat der
König bereits zuvor aus sich selbst heraus gefasst; „Mirth"
bestärkt ihn nur darin durch seine Schmeicheleien, giebt
aber nicht selbst den eigentlichen Anstoss zu dem für den
König verderblichen Streite. Später hingegen geht die
Verführung immer vom Vice aus (abgesehen von den
jüngsten Stadien seiner Entwickelung), tritt also von aussen
her an den Helden heran. Die Intrigue des „Mirth" bildet
also nur eine Episode. Der eigentliche Vice aber ist,
wenigstens in den älteren Moralitäten, stets der allegorische
Hauptintrigant: die dramatische Verwickelung wird erst
dadurch herbeigeführt, dass er seine Intrigue einfädelt.

---

[126]) Eine Moralität im vollen Sinne ist Pride, trotzdem nur drei
Personen: „Mirth", „Strength"-Fortitudo, und „Heal"-Sanitas schlechthin Allegorien sind, denen die drei typischen Gestalten König, Königin
und Bischof gegenüberstehen. Denn der König ist als König des
Lebens im Grunde ebenfalls eine allegorische Person, und es ist daher
zu vermuten, dass auch die Königin, ja selbst der Bischof, irgendwelche Abstraktion bedeuten, und nur die sehr mangelhafte Überlieferung des Stückes schuld daran ist, dass dieser Umstand nicht
hervortritt.

Als blosse Episode erweist sich das intrigante Schmeicheln des Boten „Mirth" auch dadurch, dass er gleich darauf der frommen Königin als williger Bote an den Bischof dient, also in gutem Sinne thätig ist, und so die Wirkung seiner eigenen vorherigen Intrigue selbst wieder aufhebt. — Brandl (S. XV) hebt treffend hervor, dass „Mirth" auch an die Hofnarren erinnert, die im 15. Jahrhundert in England beliebt wurden; der Schwerpunkt seines Wesens scheint mir sogar der Harmlosigkeit des blossen Spassmachers, wie sie uns im Hofnarren entgegentritt, viel näher zu liegen als dem Intrigantentum des ursprünglichen Vice. Als harmloser Spassmacher zeigt sich der lustige Bote schon durch seinen Namen „Mirth", sowie durch die sinnesverwandte Bezeichnung „Solace" (— Zeitvertreib, Sorglosigkeit, Leichtsinn), die ihm gleichfalls beigelegt wird. Sein frischer heiterer Sinn macht ihn zum Liebling des Königs, der ihm dadurch seine Zuneigung bezeugt, dass er ihn an seinem Knie sitzen lässt und ihn durch reiche Gaben verwöhnt (V. 299 ff.). „Mirth" selbst sagt von sich, er könne, ohne zu prahlen, behaupten, in der Lustigkeit nicht seinesgleichen zu haben. Brandl macht darauf aufmerksam, dass „Mirth" (nach V. 473) als Abzeichen seines Narrentums eine Pritsche geschwungen zu haben scheint, womit er ganz nach Art der gewerbsmässigen Spassmacher das Publikum bedrohte. Vielleicht trug er auch schon das Gewand eines Hofnarren. Auch der Vice näherte sich im Laufe seiner Entwickelung immer mehr einem Spassmacher, und ging schliesslich in einem solchen auf, was auch rein äusserlich darin zu Tage tritt, dass er in den späteren Moralitäten das Kostüm eines Narren zu tragen pflegte. Die Verschmelzung des Vice in seiner jüngeren Form mit dem Narren wird also auch schon durch das narrenartige Wesen, vielleicht auch durch das Narrenkostüm des lustigen Boten „Mirth" vorbereitet. Auch indem „Mirth" den Spassmacher und den Intriganten in seiner Person vereinigt, ist er ein Vorläufer des Vice. — Obgleich „Mirth" seiner Rolle nach, wie schon sein

Name sagt, als lustige Person zu wirken bestimmt ist, ist
seine Komik doch, entsprechend der frühen Entwickelungsstufe des Dramas, die durch Pride dargestellt wird, nur
wenig ausgebildet. Ursprünglich war ja nicht Unterhaltung, sondern Erbauung oder Belehrung der Hauptzweck des Dramas. Daher ist auch „Mirth" nicht nur
als Intrigant, sondern auch als lustige Person eine bloss
episodische Gestalt.

Von ähnlicher Art wie Pat. (vgl. S. 112) ist vermutlich
das ebenfalls verlorene Spiel vom Credo gewesen (seit
1446 bezeugt).[127]) Das oben über die Todsünden und den
etwaigen Vice in Pat. Bemerkte mag daher auch für dies
Stück gelten.

In Pers. (vgl. S. 72 ff.) ist nach ten Brink (II 318)
„Detractio" oder „Backbiter"[128]) als Vice anzusehen,
an dem nach Brandl (S. XV) das Gepräge seines teuflischen
Ursprungs noch deutlich wahrnehmbar ist. Er vermittelt
die Bekanntschaft des Helden „Humanum Genus" mit
„Avaritia", einer der sieben als männliche Teufel auf-
gefassten Todsünden; letzterer bringt „Menschengeschlecht"
zu den sechs Genossen. Der erste Anstoss zur Intrigue
geht also von „Detractio" aus; er begleitet auch später
beständig den Helden von Stadt zu Stadt, als dessen
Hauptverführer. Unterstützt wird der Vice bei seinem
Verführungswerk durch die teuflischen sieben Todsünden.
Genaueres über die Rolle „Detractio's" mitzuteilen, ist mir
leider unmöglich, da Collier's Inhaltsangabe zur Kenntnis
jener Vice-Rolle durchaus ungenügend ist.

In Mind (vgl. S. 73) ist keine einzige Rolle vorhanden,
in der man den Vice erblicken könnte. Der Teufel Lucifer
ist hier der Hauptintrigant und zugleich der Hauptträger

---

[127]) Creizenach S. 465.

[128]) Schon im Spiel „The Trial of Joseph and Mary" der Co.
Pl. kommt „Backbiter" als Name des zweiten der beiden verleum-
derischen Ankläger (*„Detractores"*) vor. — Über Cushman's Ansicht,
dass in obigem Stück auch *„Stultitia"* einen Vice darstelle, vgl.
Anm. 124.

8*

der übrigens nur spärlichen Komik. Als eine Zwischenstufe zwischen Vice und Teufel sind die sechs als junge
Teufel kostümierten Todsünden aufzufassen.

Sehr wichtig für die Entwickelung des Vice ist hingegen Mank. (vgl. S. 74 ff. und 102). Der eigentliche Vice
ist hier, wenn auch noch nicht ausdrücklich so genannt,
„Mischief". Seinem Namen gemäss ist er zunächst ein
unheilstiftender Intrigant, dessen Hauptzweck es ist, den
Helden „Mankind" zum Straucheln zu bringen. Er ist mit
einem Zaum ausgerüstet, womit er den Titelhelden fangen
will; später tritt er mit einem dicken Bauch voll Mord
und Totschlag auf, wodurch sein Verbrechertum in naiver
Weise besonders drastisch veranschaulicht wird. Der Oberteufel Tytivillus, der Vice „Mischief" und die drei andern
Unterteufel arbeiten sich bei ihrem Verführungswerk gegenseitig in die Hände. Als „Mankind" sich schliesslich, zur
Verzweiflung getrieben, aufhängen will, ist „Mischief" sogleich mit einem Strick zur Hand, und sucht ihm einen
geeigneten Baum aus. Der Vice war zuvor dem wohl-
verdienten Tod am Galgen nur mit knapper Not dadurch
entgangen, dass er seine Fesseln sprengte und den Kerkermeister erschlug. Diese Gelegenheit benutzte er zugleich
als ein rechter Thunichtgut, um sich in einem Winkel über
die Frau des Erschlagenen herzumachen, und reichliche
Vorräte an Lebensmitteln zu entwenden. Am Schluss läuft
„Mischief" mit seinen drei nichtsnutzigen Gefährten einfach
davon, ohne den Lohn seiner Schandthaten zu empfangen.
— Obwohl die Verführung des Titelhelden „Mischief's"
Hauptziel ist, wird doch schon in dieser frühen Moralität
die Intrigue durch eine Menge von einzelnen komischen
Zügen fast überwuchert. Mit behaglicher Breite wird die
meist sehr derbe Komik des Stückes ausgemalt, die grösstenteils mit der eigentlichen Handlung gar nichts zu thun hat.
Derbkomisch ist gleich das erste Auftreten „Mischief's"
als Bauernknecht, wobei er, seinem Wesen als Bauerlümmel gemäss, mitunter in Unflätigkeit verfällt. Seine
aktive Komik tritt am meisten an solchen Stellen hervor,

wo er seinen Hauptgegenspieler „Mercy" aufs Korn nimmt.
Er sucht diesen lächerlich zu machen, indem er dessen
lateinische Ausdrücke und überhaupt seine feierliche Redeweise parodiert (V. 57: *„corne seruit bredibus, chaffe horsi-
bus, straw fyrybus"*, u. s. w.). Auch sonst liebt es „Mischief",
das Lateinische in burlesker Weise zu entstellen (V. 666 ff.).
Ein anderes Mal sucht „Mischief" dadurch komisch zu
wirken, dass er französische Brocken in seine englische
Rede mischt (V. 411). Nach Art des Doktors Eisenbart
erbietet er sich, den zerprügelten Kopf von „Now-a-days"
durch Abschlagen zu heilen. Später tritt „Mischief", dem
Galgentode entronnen, mit seinen klirrenden Fesseln auf,
die er scherzhaft als seine Rüstung deutet (V. 625). Mit
seinen drei Gehilfen äfft er gleich darauf eine Gerichts-
verhandlung nach, wobei er selbst den Vorsitz führt, und
„Now-a-days" zum Ausrufer bestimmt, der durch die bekannten französischen Anfangsworte *„oyez, oyez!"*, die auch
noch im späteren Drama zu zahlreichen Witzen und Wortspielen Anlass gaben, seine Proklamation eröffnet (V. 652).
— Neben solchen Zügen einer aktiven Komik bemerken
wir auch schon eine Spur unfreiwilliger passiver Komik in
„Mischief's" Rolle. Wenn der Vice dem Teufel seinen
Ursprung verdankt, ist solche passive Komik ja auch
keineswegs auffallend (vgl. S. 91). Nach Art eines echten
Teufels klagt der Vice gar jammervoll, weil „Mankind"
auf „Mercy's" Rat die höllischen Versucher mannhaft ab-
gewehrt hat.

Von „Newguise", „Nought" und „Now-a-days"
wird „Mischief" *„master"* genannt, während er sie (V. 412)
„fayer babys" anredet. Als sie wegen der von „Mankind"
empfangenen Spatenhiebe weinen (V. 408), sucht er sie
dadurch zu trösten, dass er ihnen einen Apfel verspricht.
Offenbar sind also die drei Unterteufel noch Knaben oder
Jünglinge [129]), während „Mischief" als Erwachsener zu

---

[129]) Allerdings sprechen „Now-a-days" (V. 127) und „Newguise"
(V. 235) von ihren Frauen; es scheint aber damit nicht beabsichtigt
zu sein, sie auch wirklich als Ehemänner hinzustellen, sondern soll

denken ist. Als jugendliche Teufel von allegorischer Art
sind die drei Taugenichtse speziell mit den sechs Todsünden in Mind (S. 73) verwandt. Im übrigen entsprechen
sie durchaus ihrem Anführer „Mischief", sowohl in ihrer
demselben Zweck dienenden Intrigue, als auch in ihrer
äusserst derben Komik. Auch unter einander gleichen
sich die drei Rollen so sehr, dass man fast in allen Fällen
die dem einen beigelegten komischen Züge auch auf einen
andern übertragen könnte. Sie stellen alle drei nur verschiedene Schattierungen derselben Rolle dar. Vereinzelt bemerken wir aber doch ein Streben nach individualisierender
Charakteristik. Es passt besonders zur Rolle des „Newguise", dass dieser für den gefallenen Menschen einen
fetten Teufelsschwanz anfertigt (V. 682), ihm eine neu-
modische Jacke anzieht (V. 704), und von der neuen Mode
zu reden spricht (V. 101 ff.). „Nought" scheint (nach V. 132 ff.
264) ein Narrengewand zu tragen, und ist als närrischer
Nichtsnutz auch besonders geeignet, den Schreiber in
„Mischief's" Unsinngericht zu spielen. Dass gerade „Now-
a-days" als Kirchenräuber geschildert wird, ist wohl
auch nicht ohne besondere satirische Absicht geschehen. —
Über die zahlreichen mitunter mit einem Klangspiel verbundenen Wortverdrehungen und burlesken Neubildungen
dieser drei Taugenichtse vgl. Brandl S. XXXI. — Im
Unterschied von den späteren Moralitäten treten die Gehifen
des eigentlichen Vice hier noch sehr hervor. Später ver-
schiebt sich das Verhältnis der niedern Vice-Gestalten
zum Ober-Vice: dass jene diesem untergeordnet sind, ist
in den jüngeren Moralitäten noch viel deutlicher zu erkennen als in Mank.; auch sinken die Gehilfen des Vice
später immer mehr zur Bedeutungslosigkeit blosser Nebenpersonen herab.

---

nur der beliebte Scherz vom Pantoffelhelden irgendwie angebracht
werden, selbst wenn dieser Scherz der sonstigen Rolle der beiden
jugendlichen Hanswurste direkt widerspricht. Der innere Zusammenhang und die Übereinstimmung aller Einzelheiten wird eben leicht
über Bord geworfen, wo die Komik zum Selbstzweck geworden ist.

Da Magd. A (vgl. S. 47 ff. und 76 ff.) als eine Art individualisierte Moralität gelten kann, gehört es auch in diesen Unterabschnitt, insofern die sieben darin als Teufel vorgeführten Todsünden auch zu den Gestalten zu rechnen sind, welche die Entstehung des Vice aus dem Teufel vermittelt haben. Ein Vice im eigentlichen Sinne fehlt dagegen hier.[130])

In Medwall's Nat. ist „Sensuality" als Vice erkennbar. Das Stück ist die älteste Moralität, worin der Vice ohne den Teufel vorkommt.[131]) Es findet sich auch keine Andeutung darüber, dass „Sensuality" das Kostüm eines Teufels getragen hätte; der Vice hat sich also jetzt völlig vom Teufel losgelöst, und diesem gegenüber Selbständigkeit erlangt.[132]) Nat. ist trockener als Mank.; seine Personen kämpfen gern mit Argumenten, und auch der Vice hat an dieser Vorliebe für das Wortgefecht seinen Anteil, wodurch naturgemäss die Komik geschmälert wird. In „Sensuality" herrscht der Intrigant weit mehr vor als in „Mischief"; als Intrigant ist er der Hauptgegenspieler „Reason's" im Kampf um die Herrschaft über den Helden „Man". — Dabei fehlt es aber auch „Sensuality" keineswegs gänzlich an komischen Zügen. Seine Komik ist ausschliesslich von aktiver Art. Er vergleicht die Reden von „Innocency" und „Reason" mit dem Geschwätz von Elstern (I 369). „Turd" als Fluchwort (I 843) zeigt ihn als Lümmel. Als er einmal bei der Erzählung seiner Erlebnisse unterbrochen wird, muss er sich erst die Nase wischen, bevor er fortfahren kann. Echt hanswurstmässig ist die Art, wie „Sensuality", wenigstens nach seiner eigenen Behauptung, den Streit zwischen „Man" und „Reason" im Wirtshaus zu schlichten suchte: er schlug „Reason"

---

[130]) Cushman (p. 55) erblickt den Vice in „Sensuality".

[131]) Pride (vgl. S. 71 und 113 ff.) zählt nicht mit, da „Mirth" nicht als Vice schlechtin anzusehen ist.

[132]) Brandl (S. XLIII) fasst auch „Sensuality" als einen Teufel auf, offenbar nur, weil er ein Vertreter des bösen Prinzips ist. Dann wäre aber jeder Vice zugleich ein Teufel.

auf den Schädel, und brüllte ihm so lange zu, Frieden zu
halten, bis er schliesslich selbst ganz heiser wurde. Am
gelungensten ist die Komik des Vice, wo er sich, ein
rechter Schalk, naiv stellt. So kann er sich gar nicht erklären, warum „Man's" Gesicht sich verfärbte, als dieser
in der Kneipe mit zwei Dirnen zusammensass. „Man"
klagte dabei auf einmal über Kopfweh, und wünschte,
dass Margery, die eine der Dirnen, zu ihm auf sein
Zimmer komme und ihm den Kopf halte, um ihn so von
seinen Schmerzen zu befreien. „Sensuality" weiss nicht,
was das alles zu bedeuten hat. Gleich darauf versichert
er, er lüge nie (I 1161). Als der Vice mit dem inzwischen
bekehrten „Man" wieder zusammentrifft, weint er über
„Man's" Untreue ihm selbst und seinen Genossen gegenüber. Er schildert ihm in ergreifender Weise der ver-
lassenen Margery Verzweiflung; sie sei vor Schmerz in
ein Kloster in der Nähe eingetreten, das der „Grünen
Bettelmönche" (*„frerys"*; II 120).[133]) Indem der Vice das
Treiben in diesem Kloster schildert, kommt allmählich
zum Vorschein, dass die Bezeichnung „Kloster" nur ein
scherzhafter Euphenismus für „Bordell" ist. Einmal verrät
„Sensuality" eine Neigung zum Hänseln, die sich gegen
seinen Spiessgesellen „Pride" richtet: er erzählt mit sicht-
lichem Behagen ein diesem offenbar ziemlich peinliches
Erlebnis (I 1117 ff.). An einer anderen Stelle (I 841) nennt
er „Pride" *„radix viciorum"*, und übersetzt dies absichtlich
falsch mit „Wurzel aller Tugend". — Die Quelle für diese
Vice-Gestalt findet Brandl teils (S. XLI) im verlorenen
Urbild von Mundus und den Todsünden (vgl. S. 77 ff.), teils
(S. XLIII) in einem allegorischen französischen Lehrgedicht
„Échecs amoureux", das Lydgate unter dem Titel „Resoun
and Sensuallyte" ins Englische übertragen hat. Für die
Komik des Vice kommen aber beide Quellen nicht in
Betracht.

---

[133]) Sinnlose parodistische Entstellung aus *„Grey"*, *„Black"* oder
„White Friars" (Franziskaner, Domikaner oder Karmeliter).

In Ever.[134]) fehlen sowohl Vice als auch Teufel. Wenn Ever., wie Brandl (S. XIV) wahrscheinlich macht, die Bearbeitung eines holländischen Moralspiels ist, erklärt sich das Fehlen des Vice in diesem Stücke leicht aus dessen holländischem Ursprung. Als selbständige Dramengestalt ist ja der Vice der englischen Litteratur allein eigentümlich. Ebenso fehlen Vice und Teufel in World. Weder in „Mundus" noch in „Folly", den Hauptvertretern der bösen Mächte, ist der Vice erkennbar.[135])

Dagegen ist im unvollständigen „Interlude"[136]) Elem. „Sensual Appetite" deutlich als Vice zu erkennen. Er ist durchaus komische Hauptgestalt, neben der sich als komische Nebenfigur nur noch der Lümmel „Ignorance" geltend macht. „Sensual Appetite" ist eine zweite Auflage von „Sensuality" in Nat. (vgl. S. 119 ff.), wie überhaupt Elem. eine direkte Nachahmung von Nat. ist. „Sensual Appetite" verführt „Humanity" und dient diesem insbesondere als Kuppler. Doch halten in ihm der Hanswurst und der Intrigant sich schon beinahe das Gleichgewicht. Gleich bei seinem ersten Auftreten ergeht er sich in sehr derben Ausdrücken, die offenbar komisch wirken sollten. Dann erteilt er „Studious Desire" seinen Segen, und fordert die Anwesenden auf, lustig zu sein, Mit den ihn selbst keineswegs bindenden Worten

> „if that 1 ever forsake you,
> I pray God the devil take you!"

---

[134]) Brandl widerspricht sich, indem er das Stück S. XIV noch in das 15. Jahrhundert setzt, S. LIII dagegen die Annahme einer späteren Entstehung erst im 16. Jahrhundert vorzieht.

[135]) Cushman sieht „Folly" als den Vice an.

[136]) „Interlude" bezeichnet ursprünglich nicht eine bestimmte dramatische Gattung, sondern nur ein Stück, das „in den Pausen der Gastmähler bei jährlich wiederkehrenden oder auch zufälligen Festen" aufgeführt wurde (Swoboda S. 15). So konnte unter Umständen auch eine Moralität ein „Interlude" sein; daher ist mit Swoboda zwischen „moralischen" („moral") und „komischen" („merry") „Interludes" zu unterscheiden. Nur die letzteren sind „Zwischenspiele" im engern Sinne, d. h. kurze possenhafte Schwänke, wie sie besonders von J. Heywood gedichtet wurden.

schwört er dem Helden „Humanity" Treue (p. 23). In der
Buchstabierszene mit „Experience" (p. 36) äussert sich
seine Komik in zusammenhanglosem Unsinn. Sein Spassmachertum kommt immer wieder zum Vorschein: er behauptet, er habe in einem Kampf alle seine Gegner erschlagen, bis auf die, welche fortgelaufen seien; dann aber
setzt er hinzu, es seien alle fortgelaufen. Derbheiten,
komische Geberden, Witzeleien und Sinnesverdrehungen,
sowie reiner Unsinn sind also die wesentlichsten Bestandteile seiner Komik.

Die merkwürdige Gestalt des „Hickscorner" (etwa =
„tölpelhafter Spötter") in der gleichnamigen, durch Seb.
Brant's „Narrenschiff" beeinflussten Moralität hat nur
einige Züge: Cynismus und Frivolität, mit dem Vice gemein[137]); aus der Umgebung seiner allegorischen Mit-
spieler hebt er sich als einzige typische Gestalt heraus.
„Imagination" (etwa = zügellose Phantasie), eine andere
Gestalt des Stückes, erinnert in mancher Hinsicht an den
Vice, bekehrt sich aber am Schluss, und erhält den Namen
„Good Remembrance". Diese Bekehrung macht es unmöglich, in „Imagination" den Vice zu erblicken.

Dass in Medwall's Find. (vgl. S. 103) „Hypocrisy",
oder vielleicht auch „Ignorance" die Rolle des Vice gespielt habe, lässt sich nur vermuten. Wir erfahren, dass
in diesem Stück auch ein Narr auftrat; offenbar war dies
aber eine selbständige Rolle, und nicht mit der des Vice
identisch.

Skelton's Magn. scheint mir keinen Vice zu besitzen. Die Hauptvertreter des bösen Prinzips, „Fancy"
und „Folly", sind ziemlich gleichmässig an der Verführung des Titelhelden beteiligt; ein einzelner oberster
Verführer fehlt aber. „Mischief", den Vice in Mank., treffen
wir auch hier, ja es wird sogar das Motiv aus dieser
Moralität wiederholt, dass „Mischief" dem verzweifelnden

---

[137]) Cushman (p. 56) lässt *Hickscorner* uneingeschränkt als Vice
gelten.

Helden Schlinge und Messer zum Selbstmord reicht; aber
„Mischief" ist bei Skelton eine blosse Nebenfigur.

Von Robin sind nur Bruchstücke erhalten Das Stück
ist mehr ein dramatisiertes Gespräch als ein wirkliches
Drama; dem Titelhelden als dem Vertreter des guten
Prinzips stehen sein Vater „Covetousness", seine Mutter
„Newguise" (also weiblich im Gegensatz zu „Newguise" in
Mank.; vgl. S. 117), und seine Schwester „Proud Beauty"
gegenüber. Ein Vice fehlt.

In des schottischen Dichters Lyndesay Sat.[138]) werden
drei Brüder (vgl. V. 639. 790)[139]) „Flatterie", „Dissait"
[= Deceit], und „Falset" (= Falsehood) mehrfach (V. 839.
984. 2487) „the vycis" genannt. Sie sind aber nicht die
eigentlichen Hauptintriganten des Stückes, und haben überhaupt keine allgemeine, sondern nur eine spezielle Bedeutung. Sie verkörpern die besonderen Laster dreier Stände
im Staate: „Flatterie" vertritt die Geistlichen, „Dissait"
die Kaufleute (V. 656. 680), und „Falset" die Handwerker
(V. 1531. 4097). Ihre Komik übersteigt nirgends das für
alle Darsteller des Bösen übliche Durchschnittsmass; auch
sind sie eher Bösewichte als Spassmacher. Es ist unmöglich anzunehmen, dass der Zusatz „the vycis" bei diesen
Gestalten die Mehrzahl von „the vice", als Name einer
bestimmten Dramengestalt, bezeichnen soll; er ist blos
Plural zu „vice" = Laster, dem Gegensatz zu „virtue"
(vgl. Anm. 106). — Die damalige Selbständigkeit der
schottischen Litteratur gegenüber der englischen, und besonders die isolierte Stellung, die Lyndesay's Stück als
einzige schottische Moralität innerhalb dieser Dramen-

---

[138]) Laing's Ausgabe von Lyndesay's Werken ist der von Hall
vorzuziehen. Hall hat, in Verkennung der Aufgabe eines Heraus-
gebers, einige sehr saftige Stellen einfach unterdrückt, und solche
Weglassungen nicht einmal durch Striche oder Punkte, oder sonst
irgendwie angedeutet.

[139]) Die Verszahlen beziehen sich, wo nicht ausdrücklich Laing
vermerkt ist, auf die Ausgabe von Hall, die mir zur Zeit allein zur
Verfügung steht.

gattung einnimmt, macht die merkwürdige Erscheinung
weniger auffällig, dass dem einheitlichen Vice der englischen
Moralitäten im vorliegenden Stück eine Dreiheit von Personen entspricht, freilich nicht jene oben angeführten drei
Figuren, trotzdem sie „the vycis" genannt werden, sondern
drei andere Brüder (V. 118. 2319): „Wantonnes", „Solace" und „Placebo." Wir begegnen ihnen hauptsächlich
im ersten Teile der Moralität; im zweiten[140]) treten sie
nur ganz flüchtig auf. Alle drei verführen den Helden
„Rex Humanitas" im ersten Teil zur Unzucht. Ihr Zurücktreten im zweiten Teil ist nicht zufällig, sondern hat
einen allegorischen Grundgedanken. Die Unkeuschheit
soll, wie Brandl (S. LVI) treffend bemerkt, als ein Jugend-
laster hingestellt werden; daher ist für die Verführer zu
dieser Sünde im zweiten Teil, wo der Held das reife
Mannesalter erreicht hat, kein Platz mehr vorhanden.
Am Schluss droht den drei Verführern die Strafe durch
„Correctiovn". „Wantonnes" aber entschuldigt sich und die
andern damit, sie hätten nicht gewusst, dass Wollust eine
Sünde sei; sie sei ja so allgemein verbreitet. „Solace"
gelobt in ihrer aller Namen leichthin Besserung, wenn
ihnen verziehen werde, und wirkt die Erlaubnis aus, nach
Belieben zu tanzen, zu singen, zu spielen, und Geschichten
zu lesen. Es liegt hier also eine Art Bekehrung, wenn
auch eine recht oberflächliche, vor; auch dadurch unterscheiden sich diese drei Vice-Gestalten vom gewöhnlichen
Vice der englischen Moralitäten. Sie sind unter einander
gleichartig; aber Intrigue und Komik sind nicht bei allen
dreien im gleichen Verhältnis gemischt, so dass doch bei
aller Gleichartigkeit kleine Unterschiede vorliegen, und
jeder einzelne innerhalb der Gesamtgruppe ein wenig in-

---

[140]) Das Stück zerfällt in zwei Teile, von denen der erste durch
ein Zwischenspiel mit vorwiegend typischen Personen (V. 1284—1404)
unterbrochen, und vom zweiten durch ein zweites derartiges Zwischenspiel (V. 1926—2294) getrennt ist. Anf diesen zweiten Teil folgt noch
ein drittes Zwischenspiel (V. 4272—4628), das aber allegorische Personen enthält.

dividualisiert erscheint. Am meisten blosser Verführer,
und, wie sein Name verrät, auch selbst der grösste Wüstling unter ihnen ist „Wantonnes“. Er zotet gern und
kräftig (V. 490 ff. 822). Das Stück ist die älteste Moralität mit protestantischer Tendenz. Auch „Wantonnes“
dient dem Verfasser gelegentlich zum Sprachrohr der Satire auf den Katholizismus: er führt die römische Kirche
als Beweis dafür an, dass Wollust keine Sünde sei; aus
Rom sei die Keuschheit ja verbannt. — „Sandie (= Alex-
anderchen; V.159.263)Solace“[141])erinnert uns durchNamen
und Wesen an den lustigen Boten „Mirth“ = „Solace“ in
Pride (vgl. S. 113 ff.). Er ist, wie schon sein Name lehrt,
etwas harmloser als „Wantonnes“. Seine Verführungs-
künste entspringen mehr aus dem Leichtsinn eines Lebe-
manns, als aus der Bosheit eines Dämons. Zu Anfang
tritt „Solace“ schwer betrunken auf; wie an seinem fettigen
Munde zu erkennen ist, kommt er eben von einem fest-
lichen Schmause. Er ist so vergnügt, dass er gern bereit
wäre zu singen, wenn ihm nur jemand ein Mass füllen
wolle. Auch später bittet er einmal den König mit Erfolg
um Geld zum Trinken. An einer Stelle (V. 836 bei Laing;
bei Hall ausgelassen) sinkt die Komik des „Solace“ zur
gröbsten Unflätigkeit herab. Auch Solace wird einmal
zum Träger der Satire auf die katholische Geistlichkeit:
er begründet seinen Rat, „König Mensch“ möge sich doch
eine Geliebte wählen, durch den Hinweis darauf, dass ja
sogar die meisten Prälaten des Landes es durchaus nicht
als Schande erachteten, sich eine Buhle zu halten; einige
von ihnen hätten sogar drei. — Am farblosesten von den

---

[141]) Halliwell druckt p. 66 der Anmerkungen zu seiner Ausgabe
der Moralität Wisd. die handschriftlich überlieferte, aus dem 16. Jahrhundert stammende Inhaltsangabe einer Moralität ab, die mit obigem
Werke Lyndesay's offenbar identisch ist, obgleich nicht alle Einzelheiten genau übereinstimmen. Hier wird ausdrücklich als Hauptaufgabe von „Solace“ betont: *„to make mery, sing ballettes* [= ballads]
with his fellowes, and drinke at the interluydes of the play.“

drei Brüdern ist „Placebo"[142]) gezeichnet. Er ist eigentlich
nur Genosse und Helfershelfer der beiden andern, hat aber,
im ganzen, mehr Ähnlichkeit mit „Wantonnes" als mit
„Solace". — Obgleich „Wantonnes", „Solace" und „Placebo" nirgends ausdrücklich als Vice-Gestalten bezeichnet
werden, sind sie doch deutlich genug als solche, allerdings
nur für den ersten Teil des Stückes, zu erkennen, in ihrer
Rolle als Verführer des Helden, und zugleich als Vertreter
einer zwar nur gelegentlich eingestreuten, aber dabei meist
sehr derben Komik. Keiner von ihnen überragt die beiden
andern an Bedeutung so sehr, dass er als Vice schlechthin
gelten könnte; auch „Placebo" tritt hinter den andern nur
so wenig zurück, dass dies nicht in Betracht kommen
kann. Durch ihre Gleichartigkeit bilden sie eine untrenn-
bare Gruppe; der Vice hat sich in ihnen gleichsam in drei
Personen gespalten. — Im zweiten Teil fehlt eine Gestalt,
in der man den Vice erblicken könnte.

In Bale's Laws giebt es auch wieder sechs „vices":
„Idolatry", „Sodomy", „Ambition", „Covetousness", „False
Doctrine" und „Hypocrisy". Von diesen erscheint „Idolatry"
in weiblicher Kleidung; die übrigen treten als männliche
Personen auf. Als ihren Vater bezeichnet sich selbst
„Infidelity". Dieser nimmt ihnen gegenüber eine Sonder-
stellung ein. Er hat unter den Vertretern des bösen
Prinzips als Verführer die Hauptrolle; die sechs „vices"
sind seine Helfershelfer hierbei, also neben ihm blosse
Nebenfiguren. So dürfen wir in „Infidelity" den Vice des
Stückes vermuten: er ist „the Vice", die andern sind
blosse „vices", und entsprechen in ihrer Sechszahl speziell
den Todsünden in Mind (vgl. S. 73). — Die Lehrhaftigkeit
drängt sich in Laws sehr vor; Bale betont seine pro-

---

[142]) Brandl (S. LIX) weist nach, dass „Placebo" eine aus dem
französischen Drama entlehnte Gestalt ist. In Petit de Julleville's
„Répertoire du théâtre comique en France au moyen age", Paris 1886
(p. 283) wird „Placebo" als Titelheld eines dramatischen Monologs
genannt; er ist hier ein Schmeichler und Lügner, also durchaus
Intrigant.

testantische Tendenz allzu einseitig auf Kosten des
künstlerischen Prinzips. „Infidelity" soll ihm vor allem
zum Träger herbster Satire auf die vielen schreienden
Missbräuche der katholischen Kirche dienen. Bei alledem
kommt natürlich die reine Komik zu kurz. „Infidelity"
eröffnet seine Rolle, indem er als Besenverkäufer auftritt
und seine Ware ausruft. Bis zur Unflätigkeit gesteigerte
Derbheiten, Schimpfworte gröbster Art, an den Haaren
herbeigezogene Klangspiele (*cook old: cuckold,* p. 31), und
Witzeleien sind die Hauptbestandteile seiner Komik. Er
fordert „Covetousness" und „Ambition", die er zärtlich
„whoresons" nennt, auf, um ihres Vaters Segen zu bitten,
worauf ersterer störrisch erwidert: *„I wyll not bowe sure,
to soch a folysh face"* (p. 52). Hier wird also der Vice
zum Vertreter einer unfreiwilligen passiven Komik gemacht. Gleich darauf bitten ihn beide aber wegen ihrer
Widerspenstigkeit um Verzeihung. Am Schluss wird der
Vice von „Vindicta Dei" durch Feuer und Schwert von
der Bühne vertrieben.

Redford's Sci. bereitet in Bezug auf den Vice einige
Schwierigkeiten. Hier sind drei Vertreter des bösen Prinzips vorhanden: *„Idleness"*, *„Ignorance"* und *„Tediousness"*.
Hauptgegenspieler des Helden „Wit" und zugleich wich-
tigster Vertreter der aktiven Komik ist „Idleness"; diese
Gestalt ist aber weiblichen Geschlechts. „Ignorance", ihr
„boy", ist als einfältiger Lümmel gezeichnet. Er ist zwar
männlich, aber seine bloss passive Komik macht es unwahrscheinlich, dass er als „Vice" zu betrachten sei; denn
zu jener Zeit war die Komik des Vice noch überwiegend
von aktiver Art. „Tediousness" endlich, ebenfalls männlichen Geschlechts, tritt nur zweimal ganz flüchtig auf.
Beim ersten Auftreten trägt er eine Maske, die wir uns
wohl ähnlich den Masken des Teufels zu denken haben.
Auch der Ruf: *„ho, ho!"*, den er bei seinem zweiten Auftreten ausstösst, lässt ihn als eine dem Teufel nahe-
stehende Gestalt erscheinen. Während diese Umstände
dafür sprechen, dass in „Tediousness" der Vice stecke,

wird dies andererseits durch die Unwichtigkeit seiner
Rolle doch recht unwahrscheinlich. Das Stück ist zwar
nicht vollständig überliefert, aber in Marr., der späteren
Neubearbeitung ist die Rolle noch unbedeutender. Wir
dürfen daher nicht die Nebensächlichkeit des älteren
„Tediousness" aus der lückenhaften Überlieferung von
Redford's Stück erklären; sie lag vielmehr von vornherein
in der Absicht des Verfassers. So ist am ehesten anzunehmen, dass der Vice hier überhaupt fehlt, wie wir dies
schon in manchen älteren Moralitäten gesehen haben.

John A (vgl. Anm. 105) ist keine echte Moralität,
sondern ein merkwürdiges Gemisch von Moralität und
Historie. Das Stück lehnt sich aber nur ganz äusserlich
an die Geschichte an, deren Thatsachen sich Bale sehr
willkürlich zurechtlegt; im Kerne ist es eine Moralität, wie
ja auch die Mehrzahl seiner Personen allegorisch ist. Daher
sei es auch hier zusammen mit den echten Moralitäten
behandelt. An der Spitze der die Minderzahl bildenden
geschichtlichen Persönlichkeiten steht der Titelheld. Sein
Hauptgegner ist „Sedition", der ausdrücklich als Vice
bezeichnet wird. Das Stück bedeutet schon dadurch einen
Fortschritt gegenüber den eigentlichen Moralitäten, dass
darin überhaupt versucht wird, statt allegorischer Gestalten
Menschen des gewöhnlichen Lebens zu schildern, mag
deren Schilderung uns jetzt auch noch so farblos und
inhaltsleer vorkommen. Es scheint nun, als wäre jener
Fortschritt auch dem allegorischen Vice des Stückes zu
gute gekommen; seine Komik ist lebendiger und wirksamer
als die „Infidelity's" in Laws. Auch „Sedition" soll hauptsächlich eine Satire auf den Katholizismus verkörpern;
aber die Satire wird hier mit manchen reinkomischen
Elementen verflochten. Indem Bale den Vice als Reliquienverkäufer auftreten lässt, ahmt er den Ablasskrämer in
seines Gegners J. Heywood komischen Zwischenspielen
Pard. und P's nach; aber die in letzteren schon sehr grosse
Derbheit artet bei Bale in Unflätigkeit aus. „Sedition"
als Beichtvater stellt eine ergötzliche Parodie der katho-

lischen Ohrenbeichte dar. Bale benutzt auch eine bühnen--
technische Eigenheit jener Zeit, nämlich dass mehrere
Rollen desselben Stückes von einem Schauspieler gespielt
wurden, zu einem Hiebe auf die katholische Geistlichkeit.
Nach dem ersten Abtreten „Sedition's“ erscheint der diese
Gestalt darstellende Schauspieler als „Civil Order“ wieder,
später aber als Stephen Langton, der König Johann feind-
liche Erzbischof von Canterbury. Bale will nun beide
Personen, den sich gegen seinen Fürsten auflehnenden
Erzbischof und „Sedition“, als eine einzige aufgefasst
wissen, so dass das erzbischöfliche Gewand für „Sedition“
eine blosse Verkleidung bedeutet. — Die Intrigue nimmt
in „Sedition's“ Rolle viel Raum ein, aber kaum mehr als
seine Komik. Deren Bestandteile sind im ganzen dieselben
wie bei „Infidelity“; nur hat die lebhaftere Komik jenes
Vice eine Vermehrung und Verstärkung der schon in Laws
oft hervortretenden Unflätigkeit zur Folge. „Sedition's“
Wortspiel in Form eines Rätsels (*holy* == heilig, und zugleich Adj. zu *hole*, p. 35) ist zwar ungeheuer derb, aber,
vom damaligen ästhetischen Standpunkt aus, auch äusserst
komisch. Von sonstigen komischen Zügen kehren einige
wieder, die schon in älteren Stücken vorkamen: „Sedition“
spricht einmal französisch, oder er schwatzt reinen Unsinn,
weswegen ihn der König einem Einfaltspinsel gleichstellt.
Überhaupt wird die passive Komik, die wir vereinzelt
schon an „Infidelity“ wahrgenommen haben, bei „Sedition“
öfters angewandt. Eine Art unfreiwilliger passiver Komik
liegt auch darin, dass der Vice sich zu seinen eigenen
Ungunsten verspricht: er will sich für einen *„relygyous
man“* ausgeben; statt dessen entschlüpft ihm aber
„lecherous man“ (p. 12). Die schurkischen Gefährten des
Vice behandeln ihn mitunter recht nichtachtend. Im
ganzen herrscht jedoch in „Sedition“ die aktive Komik
noch immer durchaus vor: ausser durch die schon genannten, hieher gehörigen Züge zeigt „Sedition“ dies
durch seine Neigung zum Spotten, aber auch durch seine
harmlose Lustigkeit. Diese äussert sich einmal in lautem

Geschrei, wodurch er sein Kommen schon hinter der
Bühne ankündigt. An einer andern Stelle beweist
„Sedition", dass der Papst ein „lustiger Bursche" sei;
die komische Beweisführung widersinniger Behauptungen
ist ein auch bei den Hanswursten des späteren Dramas
beliebtes Motiv. Am Schluss wird der Vice zum Galgentode verurteilt; sein Kopf soll am Eingang von London
Bridge aufgespiesst werden.

Das Verhältnis des Vice zum Teufel in Juv. ist schon
oben besprochen worden (vgl. S. 80 ff.). In der sonstigen
Rolle „Hypocrisy's" hat der allegorische Verführer
durchaus das Übergewicht; die Verführung erleichtert
sich der Vice durch den falschen Namen „Friendship".
Seine Komik ist wenig hervorragend, wenn auch immerhin kräftiger als die Satan's. Er spricht zu diesem selbstgefällig von seiner eigenen schmucken und liebenswürdigen
Person. Seinem Genossen „Fellowship" versichert er (p. 79):

„— — — *you are so full of honesty,*
As a mary-bone [= marrow-bone] *is full of honey.*"

Der Hauptbestandteil seiner öden Komik ist aber Unflätigkeit.

Die erste echte Moralität, die einen ausdrücklich bezeichneten Vice enthält, ist, wie schon erwähnt, Resp.
(vgl. S. 110). Das Stück ist vom katholischen Standpunkt
aus geschrieben und gegen die Reformation gerichtet.
Hier wird „Avarice" im Personenverzeichnis durch den
Zusatz „*the vice of the plaie*" charakterisiert. Ihn unter-
stützen drei „Gallants": „*Adulation*", „*Insolence*" und
„*Oppression*". In „Avarice" und diesen seinen spitzbübischen Helfershelfern erscheint das Intrigantentum in
glücklicher Mischung mit einer kräftigen und gar nicht
üblen Komik, die das Stück zu einer der unterhaltendsten
Moralitäten macht. „Avarice" ist durchaus der Anführer
der drei andern Schurken, die ihn auch willig als ihr
Oberhaupt anerkennen. Die Intrigue besteht darin, dass
„Avarice" sich unter dem falschen Namen „*Policy*" bei
„Respublica" einführt, und als deren Ratgeber die drei

andern unter dem Namen „*Honesty*", „*Authority*" und
„*Reformation*" zu Dienern der „Respublica" macht, worauf
die vier Spitzbuben die Titelheldin nach Möglichkeit aus-
saugen und sich selbst mit dem ihr geraubten Gelde be-
reichern. Am ärgsten treibt es natürlich, seinem Namen
gemäss, „Avarice". Am Schluss werden die Schurken von
„Verity" entlarvt. — Die Komik des Vice ist grösstenteils
von der charakterisierenden Art. Selbst sein Kostüm dient
dazu, seine Geldgier zu veranschaulichen: er trägt einen
Mantel mit grossen, aussen angebrachten Diebestaschen,
die er mit seinem Raube vollstopft. Um nicht entdeckt
zu werden, kehrt er die Innenseite des Mantels nach
aussen; die Entlarvung geschieht dadurch, dass er auf
Verity's Geheiss den Mantel wieder umwenden muss. Als
rechter Geizhals steht „Avarice" in einem zärtlichen
Liebesverhältnis zu seinen Geldsäcken; ergötzlich ist auch
seine stete Furcht vor Diebstählen und sein berechtigtes
Misstrauen gegen die Gefährten. Zuletzt wird er von
„Nemesis" gezwungen, alles geraubte Gut wieder abzu-
liefern, und dem Gericht übergeben. — An vielen Stellen
geht aber die Komik des Vice über das zur Charakteristik
eines Habsüchtigen Notwendige hinaus. Meist ist er hier
als Schurke überhaupt gekennzeichnet; natürlich ist in
solchen Fällen seine Komik vorwiegend von aktiver Art.
Während seine Spiessgesellen sich am Schluss widerstands-
los in ihr Schicksal ergeben, lässt „Avarice" kein Mittel
unversucht, um sich doch noch zu retten. Als die vier
Damen, die Vertreter der guten Mächte, auftreten, bemerkt
„Avarice" cynisch, jeder von ihnen habe jetzt eine Dame
zum Tanzen. Er höhnt „Justice", und stellt sich „Verity"
gegenüber völlig unbefangen; als ihm näher auf den Leib
gerückt wird, thut er, als begriffe er gar nicht, was eigentlich vor sich gehe, und missversteht alle an ihn gerichteten
Reden. Nach dem Inhalt eines verdächtigen Sackes ge-
fragt, den er bei sich hat, behauptet er, es sei Roggen
darin („*rie*", V 9,69), und als „Verity" den Sack öffnet,
findet sie (V 9,79 ff.) „*usiree, periuree, — — — pilferie, briberie*",

9*

u. s. w., eine lange Liste böser Dinge, deren Namen auf
„*rie*" enden, also wirklich einen Sack voll „*rie*". Selbst
als die mit Geld gefüllten Taschen seines Mantels entdeckt
werden, giebt sich der Vice noch nicht verloren, sondern
behauptet, alles dies Geld für „Respublica" gerettet zu
haben; er habe es ihr eben bringen wollen, und zwar so
versteckt, weil es ihm allzu gewagt erschienen sei, das
Geld offen zu tragen. Als ihm auch diese Ausrede nichts
hilft, will er sich einfach hinwegschleichen; aber „People"
hält ihn zurück. — Sehr komisch wirkt es auch, dass
„Avarice" immer wieder seine grosse Ehrlichkeit betont,
selbst zuletzt, als er schon längst entlarvt worden ist. —
Während die Helfershelfer des Vice diesem grosse Ehrerbietung erweisen, zeigt er ihnen, besonders anfangs,
recht wenig Entgegenkommen; ja er ergeht sich sogar in
groben Schimpfworten. Mit Vorliebe macht er auch später
„Adulation", der unter den drei Halunken als am
wenigsten bösartig, aber als etwas dumm geschildert wird,
zur Zielscheibe seiner mürrischen oder höhnischen Ausfälle. — Passive Komik bemerken wir bei diesem Vice
nur selten. Während „Avarice" seine Gehilfen sonst immer
sehr von oben herab behandelt, wird er umgekehrt einmal
von ihnen gehänselt, und zwar von „Adulation" ebenso-
wohl wie von den beiden andern (I 3, 91 ff.). Hier ist also
die passive Komik des Vice unfreiwillig. Wahrscheinlich
ebensowenig beabsichtigt ist diese Art Komik an einer
andern Stelle, wo er sich „Respublica" gegenüber zu seinen
eigenen Ungunsten verspricht (II 2, 42): er stellt ihr seine
Unterstützung in Aussicht, nicht um ihret-, sondern um
seiner selbst willen, wie er sagt, während er heuchlerisch
gerade das Gegenteil versichern wollte. Gleich zu Anfang
des Stückes scheint aber ein Fall von absichtlicher passiver
Komik des Vice vorzuliegen: ganz im Widerspruch zu
seiner sonstigen Rolle eines überaus geriebenen Intriganten
bittet er (I 1, 7 ff.) die Zuschauer, mit seinem Witz Nachsicht
zu haben; er habe nämlich einen Bienenschwarm im
Gehirn. Gleich darauf (V. 13) macht er ein Wortspiel

auf seine eigenen Unkosten, indem er den Zuschauern mitteilt:

„My veray trewe vnchristen Name ys Avarice."

In Youth, gleichfalls einer Moralität mit katholischer Tendenz[143]) scheint „Riot" der Vice zu sein, dem bei der Verführung des Titelhelden *„Pride"* als Helfershelfer zur Seite steht. Neben der allegorisch-dämonischen Seite von „Riot's" Wesen kommt auch die Komik in ihm sehr beträchtlich zur Geltung. Einige zu dieser Komik gehörige Züge sind der Rolle „Imagination's" in Hicks. (vgl. S. 122) entlehnt; ja es finden sich sogar wörtliche Anklänge au dieses Stück.[144]) Auf „Youth's" Frage: „was brachte dich hierher?" antwortet „Riot" mit dem uralten albernen Scherz: „meine Beine". Auch die Narren und Clowns des eigentlichen Dramas missverstehen oft, erstere absichtlich, letztere, wenigstens bis zu Shakespeare, meist unabsichtlich, in übertragenem Sinne gemeinte Worte, indem sie sie buchstäblich auffassen. Wie „Newguise" in Mank. ist „Riot" nur dadurch dem Galgen mit genauer Not entkommen, dass der Strick riss. Er erzählt selbst, dass er wegen eines Raubes in Newgate gesessen habe[145]), und der Lordmayor ihn von dort habe abholen lassen, damit er

---

[143]) Brandl widerspricht sich, indem er das Stück S. XXVIII noch in die vorreformatorische Regierungszeit Heinrichs VIII., S. LXI dagegen in die Zeit der Königin Maria verlegt.

[144]) Vgl. Youth

p. 13. Riot.

„Huffa! huffa! who calleth after me?
I am Riot, full of jollity.
My heart as light as the wind."

p. 15. Youth.

„God's fate! thou didst enough there
For to be made knight of the collar."

Riot.

„Yea, sir, I trust to God Almight
At the next sessions to be dubbed
a knight."

Hicks.

p. 188. Imag.

„Huff, huff, huff! who sent after me?
I am Imagination, full of jollity,
Lord, that my heart is light."

p. 188. Imag.

„Even now I was dubbed a knight,
Where at Tyburn of the collar."

[145]) Ebenso „Imagination"; vgl. Hicksc. p. 157.

zu Tyburn von erhöhter Stelle aus predige. Er rühmt
sich, von Tyburn kommend, wieder einen neuen Raub
ausgeführt zu haben. „Youth" vermutet, er werde gewiss
bald zum Ritter des Halsbandes ernannt werden. Trotzdem er so über den Vice spottet, lässt er sich doch bald
darauf von ihm verführen. Die von „Riot" an „Youth"
verkuppelte schöne „Lechery" entlockt durch ihre Reize
auch ihrem Pandarus bewundernde Ausdrücke nach Art
eines verliebten Gecken. Nicht üble unfreiwillige passive
Komik liegt in der Furcht des Vice vor einem Streit mit
„Charity": er sucht seine Feigheit durch die salbungsvolle
Phrase zu verdecken, es sei gar trübselig, immer im Streit
zu leben. Als sie in die Nähe von „Charity's" Aufenthalt
gelangen, fordert „Riot" die Gefährten auf, langsamer zu
gehen; als letzter tritt er selbst bei seinem gefürchteten
Feinde ein. Nachdem aber „Pride" mit scharfen Worten
über „Charity" hergefallen ist, da erwacht auch in „Riot's"
Brust wieder der Heldenmut; er verhöhnt seinen Gegner,
und fesselt ihn mit Hilfe der andern, worauf sich die ganze
liederliche Gesellschaft, ein lustiges Lied singend, entfernt.

Über Someb. bin ich nur durch Brandl unterrichtet.
Brandl's Angaben erwecken den Eindruck, als ob „Avarice"
hier den Vice spiele, da er die Intrigue einleitet.

Die Moralität „Wealth and Health" (1557/58 in die
Buchhändlerregister eingetragen; auch im Brit. Mus. nicht
vorhanden) enthält nach Hazlitt unter den handelnden
Personen auch *„Ill-will"* und *„Shrewd-wit"*. Ob in einer
dieser beiden Personen der Vice zu suchen sei, oder ob
er überhaupt fehlt, kann ich nicht entscheiden.

Ebenso wenig zugänglich war mir Imp. Das bei
Hazlitt abgedruckte Personenverzeichnis enthält u. a. die
Namen „Hazard" und „Envy". Die Vermutung liegt nahe,
das „Envy" den Hauptversucher, also den Vice des
Stückes darstellt.

Dar. ist ein eigentümliches Stück; es besteht aus zwei
ganz verschiedenen Fabeln, die gar keinen Zusammenhang
unter einander haben. Die Hauptfabel beruht auf einer

Erzählung des apokryphen dritten Buches Esra, könnte
also als eine Art Misterium bezeichnet werden, oder besser
mit Brandl als ein „Bibeldrama mit protestantischer
Tendenz", eine neue von Bale durch Tempt. (vgl. Anm. 82)
und Bapt. geschaffene Dramengattung. Die Nebenfabel
ist eine Moralität, in der drei gute Mächte: „Equity",
„Charity" und „Constancy" symmetrisch drei bösen
Mächten: „Iniquity", Importunity" und „Partiality" gegenüberstehen. „Iniquity" wird (V. 34) ausdrücklich als
der Vice bezeichnet. Während sonst der Vice der Hauptverführer des Helden zu sein pflegt, weist „Iniquity" hier
nur einmal beim Abgang von der Bühne spottend auf das
gleich erfolgende Auftreten des Königs Darius hin, hat
aber im übrigen mit ihm gar nichts zu thun. Dagegen
bildet „Iniquity" den Mittelpunkt der Nebenfabel, und weil
diese, für sich betrachtet, eine Moralität ist, möge er hier
unter den Vice-Gestalten der eigentlichen Moralitäten besprochen werden. Brandl hat (S. LXVI) nachgewiesen,
dass der unbekannte Verfasser des vorliegenden Stückes
Bale nachgeahmt hat, nicht nur in der Haupthandlung,
sondern auch in der zu einer Satire auf den Katholizismus
dienenden Nebenhandlung. „Iniquity" insbesondere gleicht
der Gestalt des „Infidelity" in Laws (vgl. S. 126 ff.). Er
ist eine Verkörperung des Katholizismus; sein Vater ist
der Papst (V. 767 ff.); mit seiner Mutter ist vermutlich
Rom gemeint (V. 1142). Als Vertreter des Lasters zeigt
sich „Iniquity" in den fortwährenden Streitigkeiten, die
er bald allein, bald zusammen mit *„Importunity"* und
„Partiality" gegen die eine oder die andere der drei
Tugenden führt. Am schlimmsten fallen alle drei über
„Equity" her, der, wie schon sein Name andeutet, als
„Iniquity's" besonderer Gegner zu gelten hat. Zum Schluss
wird der Vice von seinen Genossen schnöde verlassen,
und dadurch zum Abgang gezwungen, dass eine der
Tugenden Feuer auf ihn wirft. Er wird also hier ähnlich
wie „Infidelity" in Laws behandelt. — Mitunter wendet
sich der Vice auch gegen seine beiden Helfershelfer. Er

nennt sie, beiseite gesprochen (V. 263), *„dronken knaues"*,
behauptet aber, zur Rede gestellt, sie zwei ehrliche Männer
genannt zu haben; aber gedacht habe er dies nicht, das
beschwöre er. „Importunity" hat darauf nur die matte
Erwiderung: „Iniquity" sei wohl zum Scherzen aufgelegt.
Gleich darauf beschimpft und bedroht der Vice ganz ohne
Grund „Partiality"; er sagt, dieser wisse wohl nicht, mit
wem er rede. „Partiality" aber zahlt die Schimpfereien
des Vice in gleicher Münze zurück. „Iniquity's" Selbstbewusstsein, wie es in jener Äusserung hervortritt, paart
sich mit einem starken Hang zum Prahlen, einem Hang,
der auch bei andern Vice-Gestalten oft zu bemerken ist:
als „Charity" und „Equity" durchaus freiwillig abgetreten
sind, rühmt sich der Vice, ersteren durch furchtbare
Drohungen, letzteren sogar durch Prügel (V. 549 ff.), vertrieben zu haben. Trotz all seines Bramarbasierens berührt
sich aber dieser Vice doch nur wenig mit einem „Miles
gloriosus", da ihm dessen andere, die Prahlsucht er-
gänzende Eigenschaft, die Feigheit, fehlt. Er ist im Gegenteil ein wütender Kampfhahn. Daher ist sein Prahlen, im
Gegensatz zu der passiven Komik des „Miles", eher als
ein aktiv-komisches Motiv anzusehen. — Auch sonst ist
die Komik des Vice vorwiegend von aktiver Art. Gleich
zu Anfang redet er nach Art der gewerbsmässigen Spassmacher das Publikum direkt an; bei seinem zweiten Auftreten greift er eine einzelne Person aus den Zuschauern
heraus (V. 743), und erkundigt sich nach deren Befinden.
In derselben Szene betritt er die Bühne, die Tonleiter
singend, und bedauert, einen bestimmten Ton nicht tief
genug treffen zu können. Einmal versucht der Vice, seine
Spiessgesellen zu erschrecken, indem er thut, als ob seiner
Grossmutter Katze in der Nähe wäre (V. 181): *„Pusse
pusse, where art thou?"* Als jene ihn am Schluss der
Szene verlassen, schwankt er, ob er deswegen weinen solle
oder nicht, beschliesst aber bald, dies nicht zu thun, und
versichert schliesslich sogar, niemand könne lustiger sein
als er. „Iniquity" ist mit einem (hölzernen) Dolch be-

waffnet (V. 105. 359). Dieser Narrendolch beweist, ebenso wie die eben angeführten Züge, die Annäherung des Vice an 'die damaligen Hof- und Hausnarren des wirklichen Lebens, denen eine solche Scheinwaffe als besonderes Merkmal zukam. Der Dolch diente dem Vice nicht nur dazu, den Teufel damit zu bearbeiten (vgl. S. 85 u. Anm. 97), sondern ausserdem gewiss auch zu improvisierten Scherzen mit dem Publikum. Vielleicht trug der Vice in diesem Stücke auch schon das Kostüm eines Narren. — Es war ein Hauptmittel der Komik bei den Berufsnarren, sich dumm zu stellen, und so die wirkliche Dummheit der Clowns vorzuschützen. Dies geschah besonders in der Form von absichtlichen Missverständnissen. Auch in der mehrfachen Anwendung dieses Motivs, dessen passive Komik absichtlich ist, gleicht „Iniquity" den Narren (vgl. V. 85 ff. 951 ff.); viel Witz legt er freilich hierbei nicht an den Tag.

In Cust. scheint der Vice zu fehlen. Wie meist in den protestantischen Tendenzdramen, lässt auch hier die trockene Lehrhaftigkeit keinen Raum für Komik übrig.

In Treas. wird „Inclination" als Vice vorgeführt. Die immer grössere Annäherung des Vice an eine lustige Person wird uns an dieser Gestalt besonders deutlich. Zwar ist er als Verführer des Helden „Lust" noch immer der Hauptintrigant; aber wir gewinnen den Eindruck, dass die Komik dieses Vice bereits wichtiger geworden ist als sein Intrigantentum. Zu seiner Ausstattung gehört nicht nur der hölzerne Dolch des Hausnarren, sondern auch eine Brille, wahrscheinlich von mächtigem Umfang, die ihm von „Sturdiness" aufgezwungen wird, und seine Lächerlichkeit erhöhen sollte. Als der im buchstäblichen Sinne gezügelte „Inclination" von seinen Bändigern allein auf der Bühne zurückgelassen wird, redet er die Zuschauer direkt an; mit den Worten: *„I cannot make you any more sport"* deutet er selbst auf die Erheiterung des Publikums als den Zweck seiner Rolle hin. Auch „Inclination" benutzt das Motiv des reinen Unsinns als ein Mittel der

Komik: er tritt zu Anfang des Stückes in einem lustigen
Monolog auf, worin er mit seinem hohen Alter prahlt; er
habe es erlebt, dass Noah's Arche auf „Salisbury Plain"
gebaut wurde; damals sei der Wetterhahn auf der Pauls-
kirche am Pips erkrankt, u. s. w. Natürlich verschmäht
der Vice auch nicht eine leichte Zote als gelegentliches
Mittel der Komik: er würde gern sein tägliches Wachstum
verkünden, wenn dies Thema den von ihm gefürchteten
Frauen nicht so peinlich wäre. Seinen Untergebenen, den
Lümmel „Greedy-gut" behandelt der Vice sehr von oben
herab; er zwingt ihn, ihm durch eine tiefe Verbeugung
seine Ehrerbietung zu bezeigen. Um seinem Gegner
„Sapience" zu entgehen, stellt sich „Inclination", als ver-
stände er nur französisch; gleich darauf giebt er sich für
einen Holländer aus. Das Gespräch zwischen „Lust" und
„Treasure" begleitet er mit beiseite gesprochenen Sarkasmen;
über den Inhalt seines Gemurmels befragt, behauptet er,
etwas völlig Harmloses gesagt zu haben. — Bedeutend
vermehrt wird besonders die passive Komik dieses Vice.
Auch seine Brille gehört hierher. Einmal rühmt sich
„Inclination" nach Art der echten Eisenfresser seiner
Heldenthaten: er behauptet, er sei es gewesen, der Hektor
und Alexander besiegt habe, und fordert „Lust" und
„Sturdiness" zum Kampf heraus. Kaum ist aber letzterer
dem Vice ernstlich auf den Leib gerückt, da enthüllt sich
dessen ganze jämmerliche Feigheit: er wird, ohne überhaupt Widerstand zu leisten, besiegt und durchgeprügelt.
„Inclination" zeigt uns, wie nahe sich der Vice in einzelnen
Fällen mit dem „Miles gloriosus" berührt.[146]) — Ein abstrakter Gedanke, nämlich, dass die Begierden durch Vernunft zu zügeln seien, wird in Treas. den Zuschauern ganz
konkret veranschaulicht. Dem Vice wird nämlich, trotz
seines lebhaften Sträubens, von „Sapience" und „Just" ein
Zügel, „Restraint" genannt, thatsächlich um den Mund
gelegt. Schon der konkrete Charakter dieses Vorgangs

---

[146]) Vgl. Graf S. 20—22.

drängt die darin enthaltene moralische Lehre in den Hintergrund, während das passiv-komische Element, das in der
konkreten Handlung, nicht aber in dem ihr zu Grunde
liegenden Gedanken steckt, zur Hauptsache wird. Dies
Motiv ist sehr lehrreich; es zeigt uns, wie ein ursprünglich ernster abstrakter Gedanke bloss durch seine
Versinnlichung zum Possenspiel werden kann. Die
Entwickelung des Vice aus einem ursprünglichen
Vertreter des bösen Prinzips zur lustigen Person
ist also vielfach aus innerer Notwendigkeit, zuweilen sogar, ohne dass der betreffende Dichter
sich dessen von vornherein klar bewusst gewesen
sein mag, vor sich gegangen. Im vorliegenden Falle
wird freilich die von selbst entstandene Komik obigen
Vorgangs durch das Benehmen des Vice während seines
Gezügeltseins noch absichtlich gesteigert: er nimmt die
ihm durch die Zügelung nahegelegte Rolle eines Pferdes an,
wiehert, droht auszuschlagen, u. s. w. Hier übt der Vice
mit bewusster Absicht passive Komik aus; ebenso, indem
er mit Selbstironie die Wucht seiner Versicherungen durch
den Zusatz „by my halidom" steigert. Aktiv-komisch dagegen ist er wieder, als er, noch mit dem Zügel vor dem
Munde, den öffentlichen Ausrufer spielt, und mit dem bekannten „Oyes, oyes!" seine Ausrufung einleitet. Doch
wird sein Übermut sofort durch strafferes Anziehen des
Zügels bestraft. Im Zustande seiner tiefsten Demütigung
wird er von „Greedy-gut" aufgefunden, der sich die Gelegenheit zur Rache an seinem Gebieter nicht entgehen
lässt: er hält ihn zuerst für Bileam's Esel[147]), dann für
ein Füllen, wofür er allerdings durch einen Fusstritt des
Vice belohnt wird. „Lust" befreit diesen zwar bald von
seinen Fesseln; aber am Schluss wird „Inclination" nochmals, von „Just" am Zügel gehalten, vorgeführt, und

[147]) Bileam's Esel war durch sein leibhaftiges Auftreten in einem
Stücke der Ch. Pl. dem englischen Publikum zu einer vertrauten
komischen Gestalt geworden, deren häufige Erwähnung in späterer
Zeit auf sprichwörtliche Berühmtheit schliessen lässt.

endlich, als sein Trotz noch immer nicht gebrochen erscheint, weggebracht.

In der verlorenen Moralität Secur. scheint, soweit die erhaltene Inhaltsangabe überhaupt ein Urteil ermöglicht (vgl. Anm. 113), ein Vice nicht vorhanden zu sein.

Von Alb., der einzigen Moralität mit ausschliesslich politischer Tendenz, ist nur ein Bruchstück von 12 Seiten erhalten. Hier ist in „Injury" der Vice zu vermuten. Unter dem falschen Namen „Manhood" verführt er, von „Division" unterstützt, den Titelhelden. Das vorhandene Bruchstück genügt nicht, um von der Komik des Vice ein klares Bild zu gewinnen; darin scheint nur das possenhafte Wiedersehen zwischen „Injury" und „Division" auf eine komische Wirkung berechnet zu sein. „Division" wundert sich, dass sein „alter Freund" „Injury" dem Henker entgangen sei; „Injury" erklärt aber, er habe Aufschub seiner Hinrichtung erlangt, um „Division" zu seinem Stellvertreter bei diesem Vorgang zu ernennen. Sie behren sich gegenseitig mit dem Beinamen *„whoreson"*.

Unter die Moralitäten im weiteren Sinne gehört auch, durch seine überwiegend allegorischen Personen, Magd. B (vgl. S. 81), im übrigen wie Dar. ein protestantisches Bibeldrama nach Bale's Muster. Das Stück zeigt keinerlei Spuren einer Einwirkung des gleichnamigen Mirakelspiels der D. Pl.; während dieses hauptsächlich aus der katholischen Legende geschöpft ist, dient dem Protestanten L. Wager die Bibel selbst zur Grundlage seines Stückes. Dessen Personenverzeichnis nennt als Vice „Infidelity", also dieselbe Gestalt, die auch in Laws die Vice-Rolle innehat (vgl. S. 126 ff.). Wie Brandl (S. LXIV) nachweist, sind auch die Gehilfen des Vice: *„Pride of Life"*, *„Cupidity"* und *„Carnal Concupiscence"*, nur Variationen entsprechender Gestalten in obigem Stücke Bale's. Auch darin gleicht Magd. B Laws, dass die Rolle des Vice an komischen Bestandteilen arm ist, und die Intrigue durchaus überwiegt. Im ersten Teil verführt „Infidelity", unter dem falschen Namen *„Prudence"*, die Titelheldin zur Unzucht. Er wird selbst ihr Buhle, und führt auch seine Gehilfen nach der hergebrachten Moralitätenschablone unter falschen Namen bei ihr ein. Am Schluss wird „Infidelity" von Jesus selbst vertrieben. — Im zweiten Teil erscheint der Vice als Pharisäer verkleidet; er nennt sich jetzt „Legal Justification", und richtet nach Mary's Bekehrung seine Intrigue gegen Jesus selbst. Als Diener des Pharisäers Simón hetzt er diesen und die Juden überhaupt gegen den Heiland auf. — Die wohlklingenden Namen, die der Vice sich anmasst, können über seine wahre Natur nicht hinwegtäuschen; diese wird durch seine Maske mit ihren unheimlich schielenden Augen gekennzeichnet, deren eines beständig zwinkert. Eine solche Maske scheint der Vice im ganzen Stück zu tragen, obwohl er sonst mehrfach in Verkleidungen auftritt. Jenes Schielen verwertet „Infidelity" selbst an einer Stelle zu einer satirischen Spitze gegen die katholische Kirche: er sagt, er mache es wie die Bettelmönche, die mit einem Auge auf ihr Buch, mit dem andern auf ein Mädchen blicken. Auch die zu Anfang des Stückes vom Vice durcheinander geworfenen Bruchstücke der katholischen Liturgie sollen offenbar den Katholizismus lächerlich machen. Eigentliche aktive Komik entfaltet der Vice nur in seinen gelegentlichen Zoten und unflätigen Äusserungen Mary gegenüber (p. 12. 25), sowie in dem Mary's Reize preisenden, mit lustigem Kehrreim versehenen Liede, das er mit seinen drei Helfershelfern singt. Die cynische Beteuerung des Vice „by my maydenhood" (p. 13) könnte als Beispiel einer freiwilligen passiven Komik gelten. Unfreiwillig ist seine passive Komik nur einmal: als er sich zur Begegnung mit der Titelheldin rüstet, sagt ihm „Cupidity", auf seinen angenommenen Namen „Prudence" und sein Schielen anspielend, er müsse vor allem sein dummes Gesicht ändern.

Marr. ist eine verfeinerte Umgestaltung von Sci. (vgl. S. 128). Von „Idleness" und „Ignorance", die auch hier wieder begegnen, gilt dasselbe, was schon oben über sie gesagt wurde. Auch „Tediousness" kommt in der

Neubearbeitung vor, wo er auch wieder wegen der Un-
wichtigkeit seiner Rolle kaum als Vice zu gelten hat.
Während er in Sci. einen etwas altmodischen Anstrich hat,
zeigt Marr. spätere Einflüsse in der erhöhten passiven
Komik dieser Gestalt, die hauptsächlich als prahlsüchtiger
Feigling vorgeführt wird.

Auch W. Wager zeigt sich in Long. (vgl. S. 82) als
Protestant, doch kommt die protestantische Tendenz hier
nur an wenigen Stellen zum Vorschein. Im Gegensatz zu
allen andern Personen des Stückes, ausser „People", ist
dessen Held „Moros", wie schon sein Name sagt (griech.
$\mu\omega\varrho\acute{o}\varsigma$ = närrisch, stumpfsinnig), keine allegorische, sondern
eine typische Gestalt. Er ist auch insofern bemerkenswert,
als in ihm Held und Vice zusammenfallen; doch ist er
nicht mehr Vice schlechthin, sondern schon im Übergang
zu einer besonderen Spielart des Clowns, dem Dummkopf,
begriffen. Hier haben wir also ein sehr lehrreiches Beispiel für die fortschreitende Individualisierung des Vice
auch schon innerhalb der Moralitäten. Die Gestalt des
„Moros" bildet eine Brücke zwischen den Moralitäten und
dem eigentlichen Drama, und ist dadurch besonders wichtig.
„Moros" stellt die Thorheit dar, aber eine Thorheit, die
nicht auf natürlicher Beanlagung beruht, sondern eine
Folge der Faulheit und Unwissenheit ist. Seine Thorheit
ist mit einem guten Teil Schlechtigkeit gepaart. Aus
diesem Grunde, und auch wegen seines für den Vice
typischen Höllenritts am Schluss dürfen wir „Moros" un-
bedenklich als Vice betrachten, obgleich er nirgends ausdrücklich als solcher bezeichnet wird. Als Hauptintrigant
und Verführer des Helden kann „Moros" freilich, wie sonst
der Vice, aus dem einfachen Grunde nicht auftreten, weil
er selbst der Held ist. Er erweist sich bei all seiner
Thorheit als erfahrener Wüstling. Als er zu Reichtum
und Macht gelangt ist, droht er seine Feinde hängen, ver-
brennen und köpfen zu lassen, eine satirische Anspielung
auf die blutigen Protestantenverfolgungen der Königin Maria.
„People", der Vertreter des Volkes, beklagt sich über die

grausamen Bedrückungen des mächtigen „Moros". In solchen Zügen erkennen wir die Familienähnlichkeit dieser Gestalt mit ihrem dämonischen Ahnherrn, dem Vice als dem ursprünglichen Vertreter des Lasters. — Die bei den jüngeren Vice-Gestalten immer mehr um sich greifende passive Komik wird hier schon durch die Rolle des „Moros" selbst zur Hauptsache gemacht, während aktive Komik überhaupt kaum vorliegt. Natürlich ist die passive Komik des „Moros" als eines Dummkopfs durchaus unfreiwillig. Er erscheint zu Beginn des Stückes als ein unwissender Bursche, dessen überaus kindisches Benehmen seinem Alter keineswegs entspricht. Er hat weiter nichts gelernt, als allerlei wertlose Kunststückchen, sowie Volkslieder und Gassenhauer, aus denen er einzelne Verse ohne Sinn und Zusammenhang wie ein Irrsinniger aneinanderreiht. Er begleitet seinen Gesang mit albernen Geberden, und macht ein dummes Gesicht dazu. Als „Discipline" ihn in die Lehre nimmt, verdreht er alles, was dieser ihm vorspricht, oder er wiederholt auch das wörtlich, was nicht zu wiederholen ist, z. B. „Discipline's" Ermahnungen. Er verhöhnt sogar seine Lehrer. „Discipline's" Geisselhiebe veranlassen ihn zwar, Zerknirschung zu heucheln, aber bald zeigt sich, dass ihm Vernunft · überhaupt nicht beizubringen ist. Er kommt sich selbst durch das, was er gelernt, so weise vor, dass er glaubt, nach kurzer Zeit Gott an Weisheit erreichen zu können. Während seine Lehrer beraten, was mit dem Taugenichts anzufangen sei, steckt er auf einmal seinen dummen Schädel zur Thür herein. Ihm ungeläufige Wörter verdreht „Moros" nach Clownsart; z. B. entstellt er die Namen seiner Lehrer „Discipline" in „Diricke Quintine", „Piety" in „Pinenuttree" und „Exercitation" in „Arse-out-of-fashion". Die Tugenden verlassen „Moros"; bald gesellen sich „Wrath", „Idleness" und „Incontinency" zu ihm. Sie lachen ihn aus, weil er mit einem Buch in der Hand sich den Anschein der Gelehrsamkeit geben will, wobei seine Dummheit im verkehrten Halten des Buches nur um so greller auffällt. „Moros" ärgert sich über dies

Gelächter, und weissagt ihnen mit einem volkstümlichen
Witz, der zu seiner sonstigen Thorheit gar nicht recht
passen will, sie würden dereinst auf einer Leiter den
Galgen besteigen und ohne Leiter herunterkommen. Nicht
lange nachher aber freundet er sich seinen neuen Genossen
an. „Wrath" überreicht ihm Schwert und Dolch (aus Holz,
das übliche Abzeichen der Hausnarren), und heisst ihn den
Dolch bei jedem Worte zücken. Die Anleitung zum
Bramarbasieren fällt bei „Moros" auf fruchtbaren Boden:
er schwingt seine neue Waffe wie ein Toller, und will
„Discipline" damit den Garaus machen. Als aber dieser
gleich darauf erscheint, lässt „Moros" als echter „Miles
gloriosus" vor Angst sein Schwert fallen und eilt von
dannen. — Später begegnet uns „Moros" als Machthaber
in üppiger Kleidung mit einem närrischen Bart. *„Impiety"*,
„Cruelty" und *„Ignorance"* treten in seine Dienste, und
veranlassen ihn dadurch zu der Selbsterkenntnis ver-
ratenden Bemerkung, es mache nichts aus, dass er selbst
ein Dummkopf sei, da er ja so kluge Diener habe.
„Ignorance" verschafft ihm eine schöne rote Feder, die er
sich an den Hut steckt; nachdem er diesen aufgesetzt hat,
blickt er aufwärts, wundert sich aber, dass er die Feder
nicht sehen kann. Er beugt sich immer weiter rückwärts.
bis er schliesslich stolpert und hinfällt. Er verfällt wieder
ins Renommieren; als „Discipline" erscheint, zittert er am
ganzen Körper (vor Wut, wie er sagt), und läuft abermals
davon. — Zum Schluss tritt „Moros" mit einem grauen
Bart auf, der sein vorgerücktes Alter andeuten soll. Auch
jetzt noch hat er sein eisenfresserisches Wesen nicht abgestreift; aber „God's Judgment" schlägt den Feigling
nieder, entkleidet ihn mit Hilfe von „Confusion" seiner
Prachtgewänder und hüllt ihn in einen Narrenrock. —
Zum Träger protestantischer Satire wird „Moros", ausser
an der oben angeführten, auf die Königin Maria gemünzten
Stelle, nur noch einmal, zu Anfang des Stückes; er rühmt
sich, die Messglocken läuten zu können, was „Discipline"
als Götzendienst bezeichnet.

Wapull's Moralität Tide besitzt in „Courage"
{= Absicht, Wille] einen (im Personenverzeichnis) ausdrücklich bezeugten Vice. „Courage" unterscheidet zwei
Arten seiner selbst (p. 5): als „Courage contagious"
[= verderblich] wirke er böse Werke; als „Courage
contrarious" [= schwankend] zeige er sich in der Un-
beständigkeit des Willens. — Ein eigentlicher Held fehlt
dem Stücke; aber der Vice zeigt sich trotzdem als Hauptintrigant: wo er nur kann, hetzt er, um Unheil zu stiften,
Dass er zuweilen auch zu guten Dingen antreibt (vgl.
z. B. p. 48), ändert an seinem bösartigen Gesamtcharakter
nichts; es geschieht dies nach seinem eigenen Geständnis
ja auch nur, um seine Arglist zu verhüllen. — Die Er-
öffnungsszene führt uns „Courage" als Bootsmann vor.
Er führt das Boot der Sünde; die Aufzählung der Fracht
giebt Gelegenheit zur Satire, wobei, ebenso wie in Hicks.
(vgl. S. 122), der durch Barclay vermittelte Einfluss von
Brant's „Narrenschiff" unverkennbar ist. Die Ladung
enthält Wucherer, Betrüger, kindersäugende Mädchen,
Weiber mit mehreren Liebhabern, Gatten, die ebenso viel
taugen wie Brote aus Holz, unzuverlässige Dienstboten;
Bestimmungsort ist die Hölle. — Am Schluss soll der
Vice von „Authority" und „Faithfulness" verhaftet werden.
Wie „Avarice" in Resp. (vgl. S. 131 ff.) thut „Courage" jetzt
völlig unbefangen; er begrüsst die beiden so herzlich, als
ob sie seine besten Freunde wären. Als ihm dies Gebahren nichts nützt, stellt er sich, als ob mit den gegen
ihn erhobenen Vorwürfen ein anderer gemeint sei, und
will fort, um diesen „Schurken" herbeizuholen. Natürlich
erreicht er auch jetzt wieder seinen Zweck nicht.
„Correction" will ihn ergreifen; der Vice bedroht ihn mit
seinem Dolch, wird aber endlich gepackt und zum Galgen
geschleppt. Auch jetzt noch verliert „Courage" seine gute
Laune nicht: er fragt, ob niemand der Anwesenden eine
böse Frau habe; er wolle gern einen solchen Unglücks-
menschen an seine Stelle treten lassen. — In obigen
Zügen erkennen wir den im Übergang zum Spassmacher

begriffenen Intriganten, dessen Komik, seiner Rolle entsprechend, von aktiver Art ist. Dieselbe Art der Komik entfaltet der Vice auch in seinem Verhältnis zu *„Hurting-Help"*, *„Painted-Profit"* und *„Feigned-Furtherance"*. Er vergleicht dies Kleeblatt mit jenem andern, wo der Ehemann hinzukam, um der Dritte im Bunde zu sein, aber von seiner Gattin jämmerlich geprügelt wurde. Sie lebten zusammen wie Geschwister, und töteten sich gegenseitig, aus blosser Liebe zu einander. Gleich darauf verfällt der Vice in reinen Unsinn: er erzählt, die Getöteten wurden begraben; als sie noch nicht einen Tag im Grabe gelegen hatten, liefen vier von den dreien fort, u. s. w. Hier ist der Vice schon reiner Hanswurst, als den ihn wohl auch sein vermutlich hölzerner Dolch (p. 9. 80) kennzeichnen soll. Auch sonst kommt der Selbstzweck der Komik bei diesem Vice gelegentlich zum Vorschein: als der Höfling „Willing-to-win-worship" in einem Selbstgespräch begriffen ist, kommt „Courage" hinzu und thut so, als fahre er, ohne jenen zu bemerken, in einer zuvor begonnenen Geschichte fort (p. 49): „und als sie die Suppe aufgegessen hatte, schlug sie ihm mit dem Löffel ins Gesicht", u. s. w. Dabei schlägt er, in der erheuchelten Lebhaftigkeit seiner Erzählung, scheinbar unabsichtlich den Höfling. Später bricht er einen Streit mit „Hurting-Help" vom Zaun, indem er diesen auffordert, ihm seinen Anteil zu geben. „Help" weiss garnicht, was der Vice eigentlich meine, da er sich nicht erinnert, diesem etwas schuldig zu sein; doch „Courage" rückt sofort auf seinen improvisierten Gegner los, und kämpft mit ihm, nach einer ausdrücklichen Bühnenanweisung nur zu dem Zweck, um der gleich darauf auftretenden „Wantonness" Zeit zum Ankleiden zu lassen (p. 53). Wir haben schon manche Beispiele einer Komik beim Vice kennen gelernt, die, wie zu vermuten ist, ursprünglich eine Improvisation darstellte. Das obige Beispiel ist aber immerhin wichtig als ausdrückliche Bestätigung dafür, dass der Vice durch improvisierte Spässe die Pausen auszufüllen hatte. Dies geschah gewiss auch in vielen andern Stücken, ohne dass eine Anweisung im Text darauf hindeutet. Die immer grössere Annäherung des Vice an den berufsmässigen Spassmacher wird dadurch trefflich veranschaulicht. — Wie ein Hanswurst überhaupt, wird auch „Courage" absichtlich zum passiven Komiker, indem er über den angeblichen Tod des „Greediness" Thränen vergiesst. Das oben erwähnte absichtliche Unsinnsprechen gehört auch hierher. — Unfreiwillig passive Komik legt der Vice bei seinem Streit um den Vorrang mit den oben erwähnten drei Unholden an den Tag. „Hurting-Help" weigert sich, seine Oberhoheit anzuerkennen, und als „Courage" gleich darauf nach seiner Draufgängerart gleich auf ihn losgeht, sagt „Help", es sei zuweilen gut, einem Narren nachzugeben. Später, als „Courage" die Genossen drei „Schurken" nennt, behauptet „Furtherance", „Courage" sei der vierte im Bunde, und „Profit" erkennt wenigstens in der Schurkerei den Vorrang des Vice uneingeschränkt an.

Über das Verhältnis des Vice zum Teufel in Lupton's Mon. vgl. S. 83 ff. (über „Sin" als teuflischen Dämon in der bildenden Kunst vgl. Anm. 78 und S. 102). „Sin" wird hier mehrfach ausdrücklich „der Vice" genannt (p. 9. 23. 25. 31). Eigentümlich ist die Entstehung dieses Vice. Seine Erzeugung wird nämlich auf der Bühne selbst dargestellt: „Money" bringt durch Erbrechen „Pleasure" hervor; „Pleasure" lässt auf demselben Wege „Sin" entstehen, und „Sin" erzeugt in gleicher Weise „Damnation" (vgl. S. 97). Wieder erhält ein abstrakter Gedanke, nämlich dass Geld Vergnügen schafft, aus Vergnügen aber Sünde und aus Sünde Verdammnis entsteht, schon dadurch eine komische Färbung, dass er zum konkreten Vorgang gestaltet wird. Dies geschieht freilich in einer höchst geschmacklosen Weise. — Man sollte erwarten, dass „Sin" als Verkörperung der Sünde dem ursprünglichen Vice als dem Vertreter des Lasters besonders ähnlich sei; thatsächlich aber hat die Intrigue an seiner Rolle einen viel kleineren Anteil als die meist bis zum Selbstzweck ge-

10*

steigerte Komik. Selbst wo der Charakter des Vice als „Sünde" betont wird, ist immer Komik damit verknüpft. So rühmt sich einmal der Vice, dass kein Diebstahl, Raub oder Mord ohne ihn zustande komme. Komisch wirkt hierbei der selbstgefällige Stolz, womit er dies hervorhebt, als wenn es, auch objektiv betrachtet, etwas Erfreuliches wäre. Später beteuert er, es sei ebenso überflüssig, ihn zum Bösen noch besonders anzutreiben, wie wenn man einen Hund noch besonders veranlassen wollte, bei einer gewissen Gelegenheit sein Bein emporzuheben. An einer andern Stelle wird der Vice zum Träger der Satire, indem er sich rühmt, weit herumgekommen zu sein und überall sehr geschätzt zu werden. — Ergötzlich ist auch die zarte Rücksicht, die „Sin" bei seiner Geburt gegen seinen Vater „Pleasure" an den Tag legt: er habe nur eins gefürchtet, dass nämlich sein Dolch (den er also, als Merkmal seiner Rolle, gleich mit auf die Welt bringt) „Pleasure" hätte verletzen können. „Sin" thut sich auf seine vermeintliche Schönheit [148]) und Trefflichkeit nicht wenig zu gute. Mit plötzlicher Nutzanwendung dieser hohen Selbstschätzung auf die Zuschauer ruft er diesen zu (p. 12): „herunter mit euren Mützen: es geziemt euch, vor mir barhaupt dazustehen." Weniger Vaterfreuden als „Pleasure" an „Sin" erlebt dieser an seinem Sohne „Damnation", einem Ungeheuer an Missgestalt. Schon während dessen Geburt und auch darauf giebt „Sin" seinen väterlichen Gefühlen in zuweilen recht unappetitlicher Weise Ausdruck, wie er auch sonst mehrfach unflätig wird. Später spottet der Vice über seinen Sohn, der ein schönes Gesicht habe, aber nur in der Nacht, bei schwachem Mondschein. — Als „Sin", ohne es zu wissen, seinem Grossvater „Money" gegenübersteht, wünscht dieser von dem ihm gleichfalls

---

[148]) Vielleicht besass „Sin" auch wirklich ein schönes Äusseres, um dadurch das Verführerische der Sünde anzudeuten. Vom pädagogischen Standpunkt aus wäre es freilich eine gefährliche Sache gewesen, ihn so darzustellen; auch lässt sein hölzerner Dolch eher vermuten, dass er im Narrenkostüm auftrat.

unbekannten Jüngling zu erfahren, *„from what stock*
[= Stamm] *you are proceeded"* (p. 23). „Sin" aber missversteht *„stock"* [= Fussblock] und erwidert: *„The last*
stockes I was in was euen at Bamburic". Dies Miss-
verständnis kann wohl als Bestandteil freiwilliger passiver
Komik des Vice gelten; sonst ist seine Komik von aktiver
Art. — Darauf treffen wir den Vice in den Diensten einer
Magistratsperson „All-for-Money", also des Titelhelden.
Es folgt das beliebte komische Motiv der parodierten
öffentlichen Ausrufung. „Sin" fragt seinen Herrn, ob er
mit seiner Männer- oder seiner Knabenstimme rufen solle.
Also verfügte der Vice hier (vielleicht auch in andern
Stücken) über zwei verschiedene Stimmen, ein neuer Hin-
weis auf die Annäherung dieser Gestalt an eine lustige
Person. Die Proklamation erhält natürlich im Munde des
Vice einen völlig verkehrten Sinn. Wie dies geschieht,
wird im Text nicht angedeutet, blieb also der Improvisation
überlassen. — „All-for-Money" ist eine satirische Verkörperung der Bestechlichkeit des Beamtentums. Der
Vice erhält beim Auftreten der einzelnen sich auf die
Proklamation hin meldenden Personen willkommene Gelegenheit, sich auf deren Unkosten nach Herzenslust in
cynischen Witzen und Zoten zu ergehen. Schliesslich
bietet der Vice seinen eigenen Sprössling „Damnation",
allerdings vergeblich, einer etwaigen Liebhaberin aus dem
Publikum zur Heirat an. Er tritt ab mit der Klage über
seine trockene Zunge; er erwartet, jemand werde ihn zu
einem Trunk Bier einladen.

Wisd. besitzt in „Idleness" einen ausdrücklich bezeichneten Vice. „Idleness" ist hier männlich, während
die entsprechende Gestalt in Sci. (vgl. S. 127) und in Marr.
(vgl. S. 141) weiblichen Geschlechts ist. Der Intrigant
kommt in „Idleness" noch zum Vorschein, indem er den
Helden „Wit" unter dem falschen Namen „Honest
Recreation" zur Unzucht verführt. Aber noch mehr tritt
die Komik dieses Vice hervor, die sehr lebhaft und wirksam ist. Innerhalb der Grenzen des gerade für „Idleness"

Charakteristischen bleibt jene Komik nur hier und da: so
z. B. erklärt er, so faul zu sein, dass an seinen Finger-
spitzen zolldickes Moos wachse. Zur Satire wird diese
charakterisierende Komik am Schluss, wo der Vice sich
seiner Unüberwindlichkeit rühmt; selbst wenn die Männer
ihn überwunden hätten, die Frauen würden doch an ihm
festhalten. Die ursprünglichere Natur des Vice überhaupt
zeigt sich in „Idleness'" Cynismen: als z. B. „Wantonness"
den Genuss von Eiern als Ursache der Anschwellung ihres
Unterleibes angiebt, erwidert er, er fürchte, es sei eine
zweibeinige Anschwellung. Damit verwandt ist ein anderes
Motiv, das uns schon früher begegnete: der Vice begleitet
das Gespräch zwischen „Wit" und „Wantonness" mit beiseite gesprochenen bissigen Bemerkungen, die er in lauter
Rede in ähnlich klingende Schmeicheleien umwandelt.
Auch als unverbesserlicher Halunke steht „Idleness" einem
Vertreter des Lasters noch recht nahe. Doch dient sein
Spitzbubentum weniger dazu, ihn als solchen zu kennzeichnen, als vielmehr, eine Fülle von komischen Einzelzügen einigermassen einheitlich zusammenzufassen. Un-
erschöpflich ist „Idleness" in seinen Verkleidungen. Zuerst
bestiehlt er als *„Honest Recreation"* den schlafenden „Wit";
später tritt er als französischer Arzt namens *„Due Disport"*
auf; dann als lahmer Rattenfänger, darauf als Bettler, und
endlich als Priester. Als Rattenfänger trifft der Vice mit
einem Polizisten „Search" zusammen, der ihn wegen des
Diebstahls an „Wit" verhaften soll und ihn veranlasst,
einen ihn selbst betreffenden mündlichen Steckbrief öffent-
lich auszurufen. Das im Elisabethanischen Drama übliche
ungeheure Ungeschick der Vertreter der hohen Polizei
wird also schon hier grell beleuchtet. „Idleness" stellt
sich als Verkündiger seines eigenen Haftbefehls sehr un-
gewandt, entweder aus Schlauheit, oder nur, um das
Publikum zu erheitern. Schliesslich beraubt „Search" ihn
seines Geldes und heilt ihn dadurch mit einem Schlage
von seiner Lahmheit. Als Bettler betritt „Idleness" ein
Haus, worin gerade niemand anwesend ist, und benutzt

diese Gelegenheit, um einen Suppentopf zu stehlen, den
er sich an den Hals hängt. Wegen des Topfdiebstahls
entsteht eine derbkomische Prügelszene zwischen mehreren
wirklichen Personen, der bestohlenen Hausfrau und ihren
Dienstboten Lob und Doll. — Während im Gaunertum
dieses Vice die ursprüngliche dämonische Grundlage seines
Urtypus, wenn auch zu komischen Zwecken umgestaltet,
noch erkennbar ist, zeigt er sich in andern Fällen schon
von vornherein als harmloser Spassmacher. Dass unter
den hieher zu rechnenden Zügen auch faustdicke Derbheiten nicht fehlen, ist bei der im ganzen doch noch recht
rohen Stufe seiner Komik selbstverständlich. Hieher gehört auch die direkte Anrede an das Publikum: „Idleness"
erkundigt sich zu Beginn seines ersten Auftretens nach
dem Befinden der Zuschauer, und greift dann aus der
Menge eine einzelne Person heraus, die ihn offenbar besonders angestarrt hatte. Komischen Unsinn enthält der
Bericht von seiner Geburt und Vorgeschichte. Er betont
selbst seine Neigung „to make mery", und erklärt sich
selbst für den Zweck der Belustigung ebenso geeignet, wie
ein Strick für den Dieb. Er foppt den ihn nach seinem
Namen fragenden „Wit", indem er sich „Ipse" nennt,
gerade eben denselben, einen Mann, der in seinem Vater-
lande sehr geachtet sei; darauf nennt er sich selbst ebenso
weise wie seiner Mutter Sau, weil er seinen eigenen Namen
nicht wisse. Die Maske der Dummheit, die der Vice hier
annimmt, gehört zur absichtlichen passiven Komik; ebenso
seine Selbstcharakteristik, er sei der beste in der ganzen
Gesellschaft, wenn sonst niemand da sei. So kehren die
meisten Motive freiwilliger Komik, die wir früher beim
Vice kennen gelernt haben, bei ihm wieder, und vereinen
sich mit manchen neuen wirksamen komischen Zügen.
Der Vice hat gleichsam zu seinen alten Mätzchen noch
einige neue hinzugelernt. — Eine unfreiwillige passive
Komik liegt in der Behandlung, die „Idleness" als französischer Arzt durch zwei Strolche, „Snatch" und „Catch",
erfährt. Sie rauben ihm das Geld, das er selbst von

„Wit" gestohlen, und speien in den von ihnen geleerten
Beutel hinein, „damit er doch wenigstens nicht ganz leer
ausgehe". Darauf binden sie „Idleness" die Hände auf
dem Rücken, verhüllen sein Gesicht und prügeln ihn durch.

Den Inhalt der verlorenen Moralität Play (vgl. S. 104) hat
Stephen Gosson in seiner Schrift „Playes confuted in five
Actions" (gedruckt 1581 oder 1582) überliefert. Ob der
Vice hier fehlt, oder etwa in „Delight" zu suchen sei,
lässt sich auf Grund jener Inhaltsangabe nicht entscheiden.

In der mit Personen des wirklichen Lebens durch-
flochtenen Moralität Confl. (vgl. S. 84) von Woodes ist
„Hypocrisy", die hervorragendste allegorische Gestalt,
vermuthlich als Vice anzusehen; ihm stehen „Tyranny",
„Avarice" und „Sensual Suggestion" zur Seite. Er zeigt
sich als Intrigant, indem er mit Hilfe von „Suggestion"
den Helden „Philologus" zum Abfall vom Protestantismus
überredet. Seine Komik ist unbedeutend. Teilweise bleibt
sie innerhalb der Grenzen des für eine Verkörperung der
Heuchelei Charakteristischen. Zum Träger der Satire
wird „Hypocrisy" bei seinem letzten Auftreten, wo er
seinen Weggang ankündigt; aber wenn „Heuchelei" auch
fort sei, Heuchler würden doch stets genug vorhanden sein.
Auch bei dieser Gestalt findet sich mehrfach das Motiv
der beiseite gesprochenen Sarkasmen, die an einer Stelle
in lauter Rede in ähnlich klingende Harmlosigkeiten verdreht werden. Sonstige aktiv-komische Bestandtheile seiner
Rolle sind gelegentliche Schimpfereien (p. 92), ein sehr
schwaches Klangspiel (*Philologus: foolish goose*, p. 115),
lustiges Singen, und die Aufforderung an einen fingierten
oder wirklichen Zuschauer beim Einzuge des Kardinals,
doch die Mütze vor diesem abzunehmen (p. 78). Passive
Komik bemerken wir bei diesem Vice nur vereinzelt; als
der Kardinal ihn auffordert, ihm beim Verhör des „Philologus" zu helfen, willigt „Hypocrisy" mit Freuden ein,
verspricht sich aber — unabsichtlich — zu seinen Ungunsten: *„I will be the noddy — I should say the not-
ary"* (p. 79).

Auch Lad. von R.W., wahrscheinlich Robert Wilson, enthält, wie die meisten jüngeren Moralitäten, mehrere Personen des wirklichen Lebens. Als Vice ist hier, obgleich nicht ausdrücklich bezeichnet, „Simplicity" zu betrachten. Diese Gestalt bedeutet eine wichtige Stufe in der Entwickelung des Vice-Typus innerhalb der Moralitäten: das Stück ist die älteste vorhandene Moralität, worin der Vice sein ursprüngliches Intrigantentum schon völlig abgestreift hat. „Simplicity" ist bloss Spassmacher, und als Verkörperung der Einfalt ein Vice, der schon im Übergang zu den Clowns begriffen ist. Damit ist in Bezug auf den Vice auch in den Moralitäten ein Zustand erreicht, zu dem das übrige Drama schon lange zuvor, bereits in Weath. (vgl. S. 98), gelangt war. Die Rolle des Vice als „Simplicity" bringt es mit sich, dass die passive Komik in ihm noch mehr hervortritt, als dies schon bei seinen unmittelbaren Vorgängern geschah. Aber so sehr hier auch der Vice von der ursprünglichen Grundlage seines Wesens losgelöst erscheint, sein organischer Zusammenhang mit der ganzen Typenreihe bleibt doch immer noch nachweisbar. Er zeigt sich besonders darin, dass „Simplicity" in der Charakterisierung seiner schurkischen Gefährten sarkastischen Witz entfaltet. Seine zu einem Vertreter der Einfalt schlecht passenden Sarkasmen sind ein Erbteil des alten Vice, dessen leicht in Cynismus ausartende Spottsucht wir schon oft festgestellt haben. Nur spricht „Simplicity" seine bissigen Bemerkungen nicht, wie sonst der Vice, halblaut beiseite, sondern sagt sie den betreffenden Personen freimütig in's Gesicht. Er vergleicht *„Dissimulation"*, *„Fraud"*, *„Simony"* und *„Usury"* mit den vier Buben (*„knaves"*) des Kartenspiels, und führt diesen Vergleich noch im einzelnen durch, indem er durch Wortspiele mit den Namen der vier Farben des Kartenspiels jeden der vier Schurken kennzeichnet. — Die sonstige aktive Komik „Simplicity's" zeigt ihn als blossen Spassmacher. Mehrfach wendet er das hieher gehörige Motiv der direkten Anrede an das Publikum an; einmal greift er sich aus der Menge einen einzelnen Zuschauer heraus, der seinen Mund weit aufgesperrt hat. — Passive Komik entfaltet „Simplicity", indem er speziell mit den bäurischen Clowns die Eigenschaft der Gefrässigkeit teilt. Er ist auf diese seine Eigenschaft nicht wenig stolz. An die Clowns erinnert auch sein Missverstehen und Verdrehen ihm fremder Wörter. Meist kommt dabei ein blosser Unsinn heraus; so sagt er z. B. selbstgefällig (p. 253): *„mark the comporknance* [= comportance] *of my stature".* Statt *„ducats"* versteht er *„duck-eggs";* hier führt das Missverständnis zu einem unfreiwilligen Klangspiel. Gleich zu Anfang tritt der Vice als ein mit Mehlstaub bedeckter Müllerbursche auf; er will sich in London einen andern Beruf aussuchen, weil er die zuweilen sogar handgreiflichen Neckereien der Mädchen wegen seines Müllerhandwerks nicht länger ertragen kann. Trotz seiner hier und da hervortretenden Selbstgefälligkeit ist „Simplicity" sich seiner Beschränktheit wohl bewusst. Schiesslich ist er, da er nicht arbeiten wollte, zum Bettler geworden; auch jetzt erfährt er eine schlechte Behandlung, und zwar durch zwei Berufsgenossen, die ihm, wie er selbst klagt, das beste Essen wegnehmen und das starke Bier wegtrinken, und ihn so gerade an seiner empfindlichsten Stelle treffen. Jene beiden berauben auf „Fraud's" Anstiften einen ausländischen Kaufmann. Weil „Simplicity" den Aufenthalt seiner wegen ihres Raubes verfolgten Genossen nicht anzugeben weiss, empfängt er, der am Raube ganz Unschuldige, die Prügelstrafe; die wahren Schuldigen dagegen bleiben, wie es scheint, unentdeckt, und „Fraud" wird sogar, als reicher Mann und Bürger der Stadt, von der Polizei mit Ehrerbietung behandelt. Der Vice ist ängstlich darauf bedacht, seine Prügel nur ja auf die nackte Haut zu bekommen, damit ihm nicht die Kleider verdorben würden. Er wünscht nach allen Regeln der Kunst gepeitscht zu werden; sonst sei das Peitschen nichts wert. Über diesen Punkt erhält er vor Vollzug der Strafe völlig beruhigende Zusicherungen. Hier geht die passive

Komik offenbar über das für einen Dummkopf Charakteristische hinaus. — Während den Vorgängern dieses Vice sarkastischer, selbst cynischer Witz durchaus angemessen ist, erscheint er mit „Simplicity's" Dummheit unvereinbar. Damit sündigt der Verfasser gegen die Forderung einer, wenn auch bei der lustigen Person nicht einheitlichen, doch wenigstens widerspruchslosen Charakterzeichnung (vgl. S. 8 ff.).

Von Wilson ist auch die Moralität Lords, eine Fortsetzung des eben besprochenen Stückes. „Simplicity" ist auch im jüngeren Stücke die komische Hauptfigur. Von einer völlig neuen Seite lernen wir ihn hier kennen, nämlich als Ehemann. Sein Weib heisst „Painful Penury". In den früheren Moralitäten hatte der Vice überhaupt kein persönliches Verhältnis zum weiblichen Geschlecht; auch „Simplicity's" Ehe beweist die schnell fortschreitende Individualisierung des Vice. Während die Bestandteile von „Simplicity's" Komik grösstenteils dieselben geblieben sind, ist diese Komik selbst noch weiter gesteigert worden; sie gleicht der eines Clowns im eigentlichen Drama oft schon so sehr, dass „Simplicity" sich von einem solchen Clown eigentlich nur noch durch seinen allegorischen Namen unterscheidet. Seine für einen Vertreter der Einfalt so wenig passenden Sarkasmen kehren auch hier wieder; nur spricht er sie jetzt teilweise beiseite. Die direkte Anrede an das Publikum kommt nur einmal vor; dagegen wendet „Simplicity", der zu Anfang als armer Londoner Bürger und Verkäufer von Bänkelsängerliedern vorgeführt wird, das absichtliche Wortspiel öfters an. Auf seine Frau bezieht sich sein Wortspiel als Antwort auf „Will's" Äusserung „I beshrew thee" [etwa = Sapperment!]: „I am beshrewed [mit einer „Shrew" versehen] already, for I am married" (p. 387). „Will", „Wit" und „Wealth", ein Kleeblatt naseweiser Bürschchen, die den drei „Lords" von London als Pagen dienen, und „Simplicity" als einfachen Mann des Volkes hochmütig behandeln, werden von ihm mit der Bemerkung abgefertigt: „you should be served

all with my Lord Birchley [d. h. der Birkenrute] (p. 400).
Hier berührt sich „Simplicity's" Komik mit der vorwiegend
aktiven Komik des Hausnarren. Noch häufiger sind aber
die Missverständnisse und unabsichtlichen Wortverdrehungen,
in denen „Simplicity's" clownmässiges Tölpeltum zu Tage
tritt[149]). Er überreicht den Lords seine *„supplantation"*
(statt *„supplication"*) (p. 483), und versichert, sie betreffe
„the puppet-like wealth" (wohl statt *„public wealth"*) (p. 484).
Einmal, als der Vice sich gerade besonders gewählt ausdrücken will, entschlüpft ihm statt *„videlicet" „vide lice
shirt"* (p. 397). Statt *„scutcheons"* versteht er *„cushions"*
(p. 393). Verwandt mit den Wortverdrehungen ist die
Sinnesentstellung durch Umstellung von Satztheilen; z. B.
sagt „Simplicity" zu „Diligence", dem Vertreter der Polizei:
*„I have been seeking ye, as a man should seek a load of
hay in a needle's eye"* (statt *„a needle in a load of hay"*)
(p. 494). Damit hängt überhaupt das Sprechen von komischem Unsinn zusammen, der in der Form einer ungereimten Argumentation „Simplicity" in den Mund gelegt
wird (p. 484–487). Die ironischen Lobsprüche, die der
Vice für diese seine Rede erntet, nimmt er natürlich für
bare Münze, obgleich er bei einer andern Gelegenheit
(p. 399) Selbsterkenntnis verrät. Er heisst „Wit" herzlich
willkommen, weil er ihm so lange gefehlt habe (p. 388);
hier ist es offenbar hauptsächlich darauf abgesehen, eine
komische Wendung anzubringen, weniger darauf, den Vice
als Dummkopf zu kennzeichnen. — Natürlich wird auch
in diesem Stück dem die Einfalt verkörpernden Vice von
andern Personen sehr übel mitgespielt. „Fraud", als
französischer Kaufmann verkleidet, beschwatzt ihn, ihm
für 10 Shilling angeblich goldene Schmucksachen abzu-
kaufen; später stellt sich deren Wertlosigkeit heraus.

---

[149]) *„Prefarmin"* statt *„preferment"* (p. 398) erklärt sich wohl als
mundartliche Aussprache des gemeinen Mannes, gehört also, streng
genommen, ebenso wenig hicher wie *„outsep"* (p. 392), eine interessante
volksetymologische Umbildung von *„except"*, mit Übertragung der
Vorsilbe *„ex"* in's Germanische.

Schliesslich ist es mit grossen Schwierigkeiten dem Vice
gelungen, „Fraud's" Bestrafung durchzusetzen; aber selbst
diese Bestrafung schlägt zur reinsten Posse aus, wodurch
der Selbstzweck der Komik hier ganz klar zu Tage tritt.
Er wird auch allegorisch dadurch angedeutet, dass
„Pleasure" als Richter fungiert. „Pleasure" entscheidet,
„Simplicity" solle die Bestrafung des an einen Pfosten
gebundenen „Fraud" selbst vollziehen, indem er mit
verbundenen Augen „Fraud's" Zunge ausbrennen soll.
„Simplicity" wird dreimal um sich selbst gedreht, und dann
gerade nach der falschen Richtung hingewendet, so dass
er, statt „Fraud" zu treffen, einen Pfosten auf der entgegengesetzten Seite ein wenig verbrennt. — Dass „Simplicity"
als Ehemann auch nur passiv-komischen Stoff darbietet,
ist bei der damaligen Vorliebe für die Komik des Pantoffelheldentums, und bei einem Vertreter der Einfalt selbstverständlich.

Im anonymen Trauerspiel More werden dem Titelhelden von einer wandernden Schauspielergesellschaft
mehrere Stücke zur Auswahl vorgelegt, aus denen er
„The Marriage of Wit and Wisdom" auswählt. Dies Stück
wird dann auch wirklich als Drama im Drama aufgeführt,
ist aber trotz des gleichlautenden Titels nicht mit Wisd.
(vgl. S. 149—152) identisch[150]), sondern eine Verschmelzung
von Wisd. und Treas. (vgl. S. 137—140); mit letzterer Moralität
hat es „Inclination" als Vice und mehrere Einzelzüge
gemein. „Inclination's" Zügelung kehrt z. B. in veränderter
Form auch hier wieder. Den hölzernen Dolch schwingt
der Vice freilich, ausser in Treas., auch in andern Stücken;
hier benutzt er ihn zu einer improvisierten Bedrohung des
Publikums, das in diesem Falle durch die Personen des
Trauerspiels als des eigentlichen Stückes gebildet wird.
Von den sonstigen üblichen Bestandteilen der Komik des
Vice findet sich nur ein Wortspiel (*Sir Thomas More*: *more*,

---

[150]) Auch nicht mit Juv., wie Ward (I 73) behauptet; mit diesem
Stück teilt es nur die Rolle des „Good Counsel".

p. 70). Der Verfasser behandelt das eingelegte Zwischen-spiel mit ironisierender Überlegenheit, die sich überhaupt leicht beim Drama im Drama einstellt, besonders wenn das eingelegte Stück eine ältere Kunststufe darstellt als das eigentliche Drama, und wenn die Vorbereitungen zur Aufführung jenes Stückes auf der Bühne selbst vorgeführt werden. Diese ironisierende Behandlung zeigt sich auch in der Rolle des Vice; sie wirkt zersetzend auf dessen Komik, wie überhaupt auf die ganze eingeschobene Mo-ralität. Wir sehen aus diesem ironisierenden Tone, dass die Moralitäten und mit ihnen auch der Vice schon da-mals anfingen zu veralten.

Das allmähliche Absterben des Vice wird uns auch bezeugt durch Thomas Nash's „Strange Newes of the Intercepting certaine Letters", 1592[151], worin der Ver-fasser die Verskunst Gabriel Harvey's, offenbar um sie herabzusetzen, mit dem Stile des alten Vice vergleicht, und als Beleg sechs Zeilen aus einer gewiss viel älteren Moralität beifügt, die sonst unbekannt ist. Hier verheisst der Vice, er werde sogleich kommen, nachdem er sein Wasser abgeschlagen, und beschliesst seine Rede mit dem bei dieser Gestalt so beliebten sinnlosen Wort-geklingel.

Ein verspäteter Nachzügler ist die anonyme, wahr-scheinlich nach einem älteren Stück bearbeitete Moralität Lib. Die Gestalt des Vice fehlt hier ebenso wie in dem Anthony Brewer zugeschriebenen Stück „Lingua", das auch als eine Art Moralität anzusehen ist.

In den Moralitäten der älteren Zeit fehlt der Vice, wie wir sahen, ziemlich häufig. Die fortschreitende Ent-wickelung brachte ein immer häufigeres Auftreten des Vice mit sich. Aber auch in den späteren Moralitäten fehlt er zuweilen; er war also zwar eine beliebte, aber niemals eine unentbehrliche Gestalt dieser Dramengattung.

---

[151] Vgl. Collier II 267.

2. Der Vice in den komischen Zwischenspielen
und im eigentlichen Drama.

Da der Vice, wie schon betont wurde, ursprünglich in
den Moralitäten wurzelt, und erst von diesen aus auch in
andere Dramengattungen, als ein diesen im Grunde fremdes
Element, eingedrungen ist, können wir solche komische
· Zwischenspiele und eigentliche Dramen, in denen gar kein
Vice vorkommt, völlig ausser Betracht lassen; nur bei den
Moralitäten ist es von Wichtigkeit, auch die Fälle des
Fehlens des Vice und ihr numerisches Verhältnis zu den
Fällen seines Vorhandenseins zu berücksichtigen. Daher
werden von den in diesen Unterabschnitt gehörigen Stücken
nur solche vorgeführt, in denen unzweifelhaft der Vice
vorhanden ist.

Überhaupt die ältesten Beispiele eines ausdrücklich
bezeichneten Vice bieten, wie schon erwähnt, John Heywood's Weath. und Love (vgl. S. 98). In Weath. ist
„Merry Report" als Vice die einzige allegorische Person
des Stückes (vgl. S. 105), dessen übrige Gestalten bis auf
die mythologische Figur des Jupiter Typen des wirklichen
Lebens sind. Brandl weist (S. LI) auf die Verwandtschaft
unseres Zwischenspiels mit Chaucer's „House of Fame"
hin, das vielleicht als Quelle gedient hat. Für „Merry
Report" kommt aber diese Quelle nicht in Betracht; als
„lustige Botschaft" knüpft er eher an den lustigen Boten
„Mirth" in Pride an (vgl. S. 113 ff.), dem er auch in der von
der Bösartigkeit der meisten andern Vice-Gestalten so sehr
abstechenden Harmlosigkeit seines Wesens gleicht. Wie
aber schon oben (S. 98 und Anm. 117) angedeutet worden
ist, erinnern auch bei „Merry Report" einige Züge flüchtig
an den Intriganten, den der Vice sonst darzustellen pflegt.
Solche Züge erblicke ich in der zweideutigen Art, in der
„Merry Report" mehreren Bittstellern seine Fürsprache bei
Jupiter in Aussicht stellt. Nachdem der Kaufmann ihm
seine Angelegenheit anvertraut und sich entfernt hat, sagt
der Vice (p. 399), jener vertraue mehr auf ihn, als er ihm

Grund dazu geben werde. Den beiden Müllern verspricht
er gleichmässige Vertretung ihrer Interessen; aber seine
Beteuerung nach ihrem Abgang: wenn er dies Versprechen
nicht erfülle, mögen die beiden bis über die Ohren in den
Sumpf geraten (V. 763 ff.), zeigt doch, wie wenig ernst sein
Versprechen gemeint war. Die Waschfrau fordert der
Vice auf, ihm ihr Anliegen vorzutragen; er werde nicht
verfehlen, es zu hintertreiben (V. 890). Statt nun aber, ·
wie man nach alledem erwarten sollte, in der Stunde der
Entscheidung vor Jupiter's Thron wirklich als Intrigant
aufzutreten, berichtet der Vice dem Gotte die Wünsche
der einzelnen Personen ganz trocken und sachlich, und
bei allen sonstigen Gelegenheiten zeigt er sich als blosser
Spassmacher, der mit einem Intriganten gar nichts gemein
hat. Er gleicht einem Schauspieler, der in einer neuen
Rolle auftritt, aber vergessen hat, den Mantel abzulegen,
den er zuvor in einer andern Rolle getragen. Die zwei-
deutig klingenden Worte des Vice stehen mit seiner thatsächlichen Harmlosigkeit gar nicht im Einklang; sie erklären sich nur als ein mit den komischen Bestandteilen
der Vice-Rolle aus den Moralitäten herübergenommenes
Überbleibsel, das sich als überlebte Form erhielt, auch wo
es nicht mehr zum neuen Inhalte passen wollte. Als
Spassmacher entfaltet der Vice eine ausschliesslich aktive
Komik, die sich durch seine cynischen Witze, Zoten und
sehr massiven, oft bis zur Unflätigkeit gesteigerten Derbheiten vielfach mit der Komik anderer Vice-Gestalten
berührt. Er nimmt der Reihe nach einen jeden der auftretenden Bittsteller aufs Korn. Das Hörnerblasen des
Edelmanns dient dem Vice zum Anlass, sich in Scherzen
über das später so beliebte Motiv des gehörnten Hahnreis
zu ergehen. Er stellt den Edelmann dem Gotte als einen
Jäger vor, der gern ein oder zwei Sauen von dieser Art
jagen würde: dabei zeigt er auf die unter den Zuschauern
anwesenden Frauen, ein Pröbchen dessen, was die Schauspieler den „Gründlingen des Parterres" damals bieten
durften. Die Unflätigkeit des Vice dem Edelmann gegenüber

lässt nichts zu wünschen übrig. Als dieser, weil sein
Stand der erste im Staate sei, sich das Haupt der übrigen
Stände nennt, und diese Bezeichnung auch auf „Merry
Report" ausdehnt, freut sich der Vice, ausser seinem
eigenen Haupt noch ein Haupt zu besitzen. Über dieses
sein zweites Haupt reisst er wieder unflätige Witze, und
als der Edelmann sich entfernt hat, wehklagt er über die
Trennung seines Hauptes von seinem Körper, die wohl
seinen Tod bedeuten werde. Den beiden Müllern erzählt
er, er selbst besitze auch sowohl eine Wasser- als auch
eine Windmühle. Seine weitere Ausführungen zeigen, dass
obige Worte einen unflätigen Sinn haben. Der Dame
gegenüber verfällt der Vice ins Zoten und cynischen
Spott. Das Hinzukommen der Waschfrau führt ein
Schimpfduett zwischen ihr und dem Vice herbei, und
bringt das Gespräch wieder ins Fahrwasser der gröbsten
Derbheit. — Weniger derb ist „Merry Report's" Komik
an andern Stellen. Zu Anfang des Stückes meldet er
sich zur Botenstelle, die Jupiter zu vergeben hat; er redet
diesen ganz vertraulich „brother" an (V. 98), und antwortet
auf des Gottes Frage, wer er sei: „ich bin es". Durch
die neue Stelle wird sein Selbstgefühl gewaltig gehoben:
er wettert gegen die Zuschauer nach Art der bramarbasierenden Tyrannen in den Misterien (V. 188 ff.), und
verlangt, sie sollten vor ihm ihre Mützen abziehen und
niederknien. Als der Wassermüller ihn „brother" und
„fellow" nennt (V. 481), verbittet sich der Vice nachdrück-
lich eine solche Vertraulichkeit. Der Dame teilt er mit,
Jupiter sei nicht zu sprechen; er sei gerade beschäftigt,
einen neuen Mond zu machen; die alten Monde hätten
hauptsächlich durch die Nässe schon sehr gelitten, so dass
sie leck geworden seien. Darauf singen Vice und Dame
zusammen ein lustiges Lied. Am Schluss klagt der Vice
über seinen schweren Dienst. Er wisse nicht einmal, wieviel er an festem Lohn erhalten werde. Die Diener des
Teufels hätten hundertmal mehr Nebeneinnahmen, und
überhaupt ein lustigeres Leben. Natürlich sollen diese

Klagen nicht eine wirkliche Unzufriedenheit des Vice ausdrücken, sondern nur Gelegenheit bieten, Jupiter zu
travestieren; dem gleichen Zweck dient ja auch die Geschichte vom neuen Monde.

Deutlichere Anklänge an das ursprüngliche Wesen
des Vice bemerken wir bei „Neither Lover nor Loved",
dem Vice (V. 1294) in H's Love (vgl. S. 98 und 159). Er
ist zwar, gleich den übrigen drei Personen des Stückes,
keine allegorische Figur, steht aber einer solchen doch
immerhin recht nahe, insofern er nicht einmal eine typische
Gestalt genannt werden kann, sondern weiter nichts ist
als „ein personifizierter Gemütszustand", wie Swoboda ihn
treffend nennt. Die Verwandtschaft dieses Vice mit seinem
Urtypus zeigt sich besonders darin, dass er, um seinen
Gegner im Wortstreit zu widerlegen, eine Lügengeschichte
vorbringt, also eine Art komischer Intrigue anwendet.
Auch die sonstige Komik des Vice ist von aktiver Art,
wie ja überhaupt die Alleinherrschaft oder das Vorwiegen
der aktiven Komik ein Merkmal aller älteren Vice-Gestalten ist. Meist steht diese Komik mit dem Wortstreit
des Vice in Zusammenhang. Ein unausgebildeter Keim
zu passiver Komik kann höchstens darin erblickt werden,
dass der Vice einmal vom geliebten Liebhaber, seinem
speziellen Gegner, in die Enge getrieben wird, so dass er
genötigt ist, seine Zuflucht zu einem Buche zu nehmen:
er bemerkt aber erst jetzt, dass er das Buch nicht bei
sich hat, und eilt daher hinaus, es zu holen. Sonst ist
der Vice durch das sorglose Gleichgewicht seiner Gemüts-
verfassung seinem zwischen schroffen Gegensätzen der
Stimmung hin und her schwankenden Gegner meist überlegen; diese Überlegenheit äussert sich gewöhnlich in der
Form des Spottes. Gleich anfangs begrüsst der Vice den
sich verzückt geberdenden geliebten Liebhaber als die
verkörperte Albernheit. Auch dieser Vice pfeffert seine
Reden mit Zoten (V. 700) und Unflätigkeiten (V. 1020 ff.).
Ein besonderes Mittel seiner Komik, das wir sonst nur
vereinzelt finden, ist die scherzhafte Anhäufung der

gleichen Wörter und Redewendungen (z. B. V. 703 ff.), ein
Motiv, das in einem Falle mit einem Wortspiel verbunden
erscheint (*join : joiner*, u. s. w., V. 785 ff.). Ein anderes Mal
spielt der Vice mit der buchstäblichen und der übertragenen
Bedeutung des Wortes *„woodcock"* (V. 1337 ff.). Wie „Merry
Report" sich in seiner neuen Würde als Bote eines Gottes
sehr gehoben fühlt, so steigt auch das Selbstgefühl des
nichtliebenden Nichtgeliebten sehr bedeutend, als er im
Streit zwischen dem nichtgeliebten Liebenden und der
nichtliebenden Geliebten zum Schiedsrichter ernannt wird.
Der reine Hanswurst kommt in diesem Vice zum Vorschein. als er auf einmal mit einem kupfernen Topf auf
dem Kopf auftaucht: der Topf enthält brennende Raketen
und der Vice ruft unaufhörlich „Feuer! Feuer! Wasser!
Wasser!", bis alle Raketen abgebrannt sind. Damit leitet
er seine oben angeführte Intrigue in derbkomischer Weise
wirksam ein (über die Quellen dieses Intriguenmotivs vgl.
Brandl S. LIII). Das Stück ist eigentlich kein Drama,
sondern ein dramenartiges Streitgedicht nach Art der
französischen „jeux partis".

Im anonymen Zwischenspiel Nice kommen, ausser
„Worldly Shame" und „Iniquity", nur wirkliche Personen
vor. „Iniquity" ist zwar nicht ausdrücklich als Vice
bezeichnet, aber doch zweifellos als solcher anzusehen;
sowohl sein Name als auch der Inhalt seiner Rolle weisen
darauf hin. Er ist vor allem als Verführer dargestellt;
komische Züge sind ihm, wenn überhaupt, nur in sehr ge-
ringem Masse beigelegt. So steht dieser „Iniquity" dem
ursprünglichen Vice als dem Vertreter des Lasters näher,
als dies bei andern Vice-Gestalten aus derselben Zeit der
Fall zu sein pflegt: wir haben hier gleichsam einen
atavistischen Rückschlag vor uns. Eine nicht notwendig
zur Rolle eines Verführers gehörige Komik ist höchstens
in den lustigen Liedern zu erblicken, die der Vice zusammen mit den beiden Opfern seiner Verführung, Ismael
und Dalilah (p. 168), oder mit Dalilah allein (p. 170)
vorträgt. Das Stück ist nach Brandl (S. LXXII) eine

11*

· Bearbeitung der „Rebelles" des Niederländers Macropedius.
Der Engländer hat an die Stelle der im lateinischen Original
auftretenden Teufel den Vice gesetzt, der, wie jene Teufel
durch Lucifer, am Schluss bestraft wird: er wird zusammen
mit Ismael zum Galgen abgeführt.

Juggl. ist das älteste Beispiel einer direkten Nachahmung des antiken Dramas in der englischen Litteratur.
Die Eingangsszene des 1. Aktes des „Amphitruo" von
Plautus ist hier zu einem selbständigen Stück erweitert
worden; was aber im römischen Original als Episode einen
dankbaren komischen Stoff darbot, war doch zu dürftig,
um den alleinigen Inhalt eines ganzen Stückes auszumachen. So ist die englische Nachbildung ein ziemlich
ödes Machwerk, zumal da sie überall faustdick aufträgt,
und die an sich schon sehr derbe Komik des Originals
noch vergröbert. Während an die Stelle des Sklaven
Sosia im „Amphitruo" Jenkin Careaway tritt, übernimmt
Jack Juggler, der Titelheld und zugleich der Vice des
englischen Stückes, die Rolle des Mercurius bei Plautus.
Wir sehen, wie weit sich der Vice bereits von seinem
ursprünglichen Wesen entfernt hat: nicht nur gehörte ·
schon damals der allegorische Charakter nicht mehr zu
den unbedingten Erfordernissen der Vice-Rolle; man konnte
sogar schon eine mythologische Figur des altrömischen
Lustspiels, die als lustiger Intrigant auftrat, ohne grosse
Änderungen zum Vice stempeln. Das Intrigantentum des
ursprünglichen Vice erkennen wir im erfolgreichen Be-
mühen Jack Juggler's wieder, seinem Gegner Jenkin so
viel Ungelegenheiten als möglich zu bereiten. Die vom
Vice angezettelte Intrigue entspringt aber nicht aus Bosheit; sie soll, wie der Prolog und auch Jack selbst in
seinem Eingangsmonolog ausdrücklich betont, nur zum
Zeitvertreib der Zuschauer dienen. Die Komik des Vice
ist durchaus von aktiver Art, und Jenkin's ausschliesslich
passiver Komik gegenübergestellt. Das typische Verhältnis des Vice zum Teufel erscheint also hier in einer
der Neuzeit angemessenen Umgestaltung, indem an die

Stelle des Teufels durch Vermittelung der neuerschlossenen
antiken Litteratur Jenkin Careaway getreten ist. Wie Jack,
als Jenkin verkleidet, diesem selbst entgegentritt, ihm den
Eintritt in seines Herrn Haus verwehrt, und ihn schliesslich so verwirrt, dass Jenkin an seiner eigenen Identität
zweifelt, das alles findet sich in ganz entsprechender
Weise schon bei Plautus. Im englischen Zwischenspiel
wird aber dies Motiv zur Hauptpointe des ganzen Stückes
gemacht. Auch die Schimpfreden und Prügel, die der
Vice dem feigen und einfältigen Jenkin zu teil werden
lässt, sind nur Begleiterscheinungen jenes einen, vom Vice
verfolgten Zweckes. Selbst eine prahlerische Ansprache
Jack's an seine männermordenden Fäuste dient nur der
Absicht, Jenkin einzuschüchtern und dadurch zum
schnelleren Aufgeben seiner Identität zu bewegen. — Von
den sonstigen üblichen Bestandteilen der Komik des Vice
finden sich hier gelegentliche Derbheiten (p. 121), und die
direkte Anrede an die Zuschauer (p. 113). — Unter dem
Personenverzeichnis enthält der Originaldruck einen (auch
bei Dodsley wiedergegebenen) sehr roh ausgeführten Holzschnitt, worin neben zwei andern Personen des Stückes
auch Jack Juggler abgebildet ist. Er fällt sogleich durch
seine Zwerggestalt auf; seine Rolle wurde also vermutlich
von einem Zwerge gespielt. Die Zeichnung ist nicht sehr
deutlich; doch scheint sie anzudeuten, dass die Beinkleider
des Vice von ungleicher Farbe waren. Auch darin berührt
sich dieser Vice mit den Hausnarren, die auch zuweilen
Hosen trugen, bei denen jedes Bein seine besondere Farbe
hatte (vgl. auch S. 96). In der Rechten des Vice ist der
hölzerne Dolch erkennbar, der ebenfalls ein Merkmal des
Hausnarren ist [152]. „Jack Juggler" ist überhaupt das
älteste Stück, worin jener Dolch als Attribut des Vice
vorkommt. Offenbar trägt der Vice im Bilde seine eigentliche Kleidung, nicht Jenkin's Gewand, worin er während

---

[152] Cushman (p. 120 ff.) führt Jack Juggler's Bild irrtümlicher
Weise gerade als Beispiel dafür an, dass der Vice in obigem Falle
keine Narrentracht getragen habe.

der ganzen Zeit seines Auftretens im Stück erscheint.
Was hatte aber die oben beschriebene Narrentracht des
Vice für einen Zweck, wenn er im Stücke selbst gar nicht
darin auftrat? Hatte er vielleicht den Prolog, oder den
Epilog, oder beides zu sprechen, und bei dieser Gelegen-
heit die Narrentracht zu tragen?

Das älteste eigentliche Drama, worin ein Vice begegnet, ist wohl Preston's Trauerspiel Camb. Der Vice
heisst hier „Ambidexter". Seinem Namen gemäss ist
er als Intrigant ein doppelzüngiger Zwischenträger [153]).
Er spielt harmlosen Unterthanen des tyrannischen Cambyses
gegenüber den Lockspitzel, verführt Sisamnes zum Missbrauch der Amtsgewalt, und veranlasst den grausamen
König durch verleumderische Angebereien dazu, seinen
Bruder Smerdis (bei Preston „Smirdis") töten zu lassen.
Zeigt sich „Ambidexter" so in der Haupthandlung als
echter Vertreter des bösen Prinzips, so tritt die Possenhaftigkeit des ebenfalls in ihm steckenden Hanswursts
besonders in zwei komischen Episoden hervor, die mit
dem Kern des Stückes gar nicht zusammenhängen, und
auch unter sich nur durch die Person des Vice sehr lose
verknüpft sind. Aktive Komik entfaltet der Vice als
Zotenreisser (p. 178), und in den Prügeln, womit er die
drei Schurken *Huff*, *Ruff* und *Snuff*, als diese ihn in sehr
derber Weise verhöhnen, sowie später „Preparation" bedenkt, weil letzterer ihm seine Schandthaten vorgeworfen
hat. Auch die Szene, worin „Ambidexter" die beiden
Lümmel *Hob* [17]) und *Lob* gegen einander hetzt, so dass
eine Prügelei zwischen ihnen entsteht, gehört hieher. Sie
soll vor allem Gelegenheit bieten, eine komische Handlung
vorzuführen; dass dabei auch die Bosheit des Vice sich·
offenbart, ist nebensächlich. — Neben der aktiven Komik

---

[153]) *„Ambidexter"* ist auch der Name eines Dieners in Gascoigne's
„Glass of Government" (1575); dieser hat aber ausser seinem Namen
und der Eigenschaft der Doppelzüngigkeit mit dem Vice in Camb.
nichts gemein. Eigentlich bedeutet „Ambidexter" einen Geschworenen
oder Richter, der sich von beiden Parteien bestechen lässt.

dieses Vice treten auch in bedeutendem Masse passiv-
komische Züge an ihm hervor. Es ist bezeichnend, dass
derselbe Vice. der mit Männern ganz gut fertig zu werden
weiss. den Weibern gegenüber hilflos ist. Zweimal, in
beiden komischen Episoden, wird er von weiblicher Seite
tüchtig durchgeprügelt: zuerst von „Meretrix", dann von
Hob's Frau. Wie man sieht, hat Preston vom Prügelmotiv einen mehr als ausgiebigen Gebrauch gemacht.
Auch sonst lässt er einen komischen Zug sich wiederholen. Obgleich „Ambidexter" den Tod des Smerdis verschuldet hat, weint er doch, als er davon hört; aber indem
er ganz unvermittelt zum Lachen übergeht, zeigt er, dass
seine Trauer bloss erheuchelt war. Diese Thränen bilden
einen Bestandteil der absichtlichen passiven Komik des
Vice. Später weint der Vice noch einmal, über den Tod
der Königin; aber der Zipfel seiner Narrenkappe guckt
auch hier hervor, in den Worten (p. 243): „Oh, oh, my
hart: oh, my bum will break" [154]). Eine wohl ebenfalls
absichtliche passive Komik liegt wohl auch in seinem
Ungeschick bei den Vorbereitungen zu des Königs Hoch-
zeitsmahl: als „Ambidexter" eine Schüssel Nüsse auftragen
soll, fällt er mit ihr zu Boden. Zu derselben Art der
Komik gehört auch gleich das erste Auftreten des Vice.
Er erscheint als „Miles gloriosus" in furchtbar kriegerischer
Rüstung, nämlich mit einem alten Hutfutteral als Helm,
einem alten Eimer als Harnisch, einem Schaumlöffel an
der Seite und einer Harke auf der Schulter. Er erklärt,
seine Thaten würden ihn als Mann erweisen; der bevorstehende schreckliche Kampf gilt aber einer Schnecke,
einem Schmetterling und einer Fliege. Den Schmetterling
gedenkt er „with a fart" zu besiegen. Da „Ambidexter"
bald darauf die drei oben genannten Schurken erfolgreich
bekämpft, liegt der Selbstzweck der Komik in der grotesken

---

[154]) Rud. Fischer (S. 34) scheint diese Szene als durchweg ernst
aufzufassen. Das eben angeführte Zitat weist aber ganz unzweideutig darauf hin, dass der Vice auch hier als Hanswurst gedacht ist.

Übertreibung jener Bramarbasszene auf der Hand. Die Miles-Episode dieses Vice hat mit einer Charakteristik seiner Person überhaupt nichts zu thun, sondern ist ein blosser Spass, der um seiner selbst willen eingefügt ist, unbekümmert darum, dass er andern komischen Zügen, die auf dieselbe Person übertragen sind, widerspricht. „Ambidexter" nimmt hier, um die Zuschauer zu belustigen, die Rolle eines prahlerischen Feiglings an, ähnlich wie sonst der Hausnarr des wirklichen Lebens, und nach seinem Vorbilde auch oft der Vice sich zu gleichem Zweck dumm stellt, und so den wirklich dummen Clown spielt. Das Motiv des Kampfes gegen eine Schnecke ist einem älteren Stücke, dem anonymen komischen Zwischenspiel Thers. entlehnt; hier dient es aber, obgleich auch in grotesker Übertreibung, zur Charakteristik des Titelhelden. Absichtliche passive Komik enthält auch das Motiv des Sichdummstellens; der Vice erklärt, er habe seinen Namen vergessen, um ihn gleich darauf doch mitzuteilen. Vielleicht ist dieser Zug von hier aus in die jüngere Moralität Wisd. eingedrungen (vgl. S. 151).

Wie Camb., schöpft auch Bower's Trauerspiel App. A seinen Stoff aus der antiken Überlieferung. Auch „Haphazard", der Vice dieses Stückes, zeigt sich als Intrigant in der Haupthandlung, während seine Komik sich auch hauptsächlich in einer Nebenhandlung abspielt, die mit der Haupthandlung nur sehr lose verknüpft ist. Als Verführer betont „Haphazard" immer wieder, dass der blinde Zufall, den er ja verkörpert, auch das Unwahrscheinlichste, ja das Unmögliche zustande bringen könne. Die Personen der zweimal die Haupthandlung unterbrechenden komischen Nebenhandlung sind ausser dem Vice „*Mansipulus*", „*Mansipula*" und „*Subservus*". Ohne Prügel geht es auch hier nicht ab; doch bleibt der Ausgang der zwischen „Mansipulus" und dem Vice stattfindenden Prügelei unentschieden. Einmal enthält die Rede des Vice ein, offenbar traditionelles, Klangspiel; er sagt von Appius, dessen Diener und Verführer er ist (p. 151):

„He never learned his manners in Siville" [= Sevilla, zugleich Anklang an *„ciril"* = höflich]. Eine besondere
Eigentümlichkeit dieses Vice sind seine vielen Reden in
allitterierenden Versen; zuweilen enthalten diese Reden
komischen Unsinn; wir dürfen diesen hier als einen Bestandteil der absichtlichen passiven Komik betrachten.
Derselben Art der Komik scheint auch der allitterierende
Eingangsmonolog anzugehören, worin der Vice sich selbst
„as wise as a woodcocke", „as meeke as a mecocke"
[= Memme], und *„as fat as a foole"* bezeichnet. Seine
Rolle als Intrigant schlägt am Schluss in unfreiwillige
passive Komik um: der Vice ist lebhaft entrüstet, weil er
für seine viele Mühe gar keinen Lohn empfangen habe.
Er begiebt sich zu „Reward" und bittet diesen um die
ihm gebührende Belohnung. Sie wird ihm auch zu teil,
fällt aber anders aus, als er gemeint: der Vice wird nämlich trotz alles Sträubens zum Galgen abgeführt. Noch
zuletzt erklärt er, der Gedanke kränke ihn, dass die
Schnur ihn so herbe würgen werde.

Der Vice im Trauerspiel Hor. von **Pikeryng** bietet
in mancher Beziehung besonderes Interesse. In zwei
Punkten unterscheidet er sich von den übrigen Vice-Gestalten. Erstens ist seine spezielle Rolle nicht einheitlich,
sondern er vereinigt in seiner Person zwei verschiedene,
wenn auch mit einander nahe verwandte Rollen: anfangs
stellt er „Courage" dar (V. 207), später „Revenge"
(V. 666. 829, u. s. w.), und zwar ist „Revenge" nicht eine
blosse Verkleidung für „Courage", sondern die thatsächliche Rolle des Vice im zweiten Teil. Ein freilich nur
ungefähr entsprechendes Beispiel für einen solchen Doppel-
charakter des Vice enthält sonst nur noch John A, wo
der Vice „Sedition" und Stephen Langton zu einer einzigen
Persönlichkeit verschmolzen werden (vgl. S. 129). Zweitens
ist der Vice in Hor. nicht ein Verführer zum Bösen, auch
nicht nur, wie „Merry Report", ein in sittlicher Beziehung
neutraler Spassmacher, sondern zugleich Hanswurst und
Vertreter einer guten und gerechten Sache, ein Ahnherr

des weisen Narren in Lr. Dass Pikeryng die Rache des
Orestes an seiner Mutter als eine nicht nur notwendige,
sondern sogar sittlich berechtigte That hinstellt, die gar
keiner Sühne bedarf, ist unverkennbar. Diese neue Rolle
des Vice als Vertreter eines guten Prinzips, die ja eine
völlige Verleugnung seines dämonischen Ursprungs bedeutet, ist ein Beweis für die ausserordentliche Biegsamkeit und Anpassungsfähigkeit dieser Gestalt, die es sogar
zustande bringt, ursprünglich unvereinbare Gegensätze in
sich zu vereinigen, indem das Laster zum Vertreter einer
nicht erheuchelten, sondern wirklichen Tugend wird. Als
„Courage" ist der Vice ein Vorläufer der gleichnamigen,
aber nicht gleichartigen Gestalt in Tide (vgl. S. 145 ff.); als
„Revenge" leitet ihn Brandl (S. XCIV) von der Rachefigur
„Vindicta Dei" in Laws ab (vgl. S. 127). Wie Camb. und
App. A ist auch Hor. ein Beispiel für die volkstümlichere
Richtung innerhalb der englischen Tragödie, deren haupt-
sächlichstes Kennzeichen, im Gegensatz zu der rein
pathetischen Richtung, die Einfügung des Vice aus den
Moralitäten ist. Für jene volkstümlichere Art des Trauerspiels hat Brandl (S. LXXXVIII) das Muster nachgewiesen
in der ihrerseits vom Humanisten-Drama Deutschlands
beeinflussten lateinischen Tragödie „Archipropheta" (1547)
von N. Grimald. Hier findet sich ein Spassmacher
Gelasinus, der nicht nur mit einigen Nebenpersonen seine
Spässe treibt, sondern auch als Sittenprediger auftritt.
Obige Gestalt wurde, wie Brandl (S. XCIV) hervorhebt,
nicht nur für die Vice-Gestalten englischer Tragödien überhaupt vorbildlich, sondern hat auch speziell auf den Vice
in Hor. in ganz bestimmten einzelnen Zügen direkt eingewirkt. Dieser Vice erinnert an Gelasinus vor allem
dadurch, dass er besonders den bösen Frauen in satirischer
Form bittere Wahrheiten sagt; die Szene am Eingang des
Stückes, worin er zwei zur Nebenhandlung gehörige Bauern
foppt, entspricht allerdings nicht nur des Gelasinus Scherzen
mit den Mägden, sondern ist auch mit einigen oben beschriebenen Situationen in Camb. (vgl. S. 166) und App. A

(vgl. S. 168) verwandt. — Wie in andern Stücken, ist auch
in Hor. der Vice die treibende Kraft, die den Helden zum
Handeln anstachelt, aber nicht zu bösen Thaten, sondern
zum gerechten Kriege gegen Egistus und Clytemnestra.
Die Götter selbst haben diesen Krieg beschlossen: der
Vice teilt als ihr Bote dem Orestes deren Verlangen mit.
Als Götterbote ähnelt er Jupiter's Boten „Merry Report";
nur ist er nicht, wie dieser, ein lustiger, sondern ein ernster
Bote. Als „Revenge" verhindert er, dass die gefangene
Clytemnestra begnadigt werde, und dient dem Orestes zum
Vollstrecker der Rache. Im allgemeinen ist also aus dem
Verhältnis des Vice zum Titelhelden die Komik verbannt.
Nur einmal macht sich auch diesem gegenüber der Spassmacher im Vice geltend: als Orestes beim Gedanken an
die schwere Rachepflicht tief aufseufzt, und der Schmerz
ihn so sehr überwältigt, dass er in Ohnmacht fällt, wundert
sich der Vice, dass jener so „still wie ein Heiliger" da-
sitze; er fürchtet, Orestes wolle nichts mehr von ihm
wissen, und weint darüber; Orestes aber ermannt sich
und gebietet ihm Ruhe. Hier scheint der Vice absichtlich
passiv-komisch zu werden. Seine sonstige Komik ist durchweg von aktiver Art. Zuerst sehen wir ihn zusammen
mit den oben erwähnten Bauern, „Hodge"[155]) und „Rusticus";
er prügelt sich mit ihnen, weil letzterer ihn „lyttell hourchet"
[= urchin] (V. 46) genannt hat, was anzudeuten scheint,
dass die Rolle des Vice von einem Zwerge gespielt wurde.
Der Vice hetzt dann die beiden Lümmel gegen einander:
als sie endlich zu seiner Freude weidlich auf einander losdreschen, schlägt auch er auf sie drein, und läuft dann
davon. Jenes erfolgreiche Hetzen des Vice zeigt ihn als
Intriganten; aber da er dadurch nichts als eine Prügelei
herbeiführen will, und diese keinem andern Zweck als dem
der Komik dient, löst sich die Intrigue hier in blossen
Spass auf. Ebenso äusserlich wie in seiner Intrigue lehnt
sich der Vice auch darin an die andern Vice-Gestalten an,

---

155) Typischer Bauernname, Abkürzung von „Roger". Vgl. auch
Anm. 17.

dass er sich den Bauern gegenüber den falschen Namen
„*Patience*" beilegt. Dies geschieht nicht, wie sonst, in
heuchlerischer Absicht, sondern anscheinend nur, um Hodge
Gelegenheit zu geben, das ihm fremde Wort nach Art der
Clowns in „*Past shame*" zu verdrehen (V. 93), vielleicht
auch, um einen komischen Kontrast zur vorherigen Wut
des Vice über den ihm gemachten Vorwurf der Kleinheit
zu bilden. Auch sonst, ausserhalb der obigen komischen
Episode, die mit der sich anschliessenden eigentlichen
ernsten Handlung nur sehr lose zusammenhängt, finden
sich in der Rolle dieses Vice Berührungen mit dem Normal-
typus. Mehrfach (V. 253. 1054) schwört er „*of myne
honestye*", eine Beteuerung, die gewöhnlich als cynische
Selbstironie gemeint ist, hier aber, bei einem wirklich ehr-
lichen Vice, eigentlich keinen komischen Zweck mehr hat,
und sich wie eine inhaltlose Redeformel ausnimmt. Dass
der Vice von seinem „*cousin cutpursse*" redet (V. 674. 1120),
ist ähnlich zu beurteilen. Der ursprüngliche Inhalt der
Vice-Rolle, die Bosheit des das Laster verkörpernden
Intriganten, ist oft schon zur blossen Form geworden, und
wie der Vice in Hor. und „Merry Report" (vgl. S. 160)
uns lehren, passt diese Form zuweilen gar nicht mehr zum
neuen Inhalt. — Andere Motive teilt der Vice mit den
übrigen Vice-Gestalten, soweit in ihnen nicht ein Intrigant,
sondern ein Spassmacher steckt. So findet sich auch in
Hor. die direkte Anrede des Vice an das Publikum: in
einem der Lieder, die er singt, thut er so, als habe ihn
einer der Zuschauer einen Tropf („*mome*") genannt (V. 650),
und stellt sich darüber entrüstet. Später (V. 871 ff.) versucht er, freilich vergebens, mit der würdigen Dame „Fame"
anzubändeln. Am Schluss erscheint der Vice als „Revenge"
in der Tracht eines Bettlers. „Amity" hat ihn aus der
Gunst des Orestes verdrängt[156]); er sucht sich jetzt einen

---

[156]) Der allegorische Sinn ist hier offenbar der, dass die Rache,
nachdem sie gestellt ist, ein Ende hat, und einer versöhnlichen
Stimmung Platz machen soll. Die vorherige Notwendigkeit der
Rache wird dadurch nicht angetastet.

neuen Herrn unter den Zuschauern, aber niemand will
ihn nehmen. — Dass zu den Mitteln der Komik, die der
Vice verwendet, gelegentlich auch starke Derbheiten gehören (V. 95. 679), ist nichts Auffälliges.
Über das Verhältnis „Nichol Newfangle's" (etwa
= Modeheld: der Name erinnert also an „Newguise" in
Mank., vgl. S. 118), des Vice in Fulwell's Like, zu
Lucifer vgl. S. 81 ff. Bei diesem Vice ist die Intrigue so
sehr mit aktiver Komik verquickt, dass es unmöglich ist,
beide Elemente auseinanderzuhalten. Schon dadurch gewinnt die Intrigue an manchen Stellen ein harmloseres
Aussehen. Sie verflüchtigt sich zu blossem Spass, indem
der Vice den schwer betrunkenen Lümmel Hance zum
Tanzen verleitet, wobei dieser hinfällt. Boshafter ist der
Rat, den er *Tom Tosspot* erteilt, er solle mit einer Flasche
seinem Gefährten *Ralph Roister* auf den Kopf schlagen.
Zuweilen steht die aktive Komik dieses Vice der ursprünglichen Bosheit eines Vertreters des bösen Prinzips sogar
noch recht nahe: so zum Teil in der im übrigen possenhaften Szene, wo „Newfangle" den Schiedsrichter über
Tosspot und Roister spielt, um zu entscheiden, wer von
beiden der grössere Schurke sei. Bei dieser Gelegenheit
wacht. der Vice eifersüchtig darüber, dass seiner Würde
als Schiedsrichter die gebührende Achtung erwiesen werde;
er erzwingt den von ihm gewünschten Grad von Ehrerbietung, indem er die beiden mehrmals gründlich durch-
prügelt. Der Vice stellt demjenigen von ihnen, zu dessen
Gunsten seine Entscheidung ausfallen werde, als Erbteil
ein Stück Land in Aussicht, *„Thomas-a-Waterings"* oder
„Tyburn Hill"[157]). Wenig Erfindungsgabe zeigt sich darin,
dass Fulwell den Vice später einen ähnlichen Scherz noch
einmal auftischen lässt. „Newfangle" fragt zwei Spitzbuben, *Pierce Pickpurse* und *Cuthbert Cutpurse*, wer von
ihnen der ältere sei; diesem habe er nämlich ein Stück
Land zu vergeben, genannt „das Land der zweibeinigen

---

[157]) Die beiden wichtigsten Hinrichtungsplätze im damaligen
London.

Stute" [158]); in diesem Lande sei die schnellste Stute in
England. Am Schluss überliefert „Newfangle" die beiden
Spitzbuben dem Henker; überdies verhöhnt er sie noch
mit dem versprochenen Stück Land. Das ursprünglich
dämonische Wesen des Vice zeigt sich auch in seinem
schadenfrohen lauten Gelächter, wenn ihm wieder einmal
einer seiner boshaften Streiche gelungen ist. Auch die beiseite gesprochenen Sarkasmen „Newfangle's" (p. 334. 347)
erinnern noch an die ursprüngliche Natur des Vice; ebenso
sein Klangspiel gegenüber Roister, als dieser sich mit
Haman vergleicht (p. 323): *„Thou art served as Harry
Hangman, captain of the black guard."* Dagegen gehört
ein anderes derbes Klangspiel (*Nichol*: *Lickhole*; p. 313. 332)
zu den Bestandteilen der aktiven Komik des harmloseren
Spassmachers. Gleich zu Anfang des Stückes legt der
Vice einen Kreuzbuben (*„knave of clubs"*) auf den Boden
vor einem in der Nähe stehenden Zuschauer nieder, und
spricht dann zu diesem:

> „— — — now like unto like — — —
> *Stoop, gentle knave, and take up your brother."*

Hier sind zwei komische Motive, Wortspiel und direkte
Anrede an einen Zuschauer, einheitlich verbunden; in der
Bezeichnung *„knave"* liegt natürlich nur ein Scherz, keine
Bosheit. Die direkte Anrede des Vice an das Publikum
begegnet auch sonst (p. 309. 355). Auch in den zahlreichen
Unflätigkeiten, die dem Vice entschlüpfen, zeigt er sich als
Spassmacher. — Die passive Komik tritt bei „Newfangle"
nur wenig hervor. Hieher gehört der komische Unsinn,
den der Vice vom Stapel lässt (p. 310): er erinnere sich
sehr genau, wie vor seiner Geburt sein Grossvater und er
eine Reise in die Hölle machten, u. s. w. Einmal fällt auch
der Vice in die Grube, die er andern gegraben. Er wird
nämlich von den um das versprochene Stück Land betrogenen Tosspot und Roister, als die Täuschung offenbar
geworden, windelweich geprügelt. Im komischen Unsinn

---

[158]) Scherzhafter Spitzname für den Galgen.

ist die passive Komik des Vice absichtlich; die Prügel,
die er erhält, sind natürlich ins Gebiet der unfreiwilligen
passiven Komik zu rechnen.

Tiler ist ein anonymes komisches Zwischenspiel nach
Art von J. Heywood's Tyb. Unter den Personen sind drei
allegorisch: „Destiny", „Patience" und der Vice „Desire".
Tom Tiler's Frau führt wenigstens noch den allegorischen
Namen „Strife". „Desire" kommt nur in der Eingangsszene vor, in einem Zwiegespräch mit „Destiny", das die
Exposition des Stückes bildet. Komische Züge fehlen
„Desire" gänzlich. Diese Gestalt ist völlig nebensächlich
und im Grunde überflüssig. Dabei ist das Stück vollständig erhalten; die geringe Bedeutung dieser Vice-Rolle,
so wie sie vorliegt, erklärt sich also nicht etwa dadurch,
dass andere Teile des Stückes, worin er vielleicht ebenfalls
vorkam, verloren gegangen sind. In den Moralitäten, seiner
eigentlichen Heimstätte, würde der Vice eine so unbedeutende Rolle gar nicht spielen können; dass er überhaupt in dies Zwischenspiel eingefügt wurde, ist wohl
auch als ein Beweis der grossen Beliebtheit dieser Gestalt
anzusehen.

Die anonyme Komödie Cond. ist nur unvollständig
überliefert; Anfang und Ende fehlen. Vermutlich enthielten
die vier ersten Blätter, die verloren gegangen sind, auch
das Personenverzeichnis; es ist wohl nur auf Rechnung
dieses Verlustes zu setzen, dass „Common Conditions",
der dem ganzen Stücke seinen Namen giebt, nirgends ausdrücklich als Vice bezeichnet wird. Als solcher ist er
trotzdem leicht zu erkennen, sowohl an seinem ihm eine
Sonderstellung innerhalb des Stückes gebenden allegorischen
Namen [etwa = gemeinsame Umstände, Verhältnisse], der
seine Vermittlerrolle anzudeuten scheint, als auch hauptsächlich an den ihm zugeschriebenen Charakterzügen. Er
ist der unheilstiftende Intrigant des Stückes, der dem
Glück des einen Liebespaares, Clarisia's und Lamphedon's,
immer wieder neue Hindernisse bereitet. Indem er aber
bei andern Gelegenheiten sich als ein treuer Diener jener

beiden erweist, seiner eigenen Intrigue durch Einlenken
zum Guten immer rechtzeitig die Spitze abbricht, und vor
allem am Schluss alles wieder ins rechte Geleise bringt,
wächst seine Gestalt über einen Vice im gewöhnlichen
Sinne hinaus. Auch seine Intrigue gewinnt dadurch eine
harmlosere Färbung: sie stört wohl, aber zerstört nicht,
und dient eigentlich nur dazu, die Handlung abwechslungs-
reicher und spannender zu machen. Als Intrigant ist
„Conditions" eher ein loser Kobold, ein lustiger Schelm,
als ein Bösewicht. Es ist ein glücklicher Gedanke Brandl's
(S. CXV), ihn in seinem beständig umspringenden, bald
feindlichen bald freundlichen Verhältnis zu Clarisia und
Lamphedon als eine Verkörperung des „neckischen Zufalls"
aufzufassen, des Weltlaufs mit all seiner Selbstironie. Als
Vertreter des Zufalls bildet „Conditions" das harmlosere
Seitenstück zum tückischen Haphazard in App. A (vgl.
S. 168 ff.). Einen im guten Sinne wirkenden Vice haben
wir schon in Hor. kennen gelernt (vgl. S. 169 ff.). Originell
ist also im vorliegenden Drama nur die Mischung von Gut
und Böse, Treue und Intrigue, harmlosem und dämonischem
Wesen in der Gestalt des Vice. Als solcher knüpft dieser
an die heimische Überlieferung an; ausserdem machen sich
aber in ihm auch die Einwirkungen des altrömischen Lustspiels geltend: er ist zu Anfang des Stückes „a little Parasite"
(V. 39) beim Geschwisterpaar Sedmond und Clarisia. Der
antike Parasit berührt sich in manchen Punkten mit dem
altenglischen Vice: beide sind Intriganten und Zwischenträger; sie sind jederzeit bereit, sich auf die Seite der
jeweiligen Machthaber zu stellen, und wissen aus allen
Wechseln des Schicksals, die andere Personen treffen, für
sich selbst irgend einen Vorteil herauszuschlagen. Auch
„Conditions" gleicht in manchen einzelnen Zügen einem
Parasiten. Der Einfluss der Antike tritt aber auch in der
wichtigen Stellung hervor, die „Conditions" als schlauer,
um Auskunftsmittel nie verlegener Diener im Stück
einnimmt; als solcher entspricht er dem Sklaven bei
Plautus und Terenz, der auch mit Vorliebe seinen Herrn

lenkt [159]). — „Conditions" greift aber nicht nur in das
Schicksal seiner Gebieter bestimmend ein, sondern weiss
sich auch stets leicht und geschickt aus seinen eigenen
Verlegenheiten durch List herauszuhelfen. Zu Beginn des
Stückes begleitet er die Geschwister Sedmond und Clarisia
als deren Diener. Der Überfall durch drei räuberische
„arabische" .Kesselflicker *„Drift"*, *„Shift"* und *„Thrift"*
bringt den Vice in Gefahr, gehängt zu werden. Als allerlei
scherzhafte Ausflüchte nichts fruchten, erklärt er sich
bereit, sich selbst aufzuhängen. Die Spitzbuben willigen
ein, reichen ihm den Strick, und helfen ihm auf den Baum,
der als Galgen dienen soll; jedoch als der Vice oben ist,
streikt er. Die entrüsteten Räuber hält er mit dem Messer
von sich fern, und ruft laut um Hilfe, worauf jene eiligst
entwischen. Lamphedon gegenüber giebt sich „Conditions"
in echter Vice-Manier für *„Affection"* aus; als er später
durch Clarisia Lügen gestraft wird, redet er sich durch
die Behauptung heraus, „Affection" sei sein eigentlicher,
und „Conditions" sein Vorname. — Die aktive mit der
Intrigue eng verquickte Komik dieses Vice zeigt sich auch
noch in anderen Zügen. Als Lamphedon sich einsam in
Liebesklagen ergeht, neckt ihn „Conditions", indem er von
einem Versteck aus jenem in die Rede fällt. Darauf kommt
er zum Vorschein, und leugnet nicht nur ab, der unsicht-
bare Sprecher gewesen zu sein, sondern versichert sogar,
dass jeder, der es wage, einen Edelmann (Lamphedon ist
der Sohn des Herzogs von Phrygien) so zu verhöhnen,
den Tod verdiene. Seine Sarkasmen richtet er mit Vorliebe gegen das weibliche Geschlecht, was ihn aber nicht
vom Heiratstiften abhält, ebenso wenig wie dies ihn verhindert, dem neugebackenen Ehemann Lamphedon Hörner
zu wünschen. — Beispiele einer absichtlichen passiven
Komik dieses Vice sind seine Behauptung, auch er habe
einst geliebt, und zwar seiner Mutter Stute (V. 370), sowie
sein sonstiges Unsinnreden (V. 482). Er schwört mit der

---

[159]) Brandl S. CXV.

beim Vice üblichen Selbstironie gern bei seiner Ehre
(V. 681. 1012). — Zur unfreiwilligen passiven Komik gehört wohl ein Fall des Sichversprechens: der Vice bietet
Lamphedon seine Dienste an, und setzt hinzu, er werde
in dessen Diensten thun, was ihm selbst beliebe. Vor allem
gehören aber hieher die Szenen, wo wir den Vice als
Renommisten und Feigling kennen lernen. Seine Angst
vor dem Tode am Galgen macht sich in unflätigen Ausdrücken Luft (V. 186). Er ist durchaus kein Freund des
Kämpfens; nur mit scheinbarem Heldenmut geht er bra-
marbasierend auf seine Angreifer los. Kaum ist er mit
Mühe den Prügeln entgangen, mit denen ihn am Schluss
der vermeintliche Cardolus [= Lamphedon] bedrohte, so
bedauert er, keine Gelegenheit gehabt zu haben, es mit
dem wirklichen Cardolus aufzunehmen; es sei wunderbar,
wieviel Kraft im Arm eines so kleinen Mannes stecke
(V. 1356). Diese Stelle, sowie die Bezeichnung „little
Parasite" (V. 39) lassen darauf schliessen, dass auch die
Rolle „Conditions'" von einem Zwerge gespielt wurde. —
Nach Brandl (S. CXIII) steckt der Vice verkleidet auch
in „Lomia", dem weiblichen Narren der Metrea [= Clarisia].
Es spielte aber augenscheinlich nur derselbe Schauspieler
beide Rollen; dass der Verfasser auch eine Identität der
beiden Personen selbst gemeint habe, etwa wie Bale in
John A „Sedition" und Stephen Langton als eine und dieselbe Person hinstellt (vgl. S. 129), dafür bietet das Stück
nirgends Anhaltspunkte; es scheint mir auch in anderer
Hinsicht unwahrscheinlich. Lomia ist ein „naturall" (V.1159),
also eine Schwachsinnige, die Metrea aus Barmherzigkeit
bei sich aufgenommen hat. Ihre Komik ist natürlich durchaus von unfreiwillig passiver Art. Sie ist läppisch wie ein
kleines Kind, und bewegt sich nur im Ideenkreis eines
solchen.

Derselben Dramengattung wie Cond., nämlich der
romantischen Komödie, gehört auch Clyom. an. Beide
Stücke gleichen einander in ihren allgemeinen Zügen: in
der Kompliziertheit der Handlung, im häufigen jähen

Wechsel, dem das Schicksal der Hauptpersonen unterliegt, überhaupt im ganzen romantischen Apparat. Auch die Vice-Gestalten beider Dramen ähneln einander in ihrem beständigen Übergang von einer Partei zur andern; nur entbehrt „Subtle Shift", der Vice des vorliegenden Stückes[160]), der guten Eigenschaften „Conditions'", die auch dessen Spitzbübereien in günstigerem Lichte erscheinen lassen. „Shift" besitzt mehr von der Bosheit des ursprünglichen Vice. Er ist nicht nur mit „Conditions" verwandt, sondern noch mehr, wie auch sein Name andeutet, mit „Ambidexter" in Camb. (vgl. S. 166 ff.); auf diese Verwandtschaft weist er auch selbst hin mit den Worten (p. 131): *such shifting knaves as I am, the ambodexter must play*. Als Vice wird er ausdrücklich bezeichnet (p. 100). Zuerst ist er Diener des Clyomon, um bald darauf in die Dienste von dessen Gegner Clamydes zu treten. Nachdem er den Clyomon vor Clamydes verleugnet und seinen neuen Herrn gegen den alten aufgehetzt, verrät er den Clamydes an einen feigen Zauberer Bryan Sans-foy, der ihn bestochen hat. Auch diesem Zauberer gelobt er Treue, betrügt ihn aber bald darauf ebenso wie die beiden andern. Bei seinen Betrügereien bedient sich der Vice des harmlos klingenden Namens *Knowledge*. — „Shift's" Komik steht, der Minderwertigkeit des ganzen sehr weitläufigen Stückes entsprechend, auf recht niedriger Stufe. Zu den aktiv-komischen Bestandteilen gehört auch hier die Zote; der Vice behauptet, ein grosser Frauenkenner zu sein (p. 102): wenn er bei einer die Nacht gelegen habe, könne er am andern Morgen bestimmt sagen, ob sie eine Jungfer sei oder nicht. Zuweilen wird der Vice auch unflätig (p. 101. 122). Die direkte Anrede an das Publikum kommt nur einmal vor (p. 184.). — Den Zwecken der unfreiwilligen passiven Komik dient besonders „Shift's" Feigheit. Auf die ängstliche Frage des Zauberers,

---

[160]) Cushman kennt offenbar weder Cond. (trotz Collier), noch Clyom., er nennt (p. 74 Anm.) „Subtle Shift" den Vice der romantischen Komödie „Common Conditions."!!!

12*

wer er sei, betont der Vice mit berechtigtem Stolz, er sei
der feigste Schurke unter der Sonne. Auch sonst hat der
Vice, wie es in einem Ritterdrama natürlich ist, häufig
Gelegenheit, seine Feigheit zu zeigen. — Die Komik eines
Hanswursts kommt beim Vice gleich bei seinem ersten
Auftreten zum Vorschein, indem er sich absichtlich dumm
stellt (p. 100): er stolpert aus einem schlammigen Graben
auf die Bühne, will aber gleich wieder zurück, weil er ein
Bein im Graben vergessen zu haben glaubt.

„Subtle Shift" ist die letzte von den Vice-Gestalten,
die, von den Moralitäten ins eigentliche Drama verpflanzt,
hier nicht in episodischen Nebenrollen, sondern als Hauptpersonen auftreten. Der Vice in Histr. (vgl. S. 87) begegnet nur in einer in die eigentliche Handlung einge-
schobenen Episode. Und in Fort. (vgl. S. 99 ff. u. Anm. 106)
hat sich „Vice" als rein abstrakte und zudem weibliche
Figur schon allzuweit von der konkreteren männlichen
Gestalt gleichen Namens entfernt, um hier überhaupt in
Betracht zu kommen. In späteren Stücken wird nur gelegentlich auf den Vice als auf eine bereits veraltete Figur
angespielt. Seine schliessliche völlige Verschmelzung mit
einem Spassmacher zeigt sich auch, rein äusserlich, darin,
dass in der Blütezeit des englischen Dramas die Wörter
„vice" und „jester" gleichbedeutend gebraucht werden.
Chapman's Trauerspiel Germ. enthält als Einlage ein
Maskenspiel, dessen Rollen durch's Loos unter die deutschen Kurfürsten verteilt werden. Dem Erzbischof von
Mainz fällt hierbei die Rolle des Spassmachers zu, während
Richard Graf von Cornwall (der freilich nicht zu den Kurfürsten gehört) den von einem „jester" unterschiedenen
„clown" zu spielen hat. Folgendes Gespräch ist sehr bezeichnend (p. 216):

Mentz [= Mainz]. „I am the Jester."

Edward [Prinz von Wales]. „O excellent! is your Holiness the Vice? —
You'l play the Ambidexter cunningly."

Auch „fool" hat den gleichen Sinn wie „vice" und „jester".
Als der Erzbischof in seiner Eigenschaft als Spassmacher

einen Witz loslässt, sagt Edward (p. 233): *„That's the best
jest the fool made since he came into his office."* In Case
vergleicht Jonson das Gebahren der damaligen Modenarren
mit dem des Vice (p. 704): *„using their wryed counte-
nances instead of a vice, to turn the good aspects of all
that shall sit near them, from what they behold."* Auch aus
dieser Anspielung geht deutlich hervor, dass die Gestalt
des Vice schliesslich vollständig mit der eines berufsmässigen Spassmachers zusammengefallen war. In Dev.
(vgl. S. 87) sagt Satan (p. 477):

> *„— — — fifty years agone and six,
> When every great man had his Vice stand by him,
> In his long coat, shaking his wooden dagger."*

Hier wird der Vice schon mit dem Hausnarren verwechselt,
auf den allein obige Verse sich beziehen lassen.

3. Ausläufer des Vice.

Vom Vice gehen nicht nur die Narren und Clowns
des späteren Dramas aus, sondern auch andere, zum Teil
gar nicht komische Typen wurzeln in ihm, oder hängen
wenigstens irgendwie mit ihm zusammen. In diesem Unterabschnitt haben wir es hauptsächlich mit solchen Gestalten
zu thun, die noch im Übergang vom Vice zu einem neuen
Typus begriffen sind, in denen dieser Übergang noch nicht
abgeschlossen ist.

In einem solchen in sich noch unfertigen Übergang
befindet sich als Mittelglied zwischen Vice und Narr
eine Gestalt, die zwar schon thatsächlich in der Rolle eines
Hausnarren auftritt, aber zugleich auch sehr in die Augen
fallende Spuren ihrer Abstammung vom Vice an sich trägt.
Diese Gestalt ist Cacurgus in der nicht ganz vollständig
erhaltenen Komödie Misog. von Richardes. Cacurgus wird
im Personenverzeichnis durch den Zusatz *„Morio"* [161]) als

---

[161]) *„Morio"* ist die altlat. Bezeichnung eines Narren (vgl. Flögel-
Ebeling S. 15; das Bild eines „Morio" enthält die im Anhang beigegebene Tafel 13).

Narr charakterisiert; den Vice aber erkennen wir schon in seinem griechischen Namen „Cacurgus" = Übelthäter, Unheilstifter. Das Stück erinnert nach Brandl (S. LXXVIII) in einigen Einzelheiten an die lateinische Humanisten-komödie „Acolastus" (1529) von Gulielmus Fullonius[162]), die 1540 von John Palsgrave ins Englische übertragen worden war. Auch in „Acolastus" kommt schon ein Spass-macher (*„scurra"*) vor in der Gesellschaft des dem Misogonus entsprechenden Titelhelden. Die wichtigste Veränderung, die Richardes mit der Rolle dieses Spassmachers vornahm, besteht darin, dass er ihm auch zugleich die Verführerrolle des Vice übertrug, und ihn so mit der althergebrachten Moralitäten-Überlieferung verknüpfte. Cacurgus ist zu Anfang des Stückes eben Hausnarr des Philogonus ge-worden; als solcher trägt er die übliche Tracht, den (bunten) Narrenrock (I 1, 182), dessen Ärmel mit Schellen behängt sind (II 3, 99), die Narrenkappe (I 3, 36), und zeitweilig oder dauernd auch lange abstehende Ohren (I 2, 61 ff.). Philo-gonus nennt ihn gewöhnlich „*Will Summer*", nach dem Hofnarren Heinrichs VIII., dessen sprichwörtliche Berühmt-heit, wie Ward (I 144) vermutet, seinen Namen zeitweilig zu einem Gattungsnamen für die Hof- und Hausnarren überhaupt machte (auf ähnliche Weise wurde „Pandar" zur Allgemeinbezeichnung eines Kupplers). Wie sein Vor-bild Will Summer nimmt Cacurgus als Narr mit Vorliebe die Maske eines Einfaltspinsels vom Lande an. Als solcher spricht er in ländlicher Mundart; mitunter enthält seine mundartliche Rede komischen Unsinn (II 3, 83 ff.). Von den Wortverdrehungen, die Brandl (S. LXXXIII) aufzählt, ge-hören viele zur Rolle des Cacurgus. Zuweilen ahmt Cacurgus sogar die Sprache kleiner Kinder nach, die noch nicht alle Laute aussprechen (I 3, 21), oder er ge-berdet sich wie ein hilfloses kleines Kind (I 1, 203 ff.). Dass aber die Rolle eines Dummkopfs, in der er sich vor Philogonus zeigt, von ihm nur gespielt wird, nicht ihm

---

[162]) Brandl nennt als Namen des Verfassers „Gnaphäus".

natürlich ist, deutet er selbst an einer Stelle an (II 3, 79 ff.).
Wir haben also in Cacurgus einen Hausnarren vor uns,
der als solcher den Clown spielt, und sich von einem
echten Clown nur dadurch unterscheidet, dass seine passive
Komik beabsichtigt, die eines Clowns aber unfreiwillig ist.
Cacurgus stellt sich gerade aus Schlauheit dumm; diese
seine angebliche Dummheit verwendet er als ein Mittel
der Intrigue. Philogonus hält ihn nämlich deshalb für
völlig harmlos, und lässt ihn alles anhören, was er selbst
redet. So kommt der Narr oft in die Lage, von Mass-
regeln zu erfahren, die gegen seinen jungen Gebieter
Misogonus, den ungeratenen Sohn des Philogonus, ergriffen
werden sollen, und kann jenen rechtzeitig warnen. —
Zwischen dem einem berufsmässigen Spassmacher schon
recht nahe stehenden Vice der jüngeren Moralitäten und
Cacurgus besteht eigentlich nur ein formaler Unterschied:
er liegt darin, dass Cacurgus wirklich das Amt eines
Hausnarren innehat, während jener Vice zwar auch schon
die Komik eines solchen entfaltet, auch dessen Tracht
trägt, aber das Amt eines Narren noch nirgends bekleidet.
Als Hausnarr muss Cacurgus sich natürlich auch mitunter
Prügel gefallen lassen (II 2, 4 ff.). Im Gegensatz zur unfreiwilligen Komik dieser Prügel steht die absichtliche
passive Komik, die Cacurgus nicht nur vor Philogonus,
sondern hier und da auch sonst an den Tag legt; in
solchen Fällen dient seine vermeintliche Dummheit nicht
dem Zweck der Intrigue, sondern dem Selbstzweck der
Komik. Er vergleicht sich einmal mit Waltham's Kalb,
das nach einem alten Scherz, als es hungrig war, neun
Meilen weit gelaufen sein soll, um von einem Stier Milch
zu bekommen[161]). An einer andern Stelle versichert er,
nichts betrübe ihn so sehr wie die Länge seiner ab-
stehenden Ohren; Misogonus werde ihn für Bileam's Esel
halten[147]). Nach Art des Vice schwört Cacurgus selbst-
ironisch „by my hallidome" (I 3, 45). — Einige aktiv-komische

---

[161]) Vgl. Brandl S. 658.

Motive in der Rolle des Cacurgus haben wir schon beim
Vice als typische Bestandteile von dessen Spassmachertum
kennen gelernt: die direkte Anrede an das Publikum
(I 2, 53 ff. IV 3, 69 ff.); ferner die Parodie einer öffentlichen
Ausrufung, hier mit der direkten Anrede an das Publikum
verbunden. Cacurgus bietet sich nämlich am Schluss, als
Philogonus ihn fortgejagt hat, einem der Zuschauer als
Diener an, aber ohne Erfolg. Unter den Bestandteilen
der aktiven Komik des Cacurgus fehlen natürlich auch
nicht Zoten (III 1, 29 ff.) und Derbheiten (I 2, 11. III 2, 15).
— Die Verwandtschaft des Cacurgus mit dem Vice als
einem Intriganten offenbart sich nicht nur im betrügerischen
Zweck, den er mit seiner vor Philogonus erheuchelten
Dummheit verfolgt, sondern auch in vielen andern Zügen.
Er verführt Misogonus zu einem wüsten Lebenswandel,
hetzt ihn gegen Eupelas, den Freund seines Vaters, auf,
geleitet aber auch Philogonus an den Ort, wo sein Sohn
der Unzucht huldigt. Auch der lustigen Szene, worin
Cacurgus sich zwei Mägden gegenüber als egyptischer
Wunderdoktor aufspielt und ihnen die unglaublichsten
Lügen vorerzählt, liegt eigentlich eine Intrigue zu Grunde:
er will sie dadurch bewegen, ihre Zeugenaussagen über
den neuentdeckten Zwillingsbruder des Misogonus, den
tugendhaften Eugonus, zu Gunsten des ersteren zu ändern.
Er verordnet der einen der Mägde als Mittel gegen Zahn-
weh eine drollige Arznei, zu deren Bestandteilen u. a. zwei
Drachmen „Lechery“ und eine Unze Papsttum gehören.
Hier kommt eine antikatholische Satire zum Vorschein;
ebenso an einer anderen Stelle, wo Cacurgus behauptet,
er eigne sich sehr wohl zu einem Priester, da er die
Gebete so gut hermurmeln könne wie nur einer. Besonders wenn Cacurgus eben allein zurückbleibt, macht er
seiner boshaften Gesinnung in schlimmen Wünschen und
höhnischen Bemerkungen Luft (II 2, 110. 3, 10. 17. 27 ff.).
Der Buhlerin Melissa wünscht er den Segen des heiligen
Hahnrei; seine stärksten Pfeile richtet er aber gegen den
erbärmlichen Kaplan Sir John, der eine Satire auf die

katholische Geistlichkeit verkörpert. — Cacurgus ist nicht
nur ein Verführer zur Liederlichkeit, sondern auch selbst
kein Verächter der Weiber (vgl. I 2, 57 ff. 3, 24. 95). Am
Schluss bittet er, ihm Mädchen zu senden, er wolle sie
„das Nähen lehren".

Zu den Bibeldramen mit protestantischer Tendenz gehört das anonyme Stück Hest. Drei seiner Personen sind
allegorisch: „Pride", „Adulation" und „Ambition"; zu ihnen
tritt als Gestalt mit typischem Namen „Hardy-dardy".
Dieser Name deutet auf den thörichten Wagemut der
Dummheit hin in Fällen, wo die Klugheit zaudernd über-
legt. In seiner thatsächlichen Rolle findet sich freilich
kaum ein Zug, der jenen Namen rechtfertigt. Höchstens
käme seine Äusserung in Betracht, Narren seien zuweilen
bereit zu kämpfen, wo Weise davonlaufen; doch bezieht
sich dies auf die Narren überhaupt, nicht auf ihn im besonderen. „Hardy-dardy" tritt in den Dienst des ruch-
losen Haman. Obwohl er Spassmacher von Beruf ist,
legt er doch nur wenig Komik an den Tag. Von Cacurgus
unterscheidet er sich nicht nur durch das geringe Mass
seiner Komik, sowie überhaupt durch die Nebensächlichkeit
seiner Rolle, sondern vor allem auch dadurch, dass ihm
die Eigenschaften eines Intriganten gänzlich fehlen. Sonst
aber gleicht er jenem nicht nur im allgemeinen durch seine
Rolle als Hausnarr, sondern auch im einzelnen darin, dass
seine Thorheit gleichfalls nur erheuchelt ist. Dies geschieht
allerdings nicht, wie bei Cacurgus, zum Zweck der Intrigue,
sondern bloss zur Unterhaltung. Vorausgesetzt dass Misog.
älter ist als Hest., könnte „Hardy-dardy" als eine Art
Fortsetzung des Cacurgus gelten, als ein Cacurgus ohne
Intrigue. Obwohl „Hardy-dardy" dem Vice schon recht
fern steht, hängt er unter obiger Voraussetzung doch
wenigstens mittelbar mit diesem zusammen, wobei Cacurgus
das Zwischenglied bildet. Vielleicht knüpft „Hardy-dardy"
aber auch direkt an „Mirth" in Pride (vgl. S. 113 ff.) und den
Vice „Merry Report" in Weath. (vgl. S. 159 ff.), die harmlosen Spassmacher älterer Dramen, an. An J. Heywood

erinnert er auch sonst: er hat mit Haman ein Wortgefecht,
wobei er die Vorzüge der Narrheit, Haman die der Verständigkeit mit ganz ähnlichen Beweisgründen verteidigt,
wie John und James in J. Heywood's Folly. Bei dieser
Gelegenheit entwickelt „Hardy - dardy" Schlagfertigkeit
genug, um zu zeigen, dass er selbst nicht als Vertreter
der Narrheit, wofür er sich ausgiebt, angesehen werden
kann. Als Haman seinen Hausnarren ausforscht, was die
Leute über ihn sprächen, zeigt sich „Hardy-dardy", im
Widerspruch mit seinem Namen, sehr vorsichtig. Schliesslich endet Haman am Galgen; Assewerus [= Ahasverus]
betont, für Übelthäter sei Hängen die rechte Strafe, wo-
gegen „Hardy-dardy" einwendet, auch Heringe und Sprotten,
die doch keine Verräter seien, müssten hängen, nämlich
im Rauchfang — der einzige Witz im ganzen Stücke, den
„Hardy-dardy" sich zu Schulden kommen lässt.

Wie es nicht immer möglich ist, zwischen den Narren
und den Clowns im späteren Drama eine scharfe Grenze
zu ziehen, so verwirren sich auch zuweilen die Fäden,
die beide Typen mit dem Vice verbinden. Nur im allgemeinen lässt sich hier ein Unterschied dahin
bestimmen, dass die Narren mehr die aktive und
die absichtliche passive Komik des Vice, also
überhaupt dessen subjektive Komik übernehmen,
während seine unfreiwillige passive oder objektive
Komik eher auf die Clowns übergeht. Zur Zeit
J. Heywood's pflegte beim Vice durchaus die aktive Komik
vorzuherrschen. Daher ist es verfehlt, den Pantoffelhelden
John in Heywood's komischem Zwischenspiel Tyb als eine
im Übergang vom Vice zum Clown begriffene Gestalt aufzufassen, wie Wülker (S. 200) und Swoboda (S. 60) dies
thun. Die ausschliesslich unfreiwillige passive Komik jenes
vielgeplagten Ehemanns John macht es unmöglich, ihn
irgendwie mit den gleichzeitigen Vice-Gestalten zu verbinden. Später entwickelt der Vice ja freilich passive
Komik in reichlichem Masse; aber für die Gestalt des
Pantoffelhelden John kommt diese spätere Entwickelung

eines für das Wesen des Vice ursprünglich sekundären
Elements natürlich nicht in Betracht.

Wir haben aber schon in den jüngeren Moralitäten
Gestalten kennen gelernt, die mit grösserem Recht als
Mischformen zwischen Vice und Clown gelten kennen.
Hieher gehört „Simplicity“ (vgl. S. 153—157); ferner „Moros“,
der teils Vice, teils Clown in besonderer Spielart ist (vgl.
S. 142 ff.). Der Übergang des Vice zum Clown wird ausser-
halb der Moralitäten durch zwei Gestalten veranschaulicht:
durch Gunophilus in Lyly's Moon, und durch Piston in
Solim. Als ausschweifenden Wüstling bezeichnet den
Gunophilus schon sein Name [= Weiberfreund, latini-
siertes Griechisch]. Seine mannstolle Herrin Pandora hat
ihn zum Buhlen auserkoren. Er macht seinen Herrn
Stesias zum Hahnrei, und geht mit Pandora auf und davon.
In ihrem Auftrage stiehlt er die Juwelen des Stesias, und
auch als seine Herrin drei Schäfer an der Nase herum-
führt, indem sie jedem von ihnen einbildet, er besitze ihre
Liebe, ist Gunophilus ihr Helfershelfer. Während in allen
diesen Zügen seine Verwandtschaft mit dem Vice deutlich
ist, zeigt Gunophilus sich als Clown in den komischen
Bestandteilen seiner Rolle. Er fordert das Publikum auf,
sich nicht über die tiefen Rinnen in seinem Gesicht zu
wundern. Pandora's scharfe Nägel hätten sie gegraben.
Einige Kaufleute hätten schon diese Rinnen als Wein-
behälter mieten wollen; aber deren Lage so nahe seinem
Munde sei ihnen doch bedenklich erschienen, zumal da er
ein grosser Zecher sei. Indem Gunophilus so über die
Misshandlungen scherzt, die er von Pandora erfahren,
dient ihm wie auch den späteren Clowns ein Motiv der
unabsichtlichen passiven Komik zur Grundlage absichtlicher passiver Komik.

Noch deutlicher ist die Verbindung von Vice und Clown
zu einer einheitlichen Rolle bei Piston, dem Diener des
in die Heldin Perseda verliebten Erastus, in Solim. Die
Intrigantennatur des Vice kommt in Piston's Rat an Erastus
zum Vorschein, dieser solle falsche Würfel gebrauchen,

ferner in der Schlauheit, womit er sich dumm stellt, um einer Bestrafung zu entgehen, endlich darin, dass er eine Leiche beraubt. Hierzu bittet er die Leiche vorher um Erlaubnis; auf das Schweigen der Leiche hin beschönigt er den Diebstahl durch die Redensart: *„qui tacet, consentire videtur"*. Hier ist der Vice in ihm schon eher Hanswurst als Intrigant; ebenso in seinem Klangspiel (p. 234): *„if I be taken, ... then the case is alter'd; ay, and halter'd too"*, womit er auf den ihm drohenden Galgentod anspielt. Speziell einem Clown gleicht Piston als Spassmacher in seinen für die Clowns charakteristischen, hier wohl absichtlichen Wortverdrehungen (z. B. p. 209: *„o extempore, o flores"*, statt *„o tempora, o mores"*), in seinem Unsinnreden (p. 274), sowie überhaupt in seiner Rolle als lustiger Diener. Piston ist (nach p. 235) ein Leibeigener, und wird am Schluss vom türkischen Sultan Soliman getötet.

Gelegentlich berührt sich der Vice auch mit dem „Miles gloriosus", wie wir schon mehrfach beobachtet haben. Abgesehen von den verwandten Gestalten der Misterien, ist *Thersites* im gleichnamigen Zwischenspiel das älteste Beispiel eines „Miles gloriosus" im englischen Drama. Von allen prahlerischen Feiglingen steht Thersites dem Vice am nächsten. Sein Kampf gegen eine Schnecke wiederholt sich, nur mit noch gesteigerter Komik, bei „Ambidexter" in Camb.; sonstige Motive, die Thersites mit dem Vice gemein hat, sind: die direkte Anrede an das Publikum, unflätige Redensarten, und das Sprechen von komischem Unsinn. Aber über diese wenigen Berührungspunkte geht die Ähnlichkeit des Thersites mit dem Vice nicht hinaus; sie berechtigen uns noch nicht, jenen als Mischform von Vice und „Miles gloriosus" hinzustellen. Auch die frühe Abfassungszeit von Thers. macht es unmöglich, den vorwiegend passiv-komischen Titelhelden mit dem damals noch ausschliesslich aktiv-komischen Vice in nahen Zusammenhang zu bringen (vgl. S. 186 ff.).

Eine Mischform von Vice und Parasit stellt Matthew Merrygreek im ältesten englischen Lustspiel,

Udall's Roister dar. Als eine solche Mischform nimmt
Merrygreek eine eigenartige Stellung ein: den Narren
steht er ebenso fern wie den Clowns; am nächsten ist er
Jack Juggler verwandt (vgl. S. 164 ff.), nur dass dieser kein
Parasit, sondern, als Vice, bloss Intrigant ist. Merrygreek's Intrigue geht darauf aus, den Titelhelden, dessen
Begleiter er ist, möglichst oft in eine lächerliche Lage zu
bringen; mit erbarmungsloser Schadenfreude verhöhnt er
dann sein Opfer, ohne dass Roister in seiner Ricsen-
dummheit dies merkt. Durch absichtlich verkehrte Ratschläge, sowie durch Schmeicheleien gröbster Art macht
Merrygreek den Roister zum willenlosen Spielball seiner
Intriguen. Aber so sehr auch in Merrygreek der Intrigant
vorherrscht, so ist doch diese seine Intrigue nirgends auf
grössere Zwecke gerichtet. Er steht in der Mitte zwischen
einem durchaus bösartigen Intriganten und einem völlig
harmlosen Spassmacher. Auch dadurch wird die Bosheit
von Merrygreek's Intrigue gemildert, dass wir dem über
die Massen aufgeblasenen und eitlen Feigling Roister die
ihm zu teil werdenden Züchtigungen von Herzen gönnen.
So bedeutet Merrygreek's Verhältnis zu Roister einen
Fortschritt gegen das Verhältnis Jack Juggler's zu Jenkin
Careaway: Roister stellt, indem er durch seinen Charakter
die schlimmen Streiche, die ihm von Merrygreek gespielt
werden, geradezu herausfordert, ein viel passenderes
Objekt für solche Streiche dar, als der freilich gleichfalls
feige und einfältige, aber im ganzen doch recht farblos
gehaltene Jenkin, der ganz ohne eigene Schuld in die
Klemme gerät. Merrygreek's Komik ist natürlich durchaus von aktiver Art, und steht zu Roisters rein passiver
Komik in wirkungsvollem Gegensatz. Auch Merrygreek's
Verhältnis zu Roister lässt sich also mit dem Verhältnis
des Vice zum Teufel vergleichen, einem Verhältnis, das,
wie in Juggl., hier auf konkrete Personen übertragen wird.
— Seine geistige Überlegenheit über Roister benutzt Merrygreek aber auch, um, nach Art eines antiken Parasiten,
Roister materiell auszubeuten. In Merrygreek vereinigen

sich also altenglische Überlieferungen mit den Einflüssen
der altklassischen Komödie, die freilich schon in Juggl.
hervortraten. Wie Roister dem Pyrgopolinices, dem Titelhelden in Plautus' Komödie „Miles gloriosus", nebenbei
auch dem Thraso in Terenz' „Eunuchus" entspricht, so
verschmelzen in Merrygreek's Parasitentum zwei Gestalten
der genannten Komödie des Plautus, der Parasit Arto-
trogus und der gleichfalls schmarotzende Sklave Palaestrio,
mit dem Parasiten Gnatho bei Terenz[164]). — Beispiel einer
Mischung von Vice und Parasit in einem späteren Stück
ist „Common Conditions" (vgl. S. 176 ff.); doch tritt der Parasit
in ihm weit weniger hervor als in Merrygreek.

In der Still zugeschriebenen Posse Gurt. spielt Diccon
eine ähnliche Rolle wie Merrygreek in Roist., nur ist er
kein Parasit, sondern bloss ein possenhafter Intrigant.
Ohne vom antiken Lustspiel beeinflusst zu werden, knüpft
das Stück allein an die einheimische Überlieferung an.
Die nahe Verwandtschaft Diccon's mit dem Vice liegt auf
der Hand. Diccon ist weiter nichts als ein indivi-
dualisierter Vice. Sein Hauptstreben geht darauf aus,
die Leute durch Verleumdungen und Zwischenträgereien
gegen einander aufzuhetzen, und ihnen, wo es nur irgend
möglich ist, einen Schabernack zu spielen. Mit besonderer
Vorliebe nimmt er den Knecht der Gevatterin Gurton,
den lümmelhaften Hodge[155]) auf's Korn. Sein Verhältnis
zu diesem entspricht also dem des Vice zum Teufel, Merrygreek's zu Roister (vgl. S. 189), Jack Juggler's zu Jenkin
Careaway (vgl. S. 164 ff.). Zuletzt wird der Halunke zwar
entlarvt, aber die Possenhaftigkeit des ganzen Stückes erstreckt sich auch auf die „Strafen", die ihm zuerkannt
werden. Diccon soll bei Hodge's Lederhosen schwören,
nie selbst die Börse hervorzuziehen, wenn der Pfarrer für

---

[164]) Vgl. Rich. Faust, Das erste englische Lustspiel in seiner
Abhängigkeit vom Moral-Play und der römischen Komödie. Progr.
Dresden 1889. Die ebenfalls Roist. behandelnden Schulprogramme
von Fr. Möller (Altona 1890) und Ottom. Habersang (Bückeburg 1893)
bieten gar nichts Neues.

alle bezahlen wolle; wenn „Dame Chat" sich weigere,
Geld von ihm anzunehmen, es ihr nie zum zweiten Mal
anzubieten; wenn er auf fremde Kosten trinken könne, es
nie zu versäumen; endlich Hodge nie für einen feinen
Herrn zu halten. Selten tritt der Selbstzweck der Komik
so deutlich hervor wie hier. Diccon ist eine Gestalt aus
einem Guss; in der Possenhaftigkeit seiner Intrigue verbinden sich die zwei beim Vice leicht auseinanderfallenden
Elemente, boshafte Intrigue und harmloser Spass, zur
Einheit.

Im Vorwort zum Neudruck der Komödie Look von
Wadeson bringt Hazlitt die Gestalt des *Skink* mit dem
Vice in Zusammenhang. Skink gehört zum Typus der
komischen Spitzbuben; durch die zahlreichen Verkleidungen,
durch die er immer wieder das ihm drohende Verhängnis
abzuwenden weiss, lässt er sich allerdings speziell mit dem
Vice „Idleness" in Wisd. (vgl. S. 150) vergleichen. Aber
dies naheliegende Motiv kommt auch sonst oft vor, ohne
dass wir jedesmal an eine Entlehnung zu denken brauchen.
Wäre Skink vom Vice abzuleiten, so müssten wir überhaupt die meisten oder alle komischen Spitzbuben, an
ihrer Spitze Autolycus in Shakespeare's Wint., auf den
Vice zurückführen. Zuweilen sind uns aber schon in solchen
Stücken, die einen Vice enthalten, neben diesem Vice einer
oder mehrere komische Spitzbuben begegnet, ein Beweis,
dass sie durchaus nicht mit dem Vice zusammenfallen,
sondern eine Sonderstellung ihm gegenüber einnehmen.

Mit grösserem Recht behauptet W. Dibelius in der
Vorrede zu seiner Ausgabe von Wilson's Cobbl. einen
Zusammenhang zwischen der Rolle „Contempt's" im genannten Stück und dem Vice. „Contempt" erinnert an
den Vice nicht nur als allegorischer Verführer, sondern
auch durch das dem Vice, freilich auch den Vertretern
der einzelnen Laster eigentümliche Motiv, dass er, um
seine Opfer leichter täuschen zu können, sich einen falschen,
harmlos klingenden Namen beilegt, nämlich *„Content"*.
„Contempt" ist zwar weiter nichts als ein Verführer, ohne

irgendwelche komischen Züge an sich zu tragen; aber es
giebt auch vereinzelte Vice-Gestalten, die nicht komisch
gehalten sind, z. B. „Iniquity" in Nice (vgl. S. 163),
„Desire" in Tiler (vgl. S. 175). Das Stück enthält ausser
„Contempt" noch sechs andere allegorische Gestalten.
Wenn Wilson auch als Verfasser der beiden Moralitäten
Lad. (vgl. S. 153 ff.) und Lords (vgl. S. 155 ff.) anzusehen
ist, die beide älter sind als Cobbl., so muss ihm die Ein-
fügung solcher allegorischer Gestalten in ein eigentliches
Drama besonders nahe gelegen haben.

„Contempt" ist das Beispiel einer nichtkomischen
Gestalt, die mit dem Vice in Verbindung steht. Vielleicht
ist auch der Typus des Bösewichts im grossen Stil, der
gleichsam als negativer Held oder Gegenpol des edlen
Heldentums gelten könnte, mit dem Vice in geschichtlichen
Zusammenhang zu bringen. Ein solcher Bösewicht steht
der Urform nicht nur des Vice, sondern auch des Teufels
nahe, während deren jüngere Formen, wo die Komik so
stark hervortritt, für den Bösewicht nicht in Betracht
kommen. Dieser knüpft bloss an die dämonische Seite
ihres Wesens an. So führt eine einheitliche Entwickelung
direkt vom älteren Teufel und Vice über Kyd's Lorenzo
und Marlowe's Barabas bis zu Shakespeare's Aaron,
Richard III., Edmund und Jago. Richard III. ist sich
seiner Verwandtschaft mit dem Vice auch selbst bewusst,
wie die bekannte Stelle (III 1, 82 ff.) bezeugt, worin er sich
selbst in beiseite gesprochenen Worten wegen der Zweideutigkeit seiner Rede mit dem Vice vergleicht. Eine
besondere Art von grimmigem Humor entfalten freilich
auch die andern Bösewichter Shakespeare's, ja auch
Barabas: der ihnen allen eigene Cynismus und schneidende
Hohn bildet einen speziellen Vergleichungspunkt mit dem
alten Vice.

Indem der Cynismus und die frivolen Derbheiten des
Vice von seinen übrigen Eigenschaften losgelöst, und aus
der Peripherie in den Mittelpunkt des Charakters gerückt
werden, entsteht ein neuer vom Vice ausgehender Typus,

der des Cynikers. Von den hierher gehörigen Gestalten steht der Apotheker in P.'s (vgl. S. 79 ff.) dem Vice noch am nächsten. Er ist ein grosser Skeptiker, der sich nicht leicht imponieren lässt, zugleich aber und vor allem ein unverbesserlicher Spötter. Insbesondere die marktschreierischen Anpreisungen unmöglicher Reliquien durch den schwindelhaften Ablasskrämer begleitet er mit seinen cynischen Bemerkungen. Er hat sehr frivole Ansichten über die Frauen, ergeht sich mit besonderem Behagen in den unflätigsten Derbheiten, und trägt beim Erzählen seiner komischen Lügengeschichte die Farben so ungeheuer dick auf, dass er gerade in seinem Bestreben, als grösster Lügner den Preis zu bekommen, durch die Plumpheit seiner Lüge am ehesten scheitert. Auch dieser Apotheker, der übrigens mit der Gestalt des „Hickscorner" (vgl. S. 122) verwandt ist, eröffnet eine lange Reihe von gleichartigen Gestalten. Wir gelangen von ihm aus, um nur einige verfeinerte Hauptvertreter dieses Typus der Cyniker zu nennen. zu Shakespeare's Menenius Agrippa und Apemantus, u. s. w.

C. Allgemeine Bemerkungen über den Vice und seine Entwickelung.

Die Entwickelung des Vice geht der des Teufels ganz parallel. Nur bemerken wir, dass der Vice schon gleich von vornherein reichlicher mit komischen Zügen ausgestattet erscheint als der Teufel, dessen Komik innerhalb der Misterien ja fast nur in seiner grotesken äusseren Erscheinung zur Geltung kommt. Zum Teil liegt der Grund für dies verhältnismässig frühere Hervortreten der Komik beim Vice gewiss darin, dass die ältesten Fälle seines Vorkommens in den Moralitäten nicht die Anfänge seiner Entwickelung überhaupt darstellen, dass diese Anfänge vielmehr in noch früheren, jetzt verlorenen Moralitäten zu vermuten sind. Freilich dürfen wir ja auch die vier grossen Misteriensammlungen nicht der ursprünglichen

Gestalt der Misterien gleichsetzen; aber die vor jene
Misteriensammlungen fallende Entwickelung des Teufels
erstreckte sich im wesentlichen doch nur auf eine Um-
wandlung seiner äusseren Erscheinung, oder vielmehr des
Eindrucks, den diese Erscheinung auf die Zuschauer machte,
aus anfänglicher Furchtbarkeit in groteske Komik. Der
Komik des Vice dagegen kam schon von vornherein sein
dämonischer Ursprung aus dem Teufel zu gute, dessen
Komik zur Zeit der Entstehung des Vice schon eine längere
Entwickelung hinter sich hatte.

Ein wichtiger Grund für die frühzeitige Stärke der
Komik des Vice liegt aber auch in der Eigenart der
Moralitäten. So reich auch schon die Misterien an
komischen Zügen sind, so werden diese Züge doch meist
nur episodisch eingestreut. Die Heiligkeit der Handlung
wirkte schon damals, freilich lange nicht so, wie sie heute
wirken würde, hemmend auf die Entwickelung von Komik
in den Misterien; andere für diese Komik ungünstige Umstände liegen darin, dass der Stoff der Misterien schon
fertig gegeben vorlag, und somit für die Bethätigung
dichterischer Phantasie nur wenig Spielraum übrig blieb
(vgl. S. 89 ff.). Anders in den Moralitäten; hier war die Erfindungsgabe des Dichters weniger an den Stoff gebunden,
und so sehr auch langweilige Trockenheit zum Wesen der
Allegorie überhaupt gehört, ein Keim zur Komik steckt
eigentlich schon im Prinzip jener Dramengattung. Die
Moralitäten wollen das Übersinnliche dramatisch versinn-
lichen; wie wir aber schon mehrfach (vgl. S. 139. 147) gesehen
haben, kann ein an sich durchaus ernster abstrakter
Gedanke leicht schon dadurch eine komische
Färbung erhalten, dass er zu einem konkreten
Vorgang gestaltet wird. Auf diese Weise mögen sich
schon in den ältesten Moralitäten recht oft komische
Situationen ganz von selbst ergeben haben. Die so entstandene Komik knüpft sich naturgemäss am ehesten an
die Laster, vor allem an den Vice als den Vertreter des
Lasters im allgemeinen. Als aber einmal das Komische

in den Moralitäten eine Heimstätte gefunden hatte, ging seine Weiterentwickelung in ganz ähnlicher Weise vor sich wie beim Teufel in den Misterien: nachdem man die Wirkung solcher, ursprünglich unabsichtlich entstandener komischer Züge auf die Lachmuskeln der Zuschauer kennen gelernt hatte, begann man, um das Publikum zu unterhalten, diese Komik auch willkürlich an solchen Stellen anzubringen, wo der allegorische Vorgang an sich keinen Anlass dazu bot. So gestaltete sich das Komische in den Moralitäten zu einem selbständigen Element; von seiner selbständigen Verwendung führte die fortschreitende Entwickelung bald auch zu seiner absichtlichen Steigerung. Allmählich wurde die Komik immer mehr aus einer anfänglichen blossen Begleiterscheinung des Allegorischen zum Selbstzweck, und ihr Hauptträger, der Vice, näherte sich dadurch mehr und mehr einer lustigen Person.

Noch häufiger als durch Versinnlichung eines abstrakten Gedankens entsteht die Komik des Vice durch die in der Seele des Menschen wurzelnde Neigung, das Schlechte als komisch hinzustellen (vgl. S. 53). Da die aus solchem Anlass entstandene Komik leicht die Form des Lächerlichen annimmt, beförderte jene Neigung besonders die passive Komik des Vice.

Endlich kommt die Komik des Vice auch durch den Übergang dieser Gestalt vom Intriganten zum Spassmacher zustande. Durch diese Entwickelung wird vor allem die aktive Komik des Vice veranlasst (vgl. S. 20).

Stets kleidet sich der Vice in irgend eine Einzelform des Lasters. Als Vice schlechthin wird er erst im späteren Drama zuweilen vorgeführt[165]), wo die Erinnerung an sein ursprüngliches Wesen schon verblasst war, nie in den älteren Stücken[166]). Dass der Vice als Vertreter eines

---

[165]) Z. B. in Histr., wo der Vice und „Iniquity" zwei verschiedene Gestalten sind (vgl. S. 87). „Vice" in Fort. gehört nicht hieher (vgl. S. 99 und Anm. 106).

[166]) Auch der von Nash angeführte Vice im oben erwähnten Bruchstück (vgl. S. 158) wird gewiss den besonderen Namen irgend

13*

bestimmten einzelnen Lasters auftritt, widerspricht nicht
seiner Bestimmung, Verkörperung des bösen Prinzips im
allgemeinen zu sein. Diese Allgemeinheit seiner Rolle
nimmt in jenen Einzelformen des Bösen nur eine konkretere
Gestalt an, ohne dass dadurch der Vice den übrigen Verkörperungen der verschiedenen einzelnen Laster im betreffenden Stück gleichgestellt würde. Auch indem der
Vice ein einzelnes Laster darstellt, ragt er immer weit
über seine Genossen hervor, und beweist dadurch seine
allgemeinere Bedeutung.

Eine übersichtliche Zusammenstellung und Gruppierung
der verschiedenen Vice-Gestalten nach ihren Einzelformen
zeigt die Mannigfaltigkeit und Vielseitigkeit des Vice sehr
deutlich. Dem ursprünglichen Vice als dem Vertreter des
Lasters im allgemeinen steht der Vice als „Iniquity"
am nächsten; das älteste Beispiel seines Auftretens in
dieser Rolle bietet Nice (S. 163 ff.); ferner treffen wir einen
Vice dieses Namens in Dar. (S. 135 ff.); dann als selbständige vom eigentlichen Vice losgelöste Gestalt neben
diesem in Histr. (S. 87); endlich als „Old Iniquity" in Dev.
(S. 87. 100). In Shakespeare's Blütezeit war „Iniquity"
schon nicht mehr bloss spezieller Name des Vice in bestimmten einzelnen Stücken, sondern Allgemeinbezeichnung
für diese Gestalt; „Vice" und „Iniquity" waren gleichbedeutend geworden[167]). Daraus ist zu schliessen, dass
„Iniquity" nicht nur in obigen Fällen, sondern auch in
vielen andern, jetzt verlorenen Stücken, von denen uns
nicht einmal die Titel erhalten sind, den Vice dargestellt
haben muss. Mit dem Begriff des Lasters im allgemeinen
berühren sich sonst noch am meisten „Sin" in Mon.
(S. 83 ff. 147 ff.), „Mischief" sowie der Untervice „Nought"
in Mank. (S. 74 ff. 116 ff.), endlich „Injury" in Alb. (S. 140).

Zu den ältesten Vice-Gestalten, die in Form eines
einzelnen Lasters auftreten, gehört „Sensuality" in Nat.

---

e'nes einzelnen Lasters getragen haben, de · uns nur nicht mehr
überliefert ist.

[167]) Vgl. Alex. Schmidt unter „Iniquity".

(S. 119 ff.), dessen Namensverwandtschaft mit „Sensual
Appetite" in Elem. (S. 121 ff.) nicht, wie sonst in den meisten
Fällen einer Übereinstimmung oder Ähnlichkeit von Vice-
Namen, zufällig ist, sondern sich durch eine direkte Ein-
wirkung des älteren Stückes auf das jüngere erklärt.
Andere Vertreter der Sinnlichkeit sind „Wantonness"
in Sat. (S. 124 ff.), „Desire" in Tiler (S. 175), und wohl auch
„Inclination" in Treas. (S. 137 ff.), sowie in der Einlage
von More (S. 157 ff.).

Einen breiten Raum nehmen unter den Vice-Gestalten
die Verkörperungen solcher Laster ein, die sich auf die
Religion beziehen. Die gewaltige, das Leben der Völker
in seinen Grundfesten erschütternde Bedeutung religiöser
Fragen für jene Zeit wird uns dadurch veranschaulicht.
Solche Vice-Gestalten dienen natürlich am ehesten als
Waffen im Streit der Parteien. Es ist übrigens charakteristisch, dass in den Stücken mit protestantischer Tendenz
mehr das religiöse, in den gegen die Reformation gerich-
teten Stücken mehr das politische Moment in den Vorder-
grund gestellt wird. Am häufigsten ist unter den die
Kehrseite religiöser Tugenden darstellenden Vice-Gestalten
der Name „Hypocrisy". Ein Vice dieses Namens begegnet uns schon in vorreformatorischer Zeit vielleicht in
Find. (S. 122); ferner gehören hieher die Vice-Gestalten in
Juv. (S. 130) und Confl. (S. 84. 152), beide durch Bale's
Laws beeinflusst und Träger einer auf Rom gemünzten
Satire. Ein verwandter Vice-Name ist „Infidelity" in
Laws (S. 126 ff.) und L. Wager's Magd. (S. 81. 140 ff.); auch
diese beiden Stücke treffen in ihrer antikatholischen Tendenz
nicht zufällig zusammen, sondern Wager hat Bale direkt
nachgeabmt, woraus auch die Gleichnamigkeit beider Vice-
Gestalten herzuleiten ist.

Den einzigen Fall eines Vice-Namens mit politischer
Tendenz in einem protestantischen Drama stellt „Sedition"
in John A (S. 128 ff.) dar. An diesen Namen erinnert
„Riot" in der katholischen Moralität „Youth" (S. 133 ff.);
mehr abseits steht „Avarice" im ebenfalls katholischen

Stück Resp. (S. 130 ff.), der zwar zunächst nur die Sünden gegen das siebente Gebot verkörpert, aber doch indirekt auch mit religiös-politischen Verhältnissen sehr nahe zusammenhängt, indem er dazu dienen soll, der Reformation den Beweggrund der Habsucht unterzuschieben. Vielleicht ist auch in der Gestalt gleichen Namens in Someb. (S. 134), worin umgekehrt eine antikatholische Tendenz hervortritt, der Vice zu erblicken.

Mehr vereinzelt stehen die Verkörperungen anderer Laster da, so „Idleness" in Wisd. (S. 149 ff.), „Detractio" oder „Backbiter" in Pers. (S. 115); vielleicht darf auch „Envy" in Imp. (S. 134) als Vice gelten.

Dem ursprünglichen Wesen des Vice ferner steht der gerechte „Courage" – „Revenge" in Hor. (S. 169 ff.), während der jüngere „Courage" in Tide (S. 145 ff.) als Vertreter des Muts zur bösen That dem Urtypus näher verwandt ist.

Auf die Ausschreitungen der Mode spielen an die Namen des Untervice „Newguise" in Mank. (S. 74 ff. 117 ff.) und des eigentlichen Vice „Nichol Newfangle" in Like (S. 81 ff. 173 ff.); letzterer Name erscheint allerdings ganz willkürlich gewählt, da die thatsächliche Rolle „Newfangle's" mit einem speziellen Vertreter der Modethorheit nichts gemein hat. Eine Beziehung auf die modischen Zeitverhältnisse enthält auch der Name des Untervice „Now-a-days" in Mank. (S. 74 ff. 117 ff.).

Die Intrigantennatur des Vice wird ausgedrückt durch die Namen „Ambidexter" in Camb. (S. 166 ff.) und „Subtle Shift" in Clyom. (S. 179 ff). Den blossen Zufall in seinen bösen Folgen bezeichnet „Haphazard" in App. A (S. 168 ff.); als harmloserer neckischer Kobold erscheint der Zufall in der Gestalt von „Common Conditions" (S. 175 ff.), dessen Name sich allerdings nicht auf den allegorischen Kern seines Wesens, sondern nur auf seine äussere Stellung im Drama, sein Verhältnis zu dessen Hauptpersonen bezieht.

Sehr weit entfernen sich schon von einem Vertreter
des Lasters die Vice-Gestalten, welche die Dummheit verkörpern: „Moros" in Long. (S. 142 ff.) vereinigt zwar
noch in sich die Bosheit des ursprünglichen Vice und
eine durch Trägheit selbstverschuldete Dummheit; aber
„Simplicity" in Lad. (S. 153 ff.) und Lords (S. 155 ff.)
ist eine blosse Verkörperung der harmlosen Einfalt.

Bei andern Vice-Gestalten drückt der Name weiter
nichts als ihr Spassmachertum aus. Am meisten gleicht
noch von diesen einem Intriganten „Jack Juggler"
(S. 164 ff.). Auch „Solace" und „Placebo" in Sat.
(S. 125. 126) sind zugleich Intriganten und Spassmacher;
aus dem Namen „Placebo" ist freilich eine Beziehung auf
die thatsächliche Rolle dieser Gestalt nicht herauszulesen.
Am ehesten ist blosser Spassmacher „Merry Report" in
Weath. (S. 159 ff.).

Von ganz spezieller Art ist der Vice-Name „Neither
Lover nor Loved" in Love (S. 162 ff.)

In Mank. (S. 74 ff. 117 ff.) sind dem eigentlichen Vice
„Mischief" drei Vice-Gestalten niederen Ranges, „Newguise", „Nought" und „Now-a-days" beigegeben, die
unter sich, wie schon durch ihre allitterierenden Namen
angedeutet wird, eine einheitliche Gruppe bilden[168]). Eine
solche Gruppierung kehrt auch in vielen jüngeren Dramen
wieder; nur entfernen sich später die drei Gestalten immer
mehr von ihrem ursprünglichen Vice-Charakter. Deutlicher tritt dieser noch in den eigentlichen Moralitäten und
den durch ihren vorwiegend allegorischen Inhalt diesen
nahestehenden Dramen hervor. So in Resp. (S. 130 ff.), wo
dem Vice „Avarice" die drei „gallants" „Adulation",
„Insolence" und „Oppression" zur Seite stehen; auch
diese Namen allitterieren, freilich nicht im strengen Sinne

---

[168]) Allitteration, Reim und verwandte Kunstmittel dienen auch
sonst zur Bezeichnung einheitlicher Gruppen. In Lords (S. 155 ff.)
werden z. B. die drei Lords „Policy", „Pomp" und „Pleasure" von
drei Pagen „Wit", „Wealth", „Will" begleitet. In Roist. (S. 189 ff.)
heissen zwei Mägde „Tibet Talkapace" und „Annot Alyface".

des Wortes, und vielleicht auch nur zufällig. In Tide
(S. 145 ff.) finden wir neben dem Vice „*Courage*" das Kleeblatt
„Hurting-Help", „Painted-Profit" und „Feigned-
Furtherance", bei denen nicht die drei Namen unter
einander, sondern die beiden Bestandteile eines jeden
Namens unter sich allitterieren. In Confl. (S. 152) bilden
„Tyranny", „Avarice" und „Sensual Suggestion"
die Umgebung des Vice „*Hypocrisy*". In Magd. B. (S. 140 ff.)
steht dem Vice „*Infidelity*" die Gruppe „Pride of Life"
— „Cupidity" — „Carnal Concupiscence" gegenüber.

Im eigentlichen Drama wird die unbequeme Gleichartigkeit des Vice und seiner drei Spiessgesellen. die auch
in den zuletzt genannten Stücken, wenn auch weniger als
in Mank., noch bemerkbar ist, beseitigt; die drei Unter-
vices werden zu komischen Spitzbuben, in deren Gaunertum wir eine Spur ihrer ursprünglichen Vice-Natur entdecken. Ihre Zusammengehörigkeit unter einander wird
zuweilen durch den Reim hervorgehoben, so bei Huff,
Ruff und Snuff gegenüber dem Vice „*Ambidexter*" in
Camb. (S. 166 ff.), bei Drift, Shift und Thrift gegenüber
dem Vice „*Common Conditions*" (S. 177).

Obige Gruppierung wird nun auf zwei verschiedene
Arten variiert: 1) durch Änderung des Zahlenverhält-
nisses 1 : 3. Statt der ursprünglichen drei finden sich nur
zwei Spitzbuben, deren Namen auf einander reimen, Snatch
und Catch, in Wisd. (S. 151 ff.) neben dem Vice „*Idleness*";
oder vier Spitzbuben, Tom Tosspot, Ralph Roister.
Pierce Pickpurse. Cuthbert Cutpurse neben dem
Vice „*Nichol Newfangle*" in Like (S. 173 ff.). Hier alliteriert
der Vornamen jedes einzelnen mit seinem Beinamen (vgl.
oben Tide); ausserdem sind je zwei und zwei, Tosspot und
Roister, Pickpurse und Cutpurse, zusammen gruppiert, und
endlich weisen wenigstens Pickpurse und Cutpurse einen
Gleichklang der Namen auf. Unter den Moralitäten besitzen Lad. (S. 153 ff.) und Lords (S. 155 ff.) die entsprechende
Vierzahl in „Dissimulation", „Fraud", „Simony" und
„Usury" gegenüber dem Vice „*Simplicity*". Im allego-

rischen Teil von Dar. (S. 135 ff.) kommt eine Zweizahl
(„Importunity" und „Partiality" neben dem Vice
„Iniquity") dadurch zustande, dass diese Helfershelfer des
Vice mit ihm zusammen eine Gruppe bilden, und ihre
Dreiheit den drei Tugenden entgegengesetzt wird. In
Long. (S. 143 ff.) wird die Dreizahl verdoppelt: zuerst
bilden „Wrath", „Idleness" und „Incontinency", dann
„Impiety", „Cruelty" und „Ignorance" das Gefolge
des Vice „Moros", denen in unvollkommener Symmetrie
nur eine einfache Dreizahl von Tugenden gegenübersteht.
— 2) Durch Verwandlung der allegorischen oder wirklichen Spitzbuben in blosse Clowns; natürlich kann damit
auch eine Änderung der Dreizahl verbunden sein. Da die
drei Spitzbuben oft die Zielscheiben der aktiven Komik
des Vice abgaben, und durch ihre passive Komik bei
solchen Gelegenheiten einen clownartigen Anstrich erhielten, lag obige Verwandlung von vornherein nahe. In
App. A (S. 168) sind „Mansipulus", „Mansipula" und
„Subservus" blosse Clowns neben dem Vice „Haphazard";
hier entsteht auch noch eine neue Variation dadurch, dass
innerhalb der Clownsgruppe Subservus, wie schon sein
Name sagt, den beiden andern untergeordnet ist. Nur mit
zwei Clowns, „Hodge" und „Rusticus", befasst sich der
Vice „Courage" in Hor. (S. 171 ff.). In Camb. (S. 166 ff.) treffen
wir nicht nur die drei oben genannten Spitzbuben Huff,
Ruff und Snuff, sondern an einer andern Stelle auch zwei
Tölpel, Hob und Lob, in der Gesellschaft des Vice.

Von viel geringerer Bedeutung als die Dreizahl ist
die Siebenzahl, der die Anzahl der Todsünden zu Grunde
liegt. Meist befinden sich diese Todsünden im Gefolge
des Teufels, nicht des Vice, gehören also nicht in diesen
Abschnitt. Das einzige Beispiel einer durch das Vorbild
der Todsünden veranlassten Sechszahl in der Umgebung
des Vice bietet Laws. (S. 126 ff.), wo der Vice „Infidelity"
den Vater der sechs „vices" „Idolatry", „Sodomy",
„Ambition", „Covetousness", „False Doctrine" und
„Hypocrisy" darstellt.

Überblicken wir die Gesamtentwickelung des Vice, so
ist das allmähliche Fortschreiten dieser Gestalt von einer
Versinnlichung des Lasters bis zum reinen Spassmachertum unverkennbar. Doch verläuft diese Entwickelung
keineswegs gleichmässig; zahlreiche Schwankungen kommen
vor, und oft kehrt ein jüngerer Vice zu einer älteren Form
zurück, die in den dazwischen liegenden Mittelgliedern
schon aufgegeben worden war. Solche Schwankungen
haben nichts Auffallendes an sich; wir dürfen uns jene
Entwickelung natürlich nicht als eine rein mechanische
denken. Neben dem vorwärts drängenden Entwickelungs-
prinzip machen sich auch andere, sehr verschiedenartige,
die Entwickelung unter Umständen hemmende Faktoren
geltend: so besonders die Individualität des einzelnen
Dichters, der vielleicht nur geringe oder gar keine Beanlagung zur Komik besitzt; auch eine dem einzelnen
Stück aufgeprägte, aufdringliche Tendenz kann die Entwickelung des Reinkomischen hindern, wie wir dies besonders bei manchen im protestantischen Sinne geschriebenen Stücken bemerkt haben[169]); oder es liegt ein absichtliches Archaisieren, und damit eine Rückkehr zu den
ursprünglicheren, weniger komischen Formen des Vice
vor, u. s. w.

Die einzelnen Motive, worin die Charaktereigenschaften
des Vice sich bethätigen, und aus denen sich das Gesamt-
bild des Vice-Typus zusammensetzt, sind, wie wir schon
im speziellen Teil gesehen, überaus mannigfaltig. Die
Doppelnatur des Vice giebt uns einen Einteilungsgrund für
obige Motive an die Hand: wir unterscheiden Intriguen-

---

[169]) In den beiden Dramen mit katholischer, gegen die Reformation
gerichteter Tendenz, Resp. (S. 130 ff.) und Youth (S. 133 ff.), herrscht,
im Gegensatz zu den meisten protestantischen Stücken, lebhafte und
wirksame Komik vor; doch als die einzigen erhaltenen Vertreter
ihrer Gattung sind sie keine genügende Grundlage für ein Urteil
über den Gesamtcharakter der katholischen Tendenzdramen, wenn
auch diese wegen der wenigen Regierungsjahre der Königin Maria,
die ja hier hauptsächlich in Betracht kommen, überhaupt nicht sehr
zahlreich gewesen sein können.

motive und komische Motive; eine feste Grenze zwischen
beiden lässt sich freilich ebenso wenig ziehen, wie zwischen
Intrigue und aktiver Komik überhaupt. Beide Arten von
Einzelmotiven sind zum grossen Teil traditionell; doch
spielt die Tradition bei den komischen Motiven eine noch
bedeutend wichtigere Rolle als bei den Intriguenmotiven.
Auch wo für eine einzelne Vice-Gestalt sich eine bestimmte
Quelle nachweisen lässt, pflegt sich der direkte Einfluss
des Vorbildes auf das Intrigantentum des betreffenden Vice
zu beschränken; seine Komik wird gewöhnlich davon durchaus nicht berührt, sondern, wenn sie nicht etwa neu erfunden ist, aus einem Vorrat geschöpft, der, wie alle
traditionellen Motive, Gemeingut des ganzen Typus ist.
Es ist natürlich, dass jene Komik mit dem wirklichen
Leben, auf das im letzten Grunde die meisten hieher gehörigen traditionellen Motive zurückgehen, viel enger zusammenhängt, als die nichtkomische Intrigue, als überhaupt
die ernste Seite der betreffenden Stücke mit ihrem wirk-
lichkeitsfremden, ausgeklügelten Allegorienkram. Es wäre
unangebracht, sich bei einer Übersicht über die einzelnen
komischen Motive, die dem Vice-Typus eigen sind, auf
Quellenuntersuchungen einzulassen. Das Einzige, was sich
feststellen lässt, und dessen Feststellung unter Umständen
auch Wert hat, ist das erstmalige Vorkommen eines bestimmten komischen Motivs, womit aber durchaus nicht
gesagt ist, dass der betreffende Fall die Quelle für die
folgenden Fälle von ähnlicher Art darstellt. Eine derartige
Feststellung ist also höchstens für chronologische Zwecke
von Nutzen. — Sobald die Komik zum Selbstzweck wird,
entfernt sie sich freilich wieder leicht vom wirklichen
Leben (vgl. S. 10).

In der nun folgenden Übersicht der einzelnen
Motive, durch die der Vice in seiner eigentümlichen
Doppelnatur gekennzeichnet wird, habe ich Vollständigkeit
weder angestrebt, noch erscheint sie notwendig; es sollen
nur traditionelle Motive besprochen werden, und auch von
diesen nur die wichtigeren.

Die aus einer allegorischen Verkörperung des Lasters hervorgehende Komik ist zunächst natürlich von vorwiegend aktiver Art. Die aktive Komik des Vice entsteht durch eine Auflösung der dieser Gestalt ursprünglich angemessenen Intrigue ins Reinkomische (vgl. S. 20), indem diese Intrigue auf kleinere und immer kleinere Zwecke gerichtet wird, bis schliesslich kein höherer Zweck mehr übrig bleibt, als der der augenblicklichen Belustigung. Wir können diesen Prozess an manchen Motiven verfolgen.

Betrachten wir zunächst das Hetzen des Vice. In den meisten Moralitäten, insbesondere in allen älteren, sucht der Vice den Helden gegen die Tugenden aufzubringen. Im eigentlichen Drama kommt es nicht mehr darauf an, gegen wen er hetzt; er benutzt überhaupt jede Gelegenheit, durch Verleumdung Unheil zu stiften („*Ambidexter*" z. B. veranlasst durch seine lügnerischen Einflüsterungen den König Cambyses, seinen Bruder Smerdis töten zu lassen; vgl. S. 166). Schliesslich löst sich dies Intriguenmotiv in blosse Komik auf: der Vice hetzt zwei Lümmel gegen einander, und freut sich, dass sie wütend auf einander losdreschen („*Ambidexter*" S. 166; „*Courage*" in Hor. S. 171).

In den meisten Moralitäten bedient sich der Vice eines falschen wohlklingenden Namens, um sich die Verführung zu erleichtern. Zuweilen liegt der falsche Name dem richtigen der Bedeutung nach nahe: „*Idleness*" z. B. nennt sich „*Honest Recreation*" (S. 150); es kann aber auch blosse Klangähnlichkeit zur Namensänderung benutzt werden, wie bei „*Contempt*", der „*Content*" zu heissen behauptet (S. 191). Auch bei diesem Motiv wird schliesslich der Zweck der Intrigue durch den der Komik ersetzt. „*Common Conditions*" nennt sich „*Affection*" (S. 177), nicht um Lamphedon über seine wahre Natur zu täuschen, sondern augenscheinlich nur, um eine komische Verwickelung herbeizuführen: und vollends ist der Zweck der Komik offenbar bei „*Courage*" in Hor., der sich für „*Patience*" ausgiebt (S. 172). — Auch den ihm untergebenen Vertretern der einzelnen Laster giebt der Vice mitunter falsche Namen: hierin zeigt sich seine ihnen übergeordnete Stellung.

Auch die häufigen Verkleidungen des Vice leiten in mehreren Abstufungen von der Intrigue zur Komik hinüber: die Verkleidung dient entweder noch durchaus einem bösem Zweck, und auch die Art und Weise, wie dieser Zweck durchgeführt wird, hat noch nichts Komisches an sich (*„Infidelity"* in Magd. B. als Pharisäer, S. 141), oder der immer noch böse Zweck wird in komischer Weise durchgeführt (*Cacurgus* als Wunderdoktor, S. 184), oder auch der Zweck verliert seine anfängliche Bösartigkeit und löst sich in blossen Spass auf (*Jack Juggler* als Jenkin Careaway, S. 164 ff.).

Ein häufiger traditioneller Zug, der den Übergang des Vice vom Bösewicht zum Spassmacher veranschaulicht, ist ferner sein hochmütiges Benehmen gegen die andern Laster (*„Avarice"*, S. 132; *„Iniquity"* in Dar., S. 156). Dies Benehmen kann, ebenso wie sein Stolz auf eine erlangte neue Würde (*„Merry Report"* als Jupiter's Bote, S. 161: *„Neither Lover nor Loved"* und *„Newfangle"* als Schiedsrichter S. 163 bez. 173), leicht einen Anstrich von unfreiwilliger passiver Komik erhalten, wenn es mit Selbstgefälligkeit gepaart erscheint.

Intrigue im Übergang zur aktiven Komik steckt auch in den zweideutigen Versprechungen des Vice, die ihn selbst gar nicht binden (*„Sensual Appetite"*, S. 121 ff.; *„Merry Report"*, S. 160).

Der Vice liebt es, andere Personen auf alle mögliche Weise zu hänseln, und ihnen einen Schabernack zu spielen; wenn ihm seine Streiche gelungen sind, äussert er unverhohlen seine Schadenfreude. Auch dies Motiv zeigt in zahlreichen Abstufungen den Übergang von reiner Bosheit zur aktiven Komik.

Oft gerät der Vice auch selbst in eine Klemme, oder gar in arge Bedrängnis; gewöhnlich weiss er sich aber, und zwar auf sehr mannigfache Weise, durch List und

Betrug, oder durch Unverfrorenheit herauszuhelfen.
Wenn die Häscher ihm nahen, thut er möglichst unbefangen, als ob ihr Kommen einem andern als ihm selbst
gelte („*Avarice*", S. 131 ff.; „*Courage*" in Tide, S. 145).
Auch wenn die Todesstrafe unvermeidlich scheint, lässt
er nichts unversucht, um doch noch zu entrinnen, und
selbst unter dem Galgen verlässt ihn sein Humor nicht:
er ist gern bereit, einen andern an seine Stelle treten zu
lassen („*Injury*", S. 140; „*Courage*" in Tide, S. 145).

Verwandt mit den Neckereien des Vice sind seine
Hohn- und Spottreden. Zunächst richtet er seinen
Hohn gegen seine ursprünglichen Feinde, die Tugenden,
indem er sich bemüht, diese lächerlich zu machen („*Mischief*"
gegen „Mercy", S. 117; „*Sensuality*" gegen „Innocency"
und „Reason", S. 119). Zur Komik wird der Spott erst,
wenn er wirklich lächerliche oder verächtliche Personen
trifft (*Cacurgus'* Bemerkungen über den Caplan, S. 184;
„*Simplicity's*" in Lad. über „Dissimulation" und dessen
drei Spiessgesellen, S. 153). Oft spricht der Vice seine
Sarkasmen unbemerkt vor denen, auf die sie gemünzt
sind, oder beiseite (ebenso schon Cain's Diener in den
T. Pl., S. 44); besonders beliebt ist das Motiv, dass der
Vice, über den Inhalt seines Gemurmels zur Rede
gestellt, harmlose oder gar schmeichelhafte Worte
geäussert zu haben behauptet (ähnlich schon Colle in
Sacr., S. 48). Zuweilen tischt der Vice seine Liebens-
würdigkeiten auch in umschriebener Form auf; einige
dieser Umschreibungen können als eine Art Witz gelten
(„*Hypocrisy*" über „Fellowship's" Ehrlichkeit in Juv., S. 130;
„*Sin*" über „Damnation's" schönes Gesicht, S. 148).

Hiermit treten wir schon völlig aus dem Gebiet der
Intrigue in das der reinen aktiven Komik. Je mehr der
Vice zum Spassmacher wurde, desto mehr Witze werden
ihm überhaupt als dem Hauptträger dieser Komik in den
Mund gelegt. Manche dieser Witze sind nur fade Witzeleien, die eine komische Wirkung verfehlen; die wirklich
wirksamen Witze sind meist sehr derb. Womit sich der

damalige Volkshumor am liebsten beschäftigte, erkennen
wir aus der Häufigkeit der Galgenwitze[170]), von denen
einige, teils in der Form der witzigen Umschreibung,
teils der des witzigen Vergleichs, auch dem Vice zugeschrieben werden (erstere Form wird angewandt von
„Riot“, S. 134, und „Moros“, S. 144; letztere von „Newfangle“, S. 173 ff.). Solche Witze sind offenbar nicht Erfindungen der betreffenden Verfasser, sondern dem reichen
Schatz der traditionellen volkstümlichen Redewendungen
entnommen. Witze über die Hörner des Hahnreis sind im
ältesten englischen Drama, im Verhältnis zu der sehr
grossen Beliebtheit dieses Themas zu Shakespeares Zeit,
noch selten; von den Vice-Gestalten kommt hier eigentlich
nur „Merry Report“ (S. 160) in Betracht; „Conditions’“
Wunsch (S. 177) kann nicht als Witz gelten.

Eine besondere Form des Witzes ist das absichtliche Wortspiel, das Lyly und Shakespeare später mit
so grosser Vorliebe, letzterer auch mit unerreichter Meisterschaft, verwerteten, der Vice aber nur spärlich handhabt;
auch gehören die einschlägigen Beispiele sämtlich einer
niederen Art an („Neither Lover nor Loved“, S. 163; „Sedition“, S. 129; „Newfangle“, S. 174; „Simplicity“ in Lad.
S. 153). Im Gegensatz zum Wortspiel wird das blosse
Klangspiel reichlicher verwendet[171]) („Infidelity“ in Laws,
S. 127; „Haphazard“, S. 169; „Newfangle“, S. 174; „Hypocrisy“ in Confl., S. 152). Wenn die Feinheit des Wort-
oder Klangspiels als ein Gradmesser des Geschmacks
gelten darf, befindet sich das älteste englische Drama noch
auf einer recht niedrigen Kunststufe.

Ein spezielles Kennzeichen des Vice ist die Zote, die
er häufig und mit Behagen als Mittel der Komik anwendet.
In Zusammenhang mit der Zote stehen die zahlreichen

---

[170]) Noch beliebter war damals das Thema des Pantoffelheldentums; wo aber der Vice selbst als Pantoffelheld erscheint, ist seine
Komik von passiver Art, gehört also nicht hieher.

[171]) Über den Unterschied zwischen Wort- und Klangspiel vgl.
Wurth S. 105 ff.

frivolen und cynischen Redensarten, über die der
Vice verfügt, ein Motiv, das uns wieder zu dessen Intrigantennatur zurückführt, und an seine oben (S. 206) erwähnten Spöttereien und Sarkasmen anknüpft. Mit den
derben oder unflätigen Reden des Vice berühren sich nahe
die Schimpfworte, die er, wie auch andere Gestalten,
so gern und reichlich auf die ihn umgebenden Personen
herabregnen lässt. Die niedere Komik dieses Motives steht
auf gleicher Stufe mit den Prügeln, mit denen er so freigebig zu sein pflegt, und die auch sonst eines der gewöhnlichsten Mittel damaliger Komik darstellen. In Unflätigkeiten, Schimpfworten und Prügeln schwelgen, wie wir
gesehen haben, schon die Lümmel der Misterien, besonders
Cain. Wie sehr sich der Vice schliesslich einer lustigen
Person genähert hatte, erkennen wir daraus, dass er mitunter eine Prügelszene nur deshalb herbeiführt, um eine
Pause auszufüllen („Courage" in Tide, S. 146).

Zu den Mitteln der Komik des Vice, die nur in kindlich rohen Zeiten von dankbarer Wirkung sind, gehört
auch das Einmischen fremdsprachlicher Brocken
in die englische Rede, ein Motiv, das schon in den
Misterien zuweilen zu komischen Zwecken angewandt
wird[172]. Dem naiven Sinn des einfachen Volkes erscheint
eine fremde Sprache stets komisch. „Mischief" in Mank.
spricht französisches Kauderwelsch (vgl. S. 117); ähnlich
„Sedition" (S. 129). Das von „Inclination" (S. 138) auf-
getischte Französisch und Holländisch soll ihn vor seinem
Gegner „Sapience" retten, dient also den Zwecken der
Intrigue. — Zuweilen erzielt der Vice auch durch Be-
hängen englischer Worte mit lateinischen Endungen eine komische Wirkung. Dadurch wird mitunter
die feierliche Rede des Geistlichen parodiert („Mischief"
parodiert so den in der Rolle eines solchen auftretenden
„Mercy", S. 117; ein ähnliches Motiv enthält etwas später
auch die Rolle des Chorknaben in Magd. A, S. 49).

---

[172] Über die verschiedenen Arten der Verwendung des Französischen in den englischen Misterien vgl. Graf, S. 12, Anm. 10.

Überhaupt verfällt der Vice gern ins Parodieren.
Am häufigsten findet sich die Parodie der öffentlichen
Proklamation, ein Motiv, das zuerst in Mank. (S. 117)
begegnet, und, wie leicht zu erkennen ist, dem damaligen
Leben entnommen ist. Zuweilen ist mit der Parodie auch
ein satirischer Zweck verbunden, z. B. bei *„Sedition's"*
Parodie der Ohrenbeichte (S. 128 ff.), *„Infidelity's"* in Magd. B
Parodie der katholischen Liturgie (S. 141).

Besonders in der Reformationszeit wird der Vice überhaupt oft zu Zwecken der Satire verwertet. Beide Re-
ligionsparteien benutzen den Vice, um vermeintliche oder
wirkliche böse Eigenschaften der Gegner in ihm zu verkörpern. In Dar. (S. 135) wird durch den Vice *„Iniquity"*
sogar der Katholizismus selbst dargestellt.

Als ein blosser Spassmacher erscheint dagegen der
Vice in dem sehr häufigen Motiv der direkten Anrede
an das Publikum; dies Motiv findet sich schon in den
Misterien, bei den bramarbasierenden Tyrannen, und dem
diese parodierenden „Garcio", Cain's Ackerknecht (S. 43).
Der älteste Vice, dem dies Motiv zugeschrieben wird, ist
„Merry Report" (S. 161). Eine beliebte Variation desselben, das Herausgreifen eines einzelnen oder einzelner Zuschauer aus der Menge, begegnet ebenfalls
zuerst bei *„Merry Report"*, der auf die Frauen im Zu-
schauerraum als auf das zu jagende Schwarzwild hinweist
(S. 160) [173]. Sowohl jenes Motiv als auch diese Variation
zerfallen in Unterarten, von denen nur je eine hervorgehoben sei: der Vice fährt die Zuschauer an, und verlangt von ihnen lächerlich übertriebene Ehrenbezeugungen
(*„Merry Report"*, S. 161; *„Sin"*, S. 148; vgl. auch *„Hypocrisy"* in Confl., S. 152); er erkundigt sich teilnahmvoll
nach dem Befinden eines einzelnen Zuschauers, der ihm
besonders auffällt (*„Iniquity"* in Dar., S. 136; *„Idleness"*,
S. 151). Es ist zu vermuten, dass obiges Motiv ursprüng-

---

[173] Ein verwandtes Motiv liegt vor in Mind, wo Lucifer einen
Knaben, wohl aus der Mitte der Zuschauer, mit sich hinwegnimmt,
freilich ohne ihn dabei anzureden (S. 73).

lich eine Improvisation darstellte, die im Laufe der Zeit traditionell geworden ist. Eine solche die eigentliche Handlung unterbrechende Improvisation, bei welcher der Selbstzweck der Komik so klar zu Tage tritt, haben die Verfasser der betreffenden Stücke, oder vielleicht auch ursprünglich nur die betreffenden die Vice-Rolle spielenden Schauspieler wohl den fahrenden Spielleuten und Possenreissern abgelauscht.

Zu den beliebtesten Mitteln der aktiven Komik des Vice gehört auch sein lustiges Singen, allein oder im Verein mit andern; zuweilen macht sich seine übermütige Stimmung auch, ähnlich wie beim Teufel, im Brüllen oder Schreien Luft (*„Sensuality“*, S. 120; *„Sedition“*, S. 129 ff.).

Neben der aktiven Komik des Vice tritt auch schon früh, aber nur da, wo kein Teufel dem Vice zur Seite gestellt ist[174]), die unfreiwillige passive Komik dieser Gestalt hervor. Der Keim zu einer solchen ist übrigens auch schon im Prinzip der Moralitäten enthalten, insofern

---

[174]) Wo Teufel und Vice gemeinsam auftreten, da ist, wenigstens in späterer Zeit, die passive Komik gleichsam Monopol des Teufels. Ein drastisches Beispiel dafür, wie gern man in solchen Fällen dem Teufel passive Komik zuteilte, selbst wo ursprünglich die aktive Komik allein berechtigt war, bietet der bekannte Ritt des Vice auf dem Rücken des Teufels in die Hölle, ein Zug, dessen Komik gleichfalls durch Versinnlichung eines an sich ernsten abstrakten Gedankens zustande gekommen war. Der ursprüngliche allegorische Sinn dieses Motivs ist doch gewiss, dass der Lasterhafte am Schluss seines Lebens vom Teufel in die Hölle entführt wird; dieser Sinn wird aber so sehr vergessen, dass Vice und Teufel in Bezug auf die Art ihrer Komik die Rollen vertauschen, und dadurch das übliche typische Verhältnis der beiden zu einander wiederhergestellt wird. Der Vice, dem eigentlich bei dieser Gelegenheit die passiv-komische Rolle zukam, wird dadurch, dass er auf sein Reittier unbarmherzig losprügelt, zum aktiven Komiker, während der schliessliche Triumph des Teufels über den ihm als Beute zufallenden Vice, also ein aktiv-komisches Element, sich durch die Hilflosigkeit des höllischen Prügelknaben in passive Komik verkehrt.

beim Kampf der guten und der bösen Mächte die Vertreter des Bösen schliesslich meist besiegt werden. Da nun der Vice in den Moralitäten der wichtigste allegorische Vertreter des bösen Prinzips ist, war er an solchen Niederlagen[175]) am chesten beteiligt, und erhielt dadurch auch besonders leicht einen lächerlichen Anstrich. In ganz entsprechender Weise ergab sich auch die passive Komik des Teufels aus seiner Machtlosigkeit gegenüber Christus und den Heiligen (S. 91). Am deutlichsten tritt das ursprüngliche Verhältnis bei „*Iniquity*" in Dar. hervor, wo eine der Tugenden den Vice mit Feuer bewirft (S. 135), und ihn dadurch zum Abgang zwingt. Die Strafe, die hier dem Vice von seinen natürlichen Feinden, den Tugenden, zu teil wird, konnte leicht als ein dem Missethäter von Herzen zu gönnender Schabernack aufgefasst werden. Zuweilen wird der Vice aber auch von seinen Untergebenen, den einzelnen Lastern, gehänselt, und so das gewöhnliche Verhältnis dieser Laster zum Vice in sein Gegenteil verkehrt („*Avarice*", S. 132). Mit der fortschreitenden Individualisierung der Dramengestalten werden aus diesen allegorischen Einzelvertretern des Bösen mitunter schon innerhalb der Moralitäten, und vollends im eigentlichen Drama, Gauner (vgl. S. 200); der Vice foppt sie, wird aber manchmal von ihnen gefoppt, verhöhnt und betrogen („*Idleness*" von Snatch und Catch, S. 151 ff.). Besonders leicht wird der Vice natürlich zur Zielscheibe der Spässe anderer, wenn er selbst die Dummheit verkörpert („*Moros*", S. 142 ff.; „*Simplicity*", S. 153 ff. 155 ff.); aber auch andere Vice-Gestalten müssen sich hier und da den Vorwurf der Dummheit gefallen lassen („*Infidelity*" in Laws, S. 127; „*Sedition*", S. 129;

---

175) Die Regel, dass der Vice am Schluss gegen die Tugenden unterliegt, hat freilich manche Ausnahmen. Schon „*Mischief*" kommt ungestraft davon (S. 116). In den späteren Moralitäten und den andern Dramenarten, worin der Vice auftritt, bilden die Fälle eines derartigen Schlusses sogar die Mehrzahl, weil das ursprünglich Dämonische im Charakter des Vice zur Nebensache geworden war.

14*

„*Infidelity*" in Magd. B., S. 141; „*Courage*" in Tide,
S. 147)[176]).

Dem Vice als einem Dummkopf werden auch am ehesten
unfreiwillige Missverständnisse und unabsicht-
licher komischer Unsinn zugeschrieben, der sonst nur
selten (z. B. bei „*Sedition*", S. 129) vorzuliegen scheint;
auch ist nur bei einem solchen Dummkopf die Unfrei-
willigkeit der Wortverdrehungen unzweifelhaft.

Ein anderes hieher gehöriges Motiv wird dem Vice
auch beigelegt, wo er Intrigant ist: das Sichversprechen
zu den eigenen Ungunsten, so dass wider den Willen
des Vice statt der heuchlerischen Worte, die er sagen
wollte, seine wahre Natur zum Vorschein kommt („*Sedition*",
S. 129; „*Avarice*", S. 133; „*Common Conditions*", S. 178).
„*Hypocrisy*" in Confl. (S. 152) stellt sich aus Versehen als
einen Dummkopf hin.

In einigen Fällen ergiebt sich die unfreiwillige passive
Komik aus der Feigheit des Vice („*Riot*", S. 134; „*Shift*",
S. 179 ff.); noch wirksamer wird die Komik dieser Eigenschaft durch Verbindung mit der Prahlsucht, wobei sich
der Vice dem Typus des „Miles gloriosus" nähert
(„*Inclination*", S. 138; „*Moros*", S. 144; „*Common Conditions*", S. 178). Sehr komisch wirkt es, dass der Vice
sich mitunter mit Männern tapfer herumschlägt, denWeibern
gegenüber aber wehrlos ist („*Ambidexter*", S. 167). Hier
berührt sich der Vice mit einem Pantoffelhelden. Das
Thema des Pantoffelheldentums wird schon in den Misterien
ausgiebig verwertet (vgl. S. 34. 38); in den Moralitäten
wird vor allem „*Simplicity*" in Lords als Pantoffelheld
vorgeführt (S. 157). Prügel teilt der Vice nicht nur aus,
sondern er empfängt sie auch gelegentlich, und zwar nicht
nur in den Stücken, wo er als prahlsüchtiger Feigling gezeichnet ist, sondern auch sonst („*Haphazard*", S. 168;
„*Newfangle*", S. 174; „*Idleness*", S. 152; „*Simplicity*" in
Lad., S. 154).

---

[176]) Ich muss auch hier wieder Cushman widersprechen, der
(p. 76) behauptet, der Vice gelte niemals als dumm.

Zur gleichen Art·der Komik gehört auch die Eitelkeit und Selbstgefälligkeit des Vice. Besonders komisch wirkt es, dass der Vice sich mitunter mit Eigenschaften brüstet, deren man sich sonst zu schämen pflegt: „Sin" rühmt sich selbstgefällig seiner Unentbehrlichkeit bei jedem Diebstahl, Raub und Mord (S. 148); „Simplicity" in Lad. (S. 154) thut sich auf seine Gefrässigkeit nicht wenig zu gute; „Shift" betont mit freudiger Genugthuung seine Feigheit (S. 180).

Die Roheit des Zeitgeschmacks äussert sich in der sehr grossen Derbheit der Rede, die oft in Unflätigkeit gröbsten Kalibers ausartet. Derartige Unflätigkeiten finden sich bei den jüngeren Vice-Gestalten ebenso wie bei den älteren; eine Verfeinerung des Geschmacks lässt sich also innerhalb des Zeitraums, mit dem wir es hier zu thun haben, noch nicht beobachten. Diese Derbheit und Unflätigkeit ist nicht nur dem Vice eigentümlich, sondern auch vielen andern Gestalten, besonders natürlich den bäurischen Lümmeln.

Auch in der stetigen Steigerung der passiven Komik des Vice geht dessen Entwickelung der des Teufels parallel. Nur in einer Beziehung unterscheidet sie sich sehr wesentlich von der des Teufels: der Vice ist überhaupt die erste im Übergang zu einer lustigen Person begriffene Gestalt, bei der die absichtliche passive Komik sich als eine selbständige Unterart der passiven Komik im allgemeinen herausgebildet hat. Indem der Vice sich dumm stellt, um dadurch die Zuschauer zu ergötzen, übernimmt er eines der wichtigsten Mittel, wodurch die Hof- und Hausnarren des damaligen wirklichen Lebens komische Wirkungen zu erzielen pflegten. Wie der Hausnarr als „artificial fool" durch sein Sichdummstellen die Rolle eines Dummkopfs oder „natural fool", also einer besonderen Abart des Clowns annimmt, so vereinigt auch der Vice durch das gleiche Motiv in seiner Person den Hausnarren und den Clown. So kommt der Vice der Rolle einer lustigen Person so nahe wie keine andere Gestalt zuvor. Sein thatsächlich erfolgender Übergang zum Hausnarren (vgl. *Cacurgus*, S. 181 ff.), seine völlige Verschmelzung mit diesem, so dass schliesslich „vice" und „fool" gleichbedeutend gebraucht werden (vgl. S. 180 ff.), wurde besonders durch Verwendung der absichtlichen passiven Komik gefördert.

Hieher gehört, ausser den verschiedenen Arten, Dummheit zu erheucheln, auch die absichtliche Plumpheit („*Ambidexter*" beim Auftragen der Nüsse, S. 167). Zuweilen spielt der Vice auch, ohne im Grunde selbst feige zu sein, zu komischem Zweck den „Miles gloriosus" („*Ambidexter*", S. 167). In dieselbe Rubrik sind auch die Scherze zu rechnen, die der Vice auf seine eigenen Unkosten macht, u. s. w.

Dem Intrigantentum des Vice näher stehen seine wie Selbstironie klingenden Schwüre: „*Cacurgus*" (S. 183) und „*Inclination*" (S. 139) schwören „*by my halidom*", „*Courage*" = „*Revenge*" in Hor. (S. 172) „*of myne honestye*" (ähnlich auch „*Common Conditions*", S. 177 ff.), „*Infidelity*" in Magd. B. (S. 141) „*by my maydenhood*".

Das Motiv des absichtlichen Missverstehens, wozu auch das durch ein absichtliches Missverständnis entstandene Wortspiel gehört, ist teils zu obiger Art der passiven Komik zu zählen („*Iniquity*" in Dar., S. 137; „*Sin*", S. 149), teils zur aktiven Komik („*Merry Report*", S. 161; „*Riot*", S. 133) (vgl. auch S. 18). Auch von den beiden erwähnten Fällen einer ungereimten Argumentation scheint mir nur einer hieher zu gehören („*Simplicity*" in Lords, S. 156), der andere dagegen („*Sedition*", S. 130) zur aktiven Komik. Nahe verwandt mit dem absichtlichen Missverständnis ist die vorsätzliche Sinnesentstellung der Worte eines andern („*Sin*", S. 149), die manchmal dadurch einen völlig entgegengesetzten Sinn erhalten („*Newfangle*", S. 82); die vorliegenden Fälle glaube ich aber als aktiv-komische Motive betrachten zu dürfen. Das sehr häufige Motiv des absichtlichen Redens von komischem Unsinn ist nur durch Beispiele einer passiven Komik vertreten. Endlich ist auch das Weinen des Vice hier zu erwähnen („*Ambidexter*", S. 167; „*Courage*" in Hor., S. 171, und in Tide, S. 147). Es ist wahrscheinlich, das obige Motive der freiwilligen passiven Komik durch die Scherze der Hof- und Hausnarren beeinflusst worden sind, dass also auch hier wieder das wirkliche Leben eine Quelle für die Komik dargeboten hat.

Wir haben soeben viele qualitative Veränderungen besprochen, welche die Rolle des Vice auf ihrem Entwickelungswege vom Intriganten zum Spassmacher durchgemacht hat. In quantitativer Hinsicht besteht diese Entwickelung darin, dass die anfangs nur spärlichen Mittel, durch die der Zweck der Komik erreicht wird, allmählich immer zahlreicher und mannigfaltiger werden. Immer neue komische Motive kommen auf, ohne dabei die alten zu verdrängen. So gewinnt die Komik des Vice immer grösseren Spielraum, und als er schliesslich veraltet war und abstarb, da hinterliess er den Narren und Clowns als seinen Erben eine mit wirksamen komischen Motiven reich gefüllte Vorratskammer.

Es bleibt uns nur noch übrig, die hier und da verstreuten Andeutungen über die äussere Erscheinung des Vice zu behandeln. Die Annäherung des Vice an den Hausnarren der Wirklichkeit zeigt sich auch äusserlich darin, dass er in vielen Fällen den von diesem als Abzeichen seiner Rolle übernommenen hölzernen Dolch bei sich führt. Das älteste Beispiel für diese Übernahme haben wir bei „*Jack Juggler*" festgestellt (S. 165). Damit zugleich erbte der Vice wohl auch die bunte Tracht des Hausnarren; „*Jack Juggler's*" verschiedenfarbige Beinkleider lassen dies vermuten. Sonst wird das Narrengewand freilich nur bei „*Moros*" (S. 144), und naturgemäss auch beim Hausnarren Cacurgus (S. 182) erwähnt. Dass die Rolle des Vice mitunter von einem Zwerge gespielt wurde, ist in drei Fällen zu erkennen („*Jack Juggler*", S. 165; „*Courage*" in Hor., S. 171; „*Common Conditions*",

S. 178). Auch dieser Umstand bezeugt die allmähliche
auch äusserliche Verschmelzung des Vice mit dem Hausnarren: zum Amte eines solchen suchte man sich gewöhnlich Leute von auffallendem Körperbau aus; besonders
Zwerge wurden gern als Hausnarren angeworben. In
andern Stücken, wo von irgendwelchen Abzeichen des
Narrentums nichts erwähnt wird, erscheint der Vice in
bestimmten Szenen in lächerlichem Aufzuge („*Neither
Lover nor Loved*" mit einem kupfernen Topf auf dem Kopfe,
S. 163; „*Ambidexter*" in burlesker Kriegerausrüstung, S. 167;
„*Idleness*" mit einem Suppentopf am Halse, S. 151). Zuweilen tritt der Vice im Kostüm eines bestimmten
einzelnen Berufs auf; dies Kostüm bedeutet hier nicht
eine Verkleidung, sondern eine, wenn auch nur zeitweilige,
doch thatsächliche Rolle: „*Mischief*" erscheint als Bauernknecht, S. 116; „*Infidelity*" in Laws als Besenverkäufer,
S. 127; „*Simplicity*" in Lad. als Müllerbursche, S. 154, und
in Lords als Verkäufer von Bänkelsängerliedern, S. 155.
Auch zu satirischen Zwecken wird eine solche zeitweilige
Rolle ausgenutzt: „*Sedition*" tritt als Reliquienverkäufer
auf (S. 128).

Als eine besondere Spielart trennt sich schon früh
der Vice ausserhalb der Moralitäten vom eigentlichen Vice ab. Der Unterschied zwischen beiden Arten
des Vice ist leicht erkennbar (vgl. S. 110), betrifft aber
mehr die Aussenseite als den Kern seiner Rolle. In den
Moralitäten ist der Vice, wenigstens seinem Namen nach,
durchaus eine allegorische Gestalt; die einzige Ausnahme
bildet die typische Figur des „Moros" (vgl. S. 142), der
ja aber nicht als Vice schlechthin, sondern als Mischform
von Vice und Clown anzusehen ist. Auch ausserhalb der
Moralitäten ist die Rolle des Vice noch oft von allegorischer Art, wie ja überhaupt das komische Zwischenspiel
und das eigentliche Drama nicht durch einen klaffenden
Riss von den Moralitäten geschieden sind, sondern auch
durch manche andere allegorische Gestalten ihren Zusammenhang mit den Moralitäten offenbaren. Aber neben

diesen allegorischen Vice-Gestalten besitzen die komischen
Zwischenspiele und die eigentlichen Dramen auch, wenn
wir uns wieder an das freilich nur äusserliche Moment
des Namens des Vice halten, eine Reihe von typischen
Vice-Gestalten: „*Neither Lover nor Loved*" [177]) (S. 162 ff.),
„*Jack Juggler*" (S. 164 ff.), „*Ambidexter*" (S. 166 ff.) und
„*Nichol Newfangle*" (S. 81 ff. 173 ff.). Dem thatsächlichen
Inhalt seiner Rolle nach ist der Vice auch in den jüngeren
Moralitäten oft schon so konkret geworden, dass er statt
seines allegorischen Namens ebenso wohl den einer wirklichen Person tragen könnte. Inhaltlich unterscheiden sich
daher beide Arten des Vice am Schlusse seiner Entwickelung kaum irgendwie von einander; im Spassmachertum
kommen beide zusammen. Auf den früheren Entwickelungs-
stufen tritt ein inhaltlicher Unterschied allerdings eher
hervor; es ist gewiss kein Zufall, dass „*Merry Report*" in
Weath. (S. 159 ff.) das ursprüngliche Intrigantentum des
Vice schon fast abgestreift hat, während dies innerhalb
der Moralitäten erst bei „*Simplicity*" in Lad. (S. 153)
geschah. Innerhalb der Moralitäten hätte der Vice auch
kaum in einer Rolle von so spezieller Art wie der des
ungeliebten Nichtliebenden in Love (vgl. S. 162 ff.) auftreten können, einer Rolle, die einem allegorischen Vertreter des Lasters im allgemeinen schon recht fernsteht.

Die in Abschnitt II behandelten **bäurischen Lümmel**
und **clownartigen Diener** sind bloss Ansätze zur Rolle
einer lustigen Person. Zu lustigen Personen wurden die
Lümmel, und noch mehr die clownartigen Diener erst nach
dem Absterben des Vice, als dessen passive Komik dem
Rüpel, und, mit aktiv-komischen Elementen durchsetzt, dem
clownartigen Diener zu gute kam. — Der **Teufel** war
nicht nur durch die Übermenschlichkeit seines Wesens, die
sich auch in den schon so sehr vermenschlichten jüngeren
Teufelsgestalten nie ganz verleugnet, sondern überhaupt

---

[177]) „Neither Lover nor Loved" ist allerdings nur mit dem S. 162
angeführten Vorbehalt als typische Gestalt zu betrachten.

durch die spezielle Art seiner Rolle am wenigsten geeignet, die Grundlage darzubieten, auf der eine neue besondere Form der Rolle einer lustigen Person hätte fussen können. — Hingegen passt von allen bisher vorgeführten komischen Gestalten der Vice bei weitem am besten zur Darstellung und Weiterentwickelung der Rolle einer lustigen Person. Dadurch dass die Rolle des Vice, im Gegensatz zu der des Teufels, durchaus nicht scharf umgrenzt war, sondern alle möglichen Einzelformen des Lasters und zugleich die verschiedensten Arten der Komik umfassen konnte, wuchs er schon früh über den engeren Bereich der Moralitäten hinaus zu einer Gestalt von allgemeinerer Bedeutung. Die zuweilen sogar bis zur Vereinigung einander widersprechender Eigenschaften in einem und demselben Vice (vgl. *„Simplicity"* in Lad., S. 153) gesteigerte Vielseitigkeit der ihm beigelegten komischen Motive gab seiner Rolle eine grosse Biegsamkeit, und die Fähigkeit, sich auch andern Dramengattungen als den Moralitäten leicht anzupassen. Diese Vielseitigkeit des Vice machte ihn auch besonders geeignet zum Träger der Komik als Selbstzweck, also zur lustigen Person. Als nach seinem Absterben die Narren und Clowns des späteren Dramas die Haupterben seiner Komik wurden, da ermöglichte es die Reichhaltigkeit seiner Rolle, dass auch für die Typen der cynischen Spötter und der eigentlichen Bösewichter Bruchteile der Erbschaft übrig blieben.

D. Anhang. Folly.

Das eigentliche Drama erweist seinen Zusammenhang mit den Moralitäten nicht nur äusserlich dadurch, dass es aus diesen einzelne allegorische Gestalten, darunter auch den Vice, übernimmt; es liegt auch eine innere Beziehung zwischen beiden Dramengattungen vor. Die allegorischen Gestalten der Moralitäten bilden eine Vorstufe der im eigentlichen Drama vorgeführten Charaktere des wirklichen Lebens. „Aus den allegorischen Figuren werden typische: aus dem Geiz ein geiziger Alter, aus der Ver-

schwendung ein verschwenderischer junger Mann u. s. w.
Aus den Typen aber entwickelten sich durch geschicktere
Dichter wirkliche Menschencharaktere, wie sie uns täglich
entgegentreten." [178] So müssten wir theoretisch auch voraussetzen, dass die „fools" des eigentlichen Dramas durch
die allegorische Gestalt „Folly's" vorbereitet wurden [179]).
Mit dieser theoretischen Voraussetzung deckt sich jedoch
die thatsächliche Rolle „Folly's" in den Moralitäten durchaus nicht. Diese Gestalt begegnet überhaupt nur in wenigen
Stücken, und spielt darin meist eine unbedeutende Rolle;
selbst wo „Folly" stärker hervortritt, wird die ihm naturgemäss zukommende Komik der Situation nirgends zum
Selbstzweck. An der Ausbildung der lustigen Personen
des späteren Dramas, der Narren und Clowns, ist also
von den allegorischen Gestalten der Moralitäten nur der
Vice, nicht aber „Folly" beteiligt. Dass „Folly" in den
Moralitäten stets als männliche Person gedacht wird, und
meist in solchen Moralitäten vorkommt, worin der Vice
fehlt, genügt noch nicht, um jene Gestalt etwa als Stellvertreter des Vice in seiner Rolle als Spassmacher aufzufassen. *Folly* begegnet in folgenden Moralitäten: Pers.
(als *Stultitia*; vgl. Anm. 124); World (vgl. S. 121 und
Anm. 135); Magn. (S. 122); endlich im dritten Interlude
von Sat. [180]). Ausserhalb der Moralitäten treffen wir *Folly*,
wie es scheint, als weibliche Gestalt, neben *Contempt* in
Cobbl. (S. 191 ff.), und als männliche Figur in Dekker's und
Ford's Maskenspiel Darl. In Ben Jonson's Rev. tritt
Folly als *Moria* auf, und ist die Mutter der *Gelaia*
= Laughter.

[178]) Wülker S. 179.

[179]) Da „Folly" die Dummheit verkörpert, gleicht ihm im eigentlichen Drama der „fool", allerdings nur im Sinne eines „natural fool"
oder Dummkopfs; mithin steht „Folly" im Grunde den späteren Clowns
näher als den Berufsnarren. Indirekt berührt sich aber doch auch
letzterer als „artificial fool" mit „Folly", indem er zu komischem
Zweck die Eigenschaften eines „natural fool" erheuchelt (vgl. S. 213).

[180]) Kein komisches Zwischenspiel, sondern ein „moral interlude";
vgl. Anm. 136 und 140.

V. Die Narren.

A. Ursprung der Narren. Ihre Benennung und Tracht. Die einzelnen Bestandteile der Narrenkomik.

Als Gestalt im Drama vereinigt der Narr zwei ursprünglich verschiedene Hauptbestandteile in sich: er ist teils eine Fortsetzung des alten Vice-Typus, der sich, wenn auch keineswegs ganz losgelöst vom wirklichen Leben, doch im wesentlichen bloss litteraturgeschichtlich entwickelt hatte; teils ist er der unmittelbaren Wirklichkeit entnommen, indem man eine damals zahlreich vertretene Gestalt, den Hof- oder Hausnarren, aus dem Leben auf die Bühne verpflanzte. Zu obigen beiden Hauptquellen der Narren im Drama kommen im Laufe seiner Entwickelung bald auch noch andere Einflüsse, Einwirkungen der antiken und einiger neuerer Litteraturen hinzu, wie ich weiter unten an den betreffenden Einzelfällen zu zeigen gedenke.

Gewerbsmässige Spassmacher finden wir nicht nur bei manchen wilden Völkern auch noch in unserer Zeit, sondern auch in der Geschichte fast aller Kulturvölker. In England begegnen wir solchen Spassmachern schon zur Zeit der alten Angelsachsen; wenigstens wissen wir, dass die angelsächtischen Spielleute, die *ʒléomen*, häufig auch die Funktionen von Possenreissern übernehmen mussten. Der älteste auch dem Namen nach bekannte Spassmacher von Beruf war Hitard, am Hofe des Königs Edmund Ironside († 1016), der ihn kurz vor seinem Tode mit der Stadt Walworth (jetzt ein Stadtteil von London, S.E.) belehnte[181]).

---

[181]) Vgl. Doran p. 99.

Am Hofe Wilhelms des Eroberers gab es bereits mehrere Hofnarren, und seither erscheint das Hofnarrentum als stehende Einrichtung nicht nur in England, sondern auch in den übrigen europäischen Ländern, die sich noch lange über das Mittelalter hinaus bis tief in die Neuzeit hinein erhielt.

Wie in angelsächsischer Zeit das Amt eines *ʒléoman* oft dem eines Spassmachers gleichkam, so artete auch gegen Ende des Mittelalters der ursprünglich, in normannischer Zeit, noch so vornehme *„minstrel"* vielfach zum blossen Hanswurst aus. Dies ist, abgesehen von den geschichtlichen Zeugnissen, die sich dafür anführen lassen[182]), auch durch die Bedeutungsentwickelung der Worte *„jest"* und *„jester"* zu erweisen. Bei Chaucer und seinen Zeitgenossen bedeutet *„geste"* noch, wie im Altfranzösischen, „Heldenthat", oder „Erzählung von einer Heldenthat", „Geschichte"; der *„gestour"* oder *„gestiour"* ist ein fahrender Sänger, der solche Erzählungen vorträgt, also nichts anderes als ein *„minstrel"*[183]). Im 16. Jahrhundert dagegen hat das Wort *„jest"* schon die heutige Bedeutung „Spass" angenommen, und *„jester"* ist = Spassmacher.

Einen besonderen Aufschwung nahm das Hofnarrentum in England, wie es scheint, seit dem 15. Jahrhundert. Nun erlangten auch einzelne Hofnarren besondere Berühmtheit, so Scogan unter Eduard IV., Will Summer unter Heinrich VIII. (vgl. auch S. 182), Tarlton[184]) unter

---

182) Vgl. Doran p. 86. Auch die altkeltischen Barden wurden später als Spassmacher aufgefasst, wie eine Stelle in J. Shirley's Patr. (p. 408) beweist, wo der im Stück auftretende Barde mit folgenden Worten angeredet wird:

„Thou — — — canst shew a pleasant face
Sometimes, without an over joy within;
But 'tis thy office."

183) Vgl. Chaucer's „Hous of Fame" III 107 ff.:

„— alle maner of mynstrales,
And gestiours, that tellen tales".

184) Zugleich Schauspieler, als solcher natürlich Komiker.

Elisabeth. Die Aussprüche und lustigen Streiche besonders hervorragender Narren gingen alsbald im ganzen Lande von Mund zu Mund; zuweilen wurden sie sogar von unternehmenden Leuten gesammelt, und durch den Druck auch der Nachwelt überliefert[185]. Manche berühmte Narren wurden auch schon früh, ähnlich unserm Pfaffen vom Kalenberg oder Eulenspiegel, zum Mittelpunkt der Legende, oder es wurden ihnen Streiche untergeschoben, deren wirkliche Urheber in andern, weniger bekannten Persönlichkeiten zu suchen sind.

Zur Zeit der Normannenherrschaft gab es berufsmässige Narren nicht nur am königlichen Hofe („court fools"), sondern auch in den Schlössern der Adligen. Als in den Rosenkriegen der mittelalterliche Feudalstaat zusammenbrach, und das Bürgertum sich als selbständiger und selbstbewusster Stand von der breiten Masse des Volkes abzutrennen und dem Adel an die Seite zu treten begann, fing man auch in bürgerlichen Kreisen an, die Sitten des Adels nachzuahmen. So hielten sich von jetzt an nicht nur die reicheren Bürger ebenfalls ihre Hausnarren („domestic fools"), sondern es wurde auch üblich, bei öffentlichen Lustbarkeiten, welche die einzelnen Städte an bestimmten Tagen veranstalteten, berufsmässige Spassmacher („city fools" oder „corporation fools") zur Belustigung des Volkes anzustellen. Noch weiter drang das Hausnarrentum im 16. Jahrhundert vor: jetzt wurden auch in den Wirtshäusern Berufsnarren („tavern fools") gehalten[186]), denen es oblag, die Gäste mit ihren natürlich nicht sehr feinen Spässen zu unterhalten; Marktschreier stellten Narren („mountebank's fools") zu Reklame-

---

[185]) Eine bekannte derartige Sammlung ist: „Tarlton's Jests and News out of Purgatory". Ed. by J. O. Halliwell. London. Shakespeare Society. 1844.

[186]) In „Volp." (p. 248 II) heisst es:
    „Stone the fool is dead,
    And they do lack a tavern-fool extremely".

zwecken in ihre Dienste, und endlich finden wir auch Narren
in den öffentlichen Häusern der Unzucht („strumpet's
fools")[187], die das dreifache Amt von Kupplern, Dienern
ihrer Dirnen, und Spassmachern für deren Kundschaft in
sich vereinten. So bildete auch das Narrentum damals
eine lange soziale Stufenleiter, vom königlichen Hofnarren
bis herab zum Diener der gewerbsmässigen Unzucht; den
verschiedenen Sprossen dieser Leiter entsprachen zahlreiche Abstufungen der Komik, die wir übrigens auch im
günstigsten Falle, bei den königlichen Hofnarren, als meist
sehr derb und oft gemein uns vorzustellen haben. Denn
die Zeit war roh, und selbst durch die Gegenwart von
Damen wurden der Derbheit keine Schranken auferlegt[188].

Auch in seiner vornehmsten Gestaltungsform, als königlicher Hofnarr, genoss der Narr nur recht geringes gesell-
schaftliches Ansehen. Er war auch im besten Falle bloss
ein Bedienter niederen Ranges; besonders während der
Mahlzeiten fiel ihm die Aufgabe zu, die Tischgenossen
durch seine Spässe zu erheitern. Sein Amt brachte es
mit sich, dass er nicht nur sehr geringschätzig behandelt
wurde, sondern gelegentlich sogar die Peitsche zu fühlen
bekam. Freilich war eine Tracht Prügel das Schlimmste,
was einem Narren begegnen konnte; dafür durfte er auch
seiner Zunge die Zügel frei schiessen lassen, und auch die
höchsten Personen, ja selbst den König mit scharfem Witze
geisseln. Zuweilen ist der Hohn und Spott, mit dem der
Narr seinen königlichen Gebieter überschüttet, so bitter
und schneidend, dass er jedem andern Unterthan, ausser
dem Narren, der allein völlige Redefreiheit besitzt, un-
fehlbar den Kopf gekostet hätte. Der Narr durfte sich
auch Vertraulichkeiten gegen seinen königlichen Herrn und
dessen Gemahlin gestatten, wie sie sich sonst höchstens

---

[187] Vgl. Doran p. 95 ff. Douce II 303 ff. Ant. I 1, 13.

[188] Wie wenig verwöhnt auch sogar eine so gebildete Dame
wie die Königin Elisabeth in Bezug auf die Qualität der in ihrer
Gegenwart vorgebrachten Spässe war, zeigen die oft sehr unsauberen
Scherze ihres Hofnarren Tarlton (vgl. Anm. 185).

die nächsten Verwandten des königlichen Hauses herausnahmen[189]).

Die allgemeine Bezeichnung für den Berufsnarren ist „fool", me. *fŏl*, afrz. *fol*, aus dem lat. *follem, follis*, Blasebalg, vulgärlat. = Windbeutel, Thor, Dummkopf. Das Wort *„fool"* wird zu Shakespeare's Zeit, wie auch heute noch, in dreifacher Bedeutung gebraucht: 1. = Wahnsinniger; 2. = Idiot, Dummkopf; 3. = berufsmässiger Spassmacher, Berufsnarr. Der Berufsnarr pflegte, um sein Publikum zu belustigen, Wahnsinn oder Dummheit zu erheucheln; da aber mitunter auch Geisteskranke oder Schwachsinnige als Berufsnarren verwandt wurden, deren Narrheit also echt war, sind die obigen drei Bedeutungen des Wortes *„fool"* nicht immer leicht auseinander zu halten. Sie wurden auch in der That beständig durcheinander geworfen, schon von John Heywood in Folly (vgl. S. 186), und ebenso auch von den Dramatikern der Folgezeit. Wo ein Unterschied aufrecht erhalten wird, nannte man den Schwachsinnigen oder Dummkopf „natural fool", auch bloss „natural" oder „innocent", während der Berufsnarr als „artificial fool" bezeichnet wurde.

Daneben gab es noch eine Reihe von andern Namen für den Berufsnarren und seine Unterarten[190]). „Jester" (vgl. auch S. 221) bedeutet „berufsmässiger Spassmacher" überhaupt, ohne Rücksicht auf die spezielle Unterart[191]).

---

[189]) Der Narr in Lr. redet den König *„nuncle"* = Gevatter an. Will Summer in When nennt Heinrich VIII. und dessen beide Gemahlinnen bei ihren Vornamen.

[190]) Die zahlreichen Synonyma für „Dummkopf", die sämtlich auch dazu dienen konnten, den Berufsnarren zu bezeichnen, brauchen wir nicht zu berücksichtigen, da es sich ja hier für uns nur um solche Benennungen handelt, die ausschliesslich „Berufsnarr" bedeuten. Zu den Synonymen für „Dummkopf" gehört auch „ninny" = Einfaltspinsel, aus dem ital. *ninno*, mundartlich = Kind.

[191]) In Hml. V 1, 198 ff. wird Yorick *„the king's jester"* genannt; hier ist *„jester"* also = Hofnarr. Dagegen ist Trinculo in Tp. ein *„jester"* untergeordneten Grades. Das Gebahren eines solchen *„jester"* beschreibt Thom. Lodge in „Wit's Miserie" (1599).

Ein „buffoon" dagegen (aus dem ital. *buffone* = frz. *bouffon*) ist ein Spassmacher niederen Ranges; er vertritt das Berufsnarrentum nur in seinen untersten Stufen. Der „juggler" (me. *jogelour*, afrz. *jo(u)gleor*, aus dem lat. *joculator*) oder auch „tumbler" (nach den Luftsprüngen, die er zu machen pflegte, benannt) ist ein von Ort zu Ort umherziehender Possenreisser, Gaukler oder Taschenspieler[192]. Der „zany" (aus dem ital. *zane*, neuital. *zanni*, mundartlich Giovanni) ist der untergeordnete Begleiter und Gehilfe eines solchen Gauklers; ihm lag es ob, die Spässe seines Herrn in ungeschickter Weise nachzuahmen, um so Gelächter zu erregen; er nähert sich also dem Clown[193]. Der „zany" und wohl auch der „buffoon" sind Entlehnungen aus der italienischen Komödie.

Im Gegensatz zu „buffoon", „juggler", „tumbler" und „zany" bezeichnen andere Ausdrücke, aus der Verallgemeinerung bestimmter Einzelbegriffe hervorgegangen, den Narren überhaupt. Wir haben schon gesehen, dass der Eigenname „Will Summer" zuweilen als Gattungsname für den Berufsnarren im allgemeinen gebraucht wurde (vgl. S. 182). Aus Roist. (vgl. S. 188 ff.) stammt der Name „merry Greek" für einen Spassmacher[194]. Die gleiche Bedeutung erhält „jig-maker"[195]), weil der Narr oder der Clown am Schluss einer Dramenaufführung oder auch in den Pausen die Zuschauer durch Jigtanzen zu erheitern hatte. Endlich wird der Narr auch nach seiner Narrentracht oder gar nach einzelnen Teilen derselben benannt: er heisst wegen seiner bunten, aus Flicken zu-

---

[192] Ein solcher „juggler" tritt im Prolog zu Wily (vgl. S. 87) auf.

[193] Vgl. Tw. I 5, 96: „the fools' zanies". Out (p. 76 I):

„He's like the zany to a tumbler,
That tries tricks after him, to make men laugh".

Mis. (p. 8): „an excellent Zany, in an Italian comedy".

[194] Vgl. Troil I 2, 118. Auch „foolish Greek"; vgl. Tw. IV 1, 19.

[195] Vgl. Hml. III 2, 132.

sammengesetzten Kleidung „motley"[196]) oder „patch"[197]);
eine besonders häufige Bezeichnung aber ist „coxcomb",
nach dem Hahnenkopf, der die Narrenkappe zu krönen
pflegte [198]).

Es gab auch weibliche Berufsnarren; im älteren
englischen Drama ist mir aber ein solcher nur in einem
Falle begegnet: Lomia in Cond. (vgl. S. 178)[199]). Lomia
ist eine Idiotin; es ist anzunehmen, dass auch die weiblichen
Berufsnarren des wirklichen Lebens[200]) gewöhnlich Blöd-
sinnige oder Geisteskranke waren.

Dass Leute mit auffallendem Körperbau, besonders
Zwerge, mit Vorliebe als Hausnarren verwandt wurden,
habe ich schon oben (S. 216) betont.

Abbildungen englischer Narren sind den Werken von
Wright, Douce (vol. II), und Hone beigegeben[201]). Diese
Bilder und die in den Dramen verstreuten Andeutungen
lassen erkennen, dass es im 16. und 17. Jahrhundert für
die Berufsnarren in England zwei Hauptarten der Tracht
gab[202]):

1) Den wichtigsten Bestandteil der eigentlichen Tracht
des Hof- und Hausnarren bildete ein bunter oder wenigstens
mehrfarbiger kurzer Mannsrock („motley coat")[203]),
der nicht selten aus lauter einzelnen verschieden-

---

[196]) Vgl. As III 3, 79.
[197]) Vgl. Err. III 1, 32. „Patch" hiess auch der Hausnarr des
Kardinals Wolsey.
[198]) Belegstellen bei Shakespeare siehe bei Al. Schmidt.
[199]) Der unbenannte weibliche Narr in Fletcher's Pilgr. ist kein
Berufsnarr, sondern eine Wahnsinnige in einem Irrenhause.
[200]) Abbildungen von weiblichen Narren bietet Douce II. Tafel VI.
Fig. 3 und 4. Tafel VII. Fig. 1 und 3.
[201]) Wright Bild No. 127. 128. — Douce II Tafel II. Tafel VI.
Bild 1. Tafel IX (vgl. hierzu Douce II 469 ff.; dasselbe Bild auch bei
Wülker S. 289; der Narr ist hier die äusserste Figur rechts). Das
Bild bei Hone p. 268 (vgl. hierzu Hone p. 270).
[202]) Douce II 317 ff.
[203]) Vgl. Bild No. 127 bei Wright.

farbigen Flicken („*patches*") zusammengesetzt war[204]).
Dieser Rock ist zuweilen am unteren Rande zacken-
förmig ausgeschnitten[205]), wobei es vorkommt. dass
die Zacken in Troddeln oder Schellen enden[206]). In
diesem Falle sind auch die Ärmel des Narrenrocks in
entsprechender Weise ausgeschmückt[207]). Die Beine stecken
meist in kurzen enganliegenden Beinkleidern[208]),
gelegentlich auch in Pluderhosen („*slop*")[209]), die auch
nur höchstens bis an die Knie reichen. Zuweilen ist jedes
Bein mit einer besondern Farbe bekleidet (wie auch beim
Vice Jack Juggler, vgl. S. 165), oder sonst irgendwie verschieden vom andern ausgestattet[210]). Man pflegte die
enganliegenden Hosen des Narren hinten dick mit
Pferdehaar und Wolle auszustopfen[211]), und auch den
vorn angebrachten, meist wattierten Hosenlatz oder
Beutel („*codpiece*") an der Tracht des Berufsnarren noch
mehr hervortreten zu lassen[212]), als es nach damaliger

---

[204]) Vgl. Hml. III 4, 102: „*A king of shreds and patches*", und
dazu Delius II 401. Anm. 43.

[205]) So bei Fig. 2 auf Bild No. 127 bei Wright.

[206]) So beim Narren auf Tafel IX bei Douce (vgl. Anm. 201).

[207]) Ebenda; ferner bei Fig. 1, Bild No. 128 bei Wright.

[208]) So bei Wright, Bild No. 127.

[209]) So beim Narren auf Tafel IX bei Douce; vgl. auch Will.
Percy's „Cuck-Queans and Cuckolds Errants (1601). London 1824 [ed.
by J. A. Lloyd]. Roxburghe Club, p. 5, wo Tarlton's Geist als Prolog
auftritt, und als Bestandteile seines Kostüms aufzählt: „*My Drum,
my Cap, my Slop, my Shooe.*"

[210]) Eine solche Verschiedenheit ist bei Fig. 2 auf Bild No. 127
bei Wright angedeutet.

[211]) Vgl. Meas. II 1, 228 ff.; dazu Delius I 129. Anm. 39.

[212]) Mir stehen in diesem Falle nur nichtenglische Abbildungen
als Beispiele zur Verfügung: Spuren des Hosenlatzes bemerken wir
bei Douce, Tafel IV, Fig. 1 (altdeutsches Bild eines Narren). —
Tafel VI, Fig. 5, und VII. Fig. 2 (französische Narrenbilder); auf dem
Bilde bei Douce, Tafel V (Stich von Breughel) erscheint der Hosenlatz zu einer grossen ledernen Tasche erweitert. Die Mode des
Hosenlatzes herrschte vom 15. bis ins 17. Jahrhundert; Anspielungen
auf ihn sind im englischen Drama häufig (vgl. Murray vol. II. u.
Alex. Schmidt unter „*codpiece*").

15*

anstössiger Sitte ohnehin schon üblich war. Die Strümpfe sind oft mit Schellen besetzt[213]).

2) Zur Zeit Shakespeare's wird auch noch eine andere Narrentracht üblich, die ursprünglich nur den Idioten und Schwachsinnigen („natural fools"), oder Geisteskranken[214]) zukam, und von diesen aus Gründen der Reinlichkeit und des Anstands getragen wurde, die aber auch bald auf die Berufsnarren überging, um so eher, als ja, wie wir eben gesehen haben (S. 224), auch solche „naturals" hier und da das Amt von Berufsnarren zu bekleiden pflegten. Diese Tracht ist der lange, einem Frauenrock ähnliche Rock[215]); auch er war buntfarbig (vgl. Anm. 214), und wurde oft aus kostbaren Stoffen, Atlas oder Sammet, verfertigt[216]), und mit gelbem Besatz verbrämt[217]). In den Y. Pl. werden weisse Kleider als Abzeichen der Idioten angeführt[218]). Andere Merkmale dieser und mit ihnen auch der Berufsnarren waren Schaf- oder Kalbfelle[219]).

Die Kopfbedeckung der Narren bestand gewöhnlich aus einer Art Mönchskappe („fool's cap"), die ihrem Träger bis auf die Schultern oder gar die Brust herabreichte. Mitunter war diese Kappe mit Eselsohren ausstaffiert[220]); noch gebräuchlicher war aber als Verzierung

[213]) So beim Narren auf Tafel IX bei Douce.
[214]) Vgl. Pilgr. (p. 305 I): Alphonso:
„I met a Fool i' th' woods, . . .
In a long pied coat."
(bezieht sich auf die als Knabe verkleidete Wahnsinnige; vgl. Anm. 199).
[215]) Einen derartigen Rock trägt der in Narrentracht auftretende Clown Fiddle auf dem Titelbilde zur Originalausgabe von Exch.: vgl. Douce Tafel VI, Fig. 2. Bei Fig. 1 auf Tafel VI ist der lange Rock an der Seite aufgeschlitzt.
[216]) Vgl. Malc. (p. 53): Bilioso. „— 'tis common for your fool to wear sattin; I'll have mine in velvet."
[217]) Vgl. H 8. Prologue V. 16: „a long motley coat, guarded with yellow."
[218]) Trial before Herod, p. 304.
[219]) Vgl. John B III 1, 131 ff., und Anm. 100.
[220]) So bei Fig. 2, Bild No. 127 bei Wright.

der Hals und mit dem roten Kamm („*coxcomb*“) gekrönte Kopf eines Hahnes[221]). Nach diesem Hahnenkamm nannte man dann auch die ganze damit geschmückte Narrenkappe „*coxcomb*“. Zuweilen trat an die Stelle des Hahnenkammes eine Feder[222]), die aber auch, ebenso wie die Eselsohren[223]), zugleich mit jenem vorkommt. Die Eselsohren sind oft mit Schellen verziert[224]). Der Troddel- oder der Schellentracht entspricht die in eine Troddel oder eine Schelle auslaufende, mit dem Zipfel überhangende Kappe, die dadurch das Aussehen einer Nachtmütze erhält[225]). Der Kopf des Narren selbst pflegte glatt geschoren zu sein[226]).

Nicht immer erscheint der Narr in einer ihm eigentümlichen Tracht. Als häuslicher Bedienter mag er in vielen Häusern für gewöhnlich bloss eine Bedientenlivree getragen[227]), und nur bei besonderen Gelegenheiten das Narrenkostüm angelegt haben. Douce (II 325) erwähnt ein Bild von Holbein im Kensington-Palast, das Will Summer, den Hofnarren Heinrichs VIII., in der damals üblichen bürgerlichen Kleidung darstellt.

Zur Ausstattung des Narren gehört ferner der Narren- kolben („*bauble*“). Er bestand aus einem in einen Narrenkopf oder eine Puppe endenden Stabe von verschiedener Länge[228]), an dem oft noch eine mit Luft gefüllte Blase

---

[221]) So bei Fig. 1, Bild No. 127 bei Wright; — Fig. 1 u. 3, Tafel VI bei Douce.

[222]) So bei den Narren auf Tafel IX bei Douce und bei Hone p. 268.

[223]) Vgl. Fig. 1 u. 3, Tafel II bei Douce.

[224]) Vgl. Fig. 1, Tafel II bei Douce.

[225]) Vgl. Fig. 4, Tafel II bei Douce.

[226]) Vgl. das Personenverzeichnis zu Fawn: „*Dondolo, a balde Foole.*“

[227]) Der Narr Pickadill in Help (p. 50) erinnert seine Herrin an die ihm zukommende Livree („*livery cloak*“).

[228]) Bilder des Narrenkolbens bei Douce Taf. III 8, Taf. IV 1, Taf. V (alle drei nach deutschen oder holländischen Quellen), Taf. VI 4 u. 5 (französisch).

befestigt war[229]). Diesen Kolben pflegte der Narr, ähnlich
wie der Teufel seine Keule (vgl. S. 60 ff.) zu improvisierten,
meist handgreiflichen, und nicht immer anständigen Scherzen
mit den Personen seiner Umgebung zu benutzen. Im
einzelnen zeigt der Narrenkolben mannigfache Formen:
zuweilen war die an ihm angebrachte Figur obscön im
höchsten Grade. Die Blase enthielt nicht immer allein
Luft, sondern gelegentlich auch Sand oder Erbsen[230]). An
die Stelle eines solchen Kolbens konnten auch eine kurze
dicke Keule[231]), eine Klatsche oder Pritsche[232]), eine
mit Schellen verzierte Klapper[233]), eine Peitsche[234]),
oder auch noch andere Gegenstände treten[235]). Diese
Dinge wurden gelegentlich auch zur Züchtigung ihres
Trägers selbst verwandt, wenn er sich irgendwie lästig
gemacht hatte. Wir dürfen auch nicht das hölzerne
Schwert oder den hölzernen Dolch (*„wooden dagger“*)
vergessen, der häufig als Attribut des Narren erwähnt
wird[236]), und von diesem auch, wie hervorgehoben wurde
(S. 215), auf den Vice übertragen worden ist. Endlich
pflegte der Narr auch häufig eine Handtrommel (*„tabor“*
oder *„drum“*) mit sich zu führen und zu schlagen[237]).

---

229) So auf den Bildern 1 u. 3, Taf. VI bei Douce (vgl. Anm. 201).

230) Douce II 319.

231) Douce Taf. III, Bild 4 (deutschen oder holländischen Ursprungs).

232) Douce Taf. III, Bild 2 (desgl.); eine solche Klatsche ist
eigentlich weiter nichts als die oben erwähnte Blase ohne den Narrenkolben.

233) Douce Taf. III, Bild 1 (ebenfalls deutschen oder holländischen
Ursprungs).

234) Vgl. das Bild bei Hone p. 268 und Anm. 201.

235) Auf Bild No. 127 bei Wright schwingt der eine der beiden
Narren einen seltsam geformten Stab, der vielleicht eher einen
Riemen oder Gürtel vorstellen soll, mit einer Spange am Ende; der
andere einen Kochlöffel.

236) Z. B. in Bac. (Dodsley 3 VIII p. 178); in Bussy (Chapman's
Works ed. Shepherd p. 143 11).

237) Tw. III 1, 1.

Die meisten eben beschriebenen Bestandteile und Attribute des englischen Narrenkostüms finden wir in gleicher oder ähnlicher Form auch bei den andern abendländischen Völkern[238]); die Narrentracht ist also, gleich dem Kostüm des Teufels (vgl. Anm. 102), ein gemeinsamer Besitz Westeuropas.

Manche Bestandteile des Narrenkostüms lassen sich leicht geschichtlich erklären. Einige darunter gehen wahrscheinlich schon auf das klassische Altertum zurück. Auch der altrömische Bühnenkomiker („*mimus*") schwang ein hölzernes Schwert („*gladius histricus*" oder „*clunaculum*")[239]). Douce (II 319) bringt auch die Pritsche oder Klapper des englischen Berufsnarren mit dem „*crotalum*"[240]) der altrömischen Komiker in Zusammenhang. Eine ununterbrochene Überlieferung verbindet das altlateinische Volksdrama (die „Atellanen") mit der italienischen Stegreifkomödie („commedia dell' arte"). Dass auch das englische Narrentum in seiner Tracht durch Vermittelung der Italiener antike Einwirkungen erfuhr, kann uns bei der Internationalität des Narrenkostüms (sieh oben) nicht wunder nehmen.

Ein aus einzelnen bunten Flicken zusammengesetztes Gewand („*centunculus*")[241]) kennzeichnet auch vielfach den altrömischen Spassmacher. Aber nicht nur dadurch allein mag der bunte Rock der späteren Hofnarren beeinflusst worden sein, sondern auch durch die aus grossen zackenförmigen Flicken zusammengesetzte halbseitige, senkrecht abgeteilte (vgl. S. 96 und 165) Kleidung („Zaddeltracht"),

---

[238]) Vgl. die niederländischen Bilder von Narren bei Douce Taf. V und VIII (Bild eines Moriskotanzes; der Narr steht hier links zu Füssen der in der Mitte befindlichen weiblichen Gestalt); das deutsche Narrenbild bei Douce Taf. IV 1; die französischen Bilder von männlichen Narren (vgl. Anm. 200) bei Douce Taf. VI 5. Taf. VII 2.

[239]) Wright p. 106.

[240]) Das Bild eines „*crotalum*" bei Douce Tafel III 3; hierzu Douce II 320. Anm. c.

[241]) Das Bild eines solchen finden wir bei Flögel-Ebeling. Taf. 2. Fig. 1.

die seit der Mitte des 14. Jahrhunderts allgemein in Westeuropa Mode wurde.

Auch der antike Spassmacher pflegte kahlköpfig aufzutreten; der glattgeschorene Kopf des Berufsnarren ist aber
wohl eher als parodistische Nachahmung der mönchischen
Tonsur aufzufassen [242]. Auch die Narrenkappe ist ursprünglich gewiss bestimmt gewesen, die Mönchskappe zu
parodieren.

Das gleichzeitig mit der Zaddeltracht aufgekommene,
und besonders zu Anfang des 15. Jahrhunderts beliebte
Schellenkostüm geriet seit der Mitte desselben Jahrhunderts
wieder aus der Mode, blieb aber, gleich der Zaddeltracht,
auch später noch immer als Aufputz der Narren üblich,
also gleichsam als Spott auf die Mode früherer Zeit [243].

Endlich bemerken wir auch einen gewissen Parallelismus
zwischen dem Kostüm des Narren und dem des Teufels:
man könnte den Narren, wenigstens seiner Tracht nach,
etwa als einen aller übermenschlichen Bestandteile des
Kostüms entkleideten, vermenschlichten Teufel auffassen.
Der Narrenkolben und noch mehr die gelegentlich neben
diesem vorkommende Keule des Narren (vgl. S. 230 und
Anm. 231) erinnern uns an die gleichartige Waffe des
Teufels (vgl. S. 60 ff.). Dass die äussere Erscheinung des
Teufels auf das Kostüm des Narren eingewirkt haben
mag, ist nicht unwahrscheinlich [244]. Zum Vermittler
zwischen beiden war der Vice sehr geeignet, als ein ins
Allegorische übersetzter Teufel (vgl. S. 101) im Narren-
kostüm (vgl. S. 215).

Eine bedeutsame Rolle spielte der Berufsnarr in England im Moriskotanz („morris dance"). Dieser Tanz wurde
besonders am ersten Mai, dem Maitag [245], an den sich

---

[242]) Vgl. Wright p. 204.
[243]) Vgl. Alw. Schultz S. 260.
[244]) Das Kalbfell, das der Teufel in Wily trägt (vgl. S. 87), hat
er wohl eher von den Narren des gleichzeitigen Dramas übernommen,
als umgekehrt der Narr vom Teufel (vgl. Anm. 100 und 219).
[245]) All's II 2, 22 ff.: „as fit as . . . a morris for May-day."

noch in der Gegenwart allerlei uralte Volksbräuche und
Volksfeiern knüpfen, und in der Pfingstzeit [246]), im Freien
aufgeführt; man tanzte ihn aber auch in den Theatern,
bei Hofe, oder bei Hochzeitsfeiern [247]). In Kinsm. (p. 30 II)
werden die Gestalten des Moriskotanzes aufgezählt [248]). In
Einzelheiten mag die Besetzung der Rollen oft geschwankt
haben; unentbehrlich waren aber jedenfalls der Maikönig
(*„Lord of May"*) Robin Hood, seine Geliebte Maid Marian
als Maikönigin (*„Lady of the May"*) [249]), die lustige Person
(Narr oder Clown oder beide [248]) als *„Lord of Misrule"*,
ein Trommler, der zugleich auch die Flöte oder die
Schalmei zu blasen hatte, sowie mehrere Tänzer, die meist
Personen aus Robin Hood's Umgebung (Little John, Friar
Tuck, u. s. w.) darstellten. Ein wichtiger, wenn auch nicht
unbedingt notwendiger Bestandteil des Moriskotanzes war
auch das Maskenpferd (*„hobby horse"*), das gewöhnlich eine
besondere Person als Reiter erforderte [250]).

---

[246]) H 5 II 4, 25: *„a Whitsun morris-dance."*

[247]) Wülker, der S. 289 das Bild eines Moriskotanzes darbietet
(vgl. Anm. 201), verwechselt diesen mit dem *„jig"*, und verlegt ihn
daher irrtümlich ans Ende einer Theatervorstellung. In Wom. (p. 366)
gehört der Moriskotanz zu den Veranstaltungen bei einer Hochzeitsfeier.

[248]) Es ist sehr zu beachten, dass hierbei sowohl der Narr als
auch der Clown, beide gesondert, genannt werden. Dass man dem
Narren eine Rolle im Moriskotanz übertrug, wurde durch sein berufs-
mässiges Spassmachertum nahegelegt, das ihn überhaupt zum Haupt-
darsteller bei öffentlichen Lustbarkeiten geeignet machte. Der Clown
geriet unter die Moriskotänzer wohl mit den stehenden Personen
von Robin Hood's Gefolge: eine dieser Personen, der Müllerssohn
Much, mit den von jeher im englischen Drama üblichen Attributen
des Bauernburschen, täppischer Naivetät und Mutterwitz ausgestattet,
wurde ganz von selbst, als diese Eigenschaften sich zu Beginn des
eigentlichen Dramas im Clown zu einem selbständigen Typus ver-
dichteten, zum Clown des Moriskotanzes, der ja mit einem regelrechten Bühnendrama nahe verwandt ist und daher auch leicht durch
dieses beeinflusst werden konnte.

[249]) In Thrac. (p. 174) spielt der Clown die Rolle der Maid
Marian.

[250]) Vgl. Tafel IX bei Douce. In Edm. (p. 395) tanzt der Clown
das Maskenpferd.

Tänze von verwandter Art gab es auch im übrigen
Westeuropa[251]). „In Deutschland verstand man im 16.
Jahrhundert unter dem „morischen Tanz" einen Reiftanz
im Mohrenkostüme"[252]). Der Moriskotanz ist ursprünglich
wohl maurischen Ursprungs; er hat aber in England so
bedeutende Umwandlungen erfahren, dass obiger Ursprung
völlig verwischt erscheint, zumal da es zweifelhaft ist, ob
jemals im englischen Moriskotanz auch nur ein einziger
maurischer Charakter aufgetreten ist.

Auch noch bei andern Gelegenheiten hatte der Berufsnarr bestimmte feststehende Gebräuche zu beobachten. Bei
städtischen Festessen in London z. B. wurde eine ungeheure Eierpastete (*„custard"*) aufgetragen, in die der Hausnarr des Lordmayors, der zugleich als Narr der Londoner
City fungierte, zur Belustigung der Gäste kopfüber hinein-
springen musste[253]).

Bisher ist nur von gemeinsamen Merkmalen und
Funktionen des Berufsnarren im wirklichen Leben und
seines Abbildes auf der Bühne die Rede gewesen. Wir
wollen nun den Bühnennarren für sich getrennt betrachten.
Für diesen hat der Tanz, und damit der Gesang, noch
eine besondere erhöhte Wichtigkeit. Es war üblich geworden, dass nach Schluss einer Tragödienaufführung der
Narr (oder auch, wenn ein solcher im Stücke gefehlt hatte,
der viel häufiger vorkommende Clown, also überhaupt die
lustige Person des betreffenden Dramas) noch einmal auftrat und einen *„jig"* vorführte, der die durch das Trauerspiel in den Zuschauern erzeugte ernste Stimmung ver-
scheuchen sollte. Der *„jig"* (aus dem afrz. *„gige"*, *„gigue"*
< mhd. *gîge* = Geige) war ursprünglich ein lustiger Tanz
nach der Begleitung von Trommel und Pfeife[254]), die das

---

[251]) Vgl. Douce II 434 und das vlämische Bild eines solchen
Tanzes auf Tafel VIII (vgl. Anm. 238).

[252]) Michels S. 85.

[253]) All's II 5, 40 ff.: *„like him that leaped into the custard."*
Vgl. auch Dev. (vgl. S. 87) p. 477 l.

[254]) Mit einem solchen Tanz schliesst z. B. H 4 B.

in Frankreich bei der gleichen Gelegenheit übliche Saiten-
instrument, dem der Tanz seinen Namen verdankt, verdrängt hatten. Allmählich kam auch die Sitte auf, das
Rezitieren von Knittelversen, oder den Gesang komischer
Lieder daran anzuschliessen, beides verbunden mit einem
toll karrikierenden Geberdenspiel. Auch der Tanz bestand
später meist nur noch aus grotesken Sprüngen. Oft pflegte
der den Jigtänzer spielende Komiker seine komische Rede
oder seine Lieder selbst zu dichten, oder gar zu improvisieren. Diese Lieder sind mitunter halb sinnlos, wie
z. B. das bekannte Liedchen des Narren Feste am Schluss
von Tw.: „*When that I was and a little tiny boy*", u. ﬆ. w.
Die Trommel und Pfeife pflegten dem Jigtänzer von einem
Knaben vorangetragen zu werden[255]); es kam aber auch
vor, dass der Tänzer sich selbst auf jenen Instrumenten
begleitete[256]). Die zum „*jig*" gehörigen Lieder haben zuweilen auch dialogische Form, so dass der „*jig*" sich
förmlich zu einer Art Gesangsposse erweitert[257]).

Auch in den Zwischenakten wurde der „*jig*" zuweilen
getanzt[258]); überhaupt pflegten die lustigen Personen des
altenglischen Theaters in den Pausen zur Erheiterung des
Publikums ihre improvisierten Spässe zu treiben, bestehend
aus grotesken Tänzen, Scherzen aller Art, und komischem
Geberdenspiel. Diese Sitte hat sich noch in den heutigen
englischen „Christmas Pantomimes" erhalten; diese pflegen
ja auch noch immer mit einer dem alten „*jig*" wenigstens

---

[255]) Genée S. 69 giebt einen Holzschnitt aus dem Jahre 1600
wieder, der den berühmten Komiker William Kempe, den Verfasser
mehrerer Jigs, als Jigtänzer, und ihm zur Seite einen Knaben mit
Trommel und Pfeife darstellt.

[256]) Tarlton wird auf einem der Ausgabe seiner „Jests" (vgl.
Anm. 185) beigegebenen alten Holzschnitt in obiger Weise abgebildet.

[257]) Vgl. Bolte S. 1.

[258]) In J 4 wird der „*jig*" nicht nur am Ende des 1. und des
2. Aktes (vom Clown Slipper allein oder auch zusammen mit andern
Personen) getanzt, sondern auch in der „Induction", also noch vor
Beginn des eigentlichen Stückes.

ungefähr ähnlichen, auf das eigentliche Stück folgenden
Harlekinade zu schliessen.

Im englischen Drama ist der Narr im allgemeinen
eine seltene Gestalt. Die gelehrte Richtung innerhalb
dieses Dramas, an deren Spitze Ben Jonson steht, verschmäht ihn[259]); aber auch manche Dramatiker der volkstümlichen Richtung lassen ihn überhaupt nicht auftreten.
Bei der Mehrzahl der englischen Dramendichter fehlt der
Narr gänzlich. In reichlicherer Verwendung findet er sich
nur bei Shakespeare, der kein brauchbares Element von
der Hand wies, das ihm sein Volkstum damals in so
besonders reicher Fülle bot, der aber zugleich die diesem
Volkstümlichen vielfach anhaftende Roheit in genialer
Weise zu veredeln und zu verfeinern verstand; ausserdem
kommt der Narr verhältnismässig häufig nur noch bei
John Fletcher vor.

Obwohl in manchen Stücken die Rolle des Narren
sehr umfangreich ist, und er mitunter fast in jeder Szene
auftritt, zeigt er sich als thätig doch höchstens nur, indem
er, seiner Stellung als Hausbedienter gemäss, einen Befehl
ausführt, einen Besuch anmeldet. u. s. w.: er ist also als
handelnde Person bloss eine untergeordnete Nebenfigur.
Wie der Hofnarr der Wirklichkeit auf die Staatsgeschäfte
ebenso wenig Einfluss hatte, wie der Hausnarr auf die
Führung des Haushalts, dem er angehörte, so ist es auch
nicht die Aufgabe des Bühnennarren, in den Gang der
Haupthandlung des betreffenden Stückes selbstthätig einzugreifen. Ist somit der Narr für die dramatische Verwickelung durchaus entbehrlich, so darf doch seine Rolle
keineswegs als nichtssagend bezeichnet werden, ja, der
Narr kann unter Umständen zu den wichtigsten Personen
im Stücke gehören. Er begleitet alles, was die andern
treiben, mit seinen mehr oder weniger richtigen Bemerkungen; er ist oft ein recht scharfer Kritiker, und um

---

[259]) Carlo Buffone in Out kann, streng genommen, ebenso wenig
als Narr gelten, als Androgyno in Volp.

so unbefangener, als er ja selbst an der Handlung gar
nicht beteiligt ist. So nähert sich seine Rolle, wie schon
oft von Litteraturhistorikern betont worden ist, der des
Chors im antiken Drama. Der Narr sieht ebenso wie der
antike Chor die übrigen Personen im Stücke und deren
Thun und Treiben gleichsam von oben herab, von der
Vogelperspektive aus an; aber der herbe tragische Ernst
des griechischen Chors erscheint beim Narren in Komik
verwandelt, und die antike Vielheit jenes ist bei diesem
zur Einheit vereinfacht[260]).

Dass der Narr immer nur in seiner gleichartigen
Narrentracht auftritt, dass er im Stücke nur unbeteiligter
Zuschauer ist, dass sein persönlicher Charakter, das rein
menschlich Individuelle an ihm stets hinter der berufsmässigen Komik seines Narrentums zurücktritt, alles das
bewirkt, dass die Narren im Drama, bei all ihren Verschiedenheiten unter einander und ihrer mannigfachen
Gliederung, uns doch im allgemeinen als starrer Typus
erscheinen, so dass für eine eingehendere Individualisierung
der einzelnen Narrengestalten nur sehr wenig Spielraum
gegeben ist. So ist ja auch der heutige Zirkusclown zu
einem feststehenden Typus erstarrt, dessen persönliche
individuelle Eigenschaften völlig hinter seiner typischen
Maske verborgen bleiben, und den Zirkusbesucher ebenso
wenig kümmern, wie zu Shakespeare's Zeit die Individualität des einzelnen Hausnarren dessen Hausgenossen,
denen er weiter nichts war als ein Werkzeug der Belustigung.

Der Berufsnarr ist die einzige Art einer lustigen
Person, die, weil eben schon sein Urbild im wirklichen
Leben eine solche Person darstellte, ohne wesentliche Veränderungen aus diesem ins Drama übertragen werden
konnte, um auch hier als lustige Person zu fungieren.

Wir wenden uns nun zur Besprechung der dem Narren
zugewiesenen komischen Einzelmotive. Natürlich kann

---

[260]) Zwei Narren zusammen in einem Stücke begegnen nur in
Whon.

hier nur von solchen Motiven die Rede sein, die allen oder wenigstens mehreren Narren im Drama gemeinsam, mithin für den Narren überhaupt, oder bestimmte Unterarten desselben typisch sind. Eine vollständige Aufzählung aller einzelnen einschlägigen Fälle ist natürlich nicht beabsichtigt. Es genügt, jede Unterart der Narrenkomik durch einige passende Beispiele zu erläutern.

Die zur Narrenrolle gehörigen komischen Einzelmotive liegen naturgemäss grösstenteils im Bereich der aktiven Komik, und zwar überwiegt hierbei weitaus der blosse Wortwitz in seinen verschiedenen Formen.

Sehr häufig äussert sich der Witz des Narren in der Form des absichtlichen Wortspiels. Es ist ja bekannt, was für eine Vorliebe das Zeitalter der Königin Elisabeth für das Wortspiel hatte. Unter den englischen Dramatikern sind Lyly und Shakespeare in dieser Beziehung den Forderungen des Zeitgeschmacks am zugänglichsten gewesen. Lyly kommt hier für uns nicht in Betracht, da in seinen Dramen die Gestalt des Narren gänzlich fehlt. Shakespeare legt seinen Personen überhaupt gern und oft Wortspiele in den Mund: diese boten seinem geistreichen Witz einen geräumigen Tummelplatz. Shakespeare's Narren aber schwelgen geradezu in Wortspielen; das Wortspiel gehört gleichsam zum unentbehrlichen Handwerkszeug des Narren. Bei Shakespeare's Nachfolgern gerät die Kunst des Spielens mit Worten allmählich wieder in Verfall: das Wortspiel wird seltener und zugleich plumper.

Als Beispiel eines besonders verwickelten und kunstreichen Wortspiels eines Narren bei Shakespeare möge das Spiel des Narren in Lr. (I 4. 170 ff.) mit den drei Bedeutungen des Wortes „crown" = Königskrone, Eierschale und Schädel dienen: Fool. *„Give me an egg, nuncle, and I'll give thee two crowns."* Lear. *What two crowns shall they be?"* Fool. *Why, . . . the two crowns of the egg. When thou clovest thy crown i'the middle, and gavest away both parts, thou borest thy ass on thy back o'er the dirt: thou hadst little wit in thy bald crown, when thou gavest thy*

golden one away.“ — Babulo in Griss. (p. 38) scherzt
über sich selbst: *„at first I was a foole, for I was born an
Innocent* [= „Unschuldiger“, und „Blödsinniger“].“ —
Abgedroschen ist Carlo Buffone's Spiel mit *„arms“* =
„Wappen“ und „Arme“ in Out (p. 67 I)[261]); ähnlich spielt
Base in Val. (p. 527 I) mit *„arms“* = „Waffen“ und „Arme“.

Der Witz verknüpft bekanntlich zwei völlig verschiedenartige Dinge mit einander, indem er unvermutete
Ähnlichkeiten zwischen beiden entdeckt. Er ist um so
glänzender, je weiter jene beiden Dinge von einander ent-
legen sind, je grösser also unsere Überraschung über ihre
Verknüpfung ist, und zugleich auch, je ungezwungener
.diese Verknüpfung uns erscheint. Mit einem solchen Massstab gemessen, sind diejenigen Wortspiele als geringwertig
anzusehen, worin die beiden Bedeutungen des Wortes, mit
dem gespielt wird, einander nahe berühren. Wortspiele
von solcher Art sind eher witzelnd als witzig zu nennen.
In derartig witzelnder Weise spielt Andrea in Conc. (p. 50),
indem er zur Königin Eulalia spricht: *„since your Grace
has not the grace to eat this meat, mark with what a grace
or without Grace* [= Tischgebet] *I will eat it myself.“* —
Auf gleicher Stufe steht Geta's Spiel mit der wörtlichen
und der übertragenen Bedeutung von *„high“* in Proph.
(p. 353 II): *„We tilers may deserve to be senators, ... For
we are born three stories high.“* — Shakespeare benutzt
obige Art des Wortspiels zur Charakterisierung; indem er
z. B. Trinculo in Tp. (III 2, 31 ff.) ein Wortspiel von dieser
geringen Qualität in den Mund legt, kennzeichnet er dessen
Geistesarmut. Trinculo fragt Caliban: *„Wilt thou tell a
monstrous lie* [= „ungeheure Lüge“, und „Lüge eines
Ungeheuers“] *being but half a fish and half a monster?“*

Obige Beispiele stellen, wenigstens insofern, als nur
eine einzige Person am Wortspiel beteiligt ist, eine einfache Art desselben dar. Daneben ist auch eine andere

---

[261]) Über die Häufigkeit der Wortspiele mit *„arms“* bei Shakespeare vgl. Wurth S. 97. Anm. 97.

verwickeltere Art häufig, die zwei Personen erfordert: die
erste gebraucht irgend ein Wort, ohne einen Doppelsinn
damit zu verbinden; die zweite aber fängt jenes Wort
auf, und fügt eine zweite Bedeutung hinzu[262]). Der stets
auf Spässe bedachte Berufsnarr ist natürlich besonders
geneigt, in obiger Weise mit den Worten eines andern
Fangball zu spielen. Beispiele. As II 4, 9 ff.: Celia. *„I
pray you, bear with me* [habt Geduld mit mir]; *I cannot
go no further."* Touchstone. *„For my part, I had rather
bear with you than bear you* [= tragen in wörtlichem
Sinne]." — Meas. II 1, 60 ff.: Angelo. *Why dost thou not
speak, Elbow?"* Pompey. *„He cannot, sir; he's out at
elbow* [= geht mit zerrissenen Kleidern einher, ist ganz
heruntergekommen]." — Trinculo in Tp. (IV 239): *„line"*
= „Wäscheleine", und in der Redensart *„by line and level"*
= systematisch.

Nahe verwandt mit dem „Auffangespiel" ist das Wortspiel infolge absichtlichen Missverstehens eines
Wortes der ersten Person durch die zweite. Beispiele.
Tw. III 1,1 ff.: Viola. *„— dost thou live by* [= von] *thy
tabor?"* Feste. *„No, —, I live by* [= bei] *the church."* —
All's I 3, 14 ff.: Lavache. *„I am a poor fellow."* Countess.
„Well [= wohlan], *sir."* Lav. *„No, madam, 'tis not so well*
[= gut] *that I am poor."* — Der Narr in Oth. (III 4, 1 ff.):
„to lie" = „im Quartier liegen", und „lügen" (ein sehr
verbrauchtes Spiel). — Trinculo in Tp. (III 2, 17 ff.):
„standard" = „Fähnrich" und „einer, der steht". — In
Whcn (p. 24) scherzt Will Summers über die an den König
gerichteten Worte des päpstlichen Legaten Kardinal Cam-
peius: *„Receive this bull* [= Bulle] *sent from his holiness"*,
indem er „bull" Stier fasst, und, auf die behörnte Stirn
des Hahnreis anspielend, einwirft: *„Tis well the king is a
widower: an ye had put forth your bull with his horns
forward, I'd have marred your message."* — Der Narr in
Mad (p. 423 II): *„bodies"* „Leiber" und „Schnürleib".

262) Wurth S. 57 ff.

— Pickadill in Help (p. 45): „*calf*" = „Wade" und „Kalb".

Das Wortspiel kann auch durch absichtlich falsche Ergänzung einer elliptischen Ausdrucksweise zustande kommen, z. B. All's II 2, 68 ff.: Countess. „*Commend me to my kinsmen and my son:* ‖ *This is not much.*" Lavache. „*Not much commendation to them.*" Count. „*Not much employment for you.*"

Endlich kann sich das Missverstehen auch nicht auf ein einzelnes Wort, sondern auf einen ganzen Satz erstrecken, z. B. Oth. III 1, 22 ff.: Cassio. „*Dost thou hear, my honest friend.*" Narr. „*No, I hear not your honest friend; I hear you.*"

Gleich vielen andern Personen, spielt auch der Narr gern mit solchen Worten, die ausser ihrer gewöhnlichen unverfänglichen Bedeutung noch einen erotischen Nebensinn haben. Hier finden sich viele Abstufungen von der blossen lustigen Derbheit bis zum Niedrig-Obscönen und Unflätigen. Ein hieher gehöriges Wortspiel von edlerer Art ist Babulo's Witz in Griss. (p. 8): „*this yeare I thinke be leape yeare* [= „Schaltjahr" und „Sprungjahr", d. h. Jahr, worin viele Kinder erzeugt werden], *for women do nothing but buy cradles.*" — Blosse Zoten sind die Wortspiele mit umschreibenden Bezeichnungen für „Hode": „*cods*", zugleich „Erbsen" (Touchstone in As II 4, 53); „*stone*", zugleich „Stein" (der Narr in Tim. B, II 2, 117). Verwandt sind die Spiele mit „*bauble*" = „Narrenkolben" (Lavache in All's IV 5, 32), und „*pricks*" = „das Schwarze in der Zielscheibe" (Pickadill in Help p. 79); beide mit der Nebenbedeutung „männliches Glied". — „*To stand*" wird oft zu Zoten verwertet: „*to stand to it*" = „standhalten im Gefecht", und mit obscönem Nebensinne (Lavache in All's III 2, 43; ähnlich Andrea in Conc. p. 56); „*to stand for*" = „es halten mit", und „*to take down*" = „demütigen, unterkriegen, beides zugleich obscön (Passarello in Malc. p. 245). — Auch für die Lustseuche und damit zusammenhängende Begriffe giebt es eine Menge von euphemistischen

Umschreibungen, die als Grundlage für Wortspiele dienen;
einschlägige Beispiele sind: *„French crown"* als „Münze"
und „Gehirnkrankheit infolge der Lustseuche" (Carlo Buffone in Out p. 56 I). Pompey in Meas. (III 2, 60): *„tub"*
= „Pökeltonne" und „Tonne, worin die Geschlechtskranken
ihre Schwitzkur durchmachen"[263]). Der Narr in Lr. (III
2, 84): *„burn'd"* — „verbrannt", und „von der Lustseuche
angesteckt"; ähnlich der Narr in Tim. B. (II 2, 71) *„to
scald"* = brühen. — Endlich gehört auch hieher Pompey's
Spiel in Meas. (II 1, 208 ff.): Escalus. *„Your mistress'
name?"* Pom. *„Mistress Overdone."* Esc. *„Hath she had
any more than one husband?"* Pom. *„Nine, sir; Overdone
by the last"* [= sie heisst nach ihrem letzten Gatten
„Overdone"; zugleich: sie ist durch des letzten geschlecht-
lichen Verkehr stark mitgenommen].

Natürlich kann das Wortspiel mit obscönem Nebensinn
auch ein Auffangespiel sein, oder auf einem absichtlichen
Missverständnis beruhen. Ein Beispiel von letzterer Art
ist Pompey's Scherz in Meas. (I 2, 87 ff.): Pompey. *„Yonder
man is carried to prison."* Mrs. Overdone. *„Well; what has
he done* [= gethan]*?"* Pomp. [fasst *„done"* in obscönem
Sinne]. *„A woman".* Hieher gehört auch Lavache's un-
flätiges Missverstehen des bildlich gemeinten *„to smell"* in
wörtlichem Sinne in All's (V 2, 5 ff.). Noch niedriger steht
Dondolo's Missverstehen des Zeitadverbs *„before"* in der
Verbindung *„to kiss before"* als Ortsbezeichnung in
Fawn (p. 90).

Neben dem eigentlichen Wortspiel dient auch das
Klangspiel[171]) dem Berufsnarren als Mittel der Komik.
Während dem Wortspiel ein einziges Wort mit Doppelsinn,
oder zwei in Aussprache und Schreibung gleich gewordene
Wörter zu Grunde liegen, handelt es sich beim Klangspiel
nur um grössere oder geringere Klangähnlichkeit zweier
verschiedener Wörter. Am nächsten stehen dem Wortspiel
solche Klangspiele, wobei völlige Klanggleichheit vorliegt.

---

[263]) Delius I 141, Anm. 15.

Ein geeignetes Beispiel hierfür bietet Conc. (p. 32), wo der
Narr Andrea über die neue Königin Alinda sagt: *„Ile not
trust her on a fasting night:* ‖ *Fools are meat then"*
[*„meat"* · Fleisch, und *„meet"* — passend]. Vom eigentlichen Wortspiel unterscheidet sich obiges Klangspiel nur
dadurch, dass die Worte *„meat"* und *„meet"* vom Sprach-
bewusstsein der Engländer stets deutlich als etymologisch
verschieden empfunden worden sind, und daher auch, trotz
ihres schliesslichen lautlichen Zusammenfalls, durch die
Schreibung unterschieden werden. Fast völlige lautliche
Übereinstimmung findet sich auch in einem Klangspiel
Will Summers' (When p. 41), der die neue Gemahlin
Heinrichs VIII., Katharine Parr, mit folgenden Worten
begrüsst: *„provide civil* [— Seville] *oranges enough, or he'll*
[Henry] *have a lemon* [Zitrone, zugleich *„leman"*
Liebchen] *shortly."* Entfernter ist die Klangähnlichkeit
in den meisten übrigen Beispielen. Carlo Buffone in Out
(p. 55 1) kalauert: *„better with similes than smiles."* Babulo
in Griss. (p. 15): *to duck : duke*; Will Summer in Summ.
(p. 80): *despatched : batch* (vielleicht als unfreiwilliges
Klangspiel gemeint, jedenfalls als Scherz sehr armselig).
Ein Klangspiel mit gleich anlautenden, aber verschieden
endigenden Worten bietet Carlo Buffone in Out (p. 68 II):
rampant : ramping. Ein rein musikalisches Klangspiel,
und zwar ein Reimspiel[264]), lässt Andrea in Conc. (p. 56)
vom Stapel: Eulalia. *„Ile teach you to teach them to work
and pray."* Andr. *„To work and play I pray you."*

Natürlich lässt sich auch das Klangspiel in die den
oben aufgestellten Kategorien des Wortspiels entsprechenden
Unterarten zerlegen; doch bieten die Narrenrollen keine
einschlägigen Beispiele, abgesehen von den durch ein Missverständnis herbeigeführten Wortverdrehungen, die, wenn
die Verdrehung eine neue Bedeutung ergiebt, als eine Art
Klangspiel auf der Grundlage eines Missverständnisses
gelten dürfen. Derartige Entstellungen sollen bei der Besprechung der Wortverdrehungen behandelt werden.

---

[264]) Vgl. S. 14 und Wurth S. 138 ff.

16*

Eine besondere Art Klangspiel entsteht durch Teilung
eines Wortes und Erhebung eines einzelnen Bestandteils
desselben zu selbständiger Bedeutung. Beispiel. Andrea
in Conc. (p. 33), anspielend auf die Verstossung der Königin
Eulalia zu Gunsten der lasterhaften Alinda: *„So, having
turn'd his old wife out of door,* | *A man may drink and
frolique with his who* — || *would have thought it? Did you
think to catch me?"* [letzterer Zusatz bezieht sich auf die
schweren Strafen, die allen denen angedroht waren, welche
die neue Königin Alinda nicht gebührend ehren würden];
„who" wird hier zugleich als Anfang des als Reim auf
„door" zu erwartenden Wortes *„whore"* und als fragendes
Fürwort gebraucht.

Ausser im Wort- und im Klangspiel äussert sich die
Komik des Narren auch in der Form des witzigen Vergleichs oder des Witzes im engeren Sinne. Der komische
Vergleich kann bloss witzig sein, aber auch humoristisch
oder satirisch erscheinen, und unter Umständen ebenso
wie Wort- und Klangspiel einen erotischen oder unflätigen
Anstrich erhalten. Besonders reich an satirischen Vergleichen sind die Reden des Narren in Lr.; vgl. I 4, 124 ff.,
wo er die Wahrheit mit einem durchgepeitschten und in den
Hundestall gesperrten gemeinen Köter vergleicht, während
das begünstigte Windspiel im warmen Zimmer bleiben
darf, auch wenn es sich schlecht aufführt; ferner I 4, 142 ff.
211 ff. 219. 244 ff. I 5, 8 ff. 29 ff. II 4, 46 ff. 124 ff. III 4,
116 ff. Sehr boshaft sind auch Carlo Buffone's Vergleiche
in Out. In das Gebiet des blossen Witzes gehört Lavache's
freilich nicht sehr geistreicher Einwurf, als von Kräutern
die Rede ist (All's IV 5, 21 ff.): *„I am no great Nebu-
chadnezzar, sir; I have not much skill in grass."* In der
Form des komischen Vergleichs zotet der Narr in Oth.
(III I, 3 ff.). Teilweise obscön sind auch Lavache's Vergleiche in All's II 2, 22 ff.; ganz innerhalb des Ideenkreises
eines Kupplers liegt der Witz Pompey's in Meas. I 2, 102.
Die Derbheit des Vergleichs (Tony in Wife (p. 221) vergleicht z. B. die Brüste einer alten Kupplerin mit zwei

weichgekochten Eiern, deren Dotter zuvor ausgesogen
worden ist) wird zur Unflätigkeit bei Lavache in All's
(II 2, 17 ff.). — Wortspiel und Vergleich können auch mit
einander verbunden werden. So sagt Andrea in Conc. (p. 48),
anspielend auf die durch Kummer bewirkte Abmagerung der
Königin Eulalia: *„there is not so thin a Queen in the
Cards.“* Auch in dieser Verbindung nimmt das Wortspiel
zuweilen die Färbung einer Zote an. Recht witzig ist eine
solche Zote Dondolo's in Fawn (p. 89): er vergleicht die
jungen Herren mit dem Unterhause in Cupido's Parlament,
während die alten Herren, die nur noch küssen können,
das Oberhaus bilden (gespielt wird hier mit den Worten
„nether“ und *„upper“*). Ein verwandtes Beispiel ist Will
Summers' Vergleich der Ehe mit dem Militärdienst in When
(p. 9), wobei zugleich mit den Worten *„to press“* und
„standard“ gespielt wird.

Eine beliebte Einkleidungsform der Narrenkomik ist
auch die Beweisführung ungereimter Behauptungen.
Auch dies Motiv ist eine Unterart des Witzes; denn auch
hier werden zwei einander durchaus fernstehende Begriffe
in überraschender Weise verknüpft. Die Komik liegt hier
aber nicht nur in der witzigen, durch obige Verknüpfung
herbeigeführten Schlusspointe, sondern auch schon im Aneinanderreihen der Prämissen, wobei eine lustige Dialektik
zu Tage tritt. So beweist Touchstone in As (III 2, 34 ff.)
dem Schäfer Corin, dass er zur Hölle verdammt sei, weil
er niemals bei Hofe gewesen: *„if thou never wast at court,
thou never sawest good manners; if thou never sawest good
manners, then thy manners must be wicked; and wickedness
is sin, and sin is damnation.“* Derselbe Touchstone wappnet
sich bei seiner bevorstehenden Eheschliessung gegen die
ihm drohende Gefahr, zum Hahnrei zu werden, durch den
Trost, die horngeschmückte Stirn des betrogenen Ehe-
gatten sei der nackten Schläfe des Junggesellen vorzuziehen (III 3, 60 ff.)[265]. Weitere Beispiele enthält die Rolle

---

[265] Hier wird der Begriff des eignen Hahnreitums mit der ihm
für gewöhnlich doch keineswegs naheliegenden Vorstellung des An-

Feste's in Tw. V 1, 13 ff. und III 1, 16 ff. Lavache in All's
(I 3, 49 ff.) beweist, dass der Liebhaber der Ehefrau der
wahre Freund des behörnten Gatten sei. Pompey in Meas.
(IV 2, 52 ff.) weist nach, dass das Gewerbe eines Scharf-
richters bussfertiger sei als das eines Kupplers, Passarello
in Malc. (p. 273), dass ein Raufbold ein Erzfeigling sei,
und (p. 224), dass jeder Hahnrei an kranken Augen leide.
Auf ähnliche Weise argumentieren auch Pickadill in Help
(p. 50 ff.) und Andrea in Conc. (p. 117).

Das eben besprochene Motiv führt uns hinüber zu
einem andern, nahe verwandten, nämlich dem absichtlichen Unsinnreden des Narren zu komischem Zwecke.
Hier befinden wir uns schon ausserhalb des Bereichs des
eigentlichen Witzes. Ein bekanntes Beispiel lustigen Unsinns bieten Feste's Auseinandersetzungen in Tw. (II 3, 27 ff.):
*„Malvolio's nose is no whipstock: my lady has a white hand,
and the Myrmidons are no bottle-ale houses."* Aus Geschwätz
von ähnlicher Art besteht Touchstone's Rede über das
Schäferleben in As (III 2, 13 ff.), Lavache's Auskunft über
das Befinden seiner Herrin in All's (II, 4, 2 ff.), Will
Summers' Erzählung von dem durch Mohammed's Grab
geheiligten Schweinefleisch in When (p. 8). Auch die
Sinnlosigkeit der beim Jigtanze (vgl. S. 235) vom Narren
gesungenen Lieder gehört hieher. — Zu vergleichen ist
auch des Narren in Lr. (I 5, 37 ff.) Begründung der Siebenzahl der Planeten in verblüffend einfacher Weise, nämlich
durch den Umstand, dass es nicht acht seien, eine Begründung, die der Narr zwar nicht selbst ausspricht, aber
dem Könige geradezu in den Mund legt. Hier kleidet
sich der Unsinn in die Form einer trivialen Selbstverständlichkeit. Auch die oben angeführten Behauptungen Feste's in Tw. (II 3, 27 ff.) sind ja von unbestreit-
barer Richtigkeit, wie überhaupt alle Sätze nach der
Formel: a ist nicht b. Verwandt ist der fade Scherz
Lavache's in All's (III 2, 19 ff.). — Der Unsinn kann auch

genehmen verknüpft, und die Berechtigung einer solchen Verknüpfung
durch einen lustigen Trugschluss nachgewiesen.

durch Aneinanderreihen zusammenhangloser Sätze
zustande kommen; z. B. Lr. (I 5, 26 ff.): Fool. *„Canst thou
tell how an oyster makes his shell?"* Lear. *„No."* Fool.
„Nor I neither; but I can tell why a snail has a house."
Ähnlich Ralph Simnell in Bac. XII 36. Überhaupt gehört
hieher das plötzliche Vorbringen von Dingen, die
ganz ausserhalb alles Zusammenhangs mit der vorhergehenden Rede und der jeweiligen Situation
liegen, z. B. eine Stelle in Tw. (IV 2, 54 ff.), wo der Narr
Feste den als angeblich verrückt eingesperrten, immer
wieder seine Verständigkeit beteuernden Malvolio auf seine
Vernunft prüft, indem er ihn nach des Pythagoras Meinung
über wildes Geflügel fragt. — Als teilweise sinnlos kann
eine bestimmte Art von Scherzen des Narren gelten, wobei
die Pointe darin besteht, dass das Gegenteil von dem
gesagt wird, was man nach dem allgemeinen Zusammenhang erwarten darf. Ein passendes Beispiel
bietet Touchstone's Kritik des von den beiden Pagen gesungenen Liedes (As V 3, 35 ff.): *„though"* [ohne dass
ein Gegensatz zum folgenden Hauptsatz vorliegt] *there was
no great matter in the ditty, yet the note was very un-
tuneable."* Obiges Motiv kann auch in der Form des
Wunsches oder des Versprechens vorkommen: Jeffrey
in Qu. (p. 485) wünscht, dass der unter den Clowns, der
ihn am meisten liebe, recht bald an den Galgen kommen
möge; Andrea in Conc. (p. 32) erklärt Rugio, er werde
nicht um ihn trauern, wenn er, Rugio, auch noch so ge-
rechter Weise gehängt werde. — Gelegentlich scherzt der
Narr auch in der Form einer unverbindlichen Beteuerung. Diese betrifft ihn selbst; z. B. sagt der Narr
in Lr. (I 4, 179 ff.): *„If I speak like myself* [d. h. thöricht]
in this, let him be whipped that first finds it so" [statt „let
me be whipped"]. Die Beteuerung kann aber auch vom
Narren andern Personen zugewiesen werden; der Scherz
beruht hier stets darauf, dass bei etwas nicht Vorhandenem
geschworen wird, wobei der scheinbare Unsinn schliesslich
doch einen Sinn ergiebt, nämlich das Gegenteil dessen,

was der Schwur besagt: so heisst Touchstone in As (I 2,
76 ff.) Celia und Rosalind bei ihren Bärten schwören, dass
er ein Schelm sei; kurz zuvor (V. 66 ff.) erzählt er von
einem Ritter, der bei seiner Ehre etwas Falsches beschwor,
und doch keinen Meineid leistete, weil er eben keine Ehre
hatte. — Unsinn entsteht auch durch absichtliches Sichversprechen des Narren: Babulo in Griss. (p. 8) will die
neun Musen aufzählen, nennt aber statt ihrer die sieben
Todsünden. — Als Unsinn sind endlich auch die komischen,
vom Narren selbst erfundenen, gelehrt klingenden
Worte zu betrachten, die er gelegentlich in seine Rede
einflicht. So spricht Feste in Tw. (II 3, 23 ff.) von *„Pigro-
gromitus"* und den *„Vapianern"*, die die Linie des *„Queubus"*
überschreiten (vgl. auch I 5, 39. IV 2, 14 ff.).

Als Sprachbildner zeigt sich der Narr auch, indem
er Worte erfindet, die zwar nicht sinnlos, aber irgendwie
auffallend sind, und dadurch komisch wirken. Pickadill
in Help (p. 101) tischt das, anscheinend einen mehrfarbigen
Kleiderstoff andeutende Wortungetüm *„pease-porridge-
tawny-satin"* auf, als attributives Eigenschaftswort zu
„bum"[266]. Feste in Tw. (II 3, 27) bildet nach Analogie
von *„to impocket"* ein auf den langen Narrenrock an-
spielendes neues Wort *„to impetticoat"*, und nicht genug
damit, er verstümmelt dies Wort noch zu *„to impeticos"*.
So entsteht seine sonderbar klingende Antwort auf Sir
Andrew's Frage, ob er das ihm tags zuvor zugesandte
Trinkgeld erhalten habe: *„I did impeticos thy gratillity"*,
wo *„gratillity"* ebenfalls ein entstelltes Wort ist, und zwar
aus *„gratuity"*.

Hiermit sind wir bei den Wortverdrehungen des
Narren angelangt (vgl. auch S. 243), bei denen sich freilich
in den meisten Fällen schwer entscheiden lässt, ob sie als
beabsichtigt gedacht sind oder nicht. Mir scheinen die
einschlägigen Beispiele (abgesehen von dem eben angeführten aus Tw.) eher in der Rubrik der unfreiwilligen
passiven Komik einen Platz zu verdienen.

---

[266]) Vgl. S. 227 und Anm. 211.

Mit der sprachbildnerischen Thätigkeit des Narren berührt sich, wie auch das Wort „*to impetticout*" zeigt, seine gelegentliche Vorliebe für eine gespreizte Ausdrucksweise. Feste in Tw. (III 1, 64 ff.) sagt zu Viola: „*who you are and what you would are out of my welkin, I might say 'element' but the word is over-worn.*" Der Narr in Oth. (III 1, 31) wendet für „*to give information*" das gezierte „*to notify*" an. Die Rede, worin Touchstone den Clown William auffordert, zu seinen, Touchstone's, Gunsten auf Audrey zu verzichten (As V 1, 52 ff.) besteht aus lauter gezierten Redensarten, und umschreibenden oder sonst weit her geholten Ausdrücken zur Bezeichnung ganz alltäglicher Begriffe. Touchstone scheint hierdurch die gezierte Sprache des Hofes parodieren zu wollen.

Überhaupt ist die Rede des Narren oft dazu bestimmt, irgendwie als Parodie zu wirken. Auch Dondolo in Fawn (p. 73) parodiert das nichtssagende Phrasendreschen der Höflinge. Die oben angeführten, lateinisch klingenden Worte des Narren Feste (Tw. II 3, 23 ff.) könnten allenfalls auch als Parodie eines gelehrten Vortrags aufgefasst werden. Ralph Simnell in Bac. (Sc. VII) benutzt seine Verkleidung als Prinz von Wales, um diesen zu parodieren. Der als Sir Topas verkleidete Feste (Tw. IV 2, 29 ff.) parodiert die Teufelsbeschwörung eines wirklichen Priesters; Touchstone die schmachtende Liebessehnsucht des in Phebe verliebten Schäfers Silvius (As II 4, 46 ff.). Der Narr in Lr. (III 1, 81 ff.) trägt eine auch bei Chaucer in ähnlicher Form überlieferte alte Weissagung vor, und macht am Schluss das Ganze lächerlich durch den Zusatz: „*Then comes the time who lives to see't,* ‖ *That going shall be used with feet.* | *This prophecy Merlin shall make; for I live before his time.*" Jeffrey in Qu. (p. 548) parodiert eine Versteigerung, indem er sich selbst ausbietet. Die Parodie einer bekannten Stelle in R 3 (V 4, 7) stellen Dondolo's Worte in Fawn dar (p. 89): „*A foole, a foole, my coxcombe for a foole.*"

Als parodistisches Element könnte man auch das

Einstreuen fremdsprachlicher Brocken ansehen; die
betreffende fremde Sprache wird ja dadurch, zumal wenn
sie schlecht ausgesprochen oder entstellt wird, gleichsam
parodiert. Doch kommt dies Motiv in Narrenrollen nur
vereinzelt vor. Andrea in Conc. (p. 34) entschuldigt sich
auf französisch: *„excusee moy"*. Verbunden mit der Wortverdrehung ist obiges Motiv in Dondolo's italienisch-
französisch - lateinischem Kauderwelsch (Fawn p. 73):
„basilus manus de vostro signioria".

In einigen der oben genannten Fälle, besonders in
solchen, worin die gezierte höfische Sprache parodiert
wird, ist die Parodie zugleich Satire. Auch sonst ist die
Rede des Narren oft satirisch gehalten, und zwar begegnet
uns die Satire in allen Abstufungen vom gutmütigen harmlosen Spotte Touchstone's in As bis zur schneidenden
Herbheit des Narren in Lr. Auch schiesst der Narr mit
dem Pfeil der Satire auf sehr verschiedenartige Zielscheiben:
auf die Hohlheit und Nichtigkeit des höfischen Treibens
(Touchstone in As V 4, 42 ff.); auf die Unwissenheit der
Höflinge (Lavache in All's II 2, 3 ff.); auf deren Treu-
losigkeit (Jeffrey in Qu. p. 483): auf die Heuchelei der
Geistlichen (Feste in Tw. IV 2, 6 ff.); auf die Trunksucht
der Holländer, die damals in England als Erzsäufer galten
(Will Summer in Summ. p. 52); auf die Schwatzhaftigkeit
der Frauen (Andrea in Conc. p. 88); auf die Unsittlichkeit
der weiblichen Jugend (Dondolo in Fawn p. 71); ja sogar
auf die skeptische Philosophie (Dondolo ebenda), u. s. w.
Dondolo kleidet seine Satire bei den beiden eben genannten
Gelegenheiten in das Gewand der Erzählung vom Narrenschiff; die Aufzählung von dessen Fahrgästen bot auch in
England länger als ein Jahrhundet einen beliebten Rahmen,
in den man immer wieder nach Belieben neue satirische
Bilder hineinsetzen konnte[267]. Der Narr in Lr. übt seine
meist in der Form des witzigen Vergleichs (vgl. S. 244 ff.)
auftretende satirische Kritik an der Verkehrtheit des Welt-

---

[267] Vgl. auch Hicks. S. 122: Tide S. 145.

laufs überhaupt. Meist ist aber die Satire der Narren
nicht, wie in obigen Fällen, gegen eine unbestimmte Allgemeinheit, sondern gegen andere Personen des betreffenden
Stückes gerichtet, natürlich besonders gegen solche, die
durch irgend welche lächerliche Eigenschaften den Spott
am ehesten herausfordern.

Der Narr liebt es auch sehr, andere Personen durch
Wort und That zu necken. Er ist überhaupt zu über-
mütigen Streichen jeder Art gern bereit. Pickadill in
Help (p. 101) sieht müssig zu, wie die andern Diener seines
Herrn sich fleissig rühren; statt aber selbst, wie sich ziemte,
auch mit Hand anzulegen, hänselt er jene, indem er sie
träge Bursche schilt, und zur Eile antreibt. Feste, als
Priester verkleidet, foppt den eitlen Pedanten Malvolio
(Tw. IV 2, 21 ff.). Will Summers in When (p. 21) überredet
seinen furchtsamen Berufsgenossen Patch, sich an den ins
Lesen vertieften König von hinten heranzuschleichen, und
ihn durch den lauten Ruf „Bo!" zu erschrecken; als Patch
dafür statt der verheissenen Belohnung tüchtige Prügel
erntet, hat Will nur Worte des Hohnes für die Trübsal
seines Genossen. — Mitunter neckt der Narr auch, indem
er als eine Art „enfant terrible" zur ungelegensten Zeit
unbequeme Enthüllungen macht (Ralph Simnell in Bac.
(Sc. XII) gegenüber dem Prinzen Eduard; Will Summers
in When (p. 39) gegenüber Kardinal Wolsey). — Der Narr
spielt auch gern den Störenfried, indem er sich unbe-
rufen in ernste Gespräche anderer Personen einmischt,
und seinen närrischen Senf dazu giebt; so stört Will
Summers in When (p. 50 ff.) den Unterricht, den Cranmer
dem Prinzen erteilt. Umgekehrt giebt der Narr auf eine
an ihn gerichtete Frage nur selten eine passende und un-
umwundene Antwort. Wenn er eine Auskunft erteilen soll,
sucht er diese durch Abschweifungen aller Art möglichst
hinauszuschieben. Manche Fälle des absichtlichen Missverstehens (vgl. S. 240 ff. 242) und des Unsinnredens (vgl.
S. 246 ff.) gehören hieher. Statt einen ihm gegebenen Befehl
ohne weiteres auszuführen, klaubt der Narr an dessen

Wortlaut gern herum; so erwidert Jeffrey in Qu. (p. 510)
auf Ethelswick's Drohung „I'l set you a going" mit dem
sehr matten Scherz: „I cannot go for running"; vgl. auch
Feste in Tw. I 5, 42 ff.

Wenn der Narr selbst angegriffen wird, so hat er
meist eine schlagfertige Antwort bereit, um seinen
Gegner abzutrumpfen. Auch fehlt es ihm nur selten an
scherzhaften Ausreden, wenn ihm irgendwie mit Vorwürfen ernstlich auf den Leib gerückt wird (vgl. Feste in
Tw. I 5, 45 ff.).

Die Vertraulichkeit, die der Narr sich auf Grund seiner
bevorrechteten Stellung gegen die Personen seiner Umgebung herausnehmen darf, artet mitunter in Unverschämtheit aus. Diese wirkt nur dann komisch, wenn
sie, wie bei Pompey in Meas., mit Witz gepaart ist. Beispiele eines unerlaubt frechen Benehmens des Narren,
ohne dass irgend welcher Witz damit verbunden ist, finden
sich bezeichnender Weise nur ausserhalb der Dramen
Shakespeare's. Will Summers in When (p. 24) entfernt
sich nicht einmal auf Geheiss des Königs; Tony in Wife
(p. 226 II) will gar ins Bett der eben vermählten Evanthe
kriechen, um es für sie zu wärmen, und versichert, als
ihm mit der Peitsche gedroht wird, dadurch werde seine
Sinnlichkeit nur noch mehr gesteigert.

Das Obscöne als selbständiges Element, ohne Verbindung mit dem Witz in irgend einer Form, kommt in
den Reden der Narren bei Shakespeare gar nicht, und
auch sonst nur selten vor. Beispiele finden sich in den
Rollen des Narren in Auld (V. 160 ff.), Will Summers' in
When (p. 78), Tony's in Wife (p. 220 II), Andrea's in Conc.
(p. 56. 58). Ohne jene Verbindung ist das Obscöne ebenso
wenig geeignet, komisch zu wirken, als die blosse Unverschämtheit.

Von rein musikalischer Art sind einige andere Einzelmotive. Der Narr unterbricht gern die in seiner Rolle
vorherrschende Prosa durch einzelne Reimpaare, oder
ganze Strophen, die er rezitiert oder singt (vgl. S.235).

Die Beispiele dafür sind so zahlreich, dass es keines Hinweises auf die einzelnen Fälle bedarf. Oft sind die Verse des Narren als Improvisationen zu erkennen, indem sie eine Erwiderung auf die Worte eines andern darstellen. Auch Fletcher, dessen Narren gewöhnlich in reimlosen Jamben sprechen, lässt seine Narren hier und da auch gereimte Verse einflechten, z. B. Villio in Double (p. 548 II), Tony in Wife (p. 227 I). In Val. (p. 527 II ff.) wetteifern Base und sein Herr in der Improvisation von Reimversen. Eine besondere Eigentümlichkeit der meisten Narren Fletcher's ist die Alliteration (vgl. auch S. 169); sie bildet den ständigen Redeschmuck des Narren in Mad, begegnet aber auch in den Reden Villio's in Double (p. 523 I. 524 I, u. s. w.), Geta's in Proph. (p. 356 II. 364 II), und Tony's in Wife (p. 239 I). — Auch bei obigen Einzelmotiven lässt sich häufig ein komischer Zweck vermuten. Die Improvisation von Versen bot dem Narren Gelegenheit, schlagfertigen Mutterwitz zu zeigen: die gesungenen Lieder dienen gewöhnlich dazu, eine lustige Stimmung zu erwecken; und die sonstigen Reimereien des Narren entspringen, gleich den Alliterationen der Narren Fletcher's, der Freude am Spielen mit dem Klang der Worte, sind also entfernte Verwandte der eigentlichen Klangspiele[268]). Alle derartigen Fälle gehören, genau genommen, ins Gebiet der formalen Komik (vgl. S. 2 ff. 14), ebenso Geberden, Kostüm, u. s. w.

Über die Geberden und die sonstigen äusseren Begleitumstände beim Auftreten des Narren erfahren wir nicht viel aus dem Wortlaut der Dramen. Das Meiste blieb hier offenbar der Improvisation des betreffenden Schauspielers überlassen. In Auld (V. 160 ff.) macht der Narr im Gespräch mit der Frau des alten Mannes eine obscöne Geberde; später (V. 238 ff.) erscheint er mit dem Kopf eines Schafes und einem Stabe. In Wife (p. 217 II) tritt Tony mit einem durchaus nicht salonfähigen Geschirr in der Hand auf.

---

[268]) Vgl. S. 242 ff. und Wurth S. 138 ff.

Die Verkleidung des Narren dient meist zugleich als
Parodie; so Ralph Simnell's Verkleidung als Prinz von
Wales in Bac. (vgl. S. 249), Feste's als Priester (vgl. S. 249).
Andere Fälle sind selten. In Mad (p. 434 II) wird als
eingelegtes Maskenspiel, das als eine Travestie aufgefasst
werden könnte, die Geschichte von Orpheus aufgeführt,
wie er durch seine Musik die Tiere bezaubert; der Narr
stellt hierbei einen Hund dar. Wir haben es also in diesem
Falle mit einem Motiv der freiwilligen passiven Komik
zu thun.

In dieselbe Rubrik gehört auch das absichtliche
Sichversprechen zu den eigenen Ungunsten, im
Unterschied vom sonstigen absichtlichen Sichversprechen
(vgl. S. 248). Derartige Scherze sind meist unflätig;
Shakespeare vermeidet sie gänzlich. Andrea in Conc. (p. 56)
glaubt an allen Gliedern schwer verletzt zu sein; er
wünscht sich daher einen *„surgeon"*, sagt aber statt dessen
mit wenig glaubhafter Zungenentgleisung *„sow-gelder"*,
ebenso gleich darauf statt *„bone-setter"* *„stone-cutter"*
[*stone* = Hode].

Nicht selten benutzt der Narr seine eigene
Narrenrolle zu einem satirischen Ausfall gegen
andere Personen. In obigem Motiv könnten wir ebenfalls
eine Art absichtlicher passiver Komik erblicken. So spricht
der Narr in Lr. (I 4, 158 ff.) von zwei Narren, die anwesend seien: der eine sei er selbst in buntscheckigem
Gewande; indem er den andern erwähnt, deutet er auf
seinen königlichen Herrn, der, nachdem er alle seine andern
Titel weggeschenkt, nur noch den eines Narren behalten
habe (ähnlich auch I 4, 105 ff.; der Narr in Mad. p. 444 I;
Tony in Wife p. 220 II; Jeffrey in Qu. p. 501; Andrea in
Conc. p. 34). Dondolo in Fawn (p. 72) geisselt den Ge-
lehrtendünkel durch die Worte: *„wee fooles thinke wee
knowe all."* — Von nahe verwandter Art ist das Motiv,
dass der Narr seine eigene angebliche Dummheit
zur Satire verwendet. Geta in Proph. (p. 353 II), der
infolge der Aussichten seines Herrn Diocles auf die

römische Kaiserwürde hoffen darf, Senator zu werden, verspottet die Hohlköpfigkeit mancher hoher Beamten, indem
er sagt: „*I'm not the first ass,* — ‖ *Has borne good office,
and perform'd it reverendly.*"

In einer Reihe von einzelnen Zügen legt der Narr
unfreiwillge passive Komik an den Tag; hier nähert
er sich dem Clown. Eine sichere Entscheidung darüber,
ob diese Komik wirklich unfreiwillig ist oder nicht, ist
freilich nicht immer möglich (vgl. auch S. 248). Einen
Anhaltspunkt gewährt zuweilen der Gesamtcharakter der
betreffenden Narrenrolle. Shakespeare hat obige Art der
Komik hauptsächlich Narren niederen Ranges, Pompey in
Meas. und Trinculo in Tp., zugewiesen. Bei den andern
Dichtern lässt sich ein Unterschied zwischen höheren und
niederen Narren allerdings kaum feststellen; ihre Narren
stehen überhaupt von vornherein den Clowns viel näher
als Touchstone in As, Feste in Tw., und besonders der
Narr in Lr., der ja geradezu der Antipode eines Clowns ist.

Die gewöhnlichste Form obiger Komik ist das unbeabsichtigte Missverständnis. Dadurch entsteht zuweilen ein Wortspiel, z. B. in Tp. (III 2, 10 ff.): Stephano
[zu Caliban] „ — *thy eyes are almost set* [— untergegangen,
erloschen] *in the head*". Trinculo. „*Where should they be
set else? he were a brave monster indeed, if they were set*
[— angebracht] *in his tail.*" — Ferner Tp. V 281 ff.: Alonso.
„*How camest thou in this pickle* [Salzbrühe]. Trinculo.
„*I have been in such a pickle* [übertragen = schlimme Lage]
since I saw you last."

Zahlreich sind auch die Wortentstellungen, die
manche Narren sich aus Naivetät zu Schulden kommen
lassen. Ralph Simnell in Bac. (Sc. V 49) sagt „*reparel*"
statt „*apparel*", Pompey in Meas. „*supposed*" statt „*deposed*" (II 1, 162), der Narr in Mad (p. 423 II) „*apprehend*"
statt „*comprehend*", Andrea in Conc. (p. 126) „*manu-
factors*" statt „*malefactors*". Aus solchen Wortverdrehungen ergiebt sich mitunter ein Klangspiel, so in
Bac. (Sc. VII 85): Ralph Simnell sagt „*ninniversity*"

statt „*university*" („*ninny*" Dummkopf; vgl. Anm. 190).
Am komischsten sind solche Wortverdrehungen, bei denen
gerade das Gegenteil des beabsichtigten Sinnes herauskommt: so sagt Pompey in Meas. (II 1, 94) „*at that very
distant time*" statt „*instant*" und, nach Elbow's Vorgang
(II 1, 172. 178) „*respected*" für „*suspected*". In mehreren
Fällen entstellt der Narr die Worte eines andern durch
unabsichtliches Missverstehen (vgl. S. 248). In Griss. (p. 36)
macht Babulo aus dem Namen „*Furio*" „*Fury*"; in Proph.
(p. 362 II) liest Geta als Senator in einer ihm eingereichten
Rechnung: „*For gravel for the Appian way, and pills?*"
[statt „*piles*"], und fügt hinzu: „*Is the way rheumatick?*";
in Help (p. 38) verdreht Pickadill „*hospitable*" in „*hospital*"
und (p. 52) „*aqua coelestis*" in „*aqua solister*" [= solicitor].

Dass der Narr geprügelt oder sonst irgendwie
schlecht behandelt wird, kommt, ausser bei Shakespeare, ziemlich häufig vor. Die Peitsche war ja das
übliche Werkzeug seiner Bestrafung (vgl. S. 223 und 230).
In Shakespeare's Dramen wird ihm aber nur höchstens
mit der Peitsche gedroht, wenn er sich zu viel heraus-
nimmt (Touchstone in As I 2, 90 ff.; dem Narren in Lr.
I 4, 197 ff.); oder es wird auf eine früher stattgehabte
Züchtigung angespielt (Lavache's in All's II 2, 52; ähnlich
auch, nur mit arger komischer Übertreibung, in When p. 18,
wo Will Summers selbst von den Prügeln, die er bekommen, erzählt). Eine Prügelszene auf der Bühne selbst,
wobei der Narr der leidende Teil ist, kommt bei Shakespeare nur in der Rolle Trinculo's vor (Tp. III 2, 84), der
auch in diesem Punkt einem Clown gleicht; er empfängt
seine Schläge ebenso unverdient wie Patch in When (p. 22),
der so den dummen Streich büssen muss, zu dem ihn sein
Genosse Will Summers angestiftet hat (vgl. S. 251). Der
Narr in Mad (p. 424 I) wird von Chilax aus blossem Übermut geschlagen, während Carlo Buffone in Out (p. 91 II)
die Prügel, die er von Puntarvolo empfängt, durch seine
höhnischen Bemerkungen selbst verschuldet hat. Will
Summer in Summ. (p. 50 ff.) wird von Bacchus zum Scherz

mit Bier begossen, und mit dem Bierkrug zum Ritter geschlagen. — In den meisten Fällen hatten die Prügel, die
der Narr empfing, wohl kaum einen komischen Zweck,
sondern dienten zur Charakteristik seiner Bedientenrolle.
Auch in der Weitschweifigkeit der Rede und
überhaupt der Schwatzhaftigkeit gleichen manche Narren
den Clowns. Im Verhör vor Angelo und Escalus (Meas. II 1)
ergeht sich Pompey in endlosem Wortschwall, wobei er
beständig bei Nebenpunkten verweilt, und vom eigentlichen
Kern der Sache abschweift, und zwar nicht absichtlich,
etwa um die Richter zu ärgern (vgl. S. 251), sondern anscheinend ganz unbewusst; auch unterbricht er, gemäss der
Sprechweise einfacher Leute, seinen Bericht oft durch
„as I say“ und ähnliche Einschiebsel. Auch Babulo in
Griss. zeichnet sich, wie schon sein Name andeutet, durch
Geschwätzigkeit aus; ebenso ist auch Dondolo in Fawn
ein schwatzhafter Neuigkeitskrämer.

Einige Narren, nämlich solche, die in ihrem Charakter
den Clowns nahe stehen, besitzen auch die Eigenschaft der
Feigheit. Trinculo zeigt sich als Feigling besonders
Stephano gegenüber, als er von diesem Prügel bekommen
hat (Tp. III 2, 118), und bei der Musik des unsichtbaren
Ariel (III 2, 139). Patch in Whon (p. 23) verunreinigt sich
sogar in seiner Herzensangst, als ihn der König ohrfeigt
(vgl. S. 251). Beide unterscheiden sich vom „Miles gloriosus“
dadurch, dass sie nicht einmal zum Renommieren Geistes-
schwung genug haben. Am meisten nähert sich in seinem
Wesen dem Miles der Spassmacher Geta in Proph.: er
erweist sich mehrfach als ein rechter Feigling, spielt aber
dabei gern unter ihm stehenden Personen gegenüber den
grossen Herrn.

Die Verwandtschaft des Narren mit dem Vice tritt in
zwei Hauptpunkten hervor: 1) darin, dass beide als lustige
Personen die gleiche Aussenseite der Narrentracht tragen,
und 2) in der Ähnlichkeit der komischen Einzelmotive,
die beiden als lustigen Personen zugeschrieben werden.
Aus vielen Stellen in damaligen Stücken lässt sich un-

widerleglich nachweisen, dass der Narr des Dramas einfach
als eine Fortsetzung des alten Vice vom Bewusstsein der
Zeitgenossen empfunden wurde (vgl. S. 180 ff.); und doch, wie
verschieden sind beide von einander bei all ihrer Verwandtschaft. Unter der Königin Elisabeth entwickelte sich
die englische Litteratur, ganz besonders das Drama, aus
noch recht kümmerlichen Anfängen zu gewaltiger Höhe;
diese Entwickelung ging so schnell vor sich, dass sich ihr
nichts in der Geschichte irgend einer andern Litteratur
zur Seite stellen lässt, ausser dem grossartigen Fortschritt
der deutschen Litteratur im 18. Jahrhundert, die in einem
ungefähr gleich langen Zeitraum von Gottsched bis zu
Goethe und Schiller emporstieg. Mit jenem riesenhaften
Aufschwung der damaligen englischen Litteratur läuterten
und klärten sich auch die früheren rohen und niedrigen,
oft gemeinen Mittel der Komik. Der geistreiche Narr
Shakespeare's, der die höchste Blüte seines Typus, den
Gipfel von dessen Entwickelung in der Litteratur überhaupt darstellt, veranschaulicht uns, verglichen mit dem
durchschnittlich etwa 50 Jahre älteren Vice, jenen Aufschwung klar und deutlich: jener Narr ist der wohlerzogene
feingebildete Sohn eines rohen und ungebildeten Vaters.

Vergleichen wir die einzelnen Motive, aus denen sich
die Komik des Narren zusammensetzt, mit denen der Vice-
Rolle (vgl. S. 204—215), so tritt der organische Zusammenhang zwischen dem Vice und dem Narren ganz offenkundig
hervor. Es ist lehrreich zu beobachten, welche bei der
Vice-Rolle üblichen komischen[269]) Motive für den Narren
ungebräuchlich geworden sind. Solche Motive sind:
die Prügel, die der Vice austeilt, die Schimpfworte,
mit denen er um sich wirft, sein Brüllen und
Schreien, sowie Weinen, die beiseite gesprochenen

---

[269]) Die nichtkomischen Motive der Vice-Rolle, worin sich noch
ganz ungeschwächt, oder schon mehr oder weniger gemildert, die
Bösartigkeit des Intriganten offenbart, kommen für eine von vornherein schon als lustige Person fungierende Gestalt wie den Narren
natürlich überhaupt nicht in Betracht.

Sarkasmen[270]), endlich die direkte Anrede an das
Publikum, oder einen einzelnen Zuschauer. Die Prügel
und Schimpfworte verlieren mit der Verfeinerung der Sitten
und damit auch der ästhetischen Anschauungen als komisches
Motiv natürlich immer mehr an Bedeutung; abgesehen
davon bot sich auch für den Narren, der doch meist mit
über ihm stehenden Personen zu thun hat, kaum Gelegenheit, Prügel auszuteilen oder zu schimpfen, wenn er uns
auch, ausser bei Shakespeare, als Prügelempfänger nicht
ganz selten vorgeführt wird. Beim Vice ergeben sich die
Motive des Prügelausteilens und des Schimpfens oft aus
seiner Natur als Intrigant, ein Anlass, der beim Narren
wegfällt. — Brüllen und Schreien sind ebenfalls als Mittel
der Komik zu roh, als dass sie in einem zivilisierteren
Zeitalter noch länger hätten beibehalten werden können. —
Dass der Narr, im Gegensatz zum Vice, niemals weint,
auch wenn er geschlagen wird, ist unwesentlich. — Die
beiseite gesprochenen Sarkasmen des Vice, und die schlaue
Art, wie er sich hierbei aus der Schlinge zu ziehen versteht, hängen gleichfalls mit seinem Intrigantentum eng
zusammen; der Wegfall dieses Motivs bei der Narrenrolle
erklärt sich also gleichfalls aus der Harmlosigkeit des
Narren. Auch hat ja der Narr kraft seines Amtes das
Vorrecht unumschränkter Redefreiheit selbst vor den
höchsten Personen; daher pflegt er die Sarkasmen, die
auch er gern und reichlich einstreut, den betreffenden
Personen offen ins Gesicht zu sagen. — Die direkte Anrede an das Publikum oder einen einzelnen Zuschauer
endlich war nur in Dramen von loserem Gefüge möglich,
also auf den Vorstufen des eigentlichen Dramas; die
grössere Geschlossenheit und Formenstrenge der regelrechten Trauer-, Lust- und Schauspiele konnte eine der-

---

[270]) Will Summer in Summ. ist der einzige Narr, der seine
kritischen Bemerkungen über die andern Personen im Stücke nach
Art des Vice beiseite spricht; dies fällt aber nicht ins Gewicht, da
er auch in anderer Hinsicht durchaus eine Ausnahmeerscheinung ist.

17*

artige Unterbrechung der Handlung, wenigstens seit
Shakespeare, nicht länger gestatten.

Die sonstigen komischen Motive des Vice kehren alle
auch beim Narren wieder. Neu hinzugekommen sind
im komischen Apparat der Narrenrolle nur die folgenden:
die sprachlichen Neubildungen des Narren, seine
gespreizte Ausdrucksweise, das Benutzen der
eigenen Narrenrolle zu satirischen Ausfällen,
endlich sein weitschweifiges Schwatzen. Die Fälle,
in denen der Narr sich als Sprachbildner zeigt, sind freilich
weniger zahlreich und beweisen daher nicht viel. Immerhin
konnte der Narr eine sprachbildnerische Thätigkeit erst
entfalten, nachdem Lyly, Shakespeare und andere Meister
der Sprachkunst die zuvor noch recht ungefüge englische
Sprache so geschmeidig gemacht und geschliffen hatten,
dass der Dichter sich durchaus als Herrscher im Reiche
der Sprache fühlen durfte. Erzeugnisse einer solchen
übermütigen Herscherlaune waren eben jene sprachlichen
Neubildungen, die er dem Narren in den Mund legt. —
Auch die gespreizte Ausdrucksweise begegnet in den
Reden des Narren nur selten; ziehen wir aber die Gestalt
des Don Armado in LLL. zur Vergleichung heran, der
ja geradezu als Verkörperung der gezierten Sprechweise
anzusehen ist, so wird uns deutlich, dass jenes Motiv erst
dann zum Zwecke der Komik verwertet werden konnte,
als der durch Lyly aufgekommene Euphuismus und verwandte Sprachmoden bereits im Schwinden begriffen waren
und als lächerlich empfunden wurden, also erst seit etwa
dem Ende des vorletzten Jahrzehnts des 16. Jahrhunderts.
— Seine eigene Narrenrolle endlich konnte der Narr selbstverständlich erst dann zur Satire benutzen, als es überhaupt eine Narrenrolle im Drama gab, also erst im
eigentlichen Drama. — Die Weitschweifigkeit und Schwatzhaftigkeit des Narren ist ein nebensächlicher Zug, der nicht
für den Narren schlechthin, sondern nur für einzelne
Narrengestalten charakteristisch ist; wir brauchen auf ihn
daher kein Gewicht zu legen.

Wichtiger als das Hinzukommen neuer Motive in der
Narrenrolle ist die gleichzeitige Veredelung des Geschmacks, von der wir manche Spuren in den bei Vice
und Narr übereinstimmenden Zügen wahrnehmen. Der
Witz in allen seinen Formen erreicht im Narrenmunde
grössere Freiheit und Geistreichigkeit als beim vielfach
noch so rohen Vice. Das Wortspiel vor allem, das beim
Vice nur eine unbedeutende Rolle spielt, und auch fast
durchweg von geringer Qualität ist, wird, besonders in
den Händen Shakespeare's, zu einem kunstreichen Instrument, geeignet, alle Abtönungen des Geistes vom überlegenen Humor Touchstone's und der bis in den Kern der
Dinge schneidenden ironischen Bitterkeit des Narren in
Lr. bis zum Stumpfsinn Trinculo's (vgl. S. 255) wieder-
zugeben. Sogar der Unsinn des Narren trägt ein vor-
nehmeres Gewand, als der des Vice, und wirkt zugleich
komischer. Die blosse Zote, für die der Vice grosse Vorliebe hegt, wird vom Narren im allgemeinen vermieden;
fast stets tritt die Zote in Begleitung irgend einer Form
des Witzes auf, weil sie, vorausgesetzt, dass der Witz
gut ist, erst durch diese schmackhafte Würze ästhetisch
geniessbar gemacht wird. Überhaupt verlieren die roheren
Motive des Vice in der Narrenrolle an Wichtigkeit; dagegen
werden, wie das Überwiegen des Wortwitzes in der Komik
des Narren zeigt, solche Züge bevorzugt, die eine Verfeinerung zulassen, was beim Prügeln, Schimpfen und
Brüllen des Vice nicht der Fall ist.

Die edleren Narren Shakespeare's und ihre Geistes-
verwandten im Narrenkleide bei andern Dichtern gehen
in der Verfeinerung ihrer Rolle aber auch weit über den
gleichzeitigen Narren der Wirklichkeit hinaus, dessen
Scherze ja auch im besten Fall immerhin noch recht un-
gehobelt waren (vgl. S. 223). Das naturgetreue Abbild
eines Narren des wirklichen Lebens scheint S. Rowley in
When in der Gestalt Will Summers', des Hofnarren
Heinrichs VIII., zu bieten; vielleicht gerade wegen dieser

Ähnlichkeit mit seinem Urbilde macht Will's Komik auf
. uns einen dürftigen, wenig anziehenden Eindruck.

Von den oben aufgezählten Einzelzügen der Narrenkomik ist kaum ein einziger (ausser natürlich dem Benutzen der eigenen Narrenrolle zu satirischen Ausfällen)
für den Narren ausschliesslich eigentümlich. Von andern
komischen Gestalten unterscheiden sich die Narren in der
Verwendung jener Motive nur dadurch, dass 1) ihre Rolle
sich ganz oder fast ganz aus solchen komischen Zügen
zusammensetzt, und keinerlei ausserhalb des Gebiets der
Komik liegende Bestandteile aufzuweisen hat; 2) dass die
einzelnen komischen Motive des Narren, wie überhaupt
die einer jeden lustigen Person, dem Selbstzweck der Komik
dienen.

B. Die einzelnen Narrengestalten.

Wenn auch die Personen in den Moralitäten im allgemeinen einen rein allegorischen Charakter tragen, so
begegnen doch neben solchen allegorischen Gestalten auch
schon in den älteren Moralitäten vereinzelt wirkliche Personen. Daher ist es auch keineswegs besonders auffallend,
dass eine Moralität auch das älteste uns bekannte Beispiel
des Auftretens eines Narren im englischen Drama darbietet.
Es ist dies die verlorene Moralität Find. (vgl. S. 103. 122)
von H. Medwall. Die Rolle des Narren in diesem Stücke
war jedenfalls durchaus selbständig, und ist, wie schon
betont wurde, nicht etwa mit der des vielleicht ebenfalls
vorhanden gewesenen Vice zu identifizieren.

Das nächste Stück, worin ein Narr persönlich auftritt,
ist Lyndesay's komisches Zwischenspiel Auld. In diesem
kleinen, aber an grotesken Übertreibungen reichen Stücke
macht der Narr den „alten Mann" zum Hahnrei; sodann
schlägt er den im üblichen Schablonenstil gezeichneten
Miles gloriosus Fyndlaw in die Flucht. Wie die Behandlung
des alten Mannes durch den Narren lehrt, hat dieser die
bösartige Natur des Vice, seines Urahns, noch nicht völlig
abgestreift.

Über Cacurgus in Misog. von Richardes als einem
Mittelglied zwischen Vice und Narren vgl. S. 181 ff.

In Rich. Tarlton's (gestorben am 3. Sept. 1588) verlorenen Stücke „The Seven Deadly Sins“, einem Zwischenglied zwischen Moralität und eigentlichem Drama, muss
der Narr eine hervorragende Rolle gespielt haben, da er
von T. selbst gespielt wurde[271]).

In den Dramen von Shakespeare's Vorläufern kommt
der Narr nur selten vor; bei Lyly, Kyd, Marlowe, Peele
und Lodge fehlt er gänzlich. Greene lässt nur in einem
seiner Stücke einen Narren auftreten, nämlich in Bac.
Dies Drama enthält unter den handelnden Personen zwei
Lustigmacher: Ralph Simnell, den Hofnarren des Königs
Heinrich III., und den Clown Miles, den Famulus des
Zauberers Bacon. Miles tritt aber als komische Figur
weit mehr hervor als Ralph, über den nichts Bemerkenswertes zu sagen ist.

Summ. von Nash nimmt unter den zeitgenössischen
Dramen eine Sonderstellung ein: es gleicht zwar darin,
dass seine Personen meist abstrakt sind, den alten Moralitäten, ist aber doch, wie es scheint, kaum an diese anzuknüpfen, sondern vielmehr als ein mythologisches Drama
aufzufassen, dessen Gestalten grösstenteils aus der antiken
Mythologie entlehnt sind; es erinnert also an die bald
darauf so beliebt werdenden Maskenspiele. Als eine Art
Chor fungiert nun im Stücke der schon mehrfach genannte
Hofnarr Heinrichs VIII., Will Summer, der übrigens
nicht, wie Wülker S. 231 bemerkt, mit der gleichnamigen
Jahreszeit identisch ist, sondern, wie schon ein Blick ins
Personenverzeichnis lehrt, eine von diesem völlig abgesonderte selbständige Persönlichkeit. Das Drama, mit
dessen Titel nur der Sommer als Jahreszeit gemeint ist,
nicht aber der Narr, hat nur geringen Wert; es ist ein
flüchtig hingeworfenes Gelegenheitsstück, dem hier und da
sogar Spuren der Improvisation anhaften. Will Summer

---

[271]) Vgl. Wiss p. 45.

hat die Aufgabe, der Reihe nach die andern Personen des
Stückes, ja auch den Verfasser selbst, durch beiseite gesprochene Hohnreden, die denen des alten Vice entsprechen,
zu verspotten (vgl. Anm. 270). Fast während der ganzen
Aufführung steht der Narr ausserhalb der eigentlichen
Handlung: die andern Personen bemerken ihn nicht, oder
kümmern sich wenigstens nicht um ihn, bis auf Bacchus
(vgl. S. 256 ff.).

Wir gelangen nun zu Shakespeare, dessen Dramen
auch in der Entwickelung des Narrentypus den Gipfel
englischer Dramatik bezeichnen. Nicht nur sind die Berufsnarren in Sh.'s Stücken zahlreicher als bei irgend einem
andern englischen Dramatiker; sie überragen auch im
Gehalt ihrer Komik weitaus den Narren der Wirklichkeit
und die Bühnennarren anderer Dichter.

Sh.'s Narren sind mehrfach zum Gegenstand besonderer
Abhandlungen gemacht worden. Schon zu Anfang dieses
Jahrhunderts hat Douce in seiner „Dissertation on the
Clowns and Fools of Shakspere" (Anhang zu „Illustrations".
Vol. II), die Narren und Clowns, die bis dahin immer
wieder mit einander verwechselt worden waren[272]), zu
unterscheiden gelehrt (vgl. auch S. 22 ff. 186), und diese
Unterscheidung an Sh.'s Narren und Clowns begründet.
Hierbei zählt er auch die verschiedenen Unterarten des
Narrentums auf. Seine Aufstellungen sind noch heute
von grundlegender Bedeutung. Hayn bietet eine über-
sichtliche Zusammenstellung und Besprechung von Shakespeare's Narren, rechnet zu diesen aber fälschlich auch
den Clown Launcelot Gobbo in Merch. Thümmel hat auch
Sh.'s Narren und Clowns je einen Abschnitt gewidmet.
Er neigt zwar bedenklich zum Schematisieren, wobei er
sich gelegentlich auch nicht scheut, der einen oder der
andern Gestalt, die sich nicht ohne weiteres in sein fertiges
Schema fügen will, eine ästhetische Zwangsjacke anzulegen.

---

[272]) Mitunter geschieht dies auch jetzt noch immer, z. B. bei
Brandes und sogar bei Delius.

Thümmel schreibt aber sehr flott und anziehend, und weiss
trefflich zu charakterisieren; auch hat er die wichtigsten
Merkmale der Narren Sh.'s richtig erkannt und hervorgehoben. Ich habe mich in folgendem Thümmel's Darstellung in manchen Punkten angeschlossen. Bloss den
Narren in Lr. hat Adolf Ey in einer kleinen Abhandlung
ästhetisch und litteraturgeschichtlich behandelt (Herrig's
Archiv LXIV 257 ff.).

Eigentliche Hof- und Hausnarren kommen in fünf von
Shakespeare's Stücken vor: in As (Touchstone), Tw. (Feste),
All's (Lavache), Oth. und Lr. Der Narr in Lr. ist ein
königlicher, Touchstone herzoglicher Hofnarr; die übrigen
sind Hausnarren in vornehmen Häusern. Aber auch die
unterste Schicht des Narrentums ist in zwei von Shakespeare's Dramen vertreten: Narren als Diener in öffentlichen Häusern begegnen in Meas. und Tim. B. Dass
Trinculo in Tp. nicht mit Thümmel zu den Clowns, sondern
eher zu den Berufsnarren zu rechnen ist, wird durch die
ihm im Personenverzeichnis beigegebene Bezeichnung
„a Jester" nahegelegt.

Wie unlängst erwähnt wurde, sind die Narren und
Clowns häufig durcheinandergeworfen worden. In späterer
Zeit sind die Unterschiede zwischen beiden in der That
verwischt; bei Shakespeare aber werden beide Begriffe
noch streng auseinandergehalten. Zwar finden sich Ver-
wechselungen von obiger Art auch in den Personenverzeichnissen zu Sh.'s Stücken: darin werden die Hausnarren Touchstone, Feste, Lavache und der Narr in Oth.
fälschlich als „clowns" angeführt; aber jene Personen-
verzeichnisse rühren nicht von Sh. selbst her, sondern
sind erst 1623, sieben Jahre nach seinem Tode, in der
ersten grossen Folioausgabe seiner Werke nachträglich
hinzugefügt worden [273]. Dass Sh. selbst den Unterschied
zwischen Narr und Clown sehr wohl empfunden hat, geht

---

[273] Der Narr in Oth. wird auch in der Quartoausgabe des Stückes
von 1622 als „clowne" bezeichnet.

schon daraus hervor, dass die oben genannten Narren (bis
auf den in Oth., der nur ganz vorübergehend auftritt und
im Text selbst keine Bezeichnung erhält) in den betreffenden
Dramen selbst, im Widerspruch zu deren Personenverzeichnissen, stets „fools“ und nicht „clowns“ genannt
werden [214]). In As tritt überdies an zwei Stellen deutlich
das Bestreben hervor, die Ausdrücke „Narr“ und „Clown“
begrifflich zu sondern: II 4, 66 ruft Touchstone den Schäfer
Corin, dem sein Stand einen Platz unter den Clowns an-
weist, mit den Worten an: „Holla, you clown!“, worauf
Rosalind ihn mit den Worten zurechtweist: „Peace, fool:
he's not thy kinsman.“ V 1, 11 erklärt der Narr beim
Anblick des Bauernburschen William, der als bäurischer
Dummkopf erst recht unter die Clowns gehört: „It is meat
and drink to me to see a clown“ und V 1, 52 ff. sagt Touchstone zu William: „Therefore, you clown, abandon ... the
society ... of this female“ [= Audrey].

Touchstone, der Narr in Sh.'s As, gehört mit Jaques,
William und Audrey zu den Gestalten, die in der Vorlage
zu obigem Drama, Lodge's Novelle „Rosalynde, Euphues
Golden Legacie“, fehlen, und mithin als freie Erfindungen
Sh.'s angesehen werden dürfen. Als Narr bildet Touch-

---

[214]) Z. B. Touchstone in As 1 2, 49. 65. II 7, 12. V 4, 110. Feste in
Tw. 1 5, 42. 45. Lavache in All's II 4, 32. Bei Feste wird sogar der
Hausnarrenberuf ausdrücklich betont (Tw. III 1, 36). Touchstone wird
zwar von Rosalind (As I 3, 132) als „the clownish fool“ und vom
zweiten Lord im Gefolge des Herzogs Frederick (II 2, 8) sogar als
„the roynish [eigentlich = krätzig] clown“ bezeichnet; doch bildet
letztere Stelle nur scheinbar eine Ausnahme, da hier die Benennung
„clown“ offenbar nicht Touchstone's Stand oder Beruf ausdrücken
soll, sondern eher als eine Art Schimpfwort aufzufassen ist; der
Lord will dadurch, wie auch der Zusatz „roynish“ bestätigt, Touchstone eine möglichst geringschätzige Bezeichnung zu teil werden
lassen. — Auch in den in den Text obiger Stücke eingestreuten
Bühnenanweisungen werden jene Narren als „clowns“ aufgeführt; es
ist also anzunehmen, dass auch diese Bühnenanweisungen nicht auf
Sh. selbst zurückgehen. In Tw. II 3, 15 wird die Bühnenanweisung
„Enter Clown“ durch Sir Andrew's sich unmittelbar anschliessenden
Ausruf „Here comes the fool“ sogar direkt widerlegt.

stone ein Glied im Haushalt des Herzogs Frederick, dessen
Tochter Celia er in den Ardennerwald folgt. In seinen
Mitteln der Komik knüpft er, wie wir gesehen haben,
vielfach an die hergebrachte Überlieferung an. Trotzdem
bezeichnet er aber einen gewaltigen Fortschritt gegenüber
seinen Vorgängern. Wie oft wurde im älteren Drama
vor Sh. der erstrebte komische Zweck durch das Ungeschick der Verfasser völlig verfehlt. Selbst wenn die
Komik an sich wirksam genug gewesen wäre, wird sie
vielfach bei einer gänzlich unpassenden Gelegenheit und
ohne ausreichende Motivierung aufgetischt. Die Witze
sind oft schwach, oder, im Gegenteil, allzu derb; die Wortspiele erscheinen uns meist an den Haaren herbeigezogen.
Bei Sh. dagegen passt die Komik ganz ungezwungen zur
jeweiligen Situation und Stimmung. Witz und Wortspiel
sind bei ihm nicht nur im allgemeinen feiner und geistreicher als bei seinen Vorläufern, sondern dienen ihm auch,
wie Wurth in Bezug auf das Wortspiel nachgewiesen hat,
durch die verschiedenen Abstufungen ihrer Qualität in
feinsinniger Weise zur Charakterisierung der einzelnen
Personen. — Wie Touchstone in den Mitteln, die er zum
Zweck der Komik verwertet, keineswegs als ein Neuerer
erscheint, so unterscheidet er sich auch in seiner äusseren
Stellung als Hofnarr durchaus nicht von seinen Berufsgenossen im Drama und im wirklichen Leben. Er wird
von den höher gestellten Personen mit all der Geringschätzung behandelt, die seinem Narrenhandwerk nun
einmal zukam. Celia und Rosalind (I 2, 52 ff.) sowie Jaques
(II 7, 38 ff. V 4, 40 ff.) sprechen von ihm wie von einem
schwachsinnigen Dummkopf. Dabei ist aber Touchstone's
Dummheit in Wahrheit nur erheuchelt; er benutzt sie als
eine Art Schutzwall, hinter dem er um so sicherer seines
Witzes Pfeile abschiessen kann. Bei der Gutmütigkeit
seines Spottes verwunden freilich diese Pfeile nicht, sondern
necken nur. Darin, dass seine Dummheit nur eine Maske
ist, gleicht Touchstone dem Cacurgus; nur ist sein Beweggrund zu dieser Art der Heuchelei durchaus harmlos, und

diese seine Harmlosigkeit macht ihn für die Zwecke der
reinen Komik unvergleichlich geeigneter, als Cacurgus es
ist, der sich ja nur deshalb dumm stellt, um desto leichter
intriguieren zu können (vgl. S. 183). Touchstone ist
trotz des geringen Ansehens, das er wegen seiner angeblichen Dummheit geniesst, nicht allein durchaus kein
Einfaltspinsel, sondern sogar den meisten andern Personen
des Stücks an treffendem Mutterwitz überlegen. So hat
Sh. zwar die äussere Form des Berufsnarrentums unverändert beibehalten, aber auch hier in die alte Form
einen neuen Inhalt hineingegossen. — In noch einem andern
Punkte hat Sh. den Touchstone, wie auch die meisten
seiner andern Narrengestalten, über alle Narren des wirklichen Lebens und die bisherigen Bühnennarren empor-
gehoben. Er hat, wie Thümmel (I 201 ff.) mit Recht betont,
den Narrentypus in ethischer Hinsicht bedeutend vertieft
und veredelt, indem er die unbegrenzte Redefreiheit des
Hof- und Hausnarren dazu benutzte, dem Narren im
Drama eine hohe sittliche Aufgabe zuzuweisen: unter
allen Umständen und rücksichtslos einem jeden Menschen
die Wahrheit ins Gesicht zu sagen[275]). Diese unbedingte
Wahrheitsliebe des Narren bei Sh. macht sich in der Hülle
des Witzes und der Ironie geltend. In As wird die Aufgabe des Narrentums ausdrücklich dahin bestimmt

> *„through and through*
> [to] *Cleanse the foul body of the infected world,*
> *If they will patiently receive my medicine"* (II 7, 59 ff.).

---

275) Touchstone's oben erwähnte ungereimte Beweisführung (vgl.
S. 245) steht ebenso wie der reine Unsinn, den er ausspricht (S. 246),
mit seiner ethischen Aufgabe, ein Prophet der Wahrheit zu sein,
nur scheinbar im Widerspruch. Denn natürlich ist eine solche
sittliche Aufgabe nur da zu erfüllen, wo es eine sittliche That ist,
die Wahrheit zu sagen, die kein anderer zu sagen wagt. Im vorliegenden Falle befinden wir uns aber auf sittlich neutralem Boden.
Touchstone's Worte sind hier ganz frei von irgend einer bestimmten
Beziehung, „blosse Seifenblasen des Humors", wie Thümmel sie nennt.
Auch der wahrheitsliebende Mensch sagt zuweilen im Scherz eine
Unwahrheit, um eine witzige Pointe zu erzielen.

Diese ethische Aufgabe tritt bei andern Narren Sh.'s freilich noch deutlicher hervor als bei Touchstone; letzterer
erfüllt sie, indem er die Liebestborheiten verliebter Paare,
und die Nichtigkeit des Hoflebens mit seinem Spotte
geisselt. — Eine weitere Eigenschaft, die Touchstone ebenfalls mit den übrigen Narren Sh.'s gemein hat, ist seine
treue Anhänglichkeit an seine Herrschaft. Celia selbst
versichert von ihm: *„He'll go along o'er the wide world
with me"* (I 3, 134). Auch durch diesen Zug wird der
Narrentypus bei Sh. gegenüber seinen Urbildern in der
Wirklichkeit in eine höhere Sphäre gerückt. — Bei weitem
der bedeutendste Unterschied aber, wodurch Touchstone
alle früheren lustigen Personen überragt, und worin zugleich er und der Narr in Lr. von den übrigen Narren
Sh.'s abweichen, liegt in noch etwas anderem. Die lustigen
Personen vor Sh. sind im besten Falle gute Spassmacher;
Touchstone und der Narr in Lr. aber sind weit mehr als
das, nämlich Humoristen. Alle Reden und Handlungen
Touchstone's beruhen auf der Grundlage einer humoristischen Weltanschauung; den Kern seiner ganzen übermütigen Lebensphilosophie fasst er selbst in den Worten
zusammen (V 1, 34 ff.): *„The fool doth think he is wise, but
the wise man knows himself to be a fool."* So hilft ihm
gerade seine niedrige Berufsstellung dazu, von einer höheren
Warte aus das Leben und Treiben der Menschen zu beobachten; die Lebensweisheit des lachenden Philosophen,
dem die ganze Welt so pudelnärrisch erscheint, der mit
dem herzlichen Lachen oder auch dem milden Lächeln
überlegenen Humors der Menschen Thorheiten betrachtet,
diese heitere Weisheit hat Touchstone sich zu eigen gemacht. Von seinem Standpunkt als Humorist aus verschieben sich völlig alle Alltagsbegriffe von Vernunft und
Unvernunft, und erscheint die ganze Welt wie auf den
Kopf gestellt: die vermeintliche Weisheit ist eigentlich
Narrheit, und Touchstone's eigene vermeintliche Narrheit
wird zur wahren Weisheit. Durch seine heitere Lebens-
anschauung stellt Touchstone das optimistische Gegenbild

zum galligen Pessimismus Jaques' dar, mit dem er sonst
in der Geringschätzung des Hoflebens und überhaupt des
Treibens dieser Welt zusammentrifft. — Merkwürdig ist
es nun, dass Sh. den subjektiven Humoristen Touchstone,
der dabei doch auch nur ein Geschöpf dichterischer
Phantasie ist, zugleich zu einem Objekt seines eigenen
Humors gemacht hat, wie um zu zeigen, dass auch auf
dem Gebiet des Humors der Schöpfer immer grösser ist
als sein Geschöpf, wenn dieses andern Geschöpfen des
gleichen Stückes auch noch so sehr überlegen ist. Die
übrigen Narrengestalten Sh.'s stehen sämtlich ausserhalb der eigentlichen Handlung. Sie sind weiter nichts
als Spassmacher: ihre Persönlichkeit als solche erscheint
nirgends losgelöst von ihrem berufsmässigen Auftreten.
Anders Touchstone [276]). Ihm ist neben seinem eigentlichen
Beruf als Narr noch ein besonderes Wirkungsfeld im Drama
zugewiesen, worin er sich auch handelnd, „als selbständiges
Individuum, als Mensch" bethätigen kann. Er wird uns
nämlich auch als Liebhaber vorgeführt; sein Verhältnis
zur handfesten Bauerndirne Audrey ist zugleich eine
Parodie der drei andern Liebesverhältnisse des Stückes.
Freilich hat diese Liebesangelegenheit Touchstone's nur
episodischen Charakter; sie ist nicht mit der Haupthandlung
verflochten, sondern geht dieser nur parallel. Seinem
Mädchen gegenüber macht sich nun Touchstone durch
seine Verliebtheit derselben Thorheit schuldig, die er zuvor
an Silvius so gelungen verspottet hatte. Es ist eine feine
Ironie des Dichters und bezeichnend für Touchstone, dass
dieser sich in seiner Eigenschaft als Berufsnarr stets als
überlegener Humorist und weiser Philosoph erweist, dagegen gerade in den Szenen, worin wir ihn als individuellen
Menschen kennen lernen, wo er also gleichsam seinen
Narrenrock ausgezogen hat, in Wahrheit als ein rechter
Narr erscheint. Dies tritt nicht nur in seinem Verhältnis
zu Audrey hervor, sondern auch in seinem lächerlichen

---

[276]) Vgl. Öchelhäuser II 364.

Lakaienstolz dem Bauernbursehen William gegenüber,
seinem Nebenbuhler in der Liebe zu Audrey. Während
er vor vornehmeren Personen die Hohlheit des Hoflebens
treffend zu geisseln weiss, brüstet er sich vor jenen einfachen Naturmenschen wie ein aufgeblasener Pfau gerade
mit seiner eigenen Kenntnis jenes Hoflebens. Während
Touchstone's Komik sonst überall von aktiver, oder
höchstens, wo er Dummheit erheuchelt, von absichtlich
passiver Art ist, gehört sein Benehmen bei obigen Gelegenheiten ins Gebiet der unfreiwilligen passiven Komik;
während er sonst ein Narr ist, zeigt er sich in seinem
Verhalten gegen Audrey und William als ein Clown. Dabei ist sein Benehmen gegen Audrey nicht einmal frei von
Zweideutigkeit, die mit seiner sonstigen Harmlosigkeit nicht
recht übereinstimmt: ihm ist es gerade recht, dass ein
Heckenpriester wie Sir Oliver Martext sie im Walde ohne
weiteres trauen will, weil er dabei die geheime Hoffnung
hegt, der elende Geistliche werde vielleicht gar nicht imstande sein, die Trauung in richtiger Form zu vollziehen,
und ihm so gegebenen Falls einen willkommenen Vorwand
bieten, sein Weib hinterdrein im Stich zu lassen.

Der Narr in Sh.'s Tw. heisst nach II 4, 11 Feste, und
gehört zum Haushalt der Gräfin Olivia. Wie das Stück
selbst mit As eng verwandt ist, so muss auch Feste als
Zwillingsbruder Touchstone's gelten. Er ist anscheinend,
gleich diesem, eine vom Dichter frei erfundene Gestalt.
Beide gleichen einander nicht nur in der Art und Weise,
wie sie ihr Narrentum kundgeben, sondern überhaupt in
ihrem ganzen Wesen. Wie Touchstone erfüllt auch Feste
als ein Apostel der Wahrheit eine ethische Aufgabe: durch
spottende Worte sucht er seine Herrin Olivia von der
übertriebenen Trauer um ihres Bruders Tod abzubringen;
über die jähen Sprünge in der Gemütsstimmung des verliebten Herzogs macht er sich in dessen Gegenwart lustig;
vor allem stellt er aber die Eitelkeit Malvolio's an den
Pranger. Auch Feste ist ein ausgelassener Bursche, immer
zu übermütigen Streichen aufgelegt, und bereit, über seiner

Mitmenschen Thorheit recht herzlich zu lachen. Doch
weiss er auch wie Touchstone sein Benehmen sehr wohl
nach Rang und Sinnesart der Personen zu richten, mit
denen er es gerade zu thun hat. Die Meisterschaft Sh.'s
offenbart sich aber gerade darin, dass er es verstanden,
dem Narren Feste, trotz dessen Ähnlichkeit mit Touchstone,
doch in vielen Beziehungen ein eigenartiges Gepräge zu
geben, und so durch individuelle Ausgestaltung zweier im
allgemeinen gleichartiger Charaktere eine Wiederholung
zu vermeiden. Feste ist naiver als Touchstone, mehr
Naturbursche als dieser freilich gutmütige Spötter. Seine
lustigen Reden entspringen eher dem Drang über-
schäumender Lebenslust als bewusster Reflexion. Wenn
der Humor eine besondere Weltanschauung voraussetzt,
verdient Feste kaum den Namen eines Humoristen. Seine
Narrenphilosophie gleicht zwar äusserlich der Touchstone's:
vgl. I 5, 36 ff.: *„Those wits, that think they have thee [= wit],
do very often prove fools: and I, that am sure I lack thee,
may pass for a wise man."* Aber dies ist doch eher ein
blosses Spiel mit Antithesen, als der Ausfluss einer selbständigen humoristischen Weltanschauung. Zu Feste's
grösserer Urwüchsigkeit passt auch eine andere ihn von
Touchstone unterscheidende Eigenschaft: seine musikalische
Anlage. Er ist ein vortrefflicher Sänger, der sich oft und
gern hören lässt. Seine meist lustigen, zuweilen halb sinnlosen Lieder sind weit besser geeignet als Worte zum
Ausdruck einer bloss zeitweiligen Stimmung, wovon der
naive Mensch weit eher und häufiger abhängig zu sein
pflegt, als der vorwiegend reflektierende. Die Niedrigkeit
seiner sozialen Stellung als Berufsnarr hat auch Feste's
Benehmen gegen Höhergestellte, im Unterschied von
Touchstone, ungünstig beeinflusst: als blosser Bedienter
niederen Ranges zeigt sich jener in seiner Gier nach
Trinkgeldern; obwohl er oft und reichlich damit bedacht
wird, begnügt er sich kaum jemals mit der eben
empfangenen Summe, sondern sucht sie, meist mit Erfolg,
durch allerlei Scherzreden zu verdoppeln. Ausserdem ist

er der Flasche übermässig zugethan; Olivia will ihn einmal sogar wegen seiner Liederlichkeit fortjagen. Seine
Feuchtfröhlichkeit macht ihn zum willkommenen Sauf-
kumpan der beiden trinklustigen Junker. Dem eselhaften
Sir Andrew ist er in jeder Lebenslage weit überlegen;
den beständig angesäuselten oder gar schwer betrunkenen
Sir Toby aber überragt er durch seine Trinkfestigkeit, die
ihn auch beim gründlichsten Zechen stets aufrecht erhält,
und ihm Gelegenheit giebt, die Zechgenossen weidlich,
wenn auch mit Vorsicht, zu foppen (vgl. II 3, 16 ff. 69 ff.)
und ihre Geldbeutel zu schröpfen. In mancher Hinsicht
gleicht also Feste einem antiken Parasiten. — Ist Feste
weniger bewusster Humorist als Touchstone, so fehlen ihm
andererseits auch dessen lächerliche Eigenschaften. Er
wird im allgemeinen auch weniger geringschätzig behandelt
als dieser. Viola erkennt bereitwillig an, dass er seine
Narrenrolle mit Witz und Geschick ausfülle. Auch seine
Herrin Olivia ist ihm sehr gewogen, trotz gelegentlicher
Strenge; sie verteidigt ihn beredt und warm gegen die
Angriffe Malvolio's, der in seiner Geistesplumpheit auf
die lustigen Neckereien des Narren keine passende Antwort
findet, und daher, nach Art der Leute seines Schlages,
seinem Ärger in Schimpfworten Luft macht. Maria aber,
der Gräfin schalkhafte Kammerzofe, ist Feste's förmliche
Verbündete im fröhlichen Kriege gegen den allgemein un-
beliebten Malvolio; auf ihre Veranlassung verkleidet sich
der Narr mit Mantel und Bart, um vor dem wegen an-
geblicher Verrücktheit in einer dunkeln Kammer eingesperrten Malvolio den Geistlichen Sir Topas zu spielen.
Durch diese seine Verkleidung scheint Feste als lustiger
Intrigant in die Handlung selbst einzugreifen; doch beschränkt sich seine Thätigkeit, ohne irgend welche nachhaltige Spuren zu hinterlassen, auf obige überaus lustige
Episode. An der eigentlichen Entlarvung Malvolio's hat
er, wie Thümmel (I 224) mit Recht hervorhebt, keinen
Anteil.

Tief unter Touchstone und Feste steht im Wert seiner

Komik Lavache[277]) (nach V 2, 1), der Narr in Sh.'s All's.
Auch im vorliegenden Falle ist der Narr eine von Sh. frei
erfundene Gestalt; er fehlt in der Vorlage zum Stücke, der
Novelle „Giletta of Narbona" aus Paynter's Novellen-
sammlung „The Palace of Pleasure", ebenso wie Parolles,
Lafeu und die Gräfin von Roussillon. Lavache gehört als
Hausnarr zur Dienerschaft dieser Gräfin. Dem Stücke
fehlt der Sonnenschein göttlichen Humors, der As und Tw.
durchleuchtet; so entbehrt auch Lavache jener erfrischenden,
unwiderstehlich hinreissenden Komik, die bei Touchstone
und Feste so wohlthuend wirkt. Lavache ist zwar ein
redegewandter schlagfertiger Bursche, und verfügt über
einen bedeutenden Vorrat an Witz; aber dieser Witz ist
rein verstandesmässig, gemütlos. Auch machen seine
Spässe zuweilen den Eindruck des Krampfhaften. Am
meisten aber wird die Komik dieses Narren durch seine
ungebührliche Vorliebe für die Zote beeinträchtigt. Seine
Scherze enthalten meist irgend eine zotenhafte Wendung;
auch durch die Gegenwart der Gräfin wird seine Neigung
zum Zoten durchaus nicht in Schranken gehalten. Ihm
wird die Zote, die in Verbindung mit dem Witz und in
massvoller Anwendung ein brauchbares Mittel der Komik
darstellen kann, zum Selbstzweck. Dass Lavache durch
die Schlüpfrigkeit seiner Rede als der Franzose unter Sh.'s
Narren gekennzeichnet werden soll, wie Thümmel (I 213)
behauptet, ist möglich; vielleicht ist aber auch mit Brandes
die Eigenart dieses Narren, wie überhaupt des ganzen
Stückes, das ein Lustspiel sein soll, und doch nicht die
herzerquickende Fröhlichkeit der älteren Lustspiele Sh.'s
an sich hat, schon genügend erklärt durch die trübe
Stimmung, die nach 1601 eine Zeit lang auf dem Dichter
gelastet zu haben scheint, und auch der Komik der anderen
Lustspiele aus diesem Zeitraum (Meas. und vielleicht auch
Troil. in erster Bearbeitung) oft den Stempel des Er-

---

[277]) In einigen Originaldrucken lautet die Namensform auch
„Lavatch", was offenbar nur eine Entstellung aus „Lavache" ist.

zwungenen, Gewaltsamen aufdrückte, oder einen stark
satirischen Beigeschmack verlieh. — Obwohl naturgemäss
eine Persönlichkeit wie Lavache weniger als Touchstone
und Feste sich zur Erfüllung der ethischen Aufgabe eignet,
die Sh. seinen Narren zuzuweisen pflegt, so hat doch der
Dichter gerade diesem Narren das Wort in den Mund gelegt, er sei ein Prophet, der die Wahrheit ohne Umschweif
rede (I 3, 62 ff.); als ein solcher Prophet zeigt sich auch
Lavache in seinem Ausfall gegen das Hofleben (II 2, 3 ff.),
in seinen beissenden Sarkasmen über die Trennung des
jungen Grafen Bertram von seiner neuvermählten Gattin
Helena (III 2, 42 ff.), und besonders in seinen mehrfachen
Hohnreden gegen den elenden feigen Prahler Parolles. —
An der Handlung des Stückes hat Lavache gar keinen
Anteil. Er drückt zwar einmal (I 3, 20 ff.) den Wunsch
aus, Isbel, der Gräfin Kammerzofe, zu heiraten, und bittet
seine Herrin um ihre Einwilligung dazu, wobei er als
Grund für seine Heiratsgelüste ganz unverhüllt die Not-
durft des eigenen Fleisches angiebt; aber nachdem er am
königlichen Hofe zu Paris gewesen, ist seinem Cupido, wie
er selbst erklärt, das Gehirn aus dem Kopf geschlagen
worden. Lavache nimmt also wohl einen Anlauf dazu,
wie Touchstone der Held einer Nebenhandlung zu werden;
aber deren Keim kommt nicht zur Entwickelung. Auch
tritt Isbel, der zeitweilige Gegenstand seiner Neigung,
nirgends persönlich auf.

Dass die im Personenverzeichnis zu Sh.'s Oth. als
„Clown" bezeichnete unbenannte Person als ein Narr, im
Dienste von Othello und Desdemona, aufzufassen ist, lässt
sich zwar nicht beweisen, ist aber wegen der ausschliesslich aktiven Komik dieser Gestalt wahrscheinlich. Dieser
Narr ist freilich eine völlig untergeordnete Gestalt, der
nur in zwei Szenen des dritten Aktes ganz vorübergehend
auftritt. In neueren Bühnenaufführungen wird die Rolle
dieses Narren gewöhnlich weggelassen. Sie ist auch in
der That überflüssig; höchstens könnte sein wortklaube-
risches Gespräch mit Desdemona dazu dienen, die auf der

18*

Höhe ihrer Entwickelung stehende Handlung ein wenig zu hemmen und so die Spannung noch zu steigern.

Auch der unbenannte Narr in Lr. ist von Sh. hinzugedichtet worden; er fehlt sowohl in Holinshed's Chronik als auch im älteren Drama Leir. Er ist der Hofnarr des greisen Königs Lear, und wird, abweichend von allen bisherigen Narrengestalten bei Sh., auch schon im Personenverzeichnis als „fool" aufgeführt. Sh. hat dieser Narrenrolle einen Inhalt gegeben, der weit über das hinausgeht, was einen gewöhnlichen Possenreisser zu kennzeichnen pflegt. Als das ungeheure Unglück über seinen Herrn hereinbricht, ist es ausser Kent allein der Narr, der bei Lear ausharrt; diese seine Treue wirkt um so ergreifender, weil es nur ein Narr ist, der sie übt. Wie Touchstone ist auch Lear's Narr ein Humorist, und zwar ein bei weitem bedeutenderer Humorist als jener: er bleibt nicht an des Lebens Oberfläche haften, sondern dringt tief in das Wesen der Dinge ein; auch nimmt er nicht einzelne Narrheiten, sondern die Unvernunft des Weltlaufs überhaupt zum Gegenstande seiner Narrenkritik. Während Touchstone ein Vertreter des übermütigen ausgelassenen Humors ist, wirkt der Humor dieses Narren nur tragisch; die an sich schon so gewaltige Tragik des Stoffes wird durch ihn nicht gemildert oder gehemmt, wie etwa die tragische Wirkung von Mcb. durch die Pförtnerszene, sondern, im Gegenteil, noch sehr erheblich gesteigert: indem der Narr immer wieder seine Geistesblitze in die grauenvolle Leidensnacht seines Gebieters hineinschleudert, erhellt er in grellem Streiflicht das Dunkel auf einen Augenblick, um es im nächsten nur um so schwärzer erscheinen zu lassen. Aber auch abgesehen von dieser seiner tragischen Wirkung, auch des Narren Humor selbst ist, im Gegensatz zu all der liebenswürdig heiteren Narrheit eines Touchstone oder Feste, in die düstere Stimmung getaucht, die das ganze Stück so reichlich durchtränkt. Die gedankenschwere, gallige Art des Humors, die dieser Narr vertritt, lässt Lachlust überhaupt nicht aufkommen. Unablässig hält er

dem Könige seine Thorheit vor, und weist er auf das
Widersinnige des Weltlaufs hin, worin auch die festesten
Bande der Ordnung, Sitte und Zucht sich gelöst und alle
Normen sich in ihr Gegenteil verkehrt haben. Dadurch
besänftigt er nicht nur nicht den Riesenschmerz des Königs,
sondern erhöht ihn noch und beschleunigt so den Aus-
bruch seiner Seelenkrankheit. In diesem seinen so völlig
rücksichtslosen Verkünden der Wahrheit erkennen wir besonders deutlich die ethische Aufgabe, die Sh. seinen Narren
zuweist, die aber gerade bei diesem Narren in potenzierter
Form zu Tage tritt. Die rauhe Art, in der Lear's Narr
obige Aufgabe erfüllt, entspricht dem Gesamtcharakter des
in barbarischer Vorzeit spielenden Stückes, das in den ungeheuren Leidenschaften, die hier mit einer durch keinerlei
kulturelle Hindernisse gehemmten Wucht aufeinander prallen,
an die Tragödien des Aeschylus erinnert. Bei Lear's
Narren hat, auf Kosten der rein äusseren Komik, der sittliche Kern des Narrentums eine solche Bedeutung ge-
wonnen, dass wir wohl sagen können, der Narrentypus sei
in dieser Gestalt auf die höchste sittliche Höhe gebracht,
auf die er überhaupt gebracht werden kann. Freilich ist
Lear's Narr ein Narr nur noch nach seinem Gewande;
er behält die äusseren Formen des Narrentums, ist aber
im Grunde ein tiefsinniger Philosoph, und der geistreichste
und weiseste Kopf im ganzen Stücke. Es gehört zu dessen
bitterer Ironie nicht nur, dass fast allein der Narr seinem
Könige die Treue hält, sondern auch, dass die Weisheit überhaupt in der Narrentracht einhergeht, und über die wahre
Narrheit spottet, die das Kleid der Weisheit trägt, und sich
weise dünkt. In letzterer Beziehung stellt Lear's Narr
sich gleichfalls als das tragische Gegenbild zu Touchstone
dar. In der Sturmszene auf der Heide erreicht die tragische
Ironie des Stückes ihren Höhepunkt: der Narr als einziger
Vertreter der Vernunft in Gesellschaft des scheinbar wahnsinnigen Edgar und des wirklich wahnsinnigen Königs —
eine grossartigere Ironie ist kaum denkbar.[278]) — Von der

---

[278]) Vgl. Brandl Sh. S. 178.

berufsmässigen Komik seines Standes entfernt sich Lear's
Narr so sehr, dass er, abgesehen von seiner äusseren
Hülle, kaum noch als Narr angesehen werden kann. Trotzdem ist dieser Narr, eben wegen seiner sittlichen Höhe,
und wegen seines geistreichen inhaltschweren Witzes, un-
streitig der bedeutendste Vertreter der Narrenrolle überhaupt in allen Litteraturen. Wie Falstaff der bedeutendste
„Miles gloriosus" aller Litteraturen ist, so hat Sh. in diesem
Narren den Gipfel der Entwickelung, ja der Entwickelungs-
fähigkeit des Narrentypus überhaupt erreicht. — Ebenso
wenig wie die andern Narren Shakespeare's (ausser, in
beschränktem Sinne, Touchstone) hat Lear's Narr einen
Anteil an der Handlung. Er nähert sich aber dem antiken
Chor noch mehr als die andern Narren (vgl. S. 237) durch
die tragische Grundstimmung seiner humoristischen Kritik.
Von seiner äusseren Erscheinung als Narr hebt sich der
tragische Stoff nur um so wirksamer ab; durch diese lebhafte Kontrastwirkung übertrifft also Lear's Narr sogar
noch den antiken Chor an Brauchbarkeit für das Tragische.
In seinem Herzen ist aber dieser Narr keineswegs ein an
dem, was vorgeht, unbeteiligter Zuschauer. Gerade seine
treue Anhänglichkeit an Lear, dem er mit Leib und Seele
ergeben ist, und sein Schmerz über dessen schmachvolle
Lage sind es, die ihm so bittere Sarkasmen herauspressen.
Der edle Beweggrund lässt auch die Schonungslosigkeit
dieser Sarkasmen in milderem Licht erscheinen. Zu einem
unmittelbaren Durchbruch seines Gemütslebens kommt es
aber nirgends; erst auf Umwegen, aus dem Munde eines
Ritters erfahren wir auch, dass der Narr sich seit der
Verbannung seiner jungen Herrin Cordelia sehr abgehärmt
habe (I 4, 79 ff.). — Bald nach der Sturmszene tritt der
Narr noch einmal auf, und verschwindet dann schon in
der 6. Szene des 3. Aktes völlig von der Bühne. Seine
letzten Worte: „And I'll go to bed at noon" (III 6, 92)
knüpfen zwar an eine Äusserung des kranken Königs an,
erhalten aber durch sein so frühes Abtreten zugleich sym-
bolische Bedeutung. Auch aus dem Munde dritter Personen

erfahren wir nichts mehr über seine ferneren Schicksale.
Seine Rolle war nach der Sturmszene einer weiteren
Steigerung nicht mehr fähig; sie ist schon ausgespielt,
bevor das Geschick der andern Personen sich vollendet.
Ebenso wenig wie der antike Chor hat auch der Narr sein
eigenes persönliches Schicksal; er dient hier nur zur
Staffage des tragischen Gemäldes. — Die Reden dieses
Narren als eines zur Einheit vereinfachten Chores kleiden
sich in durchaus volkstümliche Formen. Er zeigt sich als
ein Verwandter Feste's in den zahlreichen Liedern und
Bruchstücken von Balladen, die er singt oder vorträgt, die
aber nicht, wie bei jenem, vorwiegend zum Ausdruck einer
lyrischen Stimmung dienen, sondern eher ein didaktisches
Gepräge tragen, und, ebenso wie die überaus häufigen
Sprichwörter und sprichwörtlichen Redensarten, mit denen
er seine Rede würzt, eine Fülle volkstümlicher Weisheit
enthalten. — Der alte König bedroht den Narren zwar
mehrfach mit der Peitsche, ist ihm aber dabei innerlich
von Herzen zugethan, schon zu der Zeit, wo der Narr
noch nicht im Unglück seines Herrn seine Treue erprobt
hatte. Er bedarf des Narren zu seiner Zerstreuung, und
vermisst ihn, wenn er abwesend ist (I 4, 45 ff.). Später
erträgt er die Sarkasmen des Narren mit Gelassenheit, so
sehr sie ihm auch Schmerz bereiten. Goneril fürchtet den
Narren wegen seiner scharfen Zunge. ''

Von den Bordellnarren bei Sh. führt der in Meas.
den bezeichnenden Namen „Pompey Bum" (nach II
1, 225 ff.). Während die bisher besprochenen Narren sämtlich als Erfindungen Sh.'s anzusehen waren, ist Pompey's
Vorhandensein auf Rechnung der Vorlage für obiges Stück
zu setzen, nämlich Whetstone's Drama Prom. In diesem
recht minderwertigen Stück entspricht die Dirne Lamia
der Kupplerin Mrs. Overdone bei Sh., und ihr Diener
Rosko verwandelt sich unter Sh.'s Händen in Pompey
Bum. Im Personenverzeichnis wird Pompey, gleich den
meisten andern Narren Sh.'s (vgl. S. 265), ohne Namens-

nennung als „*clown*" vorgeführt.[279]) Dass aber auch er
als Narr aufzufassen sei, ergiebt sich aus dem Gesamtcharakter seiner Rolle. Wir wissen ja, dass zu Sh.'s Zeit
Narren in Bordellen eine alltägliche Erscheinung waren
(vgl. S. 223). Daher bedarf es auch gar nicht der wenig
stichhaltigen Gründe, die Douce zu Gunsten von Pompey's
Narrentum anführt.[280]). Dass er Diener einer Kupplerin
und zugleich Spassmacher ist, genügt, um sein Narrentum
zu beweisen. — Pompey ist Bierzapfer in einer verrufenen
Vorstadtkneipe Wiens, benutzt aber dies Amt nur, um
dahinter sein eigentliches Gewerbe als Kuppler zu ver-
stecken. Er ist ein unverbesserlicher Halunke, der mit
grosser Zähigkeit sich an sein schmutziges Gewerbe
klammert; auch wiederholtes Einschreiten der Obrigkeit
vermag zunächst wenig gegen ihn auszurichten. Als ihm
aber endlich doch sein Handwerk dauernd gelegt wird,
ergreift er ein anderes Gewerbe, das seiner unsauberen
Gesinnung ebenso würdig ist: er tritt ohne Umstände bei
einem Scharfrichter in die Lehre. Diese Gestalt würde
durch die Hässlichkeit ihres Gewerbes und Charakters nur
widerlich wirken, wenn sie nicht durch eine ihr beigelegte,
freilich rohe und niedere, aber doch immerhin nicht un-
wirksame Komik, eine Art schlagfertigen Witzes, erträg-
lich gemacht würde. Pompey verfügt über eine mit einer

[279]) Delius bietet hier einen genaueren Abdruck der Folio von
1623 als die „Globe Edition", deren Personenverzeichnis von den
Herausgebern, wenigstens was obige Gestalt des Pompey betrifft,
aus dem Drama selbst heraus ergänzt worden ist; ähnlich auch bei
Feste in Tw.

[280]) Escalus nennt den Pompey II 1, 119 „*a tedious fool*", meint
aber damit offenbar die Dummheit, die in seinem weitschweifigen
Erzählen zu Tage tritt, und nicht seinen Beruf. II 1, 181 vergleicht
er Pompey mit „*Iniquity*"; aber mit dieser Vice-Gestalt werden auch
Richard III. (III 1, 82) und Falstaff (H 4 A II 4, 499) verglichen, die doch
nicht zu den Narren gehören. Auch dass Pompey wiederholt mit
der Peitsche bedroht wird (II 1, 264. IV 2, 14), hängt nicht mit dessen
Narrentum zusammen, sondern ist als gerichtliche Strafe für sein
Kuppeln aufzufassen.

gewissen Gutmütigkeit gepaarte Frechheit, die in Verbindung mit seinem derben Witz etwas recht Ergötzliches an sich hat. So hat Sh. die jedenfalls unglaubliche Roheit und Gemeinheit der Bordellnarren des wirklichen Lebens mit feinem künstlerischen Takt wenigstens soweit gemildert, als es möglich war, ohne den realen Boden unter den Füssen zu verlieren. Seinem Vorläufer Whetstone hat er nur die allgemeinsten Umrisse dieser Gestalt, aber keinerlei komische Motive zu verdanken. — Pompey's meist erotische Witze und Wortspiele sind bei all ihrer Derbheit doch teilweise recht gelungen; er beweist dadurch seine geistige Überlegenheit über seinen Schergen Elbow, der, wie die meisten Vertreter der hohen Polizei bei Sh., der reine Dummkopf, und somit ein blosser Clown ist. — Von der Erfüllung einer sittlichen Aufgabe kann allerdings bei Pompey überhaupt keine Rede sein. Auch wo der Narr über das Gewerbe der Mrs. Overdone seine Witze reisst, lässt sich ein ethischer Kern in solchen Scherzen nirgends feststellen. — Als berufsmässiger Spassmacher gehört Pompey zu den Narren; da er aber als Bordellnarr das Narrentum in seiner untersten Schicht vertritt, und somit zugleich als ein Vertreter der niederen Volksklassen zu gelten hat, bildet er gleich dem Narren in Tim. B. einen Übergang zu den Clowns. Auch in seinem persönlichen Wesen und in den ihm zugeschriebenen Einzelmotiven treten clownartige Bestandteile, d. h. solche einer unfreiwilligen passiven Komik hervor (vgl. S. 255 ff.). An der Haupthandlung hat Pompey gar keinen Anteil.

Eine ganz untergeordnete Persönlichkeit ist der unbenannte Narr in Sh.'s Tim. B. Im älteren anonymen Stück Tim. A fehlt eine entsprechende Gestalt. Es ist übrigens sehr wahrscheinlich, dass Sh. dies Stück gar nicht gekannt hat. Der Narr tritt bei Sh. nur einmal auf, in der 2. Szene des 2. Aktes, einer Stelle, die nach manchen Herausgebern noch dazu nicht einmal von Sh.'s eigener Hand herrühren soll, sondern von ihm aus einem gleichfalls anonymen, jetzt verlorenen älteren Drama über-

nommen worden ist, dessen Überarbeitung durch Sh. wir
in vorliegendem Stück vor uns haben.[281]) Obiger Narr
wird im Personenverzeichnis „a fool" genannt, und ist
gleich Pompey ein Bordellnarr; er dient einer nicht mit
Namen genannten, und auch im Stück selbst nicht auftretenden Dirne.[282]) Seine Rolle ist zu unbedeutend, um
irgend welche individuelle Merkmale an ihm hervortreten
zu lassen. Seine Scherze sind meist, seinem Gewerbe gemäss, erotischen Inhalts. Wenn Thümmel (I 203) in der
cynischen Schilderung, die dieser Narr vom Treiben seiner
Herrin entwirft, Spuren der ethischen Aufgabe entdeckt,
die Sh. seinen andern Narren gestellt hat, so scheint er
mir doch in die vorliegende Narrenrolle mehr Inhalt hin-
einzulegen, als thatsächlich in ihr steckt.

In Per. (wird jetzt meist für ein ursprünglich nicht
von Sh. herrührendes Stück gehalten, das dieser durch
eigene Zusätze erweitert hat) begegnet eine Gestalt namens
Boult als Diener eines kupplerischen Ehepaars, das zu
Mytilene ein öffentliches Haus besitzt. Boult tritt nur in
der 2. und 6. Szene des 4. Aktes auf. Er verkörpert die
sittliche Gemeinheit selbst in ihrer widerwärtigsten Form.
Das sittlich Niedrige kann nur dadurch ästhetisch geniessbar gemacht werden, dass es mit Komik verknüpft erscheint (Falstaff, Autolycus); in dieser Verbindung kann
es sogar sehr ergötzlich wirken, und Sh.'s Meisterschaft in
der Schöpfung und Ausgestaltung solcher Charaktere ist
ja bekannt. Um so auffallender ist der völlige Mangel an
Komik bei Boult; er erregt nur unsern Ekel, und tritt so
in scharfen Gegensatz zu dem ihm sonst gleichartigen
Pompey (vgl. S. 280 ff.), von dem er sich auch dadurch
unterscheidet, dass er einen unmittelbaren, und zwar nicht
unwesentlichen Einfluss auf den Gang der Handlung aus-
übt. Alle diese Abweichungen von dem, was sonst Sh.'s

---

[281]) Vgl. Delius II 215.

[282]) Es ist möglich, dass in einer der beiden im Stücke vorkommenden Maitressen des Alcibiades, Phrynia oder Timandra, seine
Herrin zu suchen ist; vgl. Douce II 73.

Narren zu kennzeichnen pflegt, machen es in hohem Grade
wahrscheinlich, dass Boult gar nicht als Geschöpf Sh.'s
anzusehen ist, sondern dem unbedeutenden Dichter von
Sh.'s Vorlage, vielleicht Wilkins, dem Verfasser einer den
gleichen Stoff behandelnden Novelle[283]), sein Dasein verdankt. In dieser Novelle (1608 gedruckt) entspricht der
Diener der Kupplerin dem Boult des Stückes ganz genau.
Die Reden beider stimmen zum Teil sogar wörtlich überein. — Der Mangel an Komik bei Boult macht es sogar
zweifelhaft, ob er überhaupt zu den Narren zu zählen sei;
er ist entweder bloss Diener eines Kupplerpaars, aber
nicht Bordellnarr; oder, was unwahrscheinlicher ist, der
Verfasser der Vorlage hat wohl einen solchen Narren in
ihm schildern wollen, aber aus Ungeschick eine völlig
unkomische und somit als Narr durchaus verfehlte Gestalt
geschaffen.

Eine Sonderstellung nimmt unter Sh.'s Narren Trinculo in Tp. ein. Er wird im Personenverzeichnis als
„jester" bezeichnet, ist also als berufsmässiger Spassmacher
unzweifelhaft zu den Narren zu rechnen; die Beinamen
„pied ninny", „scurvy patch", die Caliban ihm giebt (III
2, 71), lassen erkennen, dass auch Trinculo, wie andere
Narren, in die bunte, aus verschiedenfarbigen Lappen zu-
sammengeflickte Narrentracht gekleidet war. Nach dem
Schluss (V 277 ff.) scheint es, als gehöre Trinculo, gleich
Stephano, zum Gefolge des Königs Alonso von Neapel.
Ein Hofnarr ist er aber keinesfalls, sondern bloss ein ge-
werbsmässiger Possenreisser niederen Ranges. Das Auf-
fallendste an ihm ist aber, dass er nach dem thatsächlichen
Inhalt seiner Rolle weit eher zu den Clowns als zu den
Narren gezählt werden muss. Er bethätigt sich im Stücke
selbst fast gar nicht als Spassmacher; aktive Komik legt
er nur ganz vereinzelt an den Tag. Witz fehlt ihm fast
ganz. Er ist ein stumpfer und noch dazu feiger Geselle.
Als Narr kann er also im Grunde nur in rein formeller

Hinsicht betrachtet werden: er ist ein Clown im Narrenkostüm, und dadurch gerade erhält er unter Sh.'s Narren
seine abgesonderte Stellung. Pompey stellt freilich ebenfalls ein Mittelglied zwischen den Narren und den Clowns
dar, die bei Sh. sonst überall deutlich unterschieden werden;
Trinculo steht aber den eigentlichen Clowns noch viel näher
als jener. Er ist ein Geistesverwandter des Trunkenboldes
Stephano, der durchaus Clown ist. Nur überragt Stephano
an roher Körperkraft und Mut den Schwächling Trinculo;
dadurch gerät dieser in Abhängigkeit von jenem, und so
entsteht das vom litteraturgeschichtlichen Standpunkt aus
völlig verschobene sonderbare Verhältnis, dass ein Clown,
und noch dazu ein rüpelhafter Clown, einem Berufsnarren
überlegen erscheint. Gleich Stephano ist er fast das ganze
Stück hindurch betrunken; am Schluss erscheint er vor
Alonso gar „zum Torkeln voll". Er nimmt willig an der
Verschwörung teil, die Caliban gegen seinen Gebieter
Prospero anzettelt, und deren Haupt Stephano ist.

Überblicken wir die Narren Sh.'s, so sehen wir, wie
meisterhaft dieser grosse Charakterzeichner es verstanden
hat, auch sogar die starre maskenartige Narrenrolle (vgl.
S. 237) zu individualisieren, deren einzelne Vertreter in
der Charakteristik zu unterscheiden. Hierin hat Sh. jedenfalls das Höchste geleistet, was überhaupt zu leisten war.

Dem gelehrten Ben Jonson, der sich so gern mit
seiner klassischen Bildung brüstete und sich auf Grund
dieser Bildung auch einem Shakespeare weit überlegen
dünkte, musste eine Gestalt wie der Berufsnarr albern und
abgeschmackt erscheinen. In Staple (p. 528 II) spottet er,
mit unverkennbarer Anspielung auf Shakespeare, über die
Dramen, in denen der Narr ein notwendiger Bestandteil
und alleiniger Erbpächter des Witzes sei. So erklärt es
sich auch leicht, dass J. nur in zweien seiner Stücke einen
Narren auftreten lässt; zudem haben diese beiden Narren
ein durchaus fremdartiges, vom üblichen Narrentypus des
englischen Dramas stark abweichendes Gepräge.

J.'s Lustspiel Out bringt in der Gestalt des Carlo

Buffone eine wirkliche Persönlichkeit, einen Hofnarren
der Königin Elisabeth namens Charles Chester, der aber
mit ihrem Haushalt nur lose zusammenhing, auf die
Bühne.[284]) Carlo's Narrentum wird schon durch den Beinamen „Buffone" ausgedrückt; ausserdem nennt ihn J.
selbst in der dem Stücke vorangeschickten Charakteristik
der Personen (p. 43) einen „public jester". Carlo wird aber
nicht in seinem Verhältnis zu seinen Gebietern vorgeführt,
sondern losgelöst von diesem Verhältnis, im Verkehr mit
andern ihm gesellschaftlich gleichstehenden Personen. Er
tritt gleichsam inkognito auf, als Privatmann, und nicht
in der Narrentracht; als Macilente ihn einmal mit der Bezeichnung „jester" anredet (p. 52 I), spricht Carlo, offenbar
für sich: „Ha? does he know me?" An einer andern Stelle
erklärt er ausdrücklich seine Abneigung, an den Hof zu
gehen (p. 84 I). Dem entsprechend wird er auch eigentlich nicht als Spassmacher, sondern in dem ihm eigenen
persönlichen Charakter vorgeführt, der ja sonst bei einem
echten Spassmacher stets sehr zurückzutreten pflegt. Er
ist ein überaus cynischer Spötter, der lieber seine Seele
verlieren, als sich einen Witz verkneifen wollte. Als Träger
blosser Satire ist Carlo durchaus ungeeignet, den Zwecken
des Reinkomischen zu dienen; er steht somit, trotzdem in
ihm ein Berufsnarr steckt, einer lustigen Person ungleich
ferner, als die Narren Shakespeare's. Offenbar war mass-
lose Spottsucht auch die Haupteigenschaft des Urbildes
dieser Gestalt. Carlo verspottet aber meist nur Abwesende;
vor Anwesenden kriecht er schlangengleich auf dem Boden.
So erinnert er uns lebhaft an den alten Vice; doch ist hier
ein unmittelbarer geschichtlicher Zusammenhang und bewusste Nachahmung um so weniger anzunehmen, als J.
sich ja gelegentlich in seinen Dramen über Vice und Teufel
als völlig veraltete Figuren lustig macht (vgl. S. 88. 181).
Carlo fällt der Reihe nach über die andern Personen her,
die fast alle irgend eine Einzelform der Lächerlichkeit

---

284) Vgl. Doran p. 166.

verkörpern. Ähnlich dem Vice giebt Carlo ihnen unter
dem Deckmantel wohlwollender Freundschaft gerade solche
Ratschläge, deren Befolgung ihre Thorheit nur um so
schärfer hervorheben muss. — Bei einem den Wert der
altklassischen Bildung so übermässig schätzenden Schrift-
steller wie J. wimmelt es überall von Anklängen an die
Antike; der Einfluss besonders der römischen Litteratur
zeigt sich auch vielfach in den Charakteren seiner Dramen.
Carlo Buffone ist nicht nur das Abbild einer wirklichen
Persönlichkeit, sondern gleicht auch dem Hausnarren der
alten Römer, dem „scurra", der Schmarotzer, Schmeichler
und Possenreisser zugleich zu sein pflegte. Die Rolle eines
„scurra" mag J. direkt aus antiken Schriftstellern entlehnt haben; sie wurde ihm ausserdem auch durch das
lateinische Humanistendrama vermittelt (vgl. S. 182). Auch
Carlo Buffone ist nicht nur Spötter und Schmeichler, sondern gleichzeitig Parasit. Er ist seinem Gaumen überaus
gefällig, und imstande, ein ihm bevorstehendes Abend-
essen schon drei Meilen weit zu wittern. Wenn irgendwo
in einem Wirtshaus eine Zusammenkunft verabredet wird,
ist er zuerst zur Stelle, um gewaltige Mengen Weines auf
eine Sitzung zu vertilgen; die Bezahlung der Rechnung
aber überlässt er andern. Vom freimütigen und harmlosen
Narren Shakespeare's unterscheiden ihn schon sein schmeichlerisches hinterlistiges Wesen und die Bosheit seines Spottes.
— Das Stück bietet in seiner überaus scharfen Satire eine
reichhaltige Fundgrube für den Kulturhistoriker; da es
aber hauptsächlich Modethorheiten geisselt, also das Objekt
der Satire zeitlich und örtlich eng begrenzt ist, besitzt es
im Vergleich zu Shakespeare's Dramen nur wenig allgemein menschlichen Gehalt. Ganz abgesehen vom Mangel
an echter Komik, ist ein ästhetischer Genuss unmöglich
bei einem Stücke, das aus Anspielungen auf Zeitverhältnisse zusammengesetzt ist, und daher gegenwärtig nur
noch mit Hilfe eines fortlaufenden ausführlichen Kommentars
verstanden werden kann.

Sonst bietet nur noch Volp. eine Narrenrolle unter

den Stücken J.'s. Dies Drama steht als Lustspiel bedeutend höher als Out, und besitzt als vorzügliche Satire auf die Erbschleicherei dauernden Wert. Der Narr spielt hier aber nur eine völlig nichtssagende Rolle. Als solcher fungiert Androgyno, ein Hermaphrodit, und Hausnarr beim alten Geizhals Volpone. Er dient diesem zusammen mit einem Zwerge Nano und einem Eunuchen Castrone; daneben steht als Volpone's Parasit der schurkische Mosca. Nach Mosca's Behauptung (p. 244 I) ist Volpone der natürliche Vater seiner obigen drei Diener. Die Einwirkung der Antike ist bei Androgyno noch augenscheinlicher als bei Carlo Buffone; jener ist überhaupt kein moderner Berufsnarr, obwohl das Stück ins zeitgenössische Venedig verlegt ist, sondern eine antike Gestalt, wie schon seine durch seinen Namen angedeutete Eigenschaft als Hermaphrodit, seine Verbindung mit einem Eunuchen und einem Parasiten beweisen. Nach Küppel (A 8) entspricht Volpone mit seinem Gesinde dem Eumolpus und Genossen im satirischen Schelmenroman des Petronius Arbiter. — Androgyno führt einmal mit Volpone's andern Dienern ein von Mosca verfasstes, einem Dialoge Lucian's nachgebildetes Zwischenspiel auf, um seinen Herrn zu unterhalten. Im übrigen spricht er nur hier und da einige ganz unwesentliche Worte.

In Griss. von W. Haughton, H. Chettle und T. Dekker ist die von Chaucer in die englische Litteratur verpflanzte Geschichte von der geduldigen Griseldis zu einem Drama verarbeitet worden. Zu den von den Verfassern hinzugefügten Personen gehört auch Babulo, ein Diener des Korbmachers Janicolo. Er wird im Text des Stückes meist *„fool"* genannt, und trägt auch ein Narrenkostüm (vgl. p. 15. 38), erhält aber durch seines Herrn und mithin auch seine eigene niedere Stellung zugleich einen stark clownmässigen Anstrich; an einer Stelle fasst er auch die Familie seines Herrn und sich selbst mit der gemeinsamen Standesbezeichnung *„clowns"* zusammen (p. 78). Wie Pompey und Trinculo bei Shakespeare ist also auch

Babulo als ein Gemisch von Narr und Clown zu betrachten.
Zeitweilig, so lange Grissel's Familie mit ihr am Hofe des
Marquis lebt, bekleidet Babulo zugleich mit seinem Dienst
bei Janicolo das Amt eines Hofnarren. Gleich den höheren
Narren Shakespeare's ist Babulo seinem Herrn Janicolo
nebst Familie in Freud und Leid treu ergeben. Mitunter
hat seine Anhänglichkeit etwas Rührendes: z. B. spielt er
einmal die Kinderwärterin, und lullt das eine Kind der
Grissel in Schlaf (p. 59), während die Mutter mit dem
andern beschäftigt ist; oder er will eine seinem Herrn auf-
erlegte schwere Kohlenlast abnehmen, und zu seiner eigenen
noch hinzufügen (p. 81). Die schnöde Behandlung, die der
Marquis seiner Gattin zu teil werden lässt, treibt Babulo
zu zähneknirschender Entrüstung, die er kaum vor dem
Tyrannen verhehlen kann (p. 82). In den derben Wahrheiten, die er dem mächtigen Marquis furchtlos ins Gesicht
sagt (p. 16), ähnelt Babulo ebenfalls den edleren Narren
Shakespeare's; nur wird diese seine rücksichtslose Offen-
heit grösstenteils durch die naive Unbefangenheit und Einfalt des Naturburschen in ihm bedingt, der sich durch das,
was nach den Begriffen höherstehender Personen Ehrfurcht
gebietet, keineswegs imponieren lässt. Babulo's gerade
Derbheit entspricht also im Grunde eher der Rolle eines
Clowns als der eines Narren. Der Clown überwiegt in
ihm auch sonst über den Narren; er ist wie Trinculo ein
Clown im Narrengewande. Ein für die Clowns typischer
Zug ist es auch, dass seine vorübergehende Rolle bei Hofe
ihn ein wenig eitel macht (p. 34). Abgesehen aber von
seinen Narren- und Clownspossen, die nun einmal das notwendige Beiwerk einer derartigen Rolle bilden, ist Babulo
ein tüchtiger Kerl mit einer genügenden Menge gesunden
Menschenverstandes. Als Vertreter des ehrsamen Korb-
macherhandwerks richtet er seinen Sinn allein auf das
Praktische und handgreiflich Nützliche; Gelehrsamkeit erscheint ihm als unnützer, ja sogar hinderlicher Ballast.
So bildet er einen wirksamen Gegensatz zu Janicolo's
Sohne Laureo, der aus Mangel an Mitteln sein Universitäts-

studium hat aufgeben müssen, sich aber für die Arbeit
der Hände zu gut dünkt, und somit überhaupt zu nichts
zu gebrauchen ist.

Das anonyme Stück Drum wird vom Herausgeber
Simpson mit Recht Marston zugeschrieben. Hier tritt
nur ganz episodisch ein Narr als Moriskotänzer und Sänger
auf, der bei dieser Gelegenheit auch einige Worte mit
Personen des Stückes wechselt.

Im Lustspiel Malc., dem gemeinsamen Erzeugnis von
M. und Webster, kommt ein Narr vor namens Passarello[285]), der Hausnarr Bilioso's, eines alten Hofschranzen.
Passarello ist eine ziemlich unbedeutende Gestalt. Seine
Komik hält sich, ohne besonderen Witz zu entfalten, in
den hergebrachten Geleisen. Satire bieten seine Charakte-
ristiken der alten Kupplerin Maquerelle, sowie seines Herrn
Bilioso. Von einer ethischen Aufgabe kann jedoch bei
dieser Narrenrolle nicht die Rede sein; im Gegenteil,
Passarello verbindet mit seinem Spassmachertum das
schmeichlerische Wesen des Parasiten: er macht sich nur
hinter dem Rücken seines Herrn über ihn lustig, und ist
sich im übrigen wohl bewusst, dass er vor ihm einem
Hunde gleich schwänzeln müsse, wenn er gefüttert werden
wolle (p. 246). Auch sonst versteht er den eigenen Vorteil vortrefflich zu wahren, wie seine spätere wohlberechnete
Liebenswürdigkeit gegen Maquerelle zeigt (p. 274).

---

[285]) In M.'s Lustspiel Dutch gehört zu den Hauptpersonen *Coc-*
ledemoy, nach dem Personenverzeichnis „*a knavishly witty City*
Companion", nach „*Fabule Argumentum" „a wittie Cittie jester"*.
Danach sollte man einen berufsmässigen Spassmacher in ihm vermuten; seine Rolle weicht aber von der eines Berufsnarren von gewöhnlicher Art sehr ab, und gleicht eher der eines komischen Spitzbuben nach Art des Autolycus. Er wird zu Anfang des Stückes
(p. 8) „*That man of much money"* genannt; dies weist anscheinend
auf eine unabhängige Lebensstellung hin. Nach dem Ausdruck „*city*
companion" ist Cocledemoy offenbar als Mitglied einer der Londoner
Gilden („*city companies"*) zu betrachten. „*City jester"* ist also wohl
nicht als „Berufsnarr in Diensten der City", sondern als „in der City
lebender Witzbold" zu deuten. Cocledemoy kommt somit für uns
hier nicht in Betracht.

Etwas höher steht an Witz Dondolo, der Hofnarr
Gonzago's, des Herzogs von Urbino, in M.'s Lustspiel
Fawn. Mit beissendem Spotte geisselt er die thörichte
Eitelkeit seines Gebieters, nicht nur in dessen Abwesenheit (p. 72), sondern auch mutig vor seinem Angesicht
(p. 102), obwohl der Herzog ihm mit dem Gefängnis droht.
Wie bei Passarello, tritt auch bei Dondolo der persönliche
Charakter hinter seinem Spássmacbertum zurück; er kommt
höchstens darin zum Vorschein, dass der Narr als schwatzhafter Neuigkeitskrämer geschildert wird, der stets über
den neuesten Hofklatsch unterrichtet ist, und nicht eher
ruht, als bis er die eben erfahrene Nachricht brühwarm
aller Welt aufgetischt hat (vgl. S. 257).

Samuel Rowley's When ist das einzige englische
Drama, worin zwei Narren zugleich vorkommen (vgl.
Anm. 260): Will Summers[286]), Hofnarr des Königs
Heinrich VIII., und Patch, Hausnarr des Kardinals
Wolsey. Trotz der äusserlichen Übereinstimmung ihrer
Rollen als Narren sind beide im Charakter ihrer Komik
durchaus verschiedenartig. Will Summers entspricht durch
seine ausschliesslich aktive Komik mehr dem Durch-
schnittstypus eines Berufsnarren, Patch dagegen entfaltet
nur unfreiwillige passive Komik, gleicht also in seinem
Wesen eher einem Clown. Auch in ihrem gegenseitigen
Verhältnis tritt dies hervor: Will Summers ist der Foppende,
Patch der Gefoppte (vgl. S. 251). — Kein englischer Dra-
matiker hat der Rolle eines Narren soviel Raum gewährt
wie R. der Will Summers'. Dieser tritt fast in jeder
Szene auf. Das künstlerische Mass ist beim ungebühr-
lichen Umfang seiner Rolle völlig ausser acht gelassen.
Mit einer selbst bei einem Narren unerhörten Dreistigkeit
mischt sich Will Summers, des Königs verzogener Lieb-
ling, auch in Verhandlungen über Staatsgeschäfte ein. Seine
Satire richtet sich vornehmlich gegen die katholische
Kirche, insbesondere gegen den durch Bedrückung des
Volkes und schamlose Gelderpressungen unermesslich reich

---

[286]) Vgl. auch S. 182 und Summ. S. 263 ff.

gewordenen Kardinal Wolsey. Im Kampf gegen diesen ist der Narr der förmliche Verbündete der protestantischen sechsten Gemahlin des Königs, Katharina Parr. Indem er die Schändlichkeit Wolsey's vor dem König aufdeckt, trägt er zu dessen schliesslichem Sturze bei. So ist dem Narren auch ein nicht unerheblicher Einfluss auf die Entwickelung der Handlung des Stückes eingeräumt, was jedenfalls, vom Standpunkt der dramatischen Ästhetik aus, ein Mangel ist. Manche Anekdoten, die über den wirklichen Will Summer umgingen, sind in das Stück hineinverflochten: z. B. bemerkt der Narr zum neuen Titel „Verteidiger des Glaubens", den der Papst dem König verliehen, der wahre Glaube könne sich auch ohne den König selbst verteidigen (p. 25). Statt aber eine Auslese der besten Scherze des geschichtlichen Will Summer zu bieten, scheint R. sich bemüht zu haben, das Stück möglichst mit allem vollzustopfen, was er von komischen Aussprüchen jenes Narren erfahren konnte. Das Ergebnis ist eine wenigstens für unsern heutigen Geschmack zum grossen Teil ungeniessbare Komik (vgl. S. 261 ff.). Auch werden durch die ständige Beteiligung des Narren an allem, was vorgeht, die Grenzen zwischen der ernsten und der komischen Handlung verwischt, was ebenfalls dem Gesamteindruck, den das Stück macht, nicht zum Vorteil gereicht. — Neben Will Summers spielt Patch nur eine sehr kleine Rolle; er tritt auch viel seltener auf als jener. Patch scheint nur sein Spitzname zu sein (vgl. S. 226 und Anm. 197); seinen eigentlichen Namen erfahren wir nicht. Patch's Haupteigenschaft ist seine sehr grosse Furchtsamkeit (vgl. S. 257).

Während der Berufsnarr in den von Beaumont und Fletcher gemeinsam verfassten Dramen vollständig fehlt, finden wir ihn in den von Fletcher allein oder zusammen mit andern Dramatikern ausser Beaumont geschriebenen Stücken in fünf Fällen.[287] In den betreffenden Personen-

---

[287] Über den nicht zu den Berufsnarren gehörenden weiblichen Narren in Pilgr. vgl. Anm. 199.

19*

verzeichnissen werden der Narr in Mad, Villio in Double
und Tony in Wife als „fools“, dagegen Base in Val. und
Geta in Proph. als „jesters“ bezeichnet, ohne dass sich
aus den Rollen selbst ein Unterschied in der Bedeutung
dieser beiden Ausdrücke feststellen liesse.

Fl.'s Komödie Val. ist nach Fleay vielleicht unter
Mitwirkung von Middleton entstanden. Fleay glaubt in
Base, dem Spassmacher des „Passionate Lord“, eine be-
stimmte Persönlichkeit zu erkennen, nämlich einen Komiker
T. Basse, der an einem der Londoner Theater wirkte.
Base spielt übrigens nur eine untergeordnete Rolle; die
lustige Person des Stückes ist nicht er, sondern der Clown
Galoshio.

In wessen Diensten der unbenannte Narr in Fl.'s
„Tragikomödie“ Mad steht, wird unklar gelassen. Wir
finden ihn hauptsächlich in Gesellschaft ihm an Rang ungefähr gleichstehender Personen, eines lustigen alten
Kriegers, und eines Pagen. Dass der Narr, wie Feste
(vgl. S. 273), seinen Vorteil sehr gut wahrzunehmen weiss,
zeigt sein Benehmen gegen Chilax, als er diesen unerwartet
im Besitz von Geld sieht (p. 443 I). Ward's Bemerkung
aber (II 201), dieser Narr sei der einzige in Fl.'s Dramen,
der mit den Narren Shakespeare's wesensverwandt sei, ist
unrichtig. Seine Komik ist von der jener Narren schon
recht verschieden; sie beruht zum grossen Teil auf rein
äusserlichen Klangwirkungen (vgl. S. 253), während der
Witz, der das Hauptkennzeichen der meisten Narren
Shakespeare's ist, beim Narren in Mad wie bei den übrigen
Narren Fl.'s zur Nebensache geworden ist.

Auch beim Hofnarren Villio im Trauerspiel Double
wird nicht erwähnt, wer sein Herr ist; vermutlich (nach
p. 533 II) Ferrand, der Tyrann von Neapel. Wir treffen Villio
stets in Begleitung des Parasiten Castruccio. Seine wenig
umfangreiche Rolle ist dadurch merkwürdig, dass er, obwohl
Hofnarr, kaum irgend welche Komik an den Tag legt.[288]

---

[288] Er betont auch selbst, es sei jetzt keine Zeit für ihn, den
Narren zu spielen. Als ein komischer Zug könnten höchstens seine

Seine Reden dienen besonders dazu, gegenüber dem ein-
seitigen Betonen der Vorzüge des Hoflebens durch den
Parasiten die Schattenseiten dieses Lebens hervorzuheben.
Die Gespräche zwischen Castruccio und Villio über obigen
Gegenstand sehen aus wie eine Nachahmung der romani-
schen Streitgedichte („jeux partis") des Mittelalters (vgl.
S. 163. 186). Vielleicht hat Fl. hier direkt aus irgend
einer romanischen Quelle geschöpft. Das Stück spielt in
Italien; Ward (II 201) vermutet, dass auch die sonderbare
Haupthandlung aus der italienischen oder spanischen
Litteratur entlehnt sei.

Der Spassmacher Geta in der Tragödie (*„tragical
history"*) Proph. wird im Personenverzeichnis durch den
Zusatz *„a merry knave"* gekennzeichnet. Obwohl er ausdrücklich (p. 371 I) als Narr des Diocles erwähnt wird, ist
er thatsächlich doch wegen seiner Dummheit eher als
Clown zu betrachten. Er ist aber nicht allein Dummkopf,
sondern auch Bösewicht, und erscheint uns in dieser Zusammensetzung wie eine neue Auflage der Gestalt des
Moros in Long. (vgl. S. 82. 142 ff.). Geta gleicht dem
Moros auch in seiner Feigheit (vgl. S. 257); darin, dass
er trotz seiner Dummheit zum Machthaber erhoben wird;
in der tyrannischen Willkür und den Bedrückungen, die
er sich als Machthaber zu Schulden kommen lässt; endlich in seinen freilich nur leicht angedeuteten wollüstigen
Regungen (vgl. p. 377 I ff.). Zum Glück verhindert ihn
seine Dummheit, als Tyrann allzu grossen Schaden anzu-
richten. Einen Anklang an andere Vice-Gestalten (vgl.
S. 209) enthält Geta's Befehl als Aedil, die Bittsteller, die
zu ihm gekommen, sollten ihm durch Abnehmen der Hüte
ihre Ehrfurcht bezeigen (p. 363 I). Auch seine Bestechlichkeit beim Vergeben von Ämtern (p. 363 I) passt besser

---

Spottreden gegen Castruccio gelten, als dieser auf Ferrand's Geheiss
den König spielt; ferner seine schlagfertige Entgegnung auf des
Castruccio Befehl, ihn peitschen zu lassen (p. 548 II): man möge nur
denken, dass man ihn peitsche, ebenso wie man auch von Castruccio
nur denke, dass er ein König sei.

zu einem Vice als zu einem Narren. Geta's Verbindung mit
einem Teufel (p. 365 II) macht ebenfalls den Eindruck eines
altertümlichen Zuges; nur ist im vorliegenden Falle, entgegen dem üblichen Verhältnis des Vice zum Teufel, Geta,
wie es sich für einen Clown gebührt, der leidende Teil.
Auch sonst ist Geta's Komik, nach der Weise der Clowns,
meist von unfreiwilliger passiver Art. Als er durch die
Erhebung seines Herrn Diocles zum römischen Kaiser ein
vornehmer Herr geworden ist, wandelt er seinen Namen
in „Lord Getianus“ um, eine unbeabsichtigte Parodie der
Namensänderung des Diocles, der sich als Kaiser „Dio-
clesianus“ nannte. Überhaupt könnte man Geta's lächerliches Benehmen nach Erlangung seiner Machtstellung als
Parodie des Kaisertums seines Herrn Diocles auffassen.
Auch die lustige Person des spanischen Dramas, der
Gracioso [289]), pflegt den Helden zu parodieren; auch der
Gracioso ist, gleich Geta, ein Feigling. Es mag also Fl.
bei der Ausarbeitung von Geta's Rolle neben den Mustern,
die ihm die ältere Dramenlitteratur seines eigenen Volkes
bot, auch noch das Vorbild des Gracioso vorgeschwebt
haben. Dass Fl. manche Stoffe zu seinen Dramen [290])
spanischen Quellen verdankt, ist bekannt; die spanische
Litteratur der Renaissance hat ja auch sonst die englische
stark beeinflusst. [291]) Geta als clownartiger Würdenträger
erinnert speziell noch an Sancho Pansa als Gouverneur
von Barataria. [292])

Tony in Fl.'s „Tragikomödie“ Wife steht in Diensten
Frederick's, des unrechtmässigen Königs von Neapel, und
wird im Personenverzeichnis als „knavish Fool“ bezeichnet.
Das Beiwort „knavish“ scheint sich auf Tony's boshafte
Zunge und die gallige Art seiner Satire zu beziehen, aber
auch, ähnlich wie bei Geta (vgl. S. 293 ff.), auf den Zu-

---

[289]) Vgl. Flögel-Ebeling S. 56 ff. 61.
[290]) Auch eine Episode in Double ist Cervantes' „Don Quixote“
entnommen; vgl. Ward II 201. Köppel A 82.
[291]) Vgl. Wülker S. 205.
[292]) Vgl. Köppel A 105 u. Anm. 3.

sammenhang dieses Narren mit dem Vice hinzudeuten. Die Art und Weise, wie Tony der Reihe nach die einzelnen Bewerber um Evanthe, die Titelheldin, durchhechelt, gleicht dem Verfahren des Vice „Sin" in Mon. (vgl. S. 149). Tony's zweideutiges Benehmen gegen die Bürger, die ihn als den Thürhüter bitten, ihnen und ihren Frauen Plätze zu verschaffen, um sich Evanthe's und Valerio's Hochzeit anzusehen, entspricht auch eher dem Wesen des alten Vice, als einem Narren gewöhnlichen Schlages. Dagegen ist der Mut der offenen Rede, den Tony seinem Herrn gegenüber offenbart, echt berufsnarrenmässig. Die teilweise recht derbe Komik dieses Narren ist im ganzen wenig erquicklich.

Ein Überblick über Fl.'s Narren lehrt, wie sehr der Narrentypus damals schon in Zersetzung begriffen war. Wir befinden uns hier schon fast ganz ausserhalb der Sphäre des Shakespeare'schen Narrentums, obwohl Fl. doch sonst in seiner Vorliebe für romantische Dramenstoffe Shakespeare viel näher steht, als Ben Jonson, der die zeitgenössische Sittenkomödie bevorzugt. Das Reinkomische und die üblichen Mittel dazu, besonders das Wortspiel, treten bei Fl.'s Narren gegen die Shakespeare's stark zurück; umgekehrt nimmt eine satirische Tendenz in den Rollen jener immer mehr überhand. Zugleich bemerken wir eine bewusste Anlehnung an vorshakespeare'sche Muster nicht nur in den Motiven, die dem komischen Apparat des alten Vice nachgebildet sind, sondern auch in der bei Shakespeare's Narren ungebräuchlichen Verwendung der Allitteration zu komischen Zwecken (vgl. S. 169. 253). Nebenbei machen sich gelegentlich auch romanische Einflüsse geltend. Ausserdem ist eine immer grössere Annäherung des Narren an den Clown und eine allmählich fortschreitende Vermischung beider Typen unverkennbar. Es wird auch immer mehr üblich, wie schon Shakespeare mit Trinculo (vgl. S. 283), Ben Jonson mit Carlo Buffone (vgl. S. 285) gethan, den Narren nicht als solchen, zusammen mit seinem Gebieter, sondern los-

gelöst von seinem berufsmässigen Verhältnis, im Verkehr
mit andern Personen vorzuführen.

Unter den zahlreichen von Middleton allein verfassten Dramen enthält nur eines einen Narren, nämlich
das Lustspiel Help. Pickadill, der Hausnarr der Lady
Goldenfleece in obigem Stücke, steht dem Durchschnittstypus eines Narren viel näher als irgend einer der Narren
Fletcher's. Viel Witz dürfen wir freilich in seiner Komik
nicht suchen. Seine Gier nach Trinkgeldern äussert er
noch unverhohlener als Feste (vgl. S. 272), aber ohne dessen
Humor; seine Liebe zu andern Personen richtet sich nach
der Grösse der Trinkgelder, die er von ihnen empfängt.

Der geschickte Dramenfabrikant Richard Brome, der,
ohne im strengeren Sinne ein Künstler zu sein, die Kunst-
griffe der Mache gründlich beherrschte, bezeichnet sich
selbst auf dem Titelblatt seiner Sittenkomödie Weed. als
einen Nachahmer Ben Jonson's; in der That lehnt er sich
in den meisten seiner fünfzehn Stücke an diesen an, dessen
Diener er ja bekanntlich vor Beginn seiner eigenen dramatischen Laufbahn gewesen war. Br. verschmähte aber
auch das Gute an andern Dramatikern nicht: auch Shakespeare's Romantik erschien ihm als brauchbares drama-
tisches Element, und mit dieser Romantik übernahm er
auch den Narren Shakespeare's. In zweien seiner Stücke
lässt Brome den Narren auftreten. Wie der Narr Shakespeare's sich räuspert und wie er spuckt, hat Brome ihm
glücklich abgeguckt: Brome's Narren kommen denen
Shakespeare's in der Art ihrer Komik so nahe, wie kein
anderer Narr, ausser etwa Babulo (vgl. S. 288), der
aber, im Gegensatz zu Brome's Narren, auch einigen
selbständigen Wert besitzt. Ist auch das Wirkungsvolle
in der Komik von Brome's Narren grösstenteils auf Rechnung seines Vorbildes Shakespeare zu setzen, so bleibt
Brome doch immerhin das Verdienst des gewandten Nach-
ahmers. Die beiden oben erwähnten Dramen Brome's enthalten auch sonst, abgesehen von ihren Narren, manche
Anklänge an Shakespeare.

In Br.'s Lustspiel Qu. heisst der Narr Jeffrey. Seine
Rolle ist dadurch merkwürdig, dass wir sein Narrentum
bis zu dessen Anfängen verfolgen können. Während sonst
der Narr stets von vornherein schon in seiner Narrenrolle
auftritt, ist Jeffrey zu Anfang des Stückes noch gar kein
Berufsnarr, sondern der lustige Anführer einer Schar von
Bauernburschen. Alfride, einer der Räte des Königs
Osriick von Northumberland, beobachtet Jeffrey's munteres
Gebahren, und fordert ihn auf, des Königs Hofnarr zu
werden, worauf jener bereitwillig eingeht. Erst im dritten
Akt lernen wir Jeffrey in seiner neuen Würde kennen.
Jeffrey's Komik ist, ohne originell zu sein, lebhaft und
wirksam, obwohl er vom Wortspiel und Witz im engeren
Sinne weniger Gebrauch macht als die meisten andern
Narren.

Noch mehr als Jeffrey ist Andrea in den Vordergrund gestellt, der Hofnarr der von ihrem Gemahl, dem
König Gonzago von Sizilien, verstossenen Königin Eulalia
in Br.'s Lustspiel Conc. In seiner Treue gegen seine Herrin
auch in deren Unglück stellt Andrea eine direkte Nachbildung des Narren in Lr. dar (vgl. S. 276). Jene Treue
des Narren, der seiner Gebieterin in die Verbannung folgt,
und für sie selbst sein Leben zu opfern bereit ist, wird
zuweilen in etwas rührseliger Weise geschildert. Am
Schluss, wo Andrea zusammen mit andern Personen niederen
Standes den Richter über die Verräter abgiebt, die misslungene Mordversuche gegen Eulalia's Leben gewagt haben,
zeigt sich Andrea, gleich seinen Genossen, als Clown.

Die beiden Narren Br.'s sind zugleich die letzten uns
bekannten Narren des älteren englischen Dramas überhaupt. Der Narr war ja nie eine besonders häufige Dramengestalt gewesen, und stand von je her hinter dem Clown
an Bedeutung zurück; fielen nicht Shakespeare's Narren
so schwer ins Gewicht, so wäre auf der Wagschale der
Komik das Verhältnis zwischen Narr und Clown für ersteren
noch viel ungünstiger. Es ist bezeichnend, dass Thomas
Heywood, der so wohl zu berechnen verstand, was auf die

breiten Volksmassen wirken musste, und der auf den Geschmack seines damaligen englischen Publikums so sehr
Rücksicht nahm, wie kein anderer Dramatiker, dass Thomas
Heywood dem Narren in keinem einzigen seiner vielen
Stücke einen Platz gegönnt, während er den Clown fast
in jedem auftreten lässt. Wenn das Narrentum des wirklichen Lebens sich damals noch seine alte Volkstümlichkeit bewahrt hätte, so würde Heywood es gewiss dramatisch
verwertet haben; es hatte aber schon längst angefangen,
aus der Mode zu kommen. Der letzte englische Hofnarr
war vermutlich Muckle John[293]), der Narr Karls I., also
ein Zeitgenosse Brome's; der Hofnarr der Wirklichkeit
und der des Dramas verschwanden also ungefähr gleichzeitig.[294]) Die Wirren des Bürgerkrieges und der fanatische Eifer der Puritaner bannten des Narren heitere
Thorheit. Die Zeit des „lustigen alten England" war seit
der Revolution für immer vorüber. Wenn Douce (II 330)
und Doran (p. 95) Glauben verdienen, versuchte man zwar
zur Zeit der Restauration die Narrenrolle zu erneuern:
1662 betrat der Narr als Sprecher des Prologs in einer
jetzt längst verschollenen Tragödie „Thorney Abbey, or,
The London Maid" nochmals die Bühne. Auch in Thomas
Shadwell's Stück „The Woman Captain" (1680) kommt ein
Narr vor; aber dies war wohl das letzte Auftreten dieser
Gestalt im englischen Drama, womit sie ihre Bühnen-
laufbahn, die im Grunde ja schon viel früher aufgehört
hatte, auch äusserlich und gleichsam offiziell abschloss.

Wenn auch das eigentliche Drama der Restauration
den Narren fallen liess, so bedeutete das doch noch immer

---

[293]) Vgl. Douce II 308.

[294]) Der Hausnarr fristete sein kümmerliches Dasein nach Doran
(p. 228) noch bis in die Zeit der Königin Anna hinein. In vereinzelten
Fällen blieb das Hausnarrentum sogar noch länger erhalten: Doran
(p. 234) erzählt von einem Hausnarren auf Schloss Hilton in Durham-
shire, der 1746 starb; in Schottland soll nach Doran's Mitteilung
(p. 235) ein Mann namens Shemus Anderson noch bis zu seinem 1833
erfolgten Tode auf Schloss Murthley in Perthshire den Narrenberuf
ausgeübt haben.

nicht seinen völligen Untergang. Ausserhalb des Theaters, gleichsam unter der Oberfläche, als Moriskotänzer in dramatischen Volksspielen bleibt der Narr noch bis ins 19. Jahrhundert, ja wohl noch bis in unsere Tage hinein bestehen [295]), besonders in bestimmten ländlichen Gegenden, deren Abgelegenheit die Erhaltung alter Volkssitte begünstigte.

C. Allgemeines über die Entwickelung des Narrentypus. Fremde Einflüsse. Verwandte Rollen. Die Personennamen der Narren.

Der Narr im Drama fungiert, gleich seinem Urbild in der Wirklichkeit, schon gleich von vornherein als lustige Person (vgl. S. 237). Dadurch unterscheidet er sich sehr wesentlich vom Teufel und vom Vice, die sich erst allmählich zu mehr oder weniger ausgeprägten lustigen Personen entwickelten. Jener Umstand war einer Entwickelung der Narrenrolle hinderlich; ebenso auch das starr Typische seiner Erscheinung (vgl. S. 237). So weit also überhaupt von einer Entwickelung beim Narren geredet werden kann, beginnt sie erst da, wo die des Teufels und des Vice endet.

Betrachten wir nun die einzelnen Punkte, an denen wir eine Entwickelung des Narrentypus beobachten können.

Des Narren Komik stellt als Gesamtheit eine Veredelung der Komik des Vice dar (vgl. S. 261). Wir bemerken aber auch innerhalb der Narrenrolle selbst eine fortschreitende Verfeinerung des Geschmacks. Man braucht nur Shakespeare's Narren Touchstone (vgl. S. 267 ff.) und Feste (vgl. S. 271 ff.) mit dem Narren in Auld (vgl. S. 252.

---

[295]) Vgl. Manly I 296 ff.: „The Revesby Sword Play", datiert vom 20. Okt. 1779, worin ein Narr mit fünf Söhnen als Moriskotänzer auftritt. Ferner I 280 ff.: „Oxfordshire St. George Play", 1839 und noch später aufgeführt; der den Moriskotanz anführende Narr wird hier „Merry Andrew" genannt (vgl. „Merry Greek" S. 225 und Anm. 194).

253. 262) zu vergleichen, um augenfällige Belege für einen
solchen Fortschritt zu finden. Nach Shakespeare ging es
freilich wieder bergab: der zunehmenden Verrohung des
englischen Dramas überhaupt entsprach auch eine, im
Vergleich zu Shakespeare, niedrigere Stufe der Narrenkomik.

Der bemerkenswerteste Zug in der Entwickelung des
Narren ist seine immer grössere Annäherung an den Clown.
Diese Annäherung wurde durch mancherlei Verhältnisse
gefördert: 1. dadurch, dass die untersten Abarten des
Narren, der Possenreisser niederen Ranges, oder gar der
Bordellnarr, dem eigentlichen Clown schon so nahe stehen,
dass sie als vermittelnde Übergänge zu diesem gelten
können; 2. dass auch selbst der Hofnarr trotz seiner bevorrechteten Stellung in seiner Eigenschaft als häuslicher
Bedienter sich mit dem clownartigen Diener in manchen
Punkten berührte; 3. dass auch schwachsinnige, also infolge ihrer durchaus objektiven Komik mit den Clowns
wesensverwandte Personen als Berufsnarren dienten;
4. dass gewöhnlich dieselben Schauspieler, die in den
Narrenrollen auftraten, auch die weit zahlreicheren Clownsrollen zu geben hatten; 5. dass sowohl Narr als Clown
im Morisko- und Jigtanze eine Rolle spielten (vgl. S. 233.
234, und Anm. 248. 249. 250. 258). Während Shakespeare
selbst noch die Begriffe „Narr" und „Clown" streng schied
(vgl. S. 265 ff.), wurden sie schon bald nach seinem Tode
mit einander verwechselt, wie die fehlerhafte Eintragung
der Narren Touchstone, Feste, Lavache, und des Narren
in Oth. als „Clowns" in den Personenverzeichnissen der
ersten Folioausgabe von Shakespeare's Werken von 1623
beweist. In der Zeit nach Shakespeare kam es auch immer
häufiger vor, dass dem Narren, auch wo er nicht schon
an sich, durch seine niedrige soziale Stellung, etwa als
Bordellnarr, einem Clown glich, die einem solchen angemessenen Züge einer objektiven Komik zugewiesen wurden.

In vereinzelten Fällen macht der Narr auch noch
andere Wandlungen durch, die auf die ursprüngliche Art

seiner Komik zersetzend wirken. Er wird gelegentlich gar
nicht in seinem berufsmässigen Spassmachertum, sondern
in dem ihm eigenen persönlichen Charakter vorgeführt
(Carlo Buffone S. 285; vgl. auch den Narren in Mad, S. 292).
Villio in Double (S. 292) ist zwar Hofnarr, ermangelt aber
des für alle Berufsnarren so wesentlichen Elements der
Komik. Tony in Wife (S. 294) und besonders Geta in
Proph. (S. 293) sind zugleich Spassmacher und Schelme
(„knaves“); ihre Bosheit widerspricht durchaus der sonstigen
Harmlosigkeit des Narren.

Die Einflüsse, die der englische Bühnennarr durch
fremde Litteraturen erfahren hat, sind im ganzen nicht
sehr erheblich. Die mannigfachen Einwirkungen aus Altertum und Mittelalter, welche die einzelnen Bestandteile der
Narrentracht bestimmen halfen, wurden schon oben (S. 231 ff.)
besprochen. Der antike Parasit[296]) dient nur selten unmittelbar als Modell für den neuzeitlichen Narren: so bei
Carlo Buffone in Out (S. 286) und Passarello in Malc.
(S. 289); ersterer ist ja aber gar nicht als Narr im gewöhnlichen Sinne anzusehen. Dass Carlo Buffone ausserdem auch noch einem altrömischen „scurra“ nachgebildet
sein mag, wurde oben erwähnt. Auch Androgyno in Volp.
(S. 287) ist ein Spassmacher nach antikem Muster. Der
Gracioso des spanischen Dramas scheint für den Spassmacher Geta in Proph. (S. 294) ein Vorbild gewesen zu
sein; ebenso auch der mit dem Gracioso verwandte Sancho
Pansa. Dass auch italienische Einflüsse bei der Ausgestaltung des Narrentypus mitgewirkt haben, ist wahrscheinlich: die Namen „Passarello“ (S. 289) und „Dondolo“ (S. 290) z. B., wie auch die der übrigen Personen,
und überhaupt der Inhalt der betreffenden Stücke Malc.

---

[296]) Man könnte vielleicht versucht sein, die gelegentlich beim
Narren hervortretende Gier nach Trinkgeldern (vgl. Feste in Tw.,
S. 272; Pickadill in Help, S. 296) auf den Einfluss des Parasiten zurückzuführen. Das hiesse aber doch nur eine sehr natürliche Erscheinung in allzu künstlicher Weise deuten. Jene Trinkgeldgier
erklärt sich doch viel einfacher aus der Bedientenstellung des Narren.

und Fawn, legen die Vermutung nahe, dass ihre Träger Nachahmungen von Gestalten der italienischen Litteratur sind[297]). Ich bin aber nicht imstande, solche italienische Einflüsse im einzelnen Falle an einem englischen Narren mit Sicherheit zu erweisen (doch vgl. S. 225). Sonst sind mir keine fremdländischen Einflüsse auf die Rolle des Narren aufgefallen.

Während der Typus des Vice oder der des Clowns sich nicht scharf abgrenzen lässt, und es daher unmöglich ist, in jedem Falle genau zu bestimmen, ob eine bestimmte einzelne Gestalt als Vice oder als Clown zu gelten habe, oder nicht, stellt der Narr einen in sich völlig abgeschlossenen, leicht festzustellenden Typus dar. Zum Begriff eines Bühnenarren von gewöhnlicher Art gehören drei Merkmale: 1. wie der Clown, aber im Gegensatz zum Vice, dem als einer mehr oder weniger abstrakten Gestalt die Eigenschaft der Persönlichkeit fehlt, ist der Narr das dramatische Abbild einer wirklichen oder erdichteten Persönlichkeit; 2. er stellt, im Gegensatz zu Vice und Clown[298]), einen Menschen dar, der die Belustigung anderer Personen des betreffenden Stückes berufsmässig betreibt; 3. er trägt, wie mitunter auch der Vice, aber im Gegensatz zum Clown, ein besonderes Kostüm, die Narrentracht, die ihn als berufsmässigen Spassmacher kennzeichnen soll. — Obwohl somit der Narr einen deutlich abgesonderten Typus darstellt, ist er doch mit manchen andern Dramengestalten nahe verwandt. Seine Verwandtschaft mit dem Vice ist schon mehrfach hervorgehoben worden (vgl. besonders S. 181 ff. 186); die Berührungspunkte zwischen ihm und dem Clown wurden eben (S. 300) erwähnt. Der Narr gleicht auch in einigen Punkten dem antiken

---

[297]) Über Boccaccio's „Decameron" als Quelle der Haupthandlung in Fawn vgl. Köppel A S. 27.

[298]) Allerdings hat auch der clownartige Diener zuweilen die Aufgabe, seinen Gebieter durch drollige Spässe zu unterhalten; er unterscheidet sich aber dann immer noch vom Narren durch den Mangel eines Narrenkostüms.

Parasiten. Der zuweilen auch im englischen Drama begegnende Parasit musste, gleich dem Narren, seinen Brotgeber durch seine Scherze erheitern; er pflegte aber auch zugleich ein arger Schmeichler zu sein, während der Narr um so weniger Grund zum Schmeicheln hatte, als er ja durch sein Narrenprivileg vor etwaigen unangenehmen Folgen einer von ihm verkündeten unbequemen Wahrheit hinreichend geschützt war. Ausserdem liegt der Schwerpunkt beim Parasiten in seinem Schmarotzertum; der Narr aber ist vor allem Spassmacher, und nur selten Schmarotzer (vgl. S. 301). — Die vorwiegend aktive Komik des Narren bringt ihn auch in Berührung mit der häufigen Rolle des cynischen Spötters, dem auch der Vice oft ähnlich ist (vgl. S. 192 ff.). In Carlo Buffone in Out (S. 285) fallen beide Rollen, Narr und Cyniker, sogar zusammen; der Narr in ihm ist allerdings aus dem gewohnten Narrengeleise geraten. Das cynische Lästermaul Thersites in Troil. übt, ohne thatsächlich Berufsnarr zu sein, doch geradezu die Funktionen eines Hausnarren des Achilles aus.

Zum Schluss dieses Abschnitts seien noch einige Bemerkungen über die Personennamen der Narren beigefügt. Wenn der Bühnennarr auf eine entsprechende Gestalt des wirklichen Lebens zurückgeht, wird deren Name oder Spitzname unverändert beibehalten: so bei Ralph Simnell (S. 263), Will Summer(s) (S. 263 ff. 290 ff.), vielleicht auch bei Base (S. 292); bei Patch (S. 291). Die Namen „Feste" (S. 271 ff.) und „Tony" (S. 294 ff.) scheinen willkürlich gewählt; sie enthalten wenigstens durchaus keine auch noch so lose Beziehung zu den Persönlichkeiten ihrer Träger, im Gegensatz zu den Namen des Vice, die stets eine solche Beziehung in sich schliessen. In vielen Fällen soll durch die Sprache, der die betreffende Narrensform angehört, offenbar die Nationalität der Narren angedeutet werden: so werden Geta (S. 293 ff.) als Römer, Passarello (S. 289), Dondolo[299]) (S. 290), Andrea

---

[299]) Das Wort „dondolo" bedeutet im Ital. „Gehänge, Baumel, Perpendikel der Uhr."

(S. 297), vielleicht auch Trinculo (S. 283 ff.) als Italiener, Lavache (S. 274 ff.) als Franzose, Pickadill (S. 296) und Jeffrey (S. 297) als Engländer gekennzeichnet. Andere Namen drücken noch engere Beziehungen zur betreffenden Narrenrolle aus („redende Namen"). Die niedrige Komik des Bordellnarren Pompey Bum (S. 279 ff.) wird schon durch dessen Familiennamen *„Bum"* ausgedrückt; der Name steht ausserdem im Zusammenhang mit dem Kostüm seines Trägers (vgl. S. 227 und Anm. 211). Der Name „Carlo Buffone" (S. 285 ff.) bezeichnet die Narrenrolle seines Besitzers, „Androgyno" (S. 287) die Zwitternatur des Hermaphroditen. Durch den Namen „Babulo" (S. 287 ff.), der italianisierten Ableitung von *„to babble"*, wird der betreffende Narr als schwatzhaft charakterisiert (vgl. S. 257). Was endlich der Name „Touchstone" (S. 266 ff.) besagen soll, geht aus einer Stelle in As (I 2, 55 ff.) hervor, wo Celia in einer Art Klangspiel mit den beiden bedeutungsverwandten Wörtern *„Touchstone"* und *„whetstone"* bemerkt: *„Nature … hath sent this fool for our whetstone; for always the dulness of the fool is the whetstone of the wits".*

VI. Die Clowns.

A. Ursprung von Namen und Rolle. Unterarten. Allgemeine Bemerkungen über die Clowns.

Die etymologische Erklärung des Wortes „clown" macht Schwierigkeiten. Das Wort taucht erst in der zweiten Hälfte des 16. Jahrhunderts auf.[300]) Neuerdings wird meist germanischer Ursprung des Wortes angenommen. Skeat[301]) behauptet skandinavische Herkunft des Wortes, und stellt es mit dem neuisländ. *klunni*, dem schwed. mundartlichen *kluns* = „Bauerntölpel" zusammen. Dieser Auffassung haben sich auch Kluge und Lutz angeschlossen.[302]) Murray[300]) nimmt späte Entlehnung aus irgend einer niederdeutschen Quelle an. Er vergleicht das Wort mit dem neufries. *klönne* oder *klünne*, dem neundl. *kloen,* beides — „plumper Tölpel"; die Grundbedeutung für alle diese Wörter, die offenbar mit den oben genannten skandinavischen urverwandt sind, ist „Klotz". Dass das Wort *clown* erst im 16. Jahrhundert zum Vorschein kommt, beweist freilich noch nicht, dass es erst damals in den englischen Sprachschatz aufgenommen worden ist, macht aber immerhin die von Skeat und von Kluge-Lutz aufgestellte Etymologie wenig glaubhaft, da bei skandinavischem Ursprung des Wortes die Entlehnung 500—600 Jahre früher stattgefunden haben müsste. Dem von Murray herangezogenen ndl. *kloen* aber würde im Ne. eher eine Form *cloon ent-

---

300) Vgl. Murray II 532 II.

301) Etymological Dictionary of the English Language. 2. Edit. Oxford 1888.

302) English Etymology. Strassburg 1898.

sprechen; die auf ndl. Wörter mit *oe* zurückgehenden englischen Entlehnungen haben sonst stets *oo*: *aloof, boor,
groove, sloop.* Murray sagt ja allerdings nicht, dass „*clown*"
direkt vom ndl. *kloen* abstamme. In welchem Verhältnis
steht nun aber die Grundform des englischen Wortes zum
Ndl.? Wie ist insbesondere der Stammvokal *ow* in *clown*
zu erklären. So lange diese Fragen noch nicht befriedigend
beantwortet worden sind, muss auch Murray's Etymologie
des Wortes *clown* als unsicher gelten.

Früher wurde das Wort gewöhnlich als eine Ableitung
vom lat. *colonus* „Bauer, Landmann", aufgefasst. Diese
Erklärung galt schon im 17. Jahrhundert. In Ben Jonson's
Tub (p. 638 I) begegnet ein Klangspiel mit den beiden
Worten *clown* und *colon*:

> „*A Middlesex clown, and one of Finsbury,
> They were the first colons o' the kingdom here*",

woraus die Wahrscheinlichkeit hervorgeht, dass Jonson
die beiden Worte als etymologisch verwandt empfunden
habe. Murray[300]) zitiert, obwohl er selbst die Ableitung
von *colonus* nicht anerkennt, unter *Clown* 1: 1662 Fuller
Worthies II 177 „*clown from Colonus, one that plougheth
the ground*". Direkt aus dem Lat. kann *clown* jedenfalls
nicht abgeleitet sein; eine solche Ableitung ist das oben
erwähnte *colon*, also ein Wort mit anderem Lautstand.
Auf den älteren Sprachstufen der romanischen Sprachen
aber ist *colonus* (ausser im ital. *colono* – Landmann) nicht
durch Ableitungen vertreten.[303]) Trotzdem glaube ich,
dass die früher übliche Ableitung des Wortes *clown* aus
dem Romanischen nicht schlechthin abzuweisen ist, sondern
wenigstens einer erneuten Erwägung wert wäre. Dem ne.
clown fehlt zwar eine me. Entsprechung; wäre aber eine
solche vorhanden gewesen, so müsste sie **clūn* gelautet
haben. In diesem Falle wäre, wenn wir romanischen Ursprung des Wortes voraussetzen, dessen Lautentwickelung

---

[303]) Das nfrz. *colon* ist kein romanisches Erbwort, sondern
späteres Lehnwort aus dem Lat.

von der lat. Urform bis zum Ne. ganz ähnlich der des ne. *noun*, me. *noun* (*ou* *ū*) < anglonorm. *noun* (*ou* = *u*)[304]. Es wäre dann also auch eine freilich nicht belegte anglonorm. Form *c(u)loun*[305]) anzunehmen. Lautlich unmöglich ist die Ableitung aus dem Romanischen also keineswegs. Der Mangel an Belegen für das Wort im Me. und Anglonorm. macht obige Erklärung zwar zweifelhaft; sie ist aber doch mindestens nicht unwahrscheinlicher als die von Skeat und von Kluge-Lutz angenommene Etymologie, mit der das späte Auftauchen des Wortes eigentlich noch schwerer zu vereinbaren ist.

Wie die im 16. Jahrhundert mehrfach vorkommenden Nebenformen *cloyne* oder *cloine*[306]) sich zu der üblicheren Form *clown* verhalten, ist in jedem Falle schwer zu erklären, ob man nun die Quelle des Wortes im Germanischen oder im Romanischen sucht.

Das Wort *clown* wird in dreifacher Bedeutung gebraucht: es bedeutet 1. Bauer, oft ohne irgendwelchen komischen Nebensinn; 2. Tölpel, Rüpel; 3. die in der Rolle eines solchen Tölpels oder Rüpels auftretende lustige Person des englischen Dramas. Wenn das Wort aus dem Germanischen stammt, wäre die zweite Bedeutung die ursprüngliche, und die beiden andern erst aus jener hervorgegangen; bei romanischem Ursprung dagegen ist die erste als die Grundbedeutung des Wortes zu betrachten. Natürlich hat unsere Untersuchung es nur mit solchen Clowns zu thun, auf die die dritte Bedeutung passt; doch ist es im Einzelfalle, besonders wenn die betreffende Clownsrolle nur episodisch ist, nicht immer möglich, jene drei so eng mit einander zusammenhängenden Bedeutungen des Wortes zu unterscheiden.

Der Clown ist der dramatische Vertreter der unteren Volksklassen (vgl. S. 22). Sein wesentlichstes

---

[304]) Vgl. Behrens in Paul's Grundriss ¹ I 820.

[306]) Vgl. Schwan-Behrens, Gramm. d. Afrz. 4. Aufl. Leipzig 1899, S. 125, § 271 Anm.: „Im Anglonorm. begegnet Ausfall vortoniger Vokale bereits im 12. Jahrhundert".

20*

Merkmal, im Gegensatz zu der vorwiegend bewussten
Komik des Narren, ist das Tölpelhafte, Urwüchsige[306]).
Die niederen Stände waren damals von den höheren durch
eine viel breitere Kluft geschieden als in unsern Tagen.
Die Litteratur war durchaus aristokratisch; die unteren
Schichten des Volkes kamen nur soweit für die Litteratur
in Betracht, als sie mit den oberen in Berührung traten.
Dies geschah nun gewöhnlich nicht anders, als indem sie
sich, vom damals allein massgebenden aristokratischen
Standpunkt aus[307]), mehr oder weniger lächerlich machten.
Täppisches Wesen und Naivetät, mit einer grösse-
ren oder kleineren Zuthat von gesundem Mutter-
witz[308]), sind auch noch in unserer Zeit die Merkmale des
Bauern, wenn er vom Lande in die Grossstadt kommt,
und hier mit dem feinen blasierten Städter zusammentrifft.
Diese typischen Bauerneigenschaften traten vor drei Jahr-
hunderten natürlich noch viel stärker hervor als jetzt;
und nicht nur dies, es standen damals auch viel grössere
Kreise der Gesellschaft in sozialer Beziehung und in ihrem
Bildungsgrade mit dem Bauerntum auf gleicher Stufe.
Vom Bürgertum hatten sich erst einige Schichten aus der
Gesamtheit losgelöst, zu einem selbständigen Stande empor-
gearbeitet, und begonnen, sich als wichtiger Faktor im
gesellschaftlichen und Staatsleben neben Adel und Geist-

---

[306]) Vgl. Thümmel I 231.

[307]) Auch Shakespeare war durchaus in den aristokratischen
Anschauungen seiner Zeit befangen; dies lehren uns besonders die
Szenen, wo er ganze Scharen niederen Volkes mit den höheren
Ständen feindlich zusammenstossen lässt, wie z. B. in H 6 B und in
Cor. Überall in solchen Fällen geradezu eine Verachtung des gemeinen niederen Pöbels, nirgends, was uns heute so selbstverständlich
erscheint, ein Verständnis für soziale Verhältnisse, obwohl doch
hauptsächlich soziale Ursachen sowohl dem Aufstande des Jack Cade
und seiner Anhänger in H 6 B, als auch dem Kampfe der Plebejer
mit den Patriziern in Cor. zu Grunde lagen. Ich spreche deshalb
natürlich Shakespeare keinen Tadel aus, sondern führe dies nur als
charakteristisch für ihn und die damalige Zeit überhaupt an.

[308]) Vgl. Thümmel I 232.

lichkeit geltend zu machen. Der Hauptteil des städtischen Bürgertums bildete noch zusammen mit dem Bauerntum eine zusammenhängende Masse. So umfasst auch der Begriff „clown" im 16. und 17. Jahrhundert viel mehr, als der Begriff „Bauerntölpel" in unserer Zeit. Nicht nur die Bauern schlechthin gehörten zu den Clowns, sondern auch die Diener und manche Bürger, darunter besonders die Handwerker, und die Vertreter der hochwohllöblichen Polizei, die Büttel und Gerichtsdiener[309]). Thümmel (I 251 bis 253) rechnet zu den Clowns sogar die unterste Stufe des Adels, die zur Gentry gehörigen ländlichen Friedensrichter Shallow und Silence in H 4 B, oder Landjunker wie Sir Toby Belch und Sir Christopher Aguecheek in Tw.; Wülker (S. 282) sieht den Kuppler Pandarus in Troil., ja Oechelhäuser (II 128) sogar den Prinzen Cloten als Clown an. Allerdings ist es, wie schon oben (S. 302) betont wurde, nicht leicht, den Typus des Clowns gegen andere Typen abzugrenzen; am schwierigsten ist es, eine Grenze des Clowns nach oben hin, d. h. da zu bestimmen, wo die unteren Volksklassen allmählich in die höheren Stände übergehen. Als Clowns im weitesten Sinne könnte man ja alle objektiv-komischen Personen betrachten, die in körperlicher oder geistiger Hinsicht, oder in beiden zugleich, irgendwie als Tölpel gezeichnet sind. Es liesse sich daher auch mit Recht von Clowns aus den höheren Ständen sprechen, wenn allein der Inhalt der betreffenden Rolle berücksichtigt wird. In formaler Beziehung aber haben nur solche Gestalten als Clowns zu gelten, die der damalige Sprachgebrauch als solche bezeichnet; aus diesem Sprachgebrauch aber lässt sich nirgends erweisen, dass man damals den Begriff „clown" auch auf ländliche Friedens-

---

[309]) Die Polizei, die so gern der Bühnendichtung und dem Theater, ja der Kunst überhaupt Fesseln anlegt, spielte im älteren englischen Drama fast immer eine recht traurige Rolle (so schon „Search" in Wisd., vgl. S. 150). Durch Karikierung ihrer Vertreter rächten sich die Bühnendichter für all die Unbilden, die sie von der Polizei erdulden mussten.

richter und Landjunker, geschweige denn auf Prinzen ausgedehnt habe. Derartige Gestalten seien daher, auch wenn
ihre Komik einen clownartigen Anstrich hat, aus unserer
Betrachtung vorläufig ausgeschlossen; sie sollen im Anhang zu vorliegendem Abschnitt, wo von den Ausläufern
des Clowntypus die Rede sein wird, behandelt werden.
Als echte Clowns sehe ich nur solche im engsten Sinne
des Wortes an, also diejenigen lustigen Personen im Drama,
die einem niederen Stande angehören, und denen das
Merkmal der Tölpelhaftigkeit in grösserem oder geringerem
Grade anhaftet[310]). Zunächst haben wir es also nur mit
derartigen eigentlichen Clowns zu thun.

Thümmel (I 233) erkennt auch weibliche Clowns an:
als solche stellt er von Shakespeare's Gestalten die Amme
in Rom., sowie Mrs. Quickly in H 4 A und B und H 5 hin.
Dass auch weibliche Personen zu den Clowns gerechnet
worden sind, lässt sich freilich nicht ohne weiteres von
der Hand weisen. Zuweilen wird der Ausdruck „clowns"
als gemeinsame Bezeichnung für „Bauernburschen" und
„Bauerndirnen" gebraucht[311]); mit „clowns" in obigem Sinne
sind aber niemals lustige Personen gemeint. Da es sich
durchaus nicht erweisen lässt, dass die Bezeichnung „clown"
im Sinne von „lustige Person" auch auf weibliche Personen
ausgedehnt wurde, ist Thümmel's Aufstellung von weiblichen Clowns zu verwerfen.

Als Übertragung des Hof- und Hausnarren der Wirklichkeit ins Drama ist der Narr der typische Vertreter
eines einzelnen bestimmten Berufs. Der Clowntypus dagegen ist von viel grösserem Umfang, da er ja die niederen
Volksklassen in ihrer Gesamtheit, also eine ganze Stufenleiter von Berufsarten, umfasst. Seine Ausgestaltung im

---

[310]) Dies gilt allerdings nicht mehr für die jüngeren Renaissance-
dramen, in denen das Wort „clown" zuweilen eine lustige Person
schlechthin bezeichnet, wo also auch eine nicht tölpelhafte Person
unter Umständen „clown" genannt werden kann.

[311]) Z. B. in Bac. (III 1 ff.): „Enter Margaret, . . . with Thomas
and Joan, and other clowns."

einzelnen ist daher auch viel mannigfaltiger als die des
Narren, dessen verschiedene Spielarten ja doch nur
Variationen eines einzigen Berufes sind. Als typische
Vertreter einer ganzen Gesellschaftsklasse sind die Clowns
ebenso vielfältig gegliedert wie diese Gesellschaftsklasse
selbst. Bei einer so vielgestaltigen Gliederung trägt der
Clown natürlich nicht, wie der Narr, eine bestimmte fest-
stehende Tracht. Der Clown als solcher besitzt überhaupt
keine äusseren Kennzeichen. Sein Kostüm dient nur als
Merkmal seiner jeweiligen Berufsart als Bauer, Schäfer,
Kärrner, Diener [312]), Handwerker, Büttel, u. s. w. Die
Tracht, die für die Narrenrolle so wichtig ist, hat beim
Clown eine ganz nebensächliche Bedeutung.

Wenn wir die zahlreichen Clowns des älteren englischen Dramas nach ihren verschiedenen Unterarten einzuteilen versuchen, so scheint auf den ersten Blick die
Einteilung nach ihren Berufsarten am nächsten zu liegen.
Dabei würden aber manche wesensverwandte Gestalten
getrennt, verschiedenartige Charaktere in einer Abteilung
vereinigt werden. Thümmel (I 243) stellt einen besseren
Einteilungsgrund auf, indem er die Clowns nach dem geringeren oder grösseren Mass von Schlauheit gliedert, über
das sie verfügen. Noch angemessener für die Clowns als
lustige Personen erscheint es mir, sie nach der Art ihrer
Komik einzuteilen; diese hängt allerdings mit dem Grade
der Dummheit oder Schlauheit des Clowns aufs engste
zusammen, so dass meine Einteilung sich mit der von
Thümmel nahe berührt. Nach der Art ihrer Komik zerfallen die Clowns in vier Klassen, in 1. die bloss objektiv-
komischen Clowns, die mit nur einer einzigen Ausnahme [313]) zu den Rüpeln gehören; 2. die vorwiegend
objektiv-komischen Clowns, auf deren grosse Mehrzahl

---

[312]) Die übliche Farbe der Livree eines Bedienten in einem vornehmen Haushalt war blau; ausserdem trugen die Diener der adligen
Herren gewöhnlich auch noch das Abzeichen der betreffenden Adels-
familie.

[313]) Der Clown in Fletcher's Bush.

die Bezeichnung „pfiffige Tölpel“ sich anwenden lässt;
3. die vorwiegend subjektiv-komischen Clowns, von
denen die meisten durch die Bezeichnung „naiv-witzige
Clowns“ zusammengefasst werden können; 4. die bloss
subjektiv-komischen Clowns der späteren Zeit[310],
oder die uneigentlichen Clowns.

Wir sehen unter den Clowns alle Abstufungen des
Verstandes vom Stumpfsinn bis zu geriebener Bauern-
pfiffigkeit vertreten. Die Rüpel sind geistig völlig wehrlos,
blosse Zielscheiben des Witzes für andere. Die pfiffigen
Tölpel stehen in der Mitte zwischen den Rüpeln und den
naiv-witzigen Clowns; mit ersteren verbindet sie ihre Tölpelhaftigkeit, mit letzteren ihre Pfiffigkeit. Bei den naiv-
witzigen Clowns erscheint das Tölpeltum der Clowns der
beiden ersten Klassen bis zur blossen Naivetät gemildert:
je nach dem Witz, mit dem sie begabt sind, wissen sie
sich auch im Fall eines Angriffs mit geringerem oder
grösserem Geschick zu wehren, indem sie den Spiess um-
drehen, und auf ihre Angreifer einen Gegenangriff machen.
In solchen Fällen nähert sich ihre subjektive Komik der
der Narren. Ihr Clowncharakter verleugnet sich aber
doch nicht; bei all ihrem Witze blickt doch immer wieder
„die bäurische Einfalt des Naturburschen“[314] durch. Dies
gilt allerdings nur für die Zeit bis etwa zum Höhepunkt
von Shakespeare's Laufbahn. Später verwirren sich die
Unterschiede zwischen dem Clown und dem Narren immer
mehr: das Ergebnis dieser Verwirrung sind die unechten
Clowns der vierten Klasse, welche die Tölpelhaftigkeit des
ursprünglichen Clowns ganz abgestreift haben, und in der
Art ihrer Komik den Narren völlig gleichen.

In manchen Fällen ist ein gewisser Zusammenhang
zwischen dem der einzelnen Clownsgestalt zugemessenen
Grad von Verständigkeit und der Berufsart wahrzunehmen:
die Polizisten gehören als lustige Personen fast stets zu
den Rüpeln, die Bauern meist zu diesen oder zu den

---

[314] Thümmel 1 232.

pfiffigen Tölpeln, die Mehrzahl der Diener zu den naiv-
witzigen Clowns[115]). Auf die übrigen durch den Clowntypus zusammengefassten Berufe lässt sich freilich eine
solche schematische Verteilung nicht anwenden; die Handwerker z. B. sind bald Rüpel (so in Shakespeare's Mids.),
bald pfiffige Tölpel (Strumbo in Locr.), bald naiv-witzige
Clowns (Bunch in Weak.).

Wir haben früher (S. 41. 47) gesehen, dass zwei Abarten des Clowns, der plumpe bäurische Lümmel und der
clownartige Diener, schon durch die clownartigen Gestalten der Misterien und ältesten Mirakelspiele
vorgebildet wurden; auch in den Moralitäten und komischen Zwischenspielen wurden beide Untertypen
fortgesetzt. Zu lustigen Personen wurden sie aber erst
im eigentlichen Drama erhoben; auf dessen Vorstufen
stellen die genannten Gestalten bloss die Keime zu einer
solchen Rolle dar.

Der schon mehrfach berührte Zusammenhang des
Clowns mit dem Vice (vgl. besonders S. 186) tritt zwar
äusserlich nicht so klar hervor, wie die Verwandtschaft
des Narren mit jenem, ist aber doch unzweifelhaft. Moros
(vgl. S. 142 ff.) und Simplicity (vgl. S. 153 ff. und 155 ff.)
können als clownartige Vice-Gestalten oder als Clowns
in der Vice-Rolle gelten. Als Zwischenglieder zwischen
Vice und Clown haben wir auch die Gestalten des Gunophilus und des Piston (vgl. S. 187 ff.) kennen gelernt. Auch
der Vice tritt oft in der Rolle eines lustigen Dieners, gelegentlich auch, indem er seine eigentliche Tracht ablegt,
im Kostüm irgend eines bestimmten einzelnen, den niederen

---

[115]) Da der Bauer abgesondert vom Städter unter seinesgleichen
zu leben pflegte, unterlag seine urwüchsige Naivetät viel weniger
dem abschwächenden Einfluss der Verfeinerung, als die des Dieners
in einem vornehmen Hause, der beständig mit Höherstehenden in
nahe Berührung kam, und dadurch leicht im Vergleich zum Bauer
einigen Schliff erhielt. Der Unterschied zwischen dem rüpel- oder
tölpelhaften Bauer und dem naiv-witzigen Bedienten ist also durch
reale Verhältnisse begründet.

Ständen eigentümlichen Berufs auf (vgl. S. 216); in beiden Fällen erinnert er an den späteren Clown. Die niedere Komik, besonders die für den Clown charakteristischen Züge einer unfreiwilligen passiven oder objektiven Komik erbte diese Gestalt nicht nur von ihren Vorläufern in den Misterien, Moralitäten und komischen Zwischenspielen, sondern weit eher noch vom Vice, zu dessen komischem Apparat die objektive Komik ja als ein notwendiger Bestandteil gehörte (vgl. S. 210 ff.), und der als lustige Person überhaupt viel eher in der Lage war, ein Vermächtnis an feststehenden komischen Motiven zu hinterlassen, als jene Vorläufer, wenn letztere auch dem Clown, äusserlich betrachtet, mehr glichen als der Vice. Am deutlichsten ist der Clown als Erbe der Komik des Vice zu erkennen darin, dass er gelegentlich gleich diesem den Teufel als Reittier benutzt (vgl. S. 86). — Indem Narr und Clown sich in den Nachlass des Vice teilen, und jeder von ihnen die ihm besonders angemessene Art der Komik übernimmt (vgl. S. 186), findet also gleichsam eine Art Arbeitsteilung zwischen beiden statt.

Eine dritte Quelle für die Clowns im Drama neben den clownartigen Gestalten der Misterien, Moralitäten und komischen Zwischenspiele, und dem Vice ist das wirkliche Leben jener Zeit; die niederen Volksklassen der Wirklichkeit enthielten ja die Urbilder für den Clown als Dramenfigur. Auch der Narr im Drama ist, wie wir gesehen haben, das Abbild einer Gestalt aus dem Leben. Nur ist der Narr ohne weiteres geeignet, als lustige Person in das Drama verpflanzt zu werden, da er schon im wirklichen Leben die Funktion einer solchen bekleidet; der einfache Mann des Volkes dagegen bedurfte, um als Clown im Drama die Rolle einer lustigen Person spielen zu können, erst verschiedener Wandlungen, die hauptsächlich in einer Steigerung der ihm in den Augen der damaligen vornehmen Kreise an sich schon anhaftenden Komik bestehen.

Die grosse Mannigfaltigkeit der Clowns, wodurch sie

sich vom abwechselungsarmen Typus des Narren so sehr
unterscheiden, zeigt sich nicht nur in der Vielheit ihrer
Berufsarten, sondern auch in der Verschiedenheit ihrer
Anzahl und ihrer Bedeutung für die Handlung des Stückes.
Bald tritt der Clown, gleich dem Narren (vgl. S. 237), als
einzelne Person auf, bald begegnen wir einer ganzen
Gruppe von Clowns (vgl. S. 25). Während darin, dass
die Narren von der eigentlichen Handlung losgelöst zu
erscheinen pflegen, eine feststehende, gleichmässig durch-
geführte Regel erkennbar ist, bemerken wir, dass die Bedeutung des Clowns für die dramatische Handlung sehr
verschiedene Grade aufweist. In J. Cook's Quoqu. ist der
Clown Bubble der Hauptheld des Stückes. In andern
Fällen trägt das täppische Ungeschick des Clowns, zuweilen aber auch seine Pfiffigkeit wirksam bald zur Verwickelung, bald zur Entwirrung des dramatischen Knotens
bei: gerade durch die Dummheit der Gerichtsdiener Dogberry und Verges in Shakespeare's Ado wird z. B. ein die
Unschuld Hero's offenbarender günstiger Zufall herbeigeführt; andererseits ist in manchen unter romanischem
Einfluss stehenden Lustspielen der lustige Diener und Vertraute seines Herrn einer der Hauptteilnehmer an der
komischen Intrigue, die den Kern des Stückes ausmacht.
In andern Fällen ist die Rolle des Clowns für den Ver-
lauf der Handlung durchaus entbehrlich, und nur durch
die Bedürfnisse der Komik, als ein Zugeständnis an die
Geschmacksrichtung der breiten Volksmassen zu erklären,
z. B. in Th. Heywood's Lucr. Gelegentlich führen aber
auch höhere künstlerische Rücksichten zur Einfügung der
an sich überflüssigen Rolle, z. B. bei der berühmten
Pförtnerscene in Shakespeare's Mcb.

Es kommt häufig vor, dass Personen, die man ihrer
äusseren Lebensstellung nach zu den Clowns rechnen
müsste, gar keine Komik an den Tag legen[316]). Oft wird

---

[316]) Solche Personen giebt es, wie wir gesehen haben, schon in
den Misterien: vgl. S. 42 ff. und Anm. 35, 43.

dieser Mangel an Komik durch das bloss episodische Auftreten und die Bedeutungslosigkeit der betreffenden Gestalten bedingt; dies wird meist auch äusserlich dadurch
angedeutet, dass derartige Personen nur mit ihrem allgemeinen Gattungsnamen als „countrymen", „servants", u. s. w.,
vorgeführt werden, während man die wichtigeren Rollen
gewöhnlich durch individuelle Personennamen auszeichnet.
Es giebt aber auch Fälle, wo Personen niederen Standes
der Komik ermangeln, selbst wenn ihre Rollen von grösserem
Umfang und höherer Bedeutung sind. Dies ist ja auch
keineswegs auffallend: selbverständlich brauchte auch damals ein Vertreter der unteren Volksklassen, trotz des
aristokratischen Standpunktes der Litteratur jener Zeit,
durchaus nicht immer nur als komische Gestalt dargestellt
zu werden. Manche Bediente, besonders wenn sie bejahrt
sind, werden als durchaus ernste würdige Leute geschildert; die Schäfer in Schäferspielen („Pastorals") entbehren meist der Komik. weil diese ein der Idylle überhaupt fremdes Element zu sein pflegt; die Bauern entfalten
zuweilen selbst dann keine Komik, wenn sie als „clowns"
bezeichnet werden (vgl. S. 307). Es gehört also nicht etwa
jede „clown" genannte Gestalt zu den lustigen Personen[317]);
wohl aber sind als solche alle die Personen anzusehen,
die durch das Beiwort „the clown" gekennzeichnet werden
(vgl. S. 25). Die Sachlage ist mithin ähnlich wie beim
Vice (vgl. Anm. 106. S. 126. 130). Oft sind endlich Bauern,
Diener, u. s. w., wohl mit komischen Zügen ausgestattet;
aber diese Züge sind nicht zahlreich und wichtig genug,
um uns zu berechtigen, ihre Träger als lustige Personen
zu betrachten. Wo eine clownartige Gestalt also nicht
ausdrücklich durch den Zusatz „the clown" als lustige
Person hingestellt wird, darf sie als solche nur dann gelten,
wenn ihre Komik das Mass des zur Charakteristik Not-

---

[317] Z. B. nicht die drei „Clowns", die zusammen mit drei
„Maids" in Nash's Summ. (p. 21) auftreten; ferner nicht der alte
„Clown" Gasparo in Chapman's May, der zum Typus des Pantalone
gehört, u. s. w.

wendigen so sehr überschreitet, dass deren Selbstzweck offenbar wird.

B. Die einzelnen Bestandteile der Clownskomik[318].

Das eigentliche Herrschaftsgebiet der inhaltlichen Komik der Clowns ist die unfreiwillige passive oder die objektive Komik. Die Komik der Rüpel gehört ihrem ganzen Umfang nach hieher[319]); aber auch die der pfiffigen Tölpel und der naiv-witzigen Clowns ist von unfreiwillig passiver Art, so weit eben die Eigenschaft der Tölpelhaftigkeit oder der Naivetät an ihnen zu Tage tritt. Da alle die drei genannten Arten des Clowns die Merkmale objektiver Komik an sich tragen, ist eine absondernde Verteilung der zu dieser Komik gehörenden einzelnen Motive auf jene drei Arten, wobei bestimmte Motive nur einer, andere nur einer andern Art zufallen, nur selten möglich.

Die meisten objektiv-komischen Einzelmotive lassen sich unter eine gemeinsame Formel bringen: sie beruhen auf einer Kontrastwirkung von Absicht und Erfolg. Besonders die Rüpel, aber auch die übrigen Clowns, erreichen oft gerade das Gegenteil dessen, was sie eigentlich erreichen wollten, weil sie infolge ihrer Dummheit oder ihres Ungeschicks verkehrte Mittel anwenden, um zu ihrem Zwecke zu gelangen. Launce in Gent. (III 1, 265 ff.) verrät, in wen er verliebt sei, fast gleichzeitig mit seiner Versicherung, nicht einmal ein Gespann Pferde werde das aus ihm herausziehen. Bombo in J. Shirley's Royal (p. 113) ist Sekretär des Edelfräuleins Domitilla und tritt mit Vorliebe mit einem Buch in der Hand auf, ob-

---

[318] Bei der nach tausenden zählenden Menge der einschlägigen Beispiele beschränke ich mich natürlich auf je ein oder einige Beispiele für jeden Bestandteil oder jede Unterart eines Bestandteils.

[319] Abgesehen vom absichtlichen Wort- und Klangspiel, das ins Gebiet der subjektiven Komik gehört, und trotzdem auch von manchen Rüpeln reichlich verwendet wird.

gleich er weder lesen noch schreiben kann. Am drastischsten
ist aber die Kontrastwirkung in zwei berühmten Rüpel-
szenen bei Shakespeare. Dogberry in Ado stellt, wie er
glaubt, ein äusserst schlaues Verhör mit den Spitzbuben
an, die ihm vorgeführt werden, verwirrt aber durch sein
Riesenungeschick die ganz einfache Sachlage immer mehr,
statt sie klarzustellen. Die Rüpel in Mids. wollen eine
tieftraurige Tragödie aufführen; daraus wird jedoch, gegen
ihren Willen nicht nur, sondern ohne dass sie es überhaupt merken, eine Posse von unwiderstehlicher Komik.

Der Widerspruch zwischen Absicht und Ausführung
zeigt sich nicht nur in den Handlungen, sondern auch in
den Worten der Clowns, besonders der Rüpel. Hier haben
wir die einfachste und häufigste Form der oben erwähnten
Kontrastwirkung, nämlich die unfreiwillige Entstellung
der Wörter. Die Clowns wollen sich gewählt und fein
ausdrücken, und gebrauchen daher seltene oder ihrem
Sprachgebrauch fremde Wörter, aber verkehrt. Der Hu-
manismus hatte im 16. Jahrhundert der englischen Sprache
eine grosse Menge lateinischer Wörter zugeführt. Ausserdem war in der Sprache des einfachen Volkes das germanische und das romanische Element noch nicht zur
Einheitlichkeit verschmolzen. Viele Wörter romanischen
Ursprungs, auch solche, die heutzutage zum Sprachgut
der Alltagsrede gehören, wurden damals von den Ungebildeten offenbar noch als fremde Eindringlinge empfunden.
Die im englischen Drama so überaus häufigen Wortverdrehungen der Clowns (besonders bei Shakespeare, abgesehen von seinen letzten Stücken, wie Wint., Tp., wo
sie selten sind) erstrecken sich daher fast ausschliesslich
auf Wörter lateinischen, französischen, oder sonst romanischen Ursprungs.

Wir können bei der Wortverdrehung verschiedene
Unterarten unterscheiden:

Die einfachste Form obigen Motivs ist die, dass der
Clown selbst das betreffende Wort auftischt, und zwar in
entstellter Gestalt. Sehr oft sagt er hierbei gerade das

Gegenteil von dem, was er eigentlich sagen wollte. Dies geschieht, indem er eine die Verneinung ausdrückende Vorsilbe unpassender Weise vor das betreffende Wort setzt, z. B. Adam in Glass (p. 119 II): *„an honest man he was, and in great discredit* [für *credit*] *in the parish"*. Der umgekehrte Fall tritt ein durch Weglassen der verneinenden Vorsilbe; z. B. sagt Dogberry in Ado (III 3, 36 ff.): *„for the watch to babble . . . is most tolerable* [für *intolerable*] *and not to be endured"* [320]). Ein verkehrter Sinn ergiebt sich auch aus der Vertauschung zweier Vorsilben: so sagt Elbow in Meas. (II 1, 169 ff.) immer wieder *„respected"* für *„suspected"* [321]), während Dogberry in Ado (IV 2, 76 ff.) umgekehrt *„suspect"* für *„respect"* setzt. Beliebt ist auch die Verwechselung von *„benefactor"* und *„malefactor"*: vgl. Elbow in Meas. (II 1, 50)[322]). Seltener ist der Fall, dass durch Vertauschung der Nachsilben das Gegenteil des beabsichtigten Sinnes herauskommt; so sagt Dogberry in Ado (III 3, 22 ff.) zum zweiten Wachmann: *„You are thought here to be the most senseless* [für *sensible*] *and fit man for the constable of the watch"*.

In andern Fällen sind die beiden an der Verwechselung beteiligten Wörter nicht, wie in obigen Fällen, mit einander etymologisch verwandt, sondern nur äusserlich klangähnlich; die Verwechselung ergiebt ebenfalls ungefähr das Gegenteil des gemeinten Sinnes. Bunch in Weak. (p. 293) sendet einer andern Person seine *„condemnations"* [für *commendations*][323]). Bottom in Mids. (III 1, 84) zitiert als Pyramus *„Thisby, the flowers of odious* [für *odorous*] *savours sweet"*, während Dogberry in Ado (III 5, 18) umgekehrt sagt *„comparisons are odorous"*.

---

[320]) Ebenso Onion in Jonson's Case (p. 711 I), Fiddle in Th. Heywood's Exch. (p. 57); letztere Stelle stimmt wörtlich mit der oben genannten bei Shakespeare überein.

[321]) Ihm folgt auch der Narr Pompey in Meas. (vgl. S. 256).

[322]) Ebenso auch der Konstabler in May's Heir (p. 157).

[323]) Dieselbe Verwechselung enthält auch die Rede des Schusters Ralph in Wilson's Cobbl. (p. 10).

Der verkehrte Sinn entsteht auch durch Vertauschung
zweier etymologisch nicht verwandter Wörter, von denen
das eine das Gegenteil des andern ausdrückt, und die einander nicht klangähnlich sind. Solche Fälle gehören eigentlich gar nicht zu den Wortverdrehungen, sondern enthalten
blosse Sinnesentstellungen. Costard in LLL (I 1, 316) sagt
z. B.: „Affliction [etwa für prosperity] may one day smile
again." Der erste Totengräber in Hml. (V 1, 1 ff.) fragt:
„Is she to be buried in Christian burial that wilfully seeks
her own salvation [für damnation] [324])?" Der erste Wachmann in Ado (III 3, 189) verhaftet Borachio und Conrade
mit den Worten: „let us obey [für command] you to go
with us." — Nur ganz selten liegt eine derartige Verwechselung bei germanischen Wörtern vor; Dogberry in
Ado (III 5, 11 ff.) sagt z. B. von Verges: „his wits are not
so blunt [für sharp] as . . I would desire they were."

Wir gelangen nun zu den weit zahlreicheren Fällen,
wo die Entstellung nicht das Gegenteil des gemeinten
Sinnes, wohl aber gleichfalls etwas Verkehrtes ergiebt.

Dies geschieht auch wieder, entsprechend den oben
angeführten Fällen, durch fälschliche Beifügung einer Vorsilbe: z. B. sagt der Diener Launce in Gent. (II 3, 3)
„proportion" statt „portion". Besonders häufig ist die
Verwechselung von Vorsilben; Dogberry in Ado (IV 2, 1)
fragt z. B.: „Is our whole dissembly [-- assembly]
appeared [325])?"

Hieher gehören auch zahlreiche Fälle von Ver-
wechselungen klangähnlicher, aber nicht etymologisch verwandter Wörter. Dogberry in Ado (III 5, 3 ff.) erbittet
sich „some confidence" [- conference] mit Leonato. —
Mitunter stehen die beiden vertauschten Wörter im Reim-
verhältnis zu einander. Elbow in Meas. (II 1, 183) braucht
„Hannibal" als Schimpfwort für „cannibal".

In obige Rubrik sind auch manche Fälle von Volks-

[324]) Ebenso Verges in Ado (III 3, 3).
[325]) Ebenso der alte Stilt in Chettle's Hoffm. V. 1077.

etymologie zu stellen. Der Clown in T. Heywood's Gold.
(p. 45) legt sich den ihm fremden Namen *Jupiter* nach seiner
Weise als „*gibbit-maker*" (für „*gibbeter*") zurecht[326]).

Nicht selten entsteht durch die Wortverdrehung des
Clowns ein neues völlig sinnloses Wort. Curtall in Lodge's
Wounds (p. 191) entstellt „*dictator*" in „*dixcator*". Besonders fremdsprachliche Eigennamen sind solchen Verdrehungen ausgesetzt. Die Reden der Rüpel in Mids.
wimmeln geradezu von derartigen Schnitzern: Bottom sagt
z. B. *Ercles — Hercules, Phibbus — Phoebus, Thisby
— Thisbe, Limander — Leander, Shefalus — Cephalus,
Procrus — Procris*[327]). Auch fremdsprachliche Redensarten unterliegen leicht einer ähnlichen Misshandlung.
Zu einer feststehenden scherzhaften Redewendung wurde
„*basilus manus*" (vgl. S. 250 und Land p. 383). Firke
in Dekker's Shoom. (p. 16) nennt sich selbst weniger höf-
lich „*Firke the Basa mon cues*". Der Clown in Th. Heywood's Trav. (p. 65) entstellt „*qui va là?*" in „*Chauelah?*"

Ein komischer Unsinn kommt auch durch Anhängen
eines falschen Suffixes zustande. So entstehen Miss-
bildungen wie „*prophetation*" für „*prophecy*" (Ralph in
Wilson's Cobbl. p. 13), „*dispositation*" für „*disposition*"
(Hugh in Munday's Cumb. p. 23), „*felonians*" für „*felons*"
(Bullithrumble in Greene's Selim. V. 1908), „*poeticality*"
für „*poetry*" (Fiddle in Th. Heywood's Exch. p. 48).

Bei germanischen Wörtern sind einschlägige Beispiele
selten. Codrus in Misog. (III 1, 195) verdreht „*blood of the
nails*" in „*blothernales*", Hodge in Gurt. (p. 71) „*what
do you call it?*" in „*washical*".

Einer Verwechselung zweier entfernt begriffsverwandter
Wörter ohne Klangähnlichkeit und etymologischen Zusammenhang macht sich Dogberry in Ado schuldig, indem

---

[326]) Dieselbe volksetymologische Entstellung lässt sich schon der
Clown in Shakespeare's Tit. (IV 3, 80) zu Schulden kommen; hier beruht sie aber auf dem Missverstehen des Wortes einer andern Person.

[327]) Die betreffenden Stellennachweise findet man bei Al. Schmidt.

er (IV 2, 44) „*perjury*" für „*treason*", und (52) „*burg-
lary*" für „*conspiracy*" setzt.

Eine andere Art der Wortverdrehung kommt durch
das Missverstehen eines Wortes einer andern Person
zustande, das infolge dessen in verkehrter Weise wiedergegeben wird. Die Kontrastwirkung von Absicht und
Erfolg, auf der die objektive Komik zum grossen Teil beruht, ist auch bei derartigen Verdrehungen, wenn auch
weniger deutlich als in den zuvor behandelten Fällen,
wahrzunehmen: der Clown bemüht sich, das vernommene,
ihm fremde Wort nachzusprechen; es gelingt ihm aber
nicht. Im Vorspiel zu Shr. B. (II 139 ff.) missversteht Sly
das Wort „*comedy*" und fragt: „*Is not a comonty a Christmas gambol or a tumbling-trick?*" Mucedorus im gleichnamigen Stücke (p. 239) stellt sich dem Clown Mouse als
„*an hermit*" vor, worauf Mouse entgegnet: „*An emmet?
I never saw such a big emmet in all my life before*". Eine
sinnlose Entstellung bietet Hobs in Th. Heywood's E 4 A
(p. 71) mit „*benegligence*", einer Kontamination des von
Lord Howard zuvor gebrauchten Wortes „*benevolence*", und
des Hobs vorschwebenden „*negligence*".

Besonders fremdsprachliche Eigennamen sind leicht
Missverständnissen und daher auch Verdrehungen aus-
gesetzt. Strumbo in Locr. (p. 148) verdreht den von ihm
eben vernommenen Namen „*Albanact*" in „*Nactaball*".
Auch hier macht sich oft die Volksetymologie geltend. Der
Diener Sanders in Shr. A (p. 14) deutet den Namen des
sich ihm vorstellenden Knaben *Catapie* als „*Cake and pie*".
Frisco in Haughton's Engl. (p. 505) macht sich den Namen
„*Monsieur Mouche*" auf englische Weise als „*Master Mouse*"
mundgerecht, und verdreht den Namen des Holländers
Vandal in *Mendal* (p. 522). Bunch in Weak. (p. 295)
entstellt den Namen *Ferdinando* in unfreiwilliger Derbheit
zu „*farting Androw*". Der Konstabler Blurt in Middleton's
gleichnamigem Stück (p. 21) verdreht den langatmigen
spanischen Namen und Titel „*Lazarillo de Tormes in Castile,
cousin-german of the adelantado* [Statthalter] *of Spain*"

in „*Lazarus in torment at the castle, and a cozening german at the sign of the Falantido-diddle in Spain.*"

Wir gehen nun zu den unbeabsichtigten Klang- und Wortspielen über. Ein Klangspiel durch Wortverdrehung bietet Hugh in Munday's Cumb. (p. 23), der „*oration*" zu einem neuen Wort „*roration*" entstellt, dessen Zusammenhang mit „*to roar*" auf der Hand liegt. Ein Wortspiel durch Wortverdrehung enthält in Jonson's In (p. 7 I) Cob's auf seinen eigenen Namen anspielende Frage: „*why not the ghost of a herring Cob, as well as the ghost of Rasher Bacon* [„Speckschnitte", und Entstellung aus „*Roger Bacon*"]*?*" Ein komischer Nebensinn steckt auch in der Rede Verges' in Ado (III 5, 33 ff.) an Leonato: „*our watch to-night, excepting your worship's presence* [verkehrt etwa für „*by your worship's leave*"], *ha' ta'en a couple of ... arrant knaves*", da der Wortlaut auch so aufgefasst werden kann, dass Leonato von der Zahl der verhafteten Schurken ausgenommen sei. Eine unbeabsichtigte Zote entsteht durch Bottom's Wortentstellung als Pyramus in Mids. (V 1, 297): „*lion vile hath here deflower'd* [= *devoured*] *my dear* [= Thisbe]."

Viel häufiger ist das unfreiwillige Wort- oder Klangspiel infolge eines Missverständnisses, ohne dass eine Wortverdrehung damit verbunden ist[328]). Die Rüpel legen zuweilen einem von einer andern Person gebrauchten, ihnen selbst unbekannten Wort eine falsche Bedeutung bei. So entstehen so ergötzliche Äusserungen wie die Antwort Dogberry's auf Leonato's Bemerkung in Ado (III 5, 20 ff.) „*you are tedious*": *if I were as tedious*

---

[328]) Ganz vereinzelt ist das einfache Missverständnis, ohne Verbindung mit der Wortverdrehung oder irgend einer Form des Wortspiels. Elbow in Meas. z. B. (II 1, 199 ff.) glaubt, dass das von Escalus in Bezug auf Pompey gebrauchte „*let him continue*" eine schwere Strafe bedeute, und sagt diesem: „*Thou seest, thou wicked varlet, what's come upon thee: thou art to continue now, thou varlet; thou art to continue.*"

21*

[als „*gracious*“ missverstanden; zugleich zutreffend wegen
Dogberry's beständigen Abschweifungen] *as a king, I could
find it in my heart to bestow it all of your worship“*. —
Weniger rüpelmässig sind andere Fälle, in denen eine
Redewendung, die mehrfache Deutung zulässt, von einer
Person zunächst nur in einem Sinne gebraucht, vom Clown
aber missverständlich in einer zweiten aufgefasst wird.
Meist liegt das Missverständnis darin, dass der Clown in
übertragenem Sinne gemeinte Worte wörtlich nimmt. Mouse
in Muc. (p. 235) antwortet z. B. seinem Herrn Segasto auf
dessen Aufforderung „*Give ear to me*“: „*How, give you
one of my ears? not, and you were ten masters*“. — Ein
obigem Wortspiel ungefähr entsprechendes Klangspiel ist
das folgende. Panthino's Mahnung in Shakespeare's Gent.
(II 3, 39 ff.): „*you'll lose the tide if you tarry any longer*“
deutet Launce auf seinen bei ihm befindlichen angebundenen
Hund und erwidert: „*It is no matter if the tied were lost:
for it is the unkindest tied that ever any man tied*“. —
Mitunter ergiebt sich auch ein Wortspiel daraus, dass der
Clown von zwei nicht zusammengehörigen, unmittelbar auf
einander folgenden Worten das eine als Attribut des andern
auffasst. Auf die Äusserung des Alibius in Chang. (p. 220)
„*I am old, Lollio*“ antwortet Lollio: „*No sir, 'tis I am
old Lollio*“. — Einen besonderen Fall stellt folgendes
Gespräch in Middleton's Blurt (p. 20) zwischen Blurt und
Slubber dar: B. „*. . . is't the duke's hand?*“ S. „*Mass, 'tis
not like his hand.*“ B. „*Look well; the duke has a wart
on the back of his hand.*“ S. „*Here's none . . . but a
little blot.*“ B. „*. . . Ho, that stands for the wart.*“
Hier werden die beiden Bedeutungen von „*hand*“ – „Hand“
und „Handschrift“ immer wieder durcheinander geworfen,
und die Parallele zwischen beiden wird auch noch in naiver
Weise auf einzelne Bestandteile ausgedehnt.

Nahe verwandt mit den unfreiwilligen Wortverdrehungen
und Missverständnissen ist das Motiv des unabsichtlichen Unsinnredens. Der von den Rüpeln vorgebrachte
Unsinn ist natürlich durchweg als unabsichtlich anzusehen,

ebenso auch meist der Unsinn, den die pfiffigen Tölpel
reden. Wir dürfen voraussetzen, dass die Clowns der
dritten Klasse, bei der auch ihnen mehr oder weniger anhaftenden Naivetät, gleichfalls oft, ohne es zu merken,
Unsinn schwatzen; zuweilen ergehen sie sich aber auch
absichtlich in sinnloser Rede, um das Bühnenpublikum zu
erheitern, oder um andere Personen zu foppen. Hier ist
es im einzelnen Falle sehr schwer, ja vielfach unmöglich,
die Absichtlichkeit oder Unabsichtlichkeit des von den
Clowns dieser Art geredeten Unsinns zu erkennen. Ich
gedenke die unsicheren Fälle mit den andern zusammen,
bei denen die Unabsichtlichkeit des Unsinns unzweifelhaft
ist, hier in der Rubrik „unfreiwillige passive Komik" zu
behandeln, bin mir aber wohl bewusst, dass eine solche
Unterbringung bloss ein Notbehelf ist.

Die häufigste Form des komischen Unsinns ergiebt
sich aus der Vertauschung der Satzteile zweier mit einander verbundener Sätze in der Weise, dass ein Wort des
zweiten Satzes an die Stelle des entsprechenden Wortes
im ersten tritt, und umgekehrt; wenn also a ... b + c ... d
das Schema der richtigen Sätze darstellt, so redet der
Clown statt dessen nach dem verkehrten Schema a ... d
+ c ... b, oder c ... b + a ... d. Besonders oft beruht der
Unsinn auf einer Verwechselung der verschiedenen Sinne,
Organe, oder Körperteile des Menschen nach obigem Schema.
Am Schluss der Handwerkeraufführung in Mids. (V 1, 359 ff.)
fragt der Rüpel Bottom den Theseus: *„Will it please you*
<u>a</u>   <u>d</u>   <u>c</u>   <u>b</u>
to see the epilogue, or to hear a Bergomask dance[329])."
Der Diener Mouse in Muc. (p. 214) rühmt sich: *„I can*
keep my tongue from picking and stealing, and my
hands from lying and slandering[330])." Ein Beispiel
von anderer Art nach demselben Schema enthält die Frage

---

[329]) Unsinn von gleicher Art redet auch der Rüpel Dametas in
J. Shirley's Arc. (p. 182).

[330]) Ebenso die Rüpel Bullithrumble in Greene's Selim. V. 1980 ff.,
und Clay in Jonson's Tub (p. 649 I).

des Rüpels Dametas in J. Shirley's Arc. (p. 229): *„Did he die against his will, or was he killed a natural death?"* Ebenso der Diener Launcelot in Shakespeare's Merch. (III 5, 65 ff.): *„For the table, sir, it shall be served in; for the meat, sir, it shall be covered."* — Verwickelter wird das Schema, wenn der zusammengesetzte Satz aus mehr als zwei einzelnen Sätzen besteht; z. B. sagt der Rüpel Bottom in Mids. (IV 1, 216 ff.): *„The eye of man hath not heard, the ear of man hath not seen, man's hand is not able to taste, his tongue to conceive, nor his heart to report, what my dream was."* Pipkin, Diener und zugleich noch Schüler, in Cooke's How (p. 28) sagt seine lateinische Vokabeln verkehrt auf: *„Canis a hog, rana a dog, porcus a frog."* — Dagegen liegt ein einfacheres Schema der Vertauschung folgenden Fällen zu Grunde, wo innerhalb eines einfachen Satzes zwei Worte ihre Plätze wechseln. Der Rüpel Verges in Ado (IV 2, 5 ff.) sagt: *„we have the exhibition to examine"* [— the examination to exhibit] [331]; Much in Munday's Downf. (p. 193): *„when ears unto my tidings came"*; der Diener Grumio in Shakespeare's Shr. B. (III 2, 207 ff.): *„the oats have eaten the horses"*; Elbow in Shakespeare's Meas. (II 1, 47 ff.): *„I am the poor duke's constable"* [— the duke's poor constable] [332]; Mouse in Muc. (p. 250): *„a stray king's daughter* [— a king's stray daughter].

An einer bekannten Stelle in Mids. (V 1, 108 ff.) sagt Quince als Prolog infolge falscher Interpunktion meist gerade das Gegenteil von dem, was gemeint ist:

> *„If we offend, it is with our good will.*
> *That you should think, we come not to offend,*
> *But with good will. To show our simple skill,*
> *That is the true beginning of our end.*
> *Consider then we come but in despite.*
> *We do not come as minding to content you,*

---

[331] Man könnte obigen Fall auch zu den Wortverdrehungen rechnen.

[332] Ähnlich Dogberry in Ado (III 5, 22).

Our true intent is. All for your delight
We are not here. That you shall here repent you,
The actors are at hand . . . ."

Andere Fälle des Unsinns erklären sich aus der Unwissenheit des Clowns. Der Rüpel Sly im Vorspiel zu
Shr. B. (I 4 ff.) behauptet, seine Vorfahren seien zusammen
mit „Richard dem Eroberer" nach England gekommen [331]. Der Rüpel Pan in Jonson's Tub (p. 637 I)
spricht von den „neun Todsünden", deren Siebenzahl
er offenbar mit der Neunzahl der Musen verwechselt [333]),
der Diener Mouse in Muc. (p. 208) von den „sieben
Sinnen"; der Diener Hilario in Massinger's Pict. (p. 231 II)
erwähnt *„fishes call'd cantharides"*.

Der Unsinn kleidet sich auch noch in manche andere
Formen. In sich selbst widersinnig ist des Rüpels Simple
Zeitbestimmung in Wiv. (I 1, 211 ff.): *„upon All-hallow-*
mas [1. Nov.] *last, a fortnight afore Michaelmas"*
[29. Sept.]. Ähnlich der Diener Dromio von Syrakus in
Err. (IV 2, 54): *„It was two ere I left him, and now the*
clock strikes one". — Als sehr schwacher Zähler erweist
sich Dogberry in Ado (V 1, 221 ff.), indem er auf *„sec-*
ondarily" [fälschlich für *„secondly"*] *„sixth and lastly"*,
und darauf noch *„thirdly"* folgen lässt. — Oft ergiebt
sich ein Unsinn aus der Verbindung zweier sich aus-
schliessender Begriffe. Dametas in J. Shirley's Arc. (p. 183)
erwähnt *„That flaming ice"*, und sagt später (p. 230):
„you shall go before, and follow my example". Der Clown
in Land (p. 423) bejammert den Tod seines Herrn mit den
Worten: *„oh my sweet, cruel, kind, pittiless, loving,*
hard hearted Master". — Umgekehrt stellt der Clown
mitunter zwei sich deckende Begriffe als einander entgegengesetzt hin. Launce in Gent. (II 3, 13 ff.) sagt: *„my*
grandam, having no eyes, . . . wept herself blind at my
parting". — Zwei einander durchaus fernstehende Begriffe
behandelt als Gegensätze Launcelot in Merch. (II 2, 148 ff.):

---

[333]) Ähnlich der Narr Babulo in Griss. (vgl. S. 248).

„though old man, yet poor man, my father". Dinge, die
durchaus keine Vergleichungspunkte bieten, vergleicht
Turnop in Munday's Cumb. (p. 16):

> *„Lyke to the Cedar in the loftie sea,*
> *Or milke white mast vppon the humble mount,*
> *So hearing that your honors came this way,*
> *Of our rare wittes we came to give account"* [334]).

Verkehrt sind die Attribute der Schönheit, die Thisbe
= Flute ihrem toten Pyramus nachrühmt (Mids. V 1, 337 ff.):

> *„These lily lips,*
> *This cherry nose*
> *These yellow cowslip cheeks, ...*
> *His eyes were green as leeks."*

Ein verkehrtes Attribut infolge falscher analogischer Über-
tragung enthält Launcelot's Ausruf in Merch. (II 2, 36 ff.):
„O heavens, this is my true-begotten father" [nach
Analogie von *„true-begotten child"*]. Ähnlich Gazet in
Massinger's Reneg. (p. 108 II): *„is this mine own natural
master?"* [nach *„natural parent"*]. — Ins Gebiet der
falschen analogischen Übertragung gehören auch solche
Fälle des Unsinns, wobei ein Tier oder gar eine unbelebte
Sache dem Menschen gleichgestellt wird. Launce in Gent.
(II 3, 7 ff.) erzählt z. B.: *„my sister crying, our maid howl-
ing, our cat ringing her hands, and all our house in a
great perplexity."* — Mouse in Muc. (p. 230) sagt zu
Segasto: *„and you will not believe me, ask my staff, . . .
he was with me too."*

Verschiedene Formen des Unsinns erscheinen verbunden in der Rede Bullcalf's in H 4 B (III 2, 237 ff.):
*„I had as lief be hanged, sir, as go: and yet, for mine own
part, sir, I do not care; but rather, because I am unwilling,
and, for mine own part, have a desire to stay with my
friends: else, sir, I did not care, for mine own part, so*

---

[334]) Obige Stelle ist ein wahrer Rattenkönig verschiedener Arten
des Unsinns, auch abgesehen vom sinnlosen Vergleich: *„Cedar"* und
„mast", sowie *„loftie"* und *„milk white"* haben ihre Plätze vertauscht;
ausserdem ist das Attribut *„humble"* zu *„mount"* sinnlos.

much [335]).„ Ein Blumenstrauss von Unsinn sind auch die
von Bustopha in Mill (p. 560 I) vorgetragenen Verse:

> „*The thundring seas, whose wat'ry fire*
> *Washes the whiting-mops,*
> *The gentle whale whose feet so fell*
> *Flies o'er the mountains' tops.*"

Eine besondere Abart des komischen Unsinns ist die
triviale Selbverständlichkeit. Beispiele enthalten die
Aussprüche folgender Rüpel: Pyramus-Bottom in Mids.
(V 1, 172): „*O night, which ever art when day is not!*";
Verges in Ado (III 5, 15 ff.): „*I am as honest as any man
living that is an old man and no honester than I*": Dametas
in J. Shirley's Arc. (p. 239): „*if I be once hanged, I shall
never be my own man again*". — Der Diener Launce in
Gent. (II 3, 10 ff.) schilt die Hartherzigkeit seines Hundes:
„*he . . . has no more pity in him than a dog*". Der Clown
in T. Heywood's Trav. (p. 59) bemerkt tiefsinnig: „*On
Munday, Sir,* ‖ *That's as I remember iust the day before
Tuesday*". Der Diener Shorthose in Wit (p. 285 I) klagt:
„*I have nothing left but flesh and bones about me*" [336]).

Wie alle bisher behandelten Fälle der unfreiwilligen
passiven Komik aus der Dummheit der Clowns entspringen, so giebt es insbesondere für die Dummheit der
Rüpel, der Erbpächter objektiver Komik, noch manche
andere Gelegenheiten verschiedenster Art, ihre Dummheit
zu bethätigen. Simple, Slender's einfältiger Diener, in
Wiv. (IV 5, 48 ff.), ist von seinem Herrn geschickt worden,
die weise Frau von Brentford zu fragen, ob er, Slender,
die Hand der Anne Page erlangen werde oder nicht;
Falstaff's angeblich im Namen jener Wahrsagerin erteilte
Antwort, es sei Slender beschieden, sie zu erlangen oder
nicht, befriedigt Simple vollkommen. In der ergötzlichsten

---

[335]) Ähnlichen Unsinn, aber, weil absichtlich und eine Neckerei
darstellend, von aktiv komischer Art, redet der Narr Lavache in All's
(vgl. S. 246).

[336]) Denselben, vielleicht traditionellen Scherz macht auch der
Clown in Merl. (III 1, 154 ff.).

Weise kommt die Dummheit der Rüpel zum Vorschein in
den Verhaltungsmassregeln, die Dogberry und Verges in
Ado (III 3) der ihnen unterstellten Wachmannschaft erteilen; im Verhör, das derselbe Dogberry mit den beiden
verhafteten Spitzbuben veranstaltet (IV 2), wobei er von
einem von ihnen „Esel" geschimpft wird, und die übrigen
Richter mit den Worten „*remember that I am an ass*" (V. 79)
auffordert, Zeugen dieser Beschimpfung zu sein. — Auch
der nicht zu den Rüpeln gehörende Costard in LLL zeigt
sich einmal (III 1, 154 ff.) als hervorragend dumm: er eilt
fort, einen Auftrag Biron's auszuführen, noch bevor er erfahren hat, worin jener Auftrag bestehe; als Biron ihn
darauf aufmerksam macht, versetzt er: „*I shall know, sir,
when I have done it*".

Von der Dummheit führen Abstufungen zur blossen
Naivetät des unbeleckten Naturburschen, die ebenfalls
in vielen verschiedenen Einzelzügen zu Tage tritt. Der
naive Clown ist leicht geneigt, den Schein als Wirklichkeit
hinzunehmen: so Simon in Middleton's Mayor (p. 171), der
einen in dramatischer Aufführung vor seinen Augen dargestellten Diebstahl für Wirklichkeit hält, und den angeblich Bestohlenen vor weiteren Schädigungen dadurch
schützen will, dass er selbst dessen Rolle übernimmt;
hierbei wird aber an ihm selbst der zuvor nur gespielte
Diebstahl wirklich ausgeführt. Der Clown lässt sich auch
leicht durch den äusseren Schein imponieren; z. B. der
Clown in Wint. (IV 4, 662—861) durch den in prinzlichen
Kleidern auftretenden Gauner Autolycus, den er für einen
sehr vornehmen Hofmann hält. Die Leichtgläubigkeit
des Clowns bringt ihn dazu, auch die verkehrtesten Ratschläge treulich zu befolgen; der plötzlich reich gewordene
Bubble in Cook's Quoqu. (p. 78) wird z. B. durch seinen
Anstandslehrer Staines zum albernsten Benehmen ange-
halten, und ist dabei überzeugt, das Muster eines feinen
Herrn abzugeben. Überhaupt ist der Clown wegen seiner
Harmlosigkeit leicht zu betrügen, wie das schon eben
herangezogene Beispiel des Clowns in Wint. (IV 3, 33—126.

4, 700—861) zeigt, der von Autolycus immer wieder jämmerlich über's Ohr gehauen wird. Naive Unwissenheit legt der Clown an den Tag, wenn er Laute einer fremden Sprache vernimmt. Der Clown in Marlowe's Fau. (p. 38) hält einen von Wagner zitierten lateinischen Satz für Holländisch, Grumio in Shr. B. (I 2, 28 ff.) das eingestreute Italienisch des Hortensio für Lateinisch. Auf einem naiven Missverständnis des Clowns beruht auch das in Th. Heywood's West A (p. 329) und Massinger's Reneg. (p. 112 I) ungefähr gleichzeitig auftauchende Motiv, dass der Clown den dringenden Wunsch äussert, die Würde eines Eunuchen zu erlangen.

Eine häufige Eigenschaft des Clowns ist ein prosaischer hausbackener Sinn, der nur für das Nächstliegende und unmittelbar nützliche Verständnis hat (vgl. auch S. 288). Sein Ideenkreis geht oft über die unmittelbaren Bedürfnisse des Alltagslebens, Essen, Trinken und Schlafen, nicht hinaus. Ideale sind ihm, wenn man von der opferbereiten Treue mancher clownartiger Diener gegen ihre Herrschaft absieht, eine unbekannte Grösse. Als eine solche nüchterne Alltagsnatur gleicht der englische Clown dem Sancho Pansa. Der im Gefängnis verschmachtende christliche Bischof Eugenius in H. Shirley's Mart. (p. 206) versucht einmal, den heidnischen Clown, der sein Kerkermeister ist, zu bekehren; diesem aber erscheint es ein lächerlicher Gedanke, dass er seine mit gutem Essen wohl versorgte Tafel gegen die Hungerkost des Bischofs eintauschen solle.

Eine für den Clown typische Situation ist sein Zusammentreffen mit gekrönten oder sonst hochstehenden Persönlichkeiten, bei Hofe oder an irgend einem andern Orte. Dies Motiv war beliebt, weil es so überaus dankbar war, indem es die grösstmögliche Kontrastwirkung darbot. Während der Clown sich sonst so leicht imponieren lässt, zeigt sich seine Naivetät bei obigen Gelegenheiten gerade darin, dass er sich mitten in der Überfeinerung der höfischen Etikette allein völlig unbefangen

und ganz ohne Förmlichkeit benimmt, wobei seine drollige
Urwüchsigkeit nur um so spasshafter erscheint. Mouse in
Muc. (p. 222) redet z. B. den König ganz gemütlich mit
„Master King" an[337]. Bei Stoffen aus dem klassischen
Altertum wirkt die Naivetät des Clowns wie eine un-
beabsichtigte Travestie: Shadow in Dekker's Fort. (p. 121)
z. B. nennt die drei die Schicksalsfäden spinnenden Parzen
„Semsters". Gallus in T. Heywood's Braz. (p. 227) nennt
Venus „Mrs. Vulcan".

Verwandt mit obiger Situation ist eine andere, die
auch oft wiederkehrt und als ein für die Clowns typisches
Motiv anzusehen ist: der Clown selbst spielt, mit
oder ohne Berechtigung, den vornehmen Herrn,
wobei er gewöhnlich eine sehr wichtigthuerische Aufgeblasenheit hervorkehrt. Als in Wint. der Clown und
sein Vater zur Belohnung für ihre dem König Leontes
geleisteten Dienste in den Adelstand erhoben worden sind,
rühmt sich der Clown (V 2, 147 ff.), zugleich mit echt clown-
mässigem Widersinn, seit vier Stunden ein geborener Edelmann zu sein. Clem in T. Heywood's West A, durch die
Erhöhung seiner Herrin am maurischen Hofe selbst zum
Würdenträger geworden, spricht von sich selbst höchst
pomphaft in der Mehrzahl (p. 326), und drängt die in einem
Vorraum wartenden Bittsteller mit den Worten (p. 327)
„roome for Generosity" beiseite. Der plötzlich reich gewordene Diener Bubble in Cook's Quoqu., bei dem die
Verbindung von Reichtum und Unbildung den Typus des
Protzen ergiebt, erinnert durch seinen Befehl (p. 15):
„conduct me to my palace" an die jüdischen Geldprotzen
der „Fliegenden Blätter". — Während in obigen Fällen
die Vornehmheit des Clowns immerhin eine thatsächliche
Unterlage hat, fehlt ihr in andern eine solche durchaus.
Hodge in Cromw. z. B. wird zur Vornehmthuerei nur durch
den Umstand verleitet, dass der Earl von Bedford mit ihm
die Kleider getauscht hat; als der Gouverneur von Bologna

---

[337] Ebenso auch Much in Death (p. 222).

den vermeintlichen Earl gefangen nehmen will, offenbart
dieser seine Clownsnatur durch die Worte (p. 102): *„come
not near my honour"*. Bekannter ist das Beispiel des betrunkenen Kesselflickers Sly im Vorspiel zu Shr. B., der
sich beim Aufwachen in vornehmen Gewändern erblickt
und von einer ihn umgebenden Dienerschaft ehrerbietig
mit *„my lord"* begrüsst wird, alles nur, um einen wirklichen Lord und dessen Begleiter zu belustigen. Sly's zeitweilige Vornehmheit ist also, im Gegensatz zu der Hodge's,
unfreiwillig.

Das Bedürfnis, sich ein Ansehen zu geben, äussert
sich auch in der gezierten Redeweise, deren sich
manche Clowns bedienen, in der Absicht, sich gewählt und
fein auszudrücken, und, im Gegensatz zu den Narren (vgl.
S. 249), ohne ein Bewusstsein von der Lächerlichkeit einer
solchen Ausdrucksweise. Vollgespickt mit gezierten Ausdrücken ist der Liebesbrief Strumbo's an Dorothy in Locr.
(p. 140 ff.), sowie seine Anrede an die Geliebte (p. 141):
*„O, my sweet and pigsney, the fecundity of my ingeny
is not so great"*, u. s. w., ein Wortschwall, der der noch
ungebildeteren Dorothy freilich sehr imponiert. Will Cricket
in Wily (p. 370) verrät grossen Dünkel durch die ge-
spreizten Worte: *„out of the profound circumambulation
of my supernatural wit"*. — Wenn der clownartige Diener
von einem Bittsteller um seine Vermittelung angegangen
wird, kommt sein hierbei oft hervortretender Lakaienstolz
zuweilen auch in einer hochtrabenden Ausdrucksweise zum
Vorschein; so sagt z. B. Fiddle in T. Heywood's Exch.
(p. 48) zu dem als Packträger verkleideten Frank: *„Porter,
I am not for you, you see I am perambulating before a
female"*.

Überhaupt zeigt sich der Clown oft ohne jeden Grund
selbstgefällig und aufgeblasen, auch wenn er nicht
den vornehmen Herrn spielt (vgl. S. 332); er ist gerade
auf solche vermeintliche Vorzüge stolz, die ihm durchaus
fehlen. Nachdem Costard in LLL die Rolle des Pompejus
elend verhunzt hat, äussert er (V 2, 561 ff.): *„I hope I was*

perfect". Puppy in Jonson's Tub (p. 651 I) versichert: „*If
I do come before her* [*my lady*], *she will see* ‖ *The hand-
som'st man in all the town"*. Oft glaubt sich der Clown
ganz ungerechtfertigter Weise andern Personen überlegen.
Sehr komisch wirkt die mitleidig herablassende Schonung,
womit der erzdumme Dogberry von den Schwächen seines
Genossen Verges spricht (Ado III, 5, 36 ff.), ein Zug, der
durch LLL (Costard über Nathaniel, V 2, 584 ff.) vorbereitet
scheint. Andrew in Fletcher's Eld., der Diener des sehr
gelehrten jungen Charles Brisac, hält sich selbst gleichfalls für eine Leuchte der Gelehrsamkeit, und behandelt
daher die andern Diener im Haushalt des alten Brisac
sehr von oben herab. Sich selbst und seinen Herrn fasst
er durch die Bezeichnung „*with us scholars"* zusammen
(p. 211 II). Pompey in Fletcher's Weap. wird von einer
vornehmen Dame gefoppt, die ihm einbildet, sie sei in ihn
verliebt. Da auch sein Herr, der Dummkopf Sir Gregory
Fop, zu den Anbetern jener Dame gehört, spielt sich
Pompey diesem gegenüber in, wie er glaubt, geheimnis-
vollen, thatsächlich aber handgreiflichen Andeutungen als
der bevorzugte Liebhaber auf. Die angebliche Liebe der
Dame verdreht Pompey völlig den Kopf: als die Fopperei
schliesslich ans Licht kommt, und er erfährt, dass sie eine
standesgemässe Heirat eingegangen sei, beteuert er, es sei
ihre eigene Schuld, wenn sie sich so wegwerfe (p. 317 II),
und bedauert sie, weil sie ihr Glück verscherzt habe
(p. 318 I).

Manche Clowns zeichnen sich durch G e s c h w ä t z i g -
k e i t und Weitläufigkeit ihrer Rede aus, ebenfalls eine
Folge ihrer Dummheit oder wenigstens ihrer Naivetät.
Besonders im Gespräch mit Höhergestellten kommt diese
ihre Eigenschaft zum Vorschein. Dogberry und Verges in
Ado (III 5) überspannen durch ihre fortwährenden Abschweifungen und gegenseitigen Unterbrechungen beim
Bericht über die Verhaftung der beiden Schurken die Geduld Leonato's. Launcelot Gobbo in Merch. (II 2, 130 ff.)
braucht geraume Zeit und einen grossen Wortschwall zu

einer höchst einfachen Sache, nämlich um Bassanio seine
Dienste als Diener anzubieten. Dem Redefluss des Clowns
in Merl. (IV 5, 79 ff.) wird erst durch die Zauberkunst von
dessen Neffen Merlin Einhalt gethan. Bustopha in Mill
(p. 585 II) schilt seinen vom König zum Schweigen ge-
mahnten Vater Franio wegen seiner Schwatzhaftigkeit,
zeigt sich aber gerade bei diesem Schelten selbst noch viel
geschwätziger als sein Erzeuger, so dass der König ihn
mehrmals vergeblich auffordert, still zu sein.

Als hausbackener Alltagsmensch (vgl. S. 331) ist der
Clown meist durchaus materiell gesinnt. Gefrässigkeit
und Neigung zum Trinken gehören oft zu seinen Merkmalen. Adam in Glass (p. 144 II) erklärt, das Fasten sei
seiner Natur so zuwider, dass er lieber ein kurzes Hängen
erdulden wolle als ein langes Fasten. Der Clown in
T. Heywood's Lucr. (p. 220) stellt die durchaus glaub-
würdige Behauptung auf, in den beiden Tugenden des
Essens und des Schlafens werde er von keinem Römer
übertroffen. — Miles in Greene's Bac. (Sc. XV 32 ff.) erkundigt sich beim Teufel, ob in der Hölle gute Kneipen
wären, und will, als der Teufel diese Frage bejaht, gern
Bierzapfer in der Hölle werden. Bombo in J. Shirley's
Royal (p. 146) wünscht im Weinkeller dauernd seine
Wohnung aufzuschlagen.

Dass der Clown in trunkenem Zustand auftritt,
kommt trotz seiner Vorliebe für die Flasche doch im ganzen
nur selten vor. Die Trunkenheit des Lümmels Hance in
Like wurde schon (S. 173) erwähnt. Von Shakespeare's
Clowns wird nur Stephano in Tp. (V 277 ff.) in bezechter
Verfassung vorgeführt. Sonstige Fälle der Betrunkenheit
bieten Haughton's Engl. (Frisco p. 528), Porter's Angry
(Dick Coomes p. 283. Hodge p. 305), Tim. A. (Lollio p. 44),
J. Shirley's Royal (Bombo p. 125), u. s. w.

Gelegentlich erweist sich der Clown auch als ein
Feigling. Strumbo in Locr. (p. 156) stellt sich auf dem
Schlachtfelde tot, um der Gefahr zu entgehen — er ist
also darin ein Vorgänger Falstaff's —, wird aber von

seinem Lehrling Trompart nach homöopathischer Methode
schnell wieder zum Leben erweckt, indem dieser eine neue
Furcht, die vor Dieben, in ihm erregt. Soto in Fletcher's
Pleas. (p. 50) sträubt sich gegen seine Anwerbung zum
Kriegsdienst, indem er offen seine Feigheit als Hindernis
angiebt. Der Schuhflicker Ralph in Wilson's Cobbl. (p. 11)
vereinigt in sich den Feigling mit dem Pantoffelhelden:
aus Angst vor seiner zänkischen Frau Zelota kriecht er
unter einen Stuhl. — Meist verheimlicht der Clown seine
Feigheit gar nicht; als Prahlhans und somit als Miles
gloriosus erscheint er nur hier und da: so Robin in Marlowe's Fau. (Sc. XII), Grim in Grim (p. 460), Swash in
Bedn. (p. 55), dem Falstaff's Steifleinene als Muster
dienen.

Angst oder irgend ein anderer Grund veranlasst auch
mitunter den Clown, sich unanständig aufzuführen[338]).
Adam in Glass (p. 141 I) erzählt: *I was in such a perplexity, that sixpennyworth of juniper would not have made
the place sweet again: ... my laundress called me slovenly
knave the next day.*" Shakespeare vermeidet derartige Un-
appetitlichkeiten, die überhaupt nur bei seinen Vorgängern
vorkommen.

Die Unbildung des Clowns, besonders wieder des
Rüpels, offenbart sich in den Derbheiten und unanständigen Ausdrücken, die er vom Stapel lässt. Besonders im Drama vor Shakespeare wimmeln die Reden
mancher Clowns (z. B. Hodge's in Gurt., einem Stück, das
überhaupt an den kräftigsten Derbheiten überreich ist),
von Worten wie „arse", „fart", u. s. w. Später werden
solche Begriffe meist umschrieben, so dass ein derber Witz
entsteht. Shakespeare und seine Nachfolger vermeiden es
im allgemeinen, ihren Clowns Derbheiten gröbsten Kalibers
von obiger Art in den Mund zu legen, obwohl nach unsern
Anschauungen auch ihre Dramen immerhin noch sehr
zahlreiche Derbheiten enthalten. Eine komische Zeit-

---

[338]) Vgl. Graf S. 21 und Anm. 12.

bestimmung stellt der von Launce in Gent. (IV 4, 21) gebrauchte Ausdruck „a pissing while" dar.

Sehr zweifelhaft ist es, ob die besonders im Drama
vor Shakespeare den bäurischen Clowns in den Mund ge-
legte mundartliche Redeweise als komisches Motiv
gemeint, also etwa bestimmt ist, ihre Unbildung lächerlich
zu machen. Mir scheint die Mundart bloss den Zwecken
der Charakterisierung zu dienen. Zur Zeit der Herrschaft
des Vice im englischen Drama war das Reden in der
Mundart bei derartigen Gestalten allgemein üblich, und
blieb es bis auf Lyly, der dies Motiv durchaus verschmäht.
Ebenso fehlt es bei Shakespeare's Clowns, während es bei
andern Dramendichtern jener Zeit hier und da vorkommt.
Besonders reichliche Verwendung findet die Mundart in
Jonson's Tub; die meisten Personen sprechen hier ausschliesslich im Dialekt. Ähnlich wie bei uns für in der
Mundart geschriebene Bauerndramen am meisten der
bairische Dialekt in Betracht kommt, wurde auch im englischen Drama vor und nach Shakespeare gewöhnlich eine
einzige bestimmte Mundart verwertet, ein südlicher (nach
andern westlicher) Provinzdialekt, dessen Haupteigentüm-
lichkeiten der Ersatz von f durch v, und s durch z im
Anlaut, sowie altertümliche Pronominalformen sind ($ich[e]$
oder $che = I$, und damit zusammengezogene Hilfszeitwörter,
$cham = I\ am$, $chave = I\ have$, $chill = I\ will$, $chould =$
$I\ would$)[339]).

Dass der Clown gefoppt oder ihm ein Schabernack
gespielt wird, kommt um so häufiger vor, als er durch
seine Einfalt solches ja herausfordert. Die Rüpel sind
einer derartigen Behandlung natürlich besonders ausgesetzt.
Wir haben schon in Abschnitt IV gesehen, wie die Clowns
der komischen Zwischenspiele und der ältesten eigentlichen
Dramen dem Vice eine willkommene Zielscheibe für lustige
Streiche darboten[340]). Einen besonders schlimmen Possen

[339]) Vgl. Brandl S. LXII und LXXXII.
[340]) Vgl. Jenkin Careaway in Juggl., S. 164 ff., Hance in Like,
S. 173, Hodge in Gurt., S. 190 ff.

spielen die beiden jugendlichen Schelme Jack und Will in
Edwards' Dam. dem betrunkenen Köhler Grim (p. 79 ff.):
sie übernehmen es, ihn zu rasieren, verwenden aber statt
Wassers Harn, und zerschinden ihm ausserdem sein ganzes
Gesicht mit einem stumpfen Messer. Dem Clown Corydon
in T. Heywood's Mistr. (p. 151 ff.) wird von Cupido in
ähnlicher Weise übel mitgespielt: er hat nämlich der
schlafenden Psyche eine Büchse mit schönheitverleihender
Salbe gestohlen; der Liebesgott aber vertauscht diese
Büchse, nachdem er den Clown eingeschläfert, mit einer
andern, die ein übelriechendes Fett von widerlichem Aussehen enthält; damit beschmiert sich Corydon das ganze
Gesicht, in der Überzeugung, dadurch wunderbare Schönheit zu erlangen.

Der Clown, insbesondere der Rüpel, wird auch häufig
zum Gegenstand der Spöttereien anderer Personen. In H 4 B (III 2, 117 ff.) bietet die Aushebung der
Rekruten, einer Blütenlese von Jammerkerlen, dem geistreichen Falstaff willkommene Gelegenheit, seinen Witz auf
sie loszulassen. In J. Shirley's Opp. masst sich der Diener
Pimponio die Rolle eines vornehmen Herrn an (vgl. S. 332 ff.),
und wird von Ascanio, der seinen wahren Charakter erkannt hat, am Hofe der Herzogin von Urbino mit den
Worten vorgestellt (p. 426): „He . . . can outdance ‖ The
nimble elephant".

Nicht selten bekommt der Clown, besonders der
clownartige Diener, Schläge. Es scheint mir aber in den
meisten Fällen sehr fraglich, ob dies Motiv als ein komisches
gemeint ist. Die Prügel, die z. B. die beiden Dromios in
Err. und andere Diener bei Shakespeare empfangen, gehören zur Charakteristik ihrer Rollen, da auch im wirklichen Leben jener Zeit die Diener häufig geschlagen
wurden. Komik scheint mir höchstens da beabsichtigt zu
sein, wo der Clown von einem weiblichen Wesen geprügelt
wird; so Dericke in Vict. (p. 355) von der Frau seines
Meisters. Strumbo in Locr. (p. 164) wird durch die Prügel,
die Margery ihm zuteilt, gezwungen, dies von ihm zuvor

geschändete Frauenzimmer zu heiraten. Die Derbheit des
Prügelmotivs kann dadurch gemildert werden, dass die
Prügel nur erwähnt, nicht auf der Bühne selbst dargestellt
werden; so erzählt Bullithrumble in Greene's Selim.
(V. 1898 ff.) von den Prügeln, die ihm seine Frau hat an-
gedeihen lassen. Pimponio in J. Shirley's Opp. (p. 408)
erklärt sich bereit, die ärgsten Prügel mit Vergnügen hinzunehmen, weil ihm von Ascanio eingebildet worden ist,
das geduldige Ertragen von Prügeln sei das geeignetste
Mittel, um auf die Herzogin von Urbino Eindruck zu
machen, und ihre Hand zu gewinnen. Eine ganz besondere
Bedeutung für die Komik hat das Prügelmotiv in Fletcher's
Val., wo der Clown Galoshio, gleich seinem Herrn Lapet,
sich als ein wahrer Virtuos im Geprügeltwerden erweist,
und sich auch auf seine vielseitigen Erfahrungen auf diesem
Gebiete nicht wenig zu gute thut.

Während das Prügelmotiv somit doch hier und da
auch im späteren Drama den Zwecken der Komik dient,
können die Schimpfworte, mit denen der Clown gelegentlich bedacht wird, an sich, ohne Verbindung mit
sonstiger Komik, nur in den ältesten eigentlichen Dramen
(vor Lyly) als komisches Motiv gelten. Auf Hodge in
Gurt. regnen die Schimpfworte an manchen Stellen hagel-
dicht herab. Die Veredelung des Geschmackes von den
Anfängen des eigentlichen Dramas bis zu Shakespeare
zeigt sich besonders in der stetigen Verfeinerung des Wortwitzes, wofür sich eine geradezu raffinierte Technik aus-
bildet. Da also das Wort, die Rede am meisten an den
Fortschritten des Geschmacks beteiligt war, haben Schimpfworte, die ja die Komik der Rede auf ihrer untersten
rohesten Stufe darstellen, innerhalb dieser verfeinerten
Komik überhaupt keinen Platz mehr, auch nicht einmal
in der im Vergleich zur Narrenkomik derberen possenhaften Komik der Clowns.

Die freiwillige passive Komik nimmt in den Rollen
der Clowns verhältnismässig wenig Platz ein. Die Rüpel
kommen für diese Art der Komik kaum noch in Betracht.

22*

Hieber gehört zunächst das absichtliche Unsinn-reden des Clowns, wenn dieser dadurch den Eindruck der Dummheit erwecken will. Von den in der Rubrik des unabsichtlichen Unsinnredens angeführten Fällen (vgl. S. 325—329) mögen manche absichtlichen Unsinn von obiger Art enthalten, besonders wenn der betreffende Clown der dritten Klasse angehört.

Ferner sind hieher zu zählen die zahlreichen Scherze, die der Clown über sich selbst, auf seine eigenen Unkosten macht. Einige dieser Scherze knüpft er an seinen eigenen Namen an: *Mouse* in Muc. (p. 213) behauptet von sich selbst: *„I am the goodman Rat's son"*; *Slipper* in Greene's J 4 (p. 209 I): *„Goodwife Calf was my grandmother, and goodman Netherleather mine uncle"*. Mit einem auffangenden Wortspiel erwidert der rüpelhafte Clown in Marlowe's Fau. (p. 34) auf Wagner's Anerbieten *„Ile turne al the lice about thee into familiars"* [= Kobolde]: *„they are too familiar with me already"* [341]. In der Form eines Klangspiels scherzt Mouse in Muc. (p. 240) über sich selbst, indem er sich als *„rusher"* [anklingend an *usher*] bezeichnet, und dies folgendermassen begründet: *„when a dog chance to blow his nose backward, then I strew rushes presently. Therefore I am a rusher: a high office"*. Miles in Greene's Bac. (Sc. IX 220 ff.) scherzt über sich selbst in Form des komischen Vergleiches: *„I am as serviceable at a table, as a sow is under an apple tree"*.

In einigen Fällen benutzt der Clown sein Weinen als Grundlage seiner Scherze über sich selbst. Launce in Gent. (II 3, 58 ff.) behauptet, mit seinen Thränen einen ausgetrockneten Fluss wieder füllen zu können. Der Clown in Wilkins' Mis. (p. 30) will gar von einer Reisegesellschaft gemietet worden sein, mit seinen Thränen den Staub auf der Landstrasse niederzuhalten. In beiden Fällen kleiden

---

[341] Obiges Beispiel könnte vielleicht auch als ein unfreiwilliges Wortspiel infolge eines Missverständnisses gedeutet werden (vgl. S. 323 ff.)

sich die Scherze des Clowns in die Form eines lügen-
haften Unsinns.

Sehr umfangreich ist die aktive Komik der Clowns.
Man sollte erwarten, dass die Rüpel an ihr nicht beteiligt
seien; statt dessen sehen wir aber, dass auch die Rüpel
sich, besonders im Wort- und Klangspiel, auf dem Gebiet
der aktiven Komik bethätigen. Fast alle Clowns bei Shakespeare z. B. spielen beständig mit Worten; die Rüpel
werden hierbei von den witzigeren Clowns der übrigen
Klassen nur durch die geringere Qualität ihrer Spiele
unterschieden. Das Wortspiel an sich ist also noch kein
Zeichen, dass der, der es äussert, nicht zu den Rüpeln
gehört. In manchen Stücken sind alle Personen witzig,
selbst die Dummköpfe; so z. B. Dull in LLL (vgl. Anm. 319).

Zunächst betrachten wir die absichtliche Wortverdrehung[342]. Die einschlägigen Beispiele sind wenig
zahlreich und tragen meist ein parodistisches Gepräge.
Bis auf einen Fall (der Clown in T. Heywood's Prent.
(p. 182) redet seinen Räuberhauptmann Charles *„braue
Cauellero, to thee alone wee sing Honononero"* an) stellen
alle Beispiele Verdrehungen eines zuvor gesprochenen
Wortes einer andern Person dar. Durch die Entstellung
wird gewöhnlich diese, oder eine dritte Person verhöhnt.
Der Holländer Jacob van Smelt in Weak. (p. 254) ruft
Oriana: *„Come, . . . my zooterkin* [= Süsschen]"; Bunch
entstellt dies, und zwar, wie aus seiner vorhergehenden
Wiederholung des Worts in seiner richtigen Form hervorgeht, ganz deutlich absichtlich: *„Your sooterkin? your
drunkenskin!"* [343]. Ferner Gent. II 5, 43 ff.: Speed. *„.. my
master is become a notable lover."* Launce. *„I never knew
him otherwise."* S. *„Than how?"* L. *„A notable lubber*

---

[342] Theoretisch genommen müsste obiges Motiv unter Umständen auch ins Gebiet der freiwilligen passiven Komik fallen, nämlich wenn der Clown sich dadurch den Anstrich eines Dummkopfs
geben will. Beispiele hiefür fehlen aber gänzlich.

[343] Anspielend auf die angebliche Trunksucht der Holländer
(vgl. S. 250).

[= Lümmel], *as thou reportest him to be.“* In Muc. (p. 225)
begrüsst ein Bote den Titelhelden mit den Worten: *„All
hail, worthy shepherd!“*, was Mouse zu *„All rain, lousy
shepherd!“* entstellt. Derselbe Mouse verdreht den von
Segasto erwähnten Namen des *„Captain Tremelio“* zuerst
(p. 217) in *„the meal-man“*, sodann (p. 218) in *„Captain
Treble-knave“*. Im Gegensatz zu den bisherigen Beispielen, in denen die Entstellung von *„zooterkin“* zu
„drunkenskin“, und von *„lover“* zu *„lubber“* zugleich als
Klangspiel gelten kann, während die Ersetzung von *„hail“*
durch *„rain“* ein freilich sehr schwaches Wortspiel darstellt, ist desselben Mouse Verdrehung des vom Boten
genannten Namens *„Amadine“* zu *„Amladine“* (Muc. p. 225)
völlig sinnlos.

Nahe verwandt mit obigem Motiv ist der noch seltenere
Fall des absichtlichen einfachen Missverständnisses. Wahrscheinlich ist das folgende Missverständnis
in Mill absichtlich (p. 577 II): Julio. *„Met he [= Antonio]
not with Lisauro?“* Bustopha. *„I do not know her.“* J.
„Her? Lisauro is a man.“

Viel häufiger ist das Wortspiel infolge eines absichtlichen Missverständnisses, das als eine Abart
des Auffangewortspiels angesehen werden kann. Die clownartigen Diener, besonders bei Shakespeare, lieben es, einer
an sie gerichteten Frage oder sonstigen Rede dadurch
auszuweichen, dass sie ein Wort oder eine Redensart
daraus in anderem Sinne fassen, als gemeint war; besonders oft wird eine Redensart mit übertragener Bedeutung vom Clown wörtlich genommen (vgl. S. 324).
Beispiele. Gent. II 5, 19 ff.: Speed. *„What, are they
[= Proteus und Julia] broken [= haben sie mit einander
gebrochen]?* Launce [der *„broken“* als *„verwundet“* fasst].
„No, they are both as whole as a fish.“ — Troil. III 1, 25 ff.:
Pandarus. *„At whose pleasure [= Belieben], friend [do
the musicians play]?“* Servant [fasst *„pleasure“* = Ver-
gnügen]. *„At mine, sir, and theirs that love music.“* P.
„Command [= at whose command], I mean, friend.“ S.

[fasst „*command*" als Imperativ]. „*Who shall I command,
sir?*" P. „*Friend, we understand not one another: I am
too courtly and thou art too cunning.*" Der Ausdruck
„*cunning*" deutet hier die Absichtlichkeit der Missverständnisse des Clowns an. — Pipkin in Cooke's How. (p. 59)
ärgert seinen Lehrer, indem er auf dessen Geheiss, ihm
die sechs Casus („*cases*") der lateinischen Grammatik her-
zuzählen, als solche anführt: „*a bow-case, a cap-case,
a comb-case, a lute-case, a fiddle-case, and a candle-
case.*" — Webster's App. B. (p. 145): Virginia. *You are,
sirrah —*". Clown [unterbricht sie, und bezieht „*to be*"
auf „*sirrah*"]. „*Yes, I am sirrah*". — In Fletcher's Weap.
(p. 295 I) entsteht durch das absichtliche Missverständnis
des Clowns ein obscönes Wortspiel: Niece. „*Nay, you must
not lie* [— lügen]." Pompey [fasst „*lie*" — liegen, ein sehr
abgenutztes Spiel]. „*Not with a lady? I'd rather lie with
you* ‖ *Than lie with my master.*"

Es giebt auch Auffangewortspiele, die nicht auf
einem Missverständnis beruhen. Beispiele. Fletcher's Val.
(p. 530 I): Lapet. „*— page the twenty-first* [in Lapet's
Buch über den Fusstritt]." Clown. „*That page* [— Page]
is come to his years [21jährig]; *he should be a serving-
man.*" — J. Shirley's Opp. (p. 407): Servant. „*— this High
German* [— der Knabe Ascanio, als Schweizer verkleidet]
has beaten all the fencers in Europe..." Pimponio. „*... He's
one of the lowest High Germans that ever I look't upon.*"
— Ferner LLL IV 2, 64 ff.: Nathaniel. „*A rare talent*
[— Talent, und — *talon, claw*]*!*" Der Rüpel Dull [Aside].
„*If a talent be a claw, look how he claws him with a
talent.*" — Auch das Auffangewortspiel erhält mitunter
eine obscöne Färbung. Beispiele. Gent. II 5, 21 ff.: Speed.
„*— how stands the matter with them* [= Proteus und Julia]*?*"
Launce. „*Marry, thus; when it stands well with him, it
stands well with her.*" — Law (p. 431 I): Bailiff. „*They
say she* [= Helena] *caused many wounds to be given in
Troy.*" Gnotho. „*True, she was wounded there herself,
and cured again by plaister of Paris.*"

Wir gehen nun zu den einfachen Wortspielen über,
d. h. solchen, an denen nur eine Person beteiligt ist. Diese
gehört zu den naiv-witzigen Clowns in folgenden Fällen:
Gent. III 1, 268 ff.: Launce [von seiner Geliebten]. „..'*tis
a milkmaid; yet 'tis not a maid, for she hath had gossips*
[„Gevatterinnen", d. h. „hat ein Kindbett überstanden"]:
*yet 'tis a maid, for she is her master's maid, and serves
for wages."* — Shr. B. IV 3, 123 ff.: Grumio. „*Thou hast
faced* [= besäumt] *many things."* Tailor. „*I have."* G.
„*Face* [= trotze] *not me: thou hast braved* [= heraus-
geputzt] *many men; brave* [= trotze] *not me."* — T. Heywood's Gold. (p. 10): „*I neuer heard she* [= Sibilla] *was
committed to prison: yet 'tis lookt euery houre when she shall
be deliuered* [= entlassen; von einem Kinde entbunden]."
— Massinger's Pict. (p. 224 II): „*— thou, red herring,
swim ‖ To the Red Sea again"* [344]). — Ein originelles Wortspiel enthält T. Heywood's West A (p. 280): Clem (Weinzapfer in einer Schenke, die gerade sehr lärmende streit-
süchtige Gäste enthält). „*— with one word of my mouth
I can tell them what is to betall* [= pay, nach dem holländ.
betalen, zugleich „*be tall"*, tapfer sein].

Auch der Rüpel macht gelegentlich derartige Wortspiele. Beispiel. Wint. IV 4, 844 ff.: Clown. „*— though
my case* [= Fall; Haut] *be a pitiful one, I hope I shall
not be flayed out of it"* [345]).

Auch das einfache Wortspiel ist oft obscön. Beispiele.
Rom. I 1, 26 ff.: Sampson. „*— when I have fought with the
men, I will be cruel with the maids, and cut off their heads.
... Ay, the heads of the maids, or their maidenheads."*
— Merl. III 1, 64 ff.: Nicodemus [zum Clown und dessen
schwangerer Schwester]. „*— what are you?"* Cl. *A couple
of Great Brittains, you may see by our bellies, sir."* —
Auch die Rüpel zoten mitunter in obiger Weise; z. B.
Stephano in Tp. (IV 1, 235 ff.): „*Mistress line* [Wäsche-

---

344) Dass der „*red herring*" aus der „*Red Sea*" stamme, ist ein
stehender Witz, vgl. auch Andrew in Fletcher's Eld. (p. 195 I).

345) Vgl. hierzu Wurth S. 221. 231.

leine], *is not this my jerkin? Now is my jerkin under the
line* [— „unter der Wäscheleine, an der das Wams hängt";
zugleich „unter dem Äquator", und „unter einem Weiber-
gürtel". St. hatte ja die Wäscheleine als ein Frauenzimmer angeredet]."

Eine besondere Abart des Wortspiels ergiebt sich
daraus, dass ein doppelsinniges Wort gerade in der Bedeutung gebraucht wird, die man nach dem allgemeinen
Zusammenhang nicht erwarten sollte. Hier wird auch von
einer einzigen Person mit beiden Bedeutungen gespielt;
insofern gehören diese Wortspiele ebenfalls zu den einfachen. Der Spielende braucht aber noch eine zweite
Person, der er die von ihm nicht gemeinte Bedeutung
nahelegt, um sie schliesslich durch den Knalleffekt der
andern Bedeutung zu überraschen. Ein derartiges Spiel
läuft gewöhnlich auf eine Fopperei hinaus. Beispiele.
Gent. III 1, 284 ff.: Speed. *„What news, then, in your paper?"*
Launce. *„The blackest [black* traurig, schwarz] *news
that ever thou heardest."* S. *„Why, man, how black?"* L.
„Why, as black as ink." — Dekker's Match (p. 136):
Billo. *„Theeues, Theeues, Theeues, . . ."* Malevento.
„. . . what Theefe seest thou?" B. *„That ilfauor'd Theefe
in your candle, sir."*

Von sehr ähnlicher Art sind Spiele, bei denen ein
scheinbar abgeschlossener Satz hinterdrein eine unerwartete
Fortsetzung findet. Dadurch erhält meist ein anscheinend
schlimmer Sinn nachträglich einen harmlosen Anstrich.
Diese Art des Wortspiels ist besonders bei Shakespeare's
Nachfolgern beliebt. Beispiel. T. Heywood's West A (p. 292):
Clem. *„ — if you lug me by the eares againe, Ile draw*
[anscheinend = *draw the sword*]." Roughman. *„Ha, what
will you draw?"* C. *„The best wine in the house for your
worship."* — Der umgekehrte Fall liegt vor, wenn ein in
sich abgeschlossener Satz auf den ersten Eindruck noch
eine Fortsetzung erwarten lässt. Im einzigen einschlägigen
Beispiel ist der anfangs zu vermutende Sinn von unflätiger
Art. Mill (p. 562 II): Bustopha. *„ — she will not ‖ Kiss you*

a clown, not if he would kiss her —." Otrante. *„What, man?"* B. *„Not if he would kiss her, I say."* O. *„Oh, 'twas cleanlier than I expected"* [346]).

Eine besondere Gruppe innerhalb der einfachen Wortspiele bilden wegen ihrer Menge die Spiele mit Personennamen. Zahlreiche Wortspiele des Clowns in Nob. beruhen auf dem Namen seines Herrn *Nobody.* Hilario in Massinger's Pict. (p. 219 II) sagt von sich: *„No more Hilario, but Dolorio now"* (vgl. S. 340). — Auch der Rüpel Bottom in Mids. (IV 1, 221 ff.) spielt mit seinem eigenen Namen: *„this dream — shall be called Bottom's dream, because it hath no bottom."*

Betrachten wir nun die verschiedenen Arten des Klangspiels [171]).

Häufig ist das Auffange-Klangspiel. Hier begegnen wieder viele Abstufungen von völliger Klanggleichheit bei verschiedener Schreibung bis zu sehr entfernter Klangähnlichkeit. Beispiele von Klanggleichheit. Gent. III 1, 307 ff.: Speed [liest vor]. *„Item: She can sew."* Launce. *„That's as much as to say, Can she so* [347])?" — Merch. III 5, 42 ff.: Lorenzo. *„— the Moor is with child by you, Launcelot."* L. *„It is much that the Moor should be more* [348]) *than reason* [— in ausserordentlichem Zustande, d. h. schwanger]: *but if she be less than an honest woman, she is indeed more than I took her for."* — Blosse Klangähnlichkeit bietet folgender Fall. Cure (p. 10 I): Lucio [bis dahin als Mädchen auferzogen]. *„I had rather walk*

---

[346]) Einen ähnlichen Scherz macht auch Clem in T. Heywood's West A (p. 329): nur handelt es sich hier nicht um einen scheinbar unvollständigen Satz, der in Wirklichkeit vollständig ist, und auch nicht um den umgekehrten Fall, sondern der Satz ist sowohl scheinbar als auch thatsächlich unvollständig; statt der anfangs angedeuteten unflätigen Fortsetzung lautet aber die Fortsetzung harmlos.

[347]) *„Sew"* wurde nach Bullokar (1580) *„seu",* nach Gill (1620) *„soo"* ausgesprochen; vgl. Alex. Ellis, On Early English Pronunciation. Part III p. 902 unter *„sew"* und *„sewed".*

[348]) *„Moor"* und *„moore"* wurden zur Zeit Shakespeare's gleich ausgesprochen.

In folio [= loose dress], *loose like a woman.*" Bobadilla.
„*In foolio, had you not?*" — Ein stehender Volkswitz
scheint in folgendem Falle festgelegt worden zu sein.
Jonson's Tub (p. 653 I): Preamble. „*What news, man,
with our new-made purs'yvant?*" Metaphor. „*..Apurs'yvant? would I were, or more pursie* [scherzhafte Ableitung
von „*purse*"], *And had more store of money: or less pursie*
[= kurzatmig], *And had more store of breath: you call me
purs'yvant?* But I could never vaunt of any purse *
I had*" [349]).

Zu den Klangspielen gehören auch die Reimspiele, die
in folgendem Falle mit einem Sinnspiel verbunden er-
scheinen. T. Heywood's Gold. (p. 61): Jupiter erkundigt
sich nach dem Namen des Turmes, zu dem er mit seinem
Diener, dem Clown, gelangt ist. Das eine der vier den
Turm bewachenden dürren alten Weiber antwortet „*the
Tower of Darreine.*" Clo. „*It may be cal'd the tower of
Barren for ought I see.*" — Ein obigem Reimspiel ent-
sprechendes Allitterationsspiel findet sich in Gipsy (p. 136):
Sancho. „*There's a courtesan in Venice, I'll go tickle her.*"
Soto. „*Another in England, I'll go tackle her.*"

Eine besondere Abart des Auffange-Klangspiels bilden
solche Fälle, wo nicht eine andere Person, sondern die
Situation das Stichwort zum Klangspiel liefert. Beispiele.
Edm. (p. 383): Dog barks. Clown. „ . . . *She's come*
[= des Clowns Geliebte]. *Well, if ever we be married, it
shall be at Barking-Church* [= Kirche in London; der
Name in scherzhafter Weise volksetymologisch gedeutet]
in memory of thee." — Chang. (p. 250): Antonio . . . At-
tempts to kiss her [Isabella]. . . . Lollio. „*How now, fool,
. . . have you read Lipsius* [Justus Lipsius, berühmter
Philolog; zugleich scherzhafte volksetymologische Ableitung
von „*lips*", anspielend auf Antonio's Kussversuch]."

Das einfache Klangspiel (vgl. S. 344) ist ebenfalls

---

[349]) Ein ähnlicher Scherz findet sich auch in der Rede des
Clowns in Land (p. 409).

zahlreich vertreten. Beispiel mit Klanggleichheit. T. Heywood's Maid. (p. 121): „ . . . *this is the Forrest where the hard-hearted Duke hunts many a Hart: and there's no Deere so deare to him, but hee'le kill it.*" — Mit Klangähnlichkeit. Gent. I 1, 72 ff.: Speed. „*he* [— Valentine] *is shipp'd already, And I have play'd the sheep in losing him.*" — Rein musikalische Reimspiele ohne Sinnspiel [350]) enthalten folgende Beispiele. Wily (p. 311): Will Cricket. „*I swear . . . by the round, sound, and profound contents of this costly codpiece.*" — Muc. (p. 234): „*I'll . . . call her rusty, dusty, musty, fusty, crusty firebrand.*" — Aus der Anhäufung des gleichen Zeitworts bei wechselnder Vorsilbe ergiebt sich ein ähnliches Wortgeklingel in T. Heywood's Trav. (p. 65): Clown [zu Young Geraldine]. „— *the businesse is composed, and the seruants disposed, my young Master reposed, my old Master according as you proposed, attends you if you bee exposed* [entstellt für „*disposed*"] *to giue him meeting; nothing in the way being interposed, to transpose* [fälschlich für „*expose*"] *you to the least danger: And this I dare be deposed if you will not take my word.*" — Durch eine Reihe von Allitterationsspielen ohne Sinnspiel entsteht ebenfalls ein recht thörichtes Wortgeklingel in T. Heywood's Mistr. (p. 143): Clown. „*Homer was Honourable, Hesiod Heroicall, Virgil a Vicegerent, Naso Notorious, . . . Juvinall a Joviall lad, and Persius a Paramount.* — Ein einfaches Klangspiel von unflätiger Art ist das folgende. Costard in LLL (V 2, 579 ff.) redet Sir Nathaniel, nachdem dieser die Rolle Alexanders des Grossen verpfuscht hat, also an: „*your lion, that holds his poll-axe sitting on a close-stool, will be given to Ajax* [zugleich „*a jakes*" — Abort, wie durch „*close-stool*" angedeutet wird]."

Eine besondere Art des Klangspiels sind die komischen Etymologien, die der Clown aufstellt. Der Clown in T. Heywood's Mistr. (p. 114) zerlegt den Namen

---

[350]) Vgl. Wurth S. 138 ff.

Susanna in „*Sus*" und „*anna*", d. h. „*Nan is a sow.*"
Der englische Volkswitz offenbart sich in den volks-
etymologischen Umdeutungen, denen einige niederländische
Städtenamen, zugleich mit leichten Wortverdrehungen,
durch den Clown in T. Heywood's Chall. (p. 17) unterworfen werden: „*At Bristles,* . . . *you* [sein Herr Bona-
vida] *were us'd but roughly.* . . . *Don-hague is full of
witches* [*hag*   witch], *and had wee but tutcht at Rot or
Dam, ten to one we had never come off sound men.*"

Auch der komische Vergleich dient dem Clown oft
als ein Mittel zur Komik. Beispiele. Merch. III 5, 18 ff.:
Launcelot [zu Jessica]. „*— when I shun Scylla, your
father, I fall into Charybdis, your mother.*" — T. Heywood's Trav. p. 13: „*— my stomacke hath struck
twelve.*" — Old p. 431 II ff.: Gnotho nennt seine Frau,
deren er überdrüssig geworden ist *„thou preterpluper-
fect tense of a woman*", und „*thou old almanack at
the twenty-eighth day of December, e'en almost out
of date.*" — Sprichwörtlich geworden war der Ausdruck
„*ten commandments*" für die zehn Finger (vgl. Strumbo
in Locr. p. 176). — Auch der Tölpel Costard in LLL
macht witzige Vergleiche: V 1, 41 ff. „*— they* [◦ Armado,
Holofernes und Nathaniel] *have lived long on the alms-
basket of words*", und V 1, 77 ff. [zu Moth]. „*— thou
halfpenny purse of wit, thou pigeon-egg of dis-
cretion.*" — Durch die niedrige Komik des Vergleiches
wird der Vergleichende selbst als prosaisch und ungebildet
bezeichnet in Strumbo's Liebeserklärung an Dorothy (Locr.
p. 141 ff.):

> „*— your love doth lie
> As near and as nigh
> Unto my heart within,
> As mine eye to my nose,
> My leg unto my hose,
> And my flesh unto my skin.*"

Spott enthält Mouse's Vergleich in Muc. (p. 208): „*I'll* . . .
*make my father's horse turn Puritan, and observe fasting-
days, for he gets not a bit.*" Ebenso Frisco in Haughton's

Engl. (p. 479): „— *pigs and Frenchmen speak one
language, awee, awee* [— *oui*]." — Oft hat der Vergleich
einen obscönen oder unflätigen Charakter. Beispiele. Gent.
II 3, 19 ff.: Launce. „*This shoe, with the hole in it, is my
mother, and this* [dieser ganze Schuh] *my father.*" Old
p. 425 II: Gnotho. „— *you are a bailiff, whose place is to
come behind other men, as it were the bum of all the rest.*"
Indem zwei Dinge, die gar nichts mit einander gemein
haben, verglichen werden, dient der Vergleich als witzige
Umschreibung für das Gegenteil des zuvor Behaupteten.
Beispiel. Shr. B. IV 2, 101 ff. Tranio versichert, dass sein
Vater dem „Pedant" ein wenig gleiche. Biondello [Aside].
„*As much as an apple doth an oyster* [d. h. gar nicht]."
Von ähnlicher Art sind Umschreibungen, bei denen die
Erfüllung eines Wunsches, oder überhaupt ein Geschehen,
von einer völlig unmöglichen Bedingung abhängig gemacht
wird. Beispiel. Err. III 1, 78 ff.: Dromio E. „*I pray thee,
let me in.*" Dromio S. [Within]. „*Ay, when fowls have
no feathers and fish have no fin.*" — Während in
obigen Beispielen die Umschreibung den Zweck hat, einen
andern Satz aufzuheben, also gleichsam die Funktion einer
Verneinung bekleidet, ist sie in andern Fällen positiv und
unmittelbar. Der Clown in Webster's App. B. (p. 188)
umschreibt den Begriff „morgen" durch „*as soon as the
morning is brought a-bed of a new son and heir.*" —
Verwickelter ist Slipper's Umschreibung des Satzes „er
trinkt Wein im Keller", die er in Form eines Rätsels vorbringt, in Greene's J 4 (p. 202): Sir Bartram. „— *where is thy
master?*" S. „*Neither above ground nor under ground,
drawing out red into white, swallowing that down
without chawing* [— *chewing*] *that was never made without treading.*" — Besonders wird der Begriff „Galgen",
und alles, was damit zusammenhängt, gern umschrieben
(vgl. S. 207). Piston in Sol. (p. 234) nennt das ihm drohende
Gehängtwerden „*to preach* | *With a halter about my
neck*" (vgl. S. 188). — Ebenso werden auch Begriffe aus
den Gebieten der Unzucht oder des Unflätigen mit Vor-

liebe umschrieben. Gnotho in Old (p. 426 II) nennt eine
Kupplerin „*school-mistress of the sweet sin.*" Pipkin in
How (p. 80) umschreibt den Begriff „*whore*" klangspielend
durch „*a woman that is kin to the frost* [*hoar-frost*
= Reif]." — Slipper in Greene's J 4 (p. 208 II) unterweist
seinen Schneider: „*let my back-parts be well lined, for there
come many winterstorms from a windy belly.*" Der
Clown in Land (p. 393) erklärt mit komischer Geziertheit:
„*We are going, as they say, to remove, or according to the
vulgar, to make clean, where Chanticleer and Dame-
partlet the henne have had some doings.*"

Die gezierte Redeweise (vgl. S. 333) gehört
natürlich nur dann zur aktiven Komik, wenn der also
Redende sich dieser Geziertheit bewusst ist. Sie dient in
solchen Fällen meist dazu, die angeredete oder eine dritte
Person zu verhöhnen. Strumbo in Locr. (p. 148) bedroht
den als Werber bei ihm erschienenen Hauptmann mit den
Worten: „*I'll give you a canvasado with a bastinado
over your shoulders.*" — Bombo in J. Shirley's Royal (p. 149)
meldet einen Besuch bei seiner Herrin Domitilla mit den
Worten an: „*A sprig of the nobility, call'd Octavio,
Desires access.*"

Die Sucht, auffällige Worte zu gebrauchen, führt den
Clown zuweilen auch zu einer sprachschöpferischen
Thätigkeit, indem er zum Scherz neue Worte erfindet.
Über Mouse in Muc. als „*rusher*" vgl. S. 340. Launcelot
in Merch. (II 2, 38) steigert „*sandblind*", eine Verstärkung
von „*blind*", noch weiter zu „*high-gravel blind*". —
Gnotho in Old (p. 438) bildet das Wort „*cakated*" [= served
with cake]. — Auch fremde Sprachen werden mitunter
durch den Clown in Clownsmanier bereichert. Nicholas
Proverbs in Porter's Angry (p. 301) zitiert im besten
Küchenlatein: „*qui mocat* [von „*to mock*"] *mocabitur*"
(vgl. S. 208). Dagegen hat Shakespeare wohl kaum den
Clown Costard in LLL (V 1, 44) als Erfinder des Wortes
„*honorificabilitudinitatibus*" hinstellen wollen, da dieser es

anscheinend als ein wegen seiner Länge sprichwörtliches anführt [351].

Von hier aus führt nur ein Schritt zum absichtlichen komischen Unsinn, soweit er überhaupt zur aktiven Komik gehört (vgl. S. 325 und 340). Jedenfalls ist dies bei Launcelot's Beschreibung des Weges zu Shylock der Fall, die er seinem Vater giebt, um diesen zu foppen (Merch. II 2, 42 ff.): *„Turn up on your right hand at the next turning, but, at the next turning of all, on your left; marry, at the very next turning, turn of no hand, but turn down indirectly to the Jew's house."* Ebenso ist bestimmt hieher zu rechnen Frisco's Ausspruch in Haughton's Engl. (p. 479), der zugleich das Schema für eine ganze Reihe ähnlicher Fälle darstellt: *„my great grandfather's grandmother's sister's cousin told me"*, &c.

Der absichtliche Unsinn in Form einer trivialen Selbverständlichkeit dient dem Clown oft dazu, einer Frage auszuweichen (vgl. S. 342), und so den Fragesteller zu hänseln. Beispiele. Shr. B. III 2, 39 ff.: Baptista. *„When will he be here?"* Biondello. *„When he stands where I am and sees you there."* — Haughton's Engl. (p. 530): Delion. *„— how come we to Westminster?"* Frisco. *„Why, on your legs."* — Wilkins' Mis. (p. 7): Bartley. *„— who owes [= owns] this building?"* Clown. *„He that dwells in it, sir."* Ilford. *„Who dwells in it then?"* Cl. *„He that owes it."*

Zum komischen Unsinn von aktiv-komischer Art gehören ferner die zahlreichen Lügengeschichten, die der Clown, um zu renommieren, oder bloss zur Unterhaltung, zum besten giebt. Der Clown in H. Shirley's Mart. (p. 203) erzählt, wie ein Förster unserer heutigen Witzblätter, von einem wilden Eber, der so gross sei wie ein Elephant. Hilario in Massinger's Pict. (p. 219 II) lässt seinen Herrn Mathias in echtem Bänkelsängerstil allein gegen 100 000 Türken erfolgreich kämpfen. Nach dem Muster Falstaff's

---

[351] Von Costard übernahm das Wort der Narr in Fletcher's Mad (p. 416 II).

berichtet Swash in Day's Bedn. (vgl. S. 336), er sei von
sechs Dieben angegriffen worden, von welchen sechs er
höchst mannhaft sieben getötet habe; die übrigen aber
hätten ihm sein Geld abgenommen. Besonders T. Heywood liebt es, mit damals anscheinend allgemein bekannten
Scherzlügen und erfundenen Anekdoten die Reden seiner
Clowns auszustaffieren. Clem in West B (p. 356) z. B.
erwähnt, er sei einmal in Gesellschaft eines an einem
grossen Kaminfeuer sitzenden Mohren gewesen; als das
Feuer dessen Schienbeine zu versengen begann, habe er
nicht, wie ihm geraten wurde, seinen Stuhl weiter vom
Feuer weggerückt. sondern Maurer holen lassen, die den
Kamin hätten abreissen müssen. Die unglaublichsten
Dinge erzählt Andrew in Fletcher's Eld. von seinem gelehrten Herrn Charles Brisac: dass dieser mit Aristoteles
frühstücke, mit Cicero zu Mittag speise, u. s. w. (p. 187 II),
ein „mathematisches Klystier“ als Mittel gegen Ver-
stopfung beim Monde anwende, ein Instrument besitze, um
die Sterne zu zerstreuen, wenn sie allzu dicht am Himmel
bei einander ständen, u. s. w. (p. 195 I). — Über die
komische Übertreibung im Bericht Launce's in Gent. und
des Clowns in Mis. über ihre Thränenvorräte vgl. S. 340 ff.

Die Beweisführung ungereimter Behauptungen
stellt einen beliebten Tummelplatz des Witzes der Clowns
der dritten Klasse dar. Speed in Gent. (II 1, 74 ff.) beweist seinem Herrn Valentine, dass er, wenn er Silvia
liebe, diese nicht sehen könne, weil ja die Liebe blind sei.
Launcelot in Merch. (III 5, 25 ff.) befürchtet von einem
etwaigen Massenübertritt der Juden zum Christentum ein
Steigen der Schweinefleischpreise. Der erste der beiden
Totengräber in Hml. (V 1, 182 ff.) behauptet, dass die Verwesung bei der Leiche eines Gerbers etwa ein Jahr später
erfolge, als bei der eines andern Menschen, weil die Haut
des Gerbers durch sein Gewerbe wasserdicht geworden
sei. Fiddle in T. Heywood's Exch. (p. 30) zotet in Form
einer ungereimten Beweisführung, indem er die Unhalt-
barkeit der Redensart vom keuschen Monde nachweist:

„there's a man in the middle of her, how can she be chaste then?" — Oft bildet ein Wortspiel den Kern einer derartigen Beweisführung. Dromio S. in Err. (III 2, 94 ff.) erzählt z. B., ihm stehe eine sehr „fette" Partie in Aussicht, nämlich mit einem Küchenmädchen, das „lauter Schmalz" sei. — Mit einem kalauerartigen Klangspiel legt der Clown in Land (p. 435) dar, dass das Bier der Mutter Pass in den Ritterstand erhoben sei: *„there is Ale in the town that passes from ... lip to lip, ... but mother Passes double Ale ... Sirpasses* [surpasses], *therefore knighted."* — Als eine besondere Abart der ungereimten Beweisführung könnte man auch bestimmte Rätsel ansehen, bei denen die Rätselform sich daraus ergiebt, dass das zu Beweisende nicht, wie in den bisherigen Fällen, als Behauptung, sondern als Frage hingestellt wird. Die beiden Clowns in Hml. wetteifern mit einander in solchen Rätseln: der erste fragt den zweiten, wer fester baue, als der Maurer, der Schiffsbaumeister oder der Zimmermann (V 1. 46 ff.); der zweite Clown antwortet: „der Galgenbauer, denn sein Bau überlebt tausend Bewohner"; der erste aber verwirft diese Lösung mit einigen Scherzworten, und beantwortet seine eigene Frage in einer ihrem Beruf als Totengräber näher liegenden Weise: „der Totengräber, denn die Häuser, die er baut, währen bis zum jüngsten Tage."

Das Motiv des absichtlichen Sichversprechens kommt bei Shakespeare's Clowns gar nicht vor, und wird sonst stets dazu benutzt, andere Personen lächerlich zu machen; es gehört also insofern gleichfalls zur aktiven Komik [352]. Manche derartige Fälle könnte man auch als Wortverdrehungen gelten lassen; im Unterschied von diesen werden sie als Zungenentgleisungen nur durch die un-

---

[352]) Das Beispiel in Chettle's Hoffm. (V. 1065 ff.): Stilt. „— *tre haue treason and iniquity to maintayne our quarrell."* Old Stilt. *„Hah! what say'st my sonne? ..."* St. *„Reason and equity I meant",* stellt wohl eher einen Fall unabsichtlichen Sichversprechens, und zwar zu den eigenen Ungunsten, dar, gehört also ins Gebiet der objektiven Komik.

mittelbar darauf folgende Berichtigung des Clowns gekennzeichnet. Beispiele. Locr. (p. 151): Strumbo. „— *the
Shitens, the Scythians (what do you call them?).*" —
Jonson's Tub (p. 658 I): Basket-Hilts. „*What is my name,
then?*" Metaphor. „*Basket, ... the great Lubber, I should
say, lover, of the 'squire his master*" [353]). — In andern
Fällen gleichen die beiden verwechselten Worte einander
nicht, so dass hier von einer Wortverdrehung keine Rede
sein kann. Beispiele. Land (p. 384): Clown. „*O most
tyrannical old Fornicator (old Master I would say).*" —
Davenport's Nightc. (p. 282): Clown. „*Turn of your left
hand, 'twill lead you to the devil, to my lady, I should say.*"

Auch das Motiv der Wortklauberei gehört hieher,
da diese in den vorhandenen Beispielen stets den Zweck
hat, eine andere Person zu necken, oder dem wortklaubenden
Clown einen Vorteil zu verschaffen. Beispiele. Shr. B.
III 2, 77 ff.: Biondello [zu dem ungeduldig auf Petruchio
wartenden Baptista, dessen Ankunft eben gemeldet worden].
„*— he comes not.*" Ba. *Didst thou not say he comes?*"
... „*No, sir; I say his horse comes, with him on his
back.*" — Hml. V 1, 141 ff.: Hamlet. „*What man dost thou
dig it* [= the grave] *for?*" 1. Clown. „*For no man, sir.*"
H. „*What woman, then?*" 1. Cl. „*For none, neither.*"
H. „*Who is to be buried in't?*" Cl. „*One that was a
woman, sir; but rest her soul, she's dead.*" — Der Tölpel
Costard sucht sich durch wortklauberische Ausflüchte vor
der Strafe zu retten, die ihm für seinen Umgang mit
Jaquenetta droht (LLL I 1, 291 ff.). — Pambo in Davenport's Nightc. (p. 288) bemüht sich, durch eine Art Wortklauberei noch ein zweites Trinkgeld herauszuschlagen:
„*pray do you remember I had nothing. ... Nothing
before I had something, I mean.*"

Die Parodie kommt dadurch zustande, dass in eine
feierliche, eines grossen Stoffes würdige Form, oder

---

[353]) „*Lubber*" statt „*lover*" als Wortverdrehung auch in Gent.;
vgl. S. 341 ff.

23*

wenigstens in die irgendwie zuvor gegebene Form einer
ernsten Rede ein possenhafter Inhalt hineingelegt wird.
In den Rollen der Clowns erscheint die Parodie oft in
Verbindung mit irgend einem andern komischen Einzel-
motiv [354]), z. B. der absichtlichen Wortverdrehung (vgl.
S. 341 ff.). Das beim Vice so häufige Motiv der Parodie
einer öffentlichen Ausrufung (vgl. S. 209) wird erst von
Shakespeare's Nachfolgern wieder aufgenommen. Zuerst
von Th. Heywood, der sich überhaupt aller Überlieferungen
volkstümlicher Komik bemächtigte, die ihm zugänglich
waren: in Land (p. 409 ff.) entstellt der Clown als öffent-
licher Ausrufer die ihm vom „Pursevant" vorgesprochenen
Worte so gründlich, dass ein reiner Unsinn entsteht. Ferner
von W. Rowley in Merl. (II 1, 39 ff.). Endlich von J. Shirley
in Opp. (p. 453), wo Pimponio seinen Herrn Aurelio, mit
dem bekannten „O yes." beginnend, als verloren ausruft.
und als dessen Kennzeichen angiebt: „Two eyes in their
place. | And a nose on his face"; hier ist die Parodie also
nicht mit der Wortverdrehung, sondern mit einer trivialen
Selbstverständlichkeit verknüpft. — In andern Fällen ist die
Parodie als selbständige Form der Komik zu betrachten.
Einen schon von Newguise in Mank. (V. 314 ff.) parodistisch
entstellten Bibelspruch parodiert auch Miles in Greene's
Bac. (Sc. II 4 ff.): „Ecce quam bonum et quam jucundum
habitare libros [die von ihm herbeigeschleppten Zauber-
bücher; statt fratres in der Vulgata] in unum." Der
juristische Aktenstil wird gern von den Clowns parodiert;
so von Tom Miller in Straw (p. 402), von Much in Munday's Downf. (p. 193), vom Clown in Wilkins' Mis. (p. 26).
Die Trauungsformel parodiert Gnotho in Old (p. 438 II):
„I take thee, Agatha [seine erste Frau, deren er sich auf
Grund des dem Stück seinen Namen gebenden Alters-

---

[354]) Es ist hier natürlich nur von der bewussten und absichtlichen Parodie die Rede; als unbewusste Parodie dagegen, die somit
ins Gebiet der objektiven Komik einschlägt, könnte man manche
Fälle der unbeabsichtigten Wortverdrehung und des unfreiwilligen
Unsinnredens auffassen.

gesetzes zu entledigen wünscht, um eine andere heiraten
zu können], *says the hangman; and both say together, to
have and to hold, till death depart us.*" Auch Zitate
aus Dichtungen werden oft parodiert. Besonders über die
schwülstige Sprache von Kyd's Span. fielen die jüngeren
Dichter gern mit ihrem oft recht wohlfeilen Spotte her.
Die hochtrabenden Anfangsverse obigen Stückes parodiert
Clem in T. Heywood's West A (p. 324):

> *„It is not now as when Andrea liv'd,*
> *Or rather Andrew our elder Journeyman: . . . .*
> *When this eternall substance of my soule*
> *Did live imprisoned in this wanton flesh,*
> *I was a courtier in the Court of Fesse* [bei Kyd *„Spain"*].*"

Die poetische Sprache der Liebeslieder wird parodiert
durch den Clown in T. Heywood's Mistr. (p. 144 ff.), der
in einem langen Liede die den gewöhnlichen Schönheits-
begriffen stracks zuwiderlaufenden Reize seiner Amaryllis
besingt. — Sehr zahlreich sind die Fälle, in denen der
Clown die kurz zuvor gesprochenen Worte einer andern
Person parodiert. Beispiele. Shr. B I 2, 160 ff.: Gremio.
„O this learning, what a thing it is!" Grumio. *„O this
woodcock, what an ass it is!"* — T. Heywood's Trav.
(p. 74): Old Lionell. *„What madnesse doth possesse thee,
honest Friend,* [*To touch that Hammer's handle?"* Clown.
„What madnesse doth possesse thee, honest friend, ||
To ask me such a question?" — Besonders Ausländer
bieten dem Clown häufig Stoff zu einer Parodie, am meisten
die Holländer, weil deren Sprache wegen ihrer lautlichen
Anklänge an die germanischen Bestandteile des Englischen
dem ungebildeten Engländer als eine komische Verdrehung
seiner Muttersprache erscheinen musste. Firke in Dekker's
Shoem. (p. 23. 27. 32) parodiert mehrfach die holländische
Rede seines Mitgesellen Skipper; ebenso Frisco in Haughton's
Engl. (p. 479. 505. 526) die Sprache des Holländers Vandal.
Derselbe Frisco parodiert auch in entsprechender Weise
den Franzosen Delion (p. 483) und den Italiener Alvaro
(p. 505).

Viel seltener als die Parodie ist die Travestie, wobei umgekehrt einem bedeutenden Stoff eine niedrig-
komische Form gegeben wird[355]). Beispiel. T. Heywood's
Mistr. (p. 113 ff.): Clown [erzählt vom trojanischen Kriege].

*„This Troy was a Village of some twenty houses; and
Priam, as silly a fellow as I am, onely loving to play
the good fellow, hee had a great many bowsing lads; whom
hee called sonnes. . . . by this Troy ranne a small Brooke,
that one might stride over; on the other side dwelt Menelaus
a Farmer, who had a light wench to his Wife call'd
Hellen, that kept his sheepe, whom Paris, one of Priams
mad lads, seeing and liking, ticeth over the brooke, and lies
with her in despight of her husbands teeth, for which wrong,
hee sends for one Agamemnon his brother, that was then
high Constable of the hundred, and complaynes to him:
hee sends to one Vlisses, a faire spoken fellow, and Towne
clerke, and to divers others, amongst whom was one stowt
fellow call'd Ajax, a Butcher, who upon a Holyday, brings
a payre of cudgells, and layes them downe in the mid'st,
where the Two Hundreds were then met, which Hector a
Baker, another bold lad of the other side seeing, steps forth,
and tokes them up; these two had a bowte or two for a
broken pate. And heere was all the circumstance of the
Trojan Warres."*

Häufig dienen die Reden des Clowns den Zwecken
der Satire, die, wenn sie sich gegen eine Allgemeinheit
richtet, meist einen gutmütigen Anstrich hat, wenigstens
nie die schonungslose Herbheit des Narren in Lr. erreicht.
Die Gegenstände der satirischen Ausfälle des Clowns sind,
ebenso wie beim Narren (vgl. S. 250), sehr mannigfaltiger
Art: der Clown in T. Heywood's Subj. (p. 70) spottet über
das kriechend schmeichlerische Wesen der Höflinge; Bombo

---

[355]) Das bekannteste Beispiel einer unbeabsichtigten und un-
bewussten Travestie ist die Aufführung von „Pyramus und Thisbe"
durch die Rüpel in Mids. Wie eine unbeabsichtigte Travestie wirkt
auch das Auftreten des Clowns in Stücken mit mythologischem Inhalt, z. B. in T. Heywood's Gold., Silv., Braz.

in J. Shirley's Royal (p. 165) über deren Eigenliebe; Andrew in Fletcher's Eld. (p. 199 I) über die Gewissenlosigkeit der Grundbesitzer, die ihr Wild, bloss zu ihrem Vergnügen, mästen, ihre Pächter aber verhungern lassen; Gothrio in Massinger's Bashf. (p. 407 I) über das Schuldenmachen der Modestutzer; Strumbo in Locr. (p. 142) über die thörichte Mode jener Zeit in England, mit möglichst gesuchten und seltenen Worten um sich zu werfen; Sim in W. Rowley's Midn. (p. 306 ff.) und Pambo in Davenport's Nightc. (p. 324) über die Wut der den meisten Dramendichtern verhassten Puritaner beim Anblick eines hochkirchlichen Chorhemdes; der Clown in Fletcher's Fair (p. 330 II) über die Lügenhaftigkeit der Reisenden; Launce in Gent. (III 1, 338 ff.) über die Schwatzhaftigkeit der Frauen; Corbulo in Webster's App. B (p. 172) und Hilario in Massinger's Pict. (p. 218 I) über die kurze Trauer der Witwen um ihre eben verstorbenen Männer; der Clown in T. Heywood's Maid. (p. 142) über das Hahnreitum; Lollio in Chang. (p. 244) über die Narrheit der Menschen im allgemeinen. Natürlich werden auch die fremden Nationen nicht verschont: die Trunksucht der Holländer (vgl. S. 250 und Anm. 343) geisselt der Clown in Fletcher's Fair (p. 331 II), der auch an derselben Stelle die Schweizer als dumm hinstellt; Frisco in Haughton's Engl. (p. 479) führt als Merkmale der Italiener an *„a wanton eye, pride in his apparel, and the devil in his countenance."* — Ein wohl unbewusster Satiriker ist der Konstabler Busy in Glapthorne's Const. (p. 200), indem er behauptet, sein Witz sei einst das einzige Hindernis seiner Ernennung zum Alderman gewesen:

> *„— all Guild Hall,*
> *Hearing I was a wit, cry'd out upon him,*
> *Twill breed an alteration in the Senate,*
> *To have a wit amongst them."*

Der Clown richtet seine Satire auch gern gegen andere Personen des gleichen Stückes; hierbei erscheint er gewöhnlich als der Vertreter der praktischen Vernunft und

des sittlich Normalen, der von diesem Standpunkt aus
gegen die Verkehrtheit oder Unsittlichkeit, wo sie ihm
entgegentritt, die Schale seines oft recht scharfen Spottes
ausgiesst. In solchen Fällen erfüllt der Clown die ethische
Aufgabe eines Wahrheitsapostels, die wir oben bei den
meisten Narren Shakespeare's und einigen andern Narren
festgestellt haben (vgl. S. 268 ff.). Im Wettstreit eines verliebten alten Gecken und eines jungen Mannes um die
Hand einer jugendlichen Schönen ist der Clown natürlich
stets auf der Seite der Jugend. Grumio in Shr. B. (I 2.
144) verhöhnt mit bitterer Ironie den in Bianca verliebten
alten Pantalone Gremio; ähnlich Sim in W. Rowley's Midn.
(p. 324) und Crochet in Marmion's Comp. (p. 133). Der
Clown in T. Heywood's Capt. (p. 110. 164) fällt mit den
schärfsten Worten über den Mädchenhändler Mildewe und
sein schändliches Gewerbe her. Slipper in Greene's J 4
(p. 197 II ff.) verspottet seinen Herrn, den Bösewicht
Ateukin, freimütig in dessen Gegenwart.

Der Diener Sim in W. Rowley's Midn. (p. 341) nimmt
ein altes Vice-Motiv wieder auf, indem er eine beiseite
gesprochene boshafte Bemerkung, zur Rede gestellt, in eine ähnlich klingende Harmlosigkeit
verwandelt (vgl. S. 206): Sim. *„An old devil in a
greasy sattin doublet keep you company.*" Bloodhound. *„Ha, what's that?*" S. *„I say, the sattin doublet
you will wear to-morrow, will be the best in the
company, sir.*"

Von der Dreistigkeit und dem vorlauten Wesen
mancher Clowns der dritten und vierten Klasse gilt ungefähr dasselbe, was über die Unverschämtheit der Narren
gesagt wurde (S. 252): sie wirken nicht an sich, sondern
nur dann komisch, wenn auch die sonstige Situation komisch
ist. Sehr ergötzlich erscheinen uns die Frechheiten, die
der gaunerhafte Clown in Fletcher's Fair (p. 345 I ff.) sich
gegen seinen Herrn, den Quacksalber Forobosco, heraus-
nimmt, weil wir diesem Erzschwindler von Herzen eine
möglichst schlechte Behandlung gönnen. Die Unverfroren-

heit, womit sich der Clown Gnotho in Law (p. 438 II ff.)
vor dem Herzog von Epirus benimmt, gehört, soweit sie
überhaupt als komisches Motiv gelten kann, eher ins Gebiet der unfreiwilligen passiven Komik (vgl. S. 331 ff.).
Die Clowns der dritten und vierten, mitunter auch der
zweiten Klasse necken gern andere Personen. Hieher gehören manche absichtliche Wortverdrehungen (vgl. S. 341 ff.),
einige Wortspiele auf Grund eines absichtlichen Missverständnisses (vgl. S. 342 ff.), die oben (S. 355) erwähnten
Fälle der Wortklauberei, einige Fälle der Parodie (vgl.
S. 357). Die sonstigen zur Verfügung stehenden Beispiele sind recht witzlos. Chang. (p. 276): Lollio [zu
Alibius]. *„What's that on your face, sir?* . . . . *Cry you
mercy, sir, 'tis your nose; it shewed like the trunk of a
young elephant.“* — Der Clown in Chiv. (p. 306) giebt
Bowyer gegenüber in losem Anklang an diesen Namen
als seinen eigenen *„Bow-wow“* an.

Dieselben Clowns lieben es auch, andern Leuten einen
Schabernack zu spielen, wo sie glauben, dies ohne
schlimme Folgen für sich selbst wagen zu dürfen. Viel
Witz bieten derartige Scherze allerdings auch nicht. Der
Clown in T. Heywood's If (p. 224) zieht unter Beningfield
den Stuhl weg, auf den dieser sich setzen will, und macht
später (p. 229 ff.) den mit der Aufsicht über die Prinzessin
Elisabeth, die spätere Königin von England, betrauten
Beningfield darauf aufmerksam, dass er, in Vernachlässigung
seines Amtes, es zugelassen habe, dass jemand im Garten
bei der Prinzessin sei; dieser jemand entpuppt sich gleich
darauf als eine Ziege, die vom Clown mit gezücktem
Schwert, in Begleitung von Soldaten, vorgeführt wird.

Die unverbindliche Beteuerung, auch ein Erb-
stück der Vice-Komik (vgl. S. 205. 247) kommt im ganzen
bei den Clowns selten vor. Beispiele. Wily (p. 330):
Will Cricket [zu Peg, seiner Geliebten]. *„— if e'er I
forget thee, I pray to God I may never remember thee“*
— Fletcher's Weap. (p. 317 II): *„If ever I received diamonds
or scarf, Or sent any letter to her [Niece], would this*

sword Might ìe'er go thro' me!" -- Von verwandter
Art ist auch die von Gnotho in Old (p. 431 I) vorge-
schlagene Wette: Gn. „*— we have Siren here.*" Cook.
„ *. . . five drachmas her name was Hiren.*" Gn. „*Siren's
name was Siren, for five drachmas*" [356]).

Wenn der witzigere Clown in Bedrängnis gerät, weiss
er sich oft durch List zu helfen. Jenkin in Greene's Geo.
(p. 265 I) behauptet gegenüber dem Schuhmacher, der mit
ihm kämpfen will, er pflege vor jedem Kampf seinen Stab
dreimal um's Haupt zu schwingen; als der Schuhmacher
versprochen, erst zuzuschlagen, nachdem dies geschehen
sei, versetzt Jenkin: „*Well, sir, here is once, twice: . . .
I will never do it the third time.*" Der waffenlose
Dericke in Vict. (p. 368) verspricht dem ihn in der Schlacht
bedrohenden Franzosen so viel Kronenstücke, als auf
dessen Schwerte Platz hätten; dieser müsse aber das
Schwert niederlegen, damit er, Dericke, das Geld darauf
legen könne; als der Franzose dies gethan, ergreift Dericke
dessen Schwert, und schlägt ihn damit nieder. — Mill
p. 561 I: Franio: „*Will you be hang'd?*" Bustopha [sein
Sohn]. „*Let it go by eldership.*" — Auch ohne bedrängt
zu sein, wendet der Clown List an, um sich einen Vorteil
zu verschaffen. Der Clown in Armin's Welshm. (p. 52)
ist gern bereit, die Rolle des Hauptleidtragenden um den
ihm und seinen Gefährten unbekannten Erhängten zu
übernehmen, wie er mit komischer Heuchelei versichert,
um jene vor Kummer zu bewahren, in Wahrheit aber nur,
um die Kleider des Selbstmörders zu erben. Fiddle in
T. Heywood's Exch. (p. 29) versteht es, ähnlich dem Narren
Feste (vgl. S. 272), durch lustige Überredung Berry zur
Verdoppelung und schliesslich zur Verdreifachung des
anfangs erhaltenen Trinkgelds zu bewegen. In Law
(p. 425 I) erweitern sich die schlauen Mittel, die Gnotho
anwendet, um seine Frau Agatha los zu werden, sogar zu

---

[356]) Man könnte übrigens obiges Beispiel auch zu den Fällen
einer absichtlichen trivialen Selbverständlichkeit rechnen.

einer nicht einmal harmlosen, sondern sehr bedenklichen
Intrigue, indem er den Kirchenschreiber zu einer Fälschung
des Datums von Agathens Geburt im Kirchenbuch veranlasst.
Ob die Schimpfworte, die der Clown gelegentlich
gegen andere Personen richtet, als komisches Motiv
gemeint sind, scheint mir recht zweifelhaft (vgl. auch
S. 339). Den Wert einer selbständigen Komik haben sie
jedenfalls nicht mehr; als komisch können sie also höchstens
dann gelten, wenn auch die sonstige Situation komisch
erscheint, wie z. B. in Err. (III 1, 32), wo der mit seinem
Zwillingsbruder verwechselte, nicht ins Haus des Anti-
pholus von Ephesus gehörige Dromio von Syrakus in
obigem Hause Zutritt gefunden hat, und nun den andern
Dromio, der ungestüm den ihm allein zustehenden Einlass
begehrt, solchen verweigert, und ihn von innen aus mit
den Schmähworten „*Mome, malt-horse, capon, coxcomb,
idiot, patch*" überschüttet.

Die Prügel, die der Clown mitunter austeilt,
können auch nur unter bestimmten Voraussetzungen als
komisches Motiv angesehen werden, nämlich wenn deutlich erkennbar ist, dass sie im Scherz gemeint sind. Eine
derartige Komik bildet die niedrigste Stufe des Possenhaften. In Rare (p. 197) will Lentulo dem Penulo zeigen,
wie er einen andern geschlagen habe, und schlägt dabei
letzteren selbst. Ferner Shr. B. IV. 1, 62 ff.: Grumio.
„*Lend thine ear.*" Curtis [ein anderer Diener des Petruchio].
„*Here.*" Gr. „*There*" (Strikes him). — In Tp. (III 2, 84)
ist nicht der prügelnde Rüpel Stephano, sondern der ge-
prügelte Spassmacher Trinculo (vgl. S. 283 ff.) der Erreger
einer komischen Wirkung. — In Fletcher's Val. (p. 519 II)
wirft der Clown Galoshio, sonst ein williges Prügelobjekt
(vgl. S. 339), sich einmal auch zum Subjekt auf diesem
Gebiet auf, indem er seinem Herrn Lapet, dem grossen
Prügelkenner, einen Fusstritt giebt.

Die direkte Anrede an das Publikum, ein beliebtes Vice-Motiv (vgl. S. 209 ff.), das in den Narrenrollen
gänzlich fehlt (vgl. S. 259 ff.), kommt in den so viel zahl-

reicberen Clownsrollen auch nur selten vor, am häufigsten
bei Strumbo in Locr. (p. 140. 142. 175. 176), ferner bei
Adam in Glass (p. 145 I), und beim Clown in Land (p. 433).
Möglicherweise kam dies Motiv auch sonst vor, wurde
aber nicht im Text festgelegt, weil es zu den Improvisationen gehörte. Sehr häufig wird es aber, wenigstens
seit Shakespeare, wohl kaum gewesen sein, weil man seither doch an die Straffheit der Handlung höhere An-
forderungen zu stellen pflegte, als zur Zeit der Moralitäten,
und weil der Fortgang des Stückes durch derartige un-
gehörige Abschweifungen gar zu sehr gehemmt wurde.

Das Einstreuen fremdsprachlicher Brocken soll
an sich wohl auch kaum mehr ein komisches Motiv darstellen, sondern nur dann, wenn es mit der Wortverdrehung
(vgl. S. 321. 341 ff.) verbunden ist. oder wenn das betreffende
fremdsprachliche Zitat selbst irgendwelchen komischen Sinn
(z. B. „Basa mon cues". vgl. S. 321) oder Klang hat (z. B.
„Honorificabilitudinitatibus": vgl. S. 351 ff.). oder endlich,
wenn es mehrfach wiederholt wird.

Die mehrfache Wiederholung eines Wortes oder
einer aus mehreren Worten bestehenden Redens-
art (vgl. auch S. 162 ff.) gehört meist zu denjenigen komischen Motiven, deren Komik bloss auf einer Klang-
wirkung beruht, also formale, nicht inhaltliche Komik
ist (vgl. S. 2 ff. 14)[357]). Strumbo in Locr. (p. 140) beteuert:
„I burn, I burn, and I burn-a; in love, in love, and
in love-a", und schreit (p. 150) zusammen mit seinem
Lehrling Trompart immer wieder „wildfire and pitch".
— Pipkin in Cooke's How (p. 66) parodiert Hugh, den
Diener des Friedensrichters Reason, indem er das Schema
abba von dessen Rede nachahmt: Hugh. „O Master Pipkin,
what do you mean? what do you mean, Master Pipkin?"
P. „O Hugh! O mistress! O mistress! O Hugh!"

---

[357]) Auch in den oben besprochenen Klangspielen ohne Sinnspiel
(vgl. S. 348) ist die Komik bloss formal, ebenso bei Wörtern mit
komischem Klang, u. s. w. (siehe oben).

H. „*O Pipkin! O God! O God! O Pipkin!*" P.... „*O death!
O mistress! O mistress! O death!*" — Nach dem Muster
einer Szene in Plautus' „Rudens" antwortet der Clown in
T. Heywood's Capt. (p. 183 ff.) auf alle Befehle Ashburn-
ham's immer wieder „*Ay, syr*". — Pompey in Fletcher's
Weap. (p. 297 II) reitet auf dem von seinem Herrn Sir
Gregory Fop zuvor gebrauchten Worte „*thing*" umher,
wodurch eine Art Rätselspiel entsteht: „*The thing* [Ge-
schenk]   *That you sent her* [Niece], *by the thing*
[Pompey] *that you sent, Was, for the thing's* [-- Pompey's] *sake that you sent to carry The thing* [Geschenk]
that you sent, very kindly receiv'd." — In einigen Fällen
bildet eine bestimmte, beständig wiederkehrende Redensart
gleichsam das Leitmotiv der betreffenden Rolle. Der Konstabler Busy in Glapthorne's Const. streut immer wieder
„*How's that?*" in seine Rede ein. Der plötzlich reich
gewordene Diener Bubble in Cook's Quoqu. ist gelehrt
worden, bei allen passenden und unpassenden Gelegenheiten stets „*Et tu quoque*" einzuflechten, wodurch er,
wie man ihm eingebildet hat, sich als einen Mann von
feiner Lebensart erweisen werde; indem Bubble diese ihm
selbst unverständliche Redensart an gänzlich verkehrter
Stelle anbringt, verbindet sich mit der aus der steten
Wiederholung entstehenden komischen Klang- auch eine
komische Sinnwirkung, die natürlich ins Gebiet der unfreiwilligen passiven Komik gehört.

Von der in die Reden der Clowns häufig eingeflochtenen
Allitteration gilt dasselbe, was oben (S. 253) über die
Allitteration bei den Narren gesagt wurde (vgl. auch
S. 348). Wie bei Fletcher's Narren, findet sich die Allitteration auch bei manchen seiner Clowns, so bei Shorthose
in Wit (p. 268 I), Soto in Pleas. (p. 57 I), Bustopha in Mill
(p. 564 II), ferner bei zwei von Massinger's Clowns, Calandrino in Flor. (p. 180 I) und Hilario in Pict. (p. 219 I).
Zuweilen hat die Allitteration einen parodistischen Zweck.
Eine dem Vortragenden unbewusste Parodie des in allitterierender Form auftretenden geschwollenen Pathos mancher

älterer Trauerspieldichter[358]) enthält Quince's Prolog in
Mids. (V 1,147 ff.): „*with blade, with bloody blameful
blade He* [Pyramus] *bravely broach'd his boiling
bloody breast*"; natürlich ist die Komik dieser Stelle von
objektiver Art.

In Bezug auf die vom Clown vorgetragenen Reimpaare und ganzen Strophen begnüge ich mich gleichfalls mit einem Hinweis auf das oben (S. 252 ff.) über das
entsprechende Motiv in der Narrenkomik Bemerkte. Solche
Verse und Strophen begegnen so überaus häufig, dass es
überflüssig wäre, einzelne Beispiele anzuführen.

Hiermit sind wir schon mitten in die formale Komik
der Clowns hineingeraten. Ob diese von subjektiver oder
von objektiver Art ist, das hängt natürlich eher von dem
in die Form hineingelegten Inhalt ab, wenn auch die Form
selbst, vom Inhalt abgesehen, für die Art der Komik
durchaus nicht bedeutungslos ist. Zu dieser formalen Seite
der Komik gehört auch der Gesang, der oft die Rolle
des Clowns belebt. Strumbo in Locr. (p. 147 ff.) singt zusammen mit seiner ihm eben angetrauten Dorothy und
seinem Lehrling Trompart ein lustiges Terzett. Bullithrumble in Greene's Selim. (V. 1879 ff.) besingt sein eigenes
Pantoffelheldentum. Stephano's Gesang in Tp. (II 2, 48 ff.)
ist in derbem Tone gehalten. Über das parodistische Lied
des Clowns in T. Heywood's Mistr. vgl. S. 357.

Auch der Tanz gehört häufig zu den Obliegenheiten
des Clowns (vgl. S. 233. 234. Anm. 248). Der Clown ge-
hörte ja zu den stehenden Figuren im Morisko- und im
Jigtanze. Zwei der Rüpel in Mids. (V 1, 369) tanzen nach
Schluss ihres Zwischenstücks „*a Bergomask dance*"[359]).
Im Schäferdrama Thrac. (p. 151) und in T. Heywood's
Mistr. (p. 119) werden vom Clown und seinen bäurischen

---

[358]) Z. B. in Peele's Alc.; vgl. Graf S. 36 und Anm. 1.

[359]) „Bauerntanz nach Art der Landleute aus der Umgegend von
Bergamo, der Rüpel des italienischen Volkstheaters" (Delius I 304
Anm. 81). Hier zeigt sich also ein Einfluss des aus Bergamo
stammenden Arlecchino auf den englischen Clown.

Gefährten ländliche Tänze aufgeführt. In Fletcher's Val. (p. 526 I) tanzen der Clown Galoshio, sein Herr Lapet, und noch vier andere Personen, als Narren verkleidet. — Über Slipper als Jigtänzer in Greene's J 4 vgl. Anm. 258. In Edm. (p. 396) reitet der Clown Cuddy Banks das Maskenpferd („hobby horse") im Moriskotanze (vgl. Anm. 250).

Das Motiv der Verkleidung des Clowns ist schon in den Fällen mit inbegriffen, wo er ohne Berechtigung den vornehmen Herrn spielt (vgl. S. 332 ff.). Auch sonst erscheint der Clown oft verkleidet. Er legt die Kleider einer andern Person des betreffenden Stückes an, und übernimmt damit auch zugleich deren Rolle, entweder zum Zweck einer lustigen Intrigue, oder bloss zu dem der Kurzweil. Frisco in Haughton's Engl. (p. 522) hüllt sich in den Mantel des Holländers Vandal, und spielt nun selbst den Holländer, um jenen zu foppen. Der Clown in Thrac. (p. 183) zieht auf Wunsch seines Vaters, des alten Schäfers Antimon, einen Teil von dessen glänzender, zur Brautwerbung bestimmter Kleidung an, und beschliesst insgeheim, mit Hilfe dieser fremden Federn dem Vater die erhoffte Braut abzujagen. — In andern Fällen ergiebt sich die Verkleidung des Clowns aus dessen Dienerrolle: sein Herr verkleidet sich, und der Clown als dessen Begleiter ebenfalls. In Dekker's Fort. (p. 152) treten Andelocia und sein Diener Shadow als irische Obsthöker auf; diese Verkleidung soll ihnen dazu verhelfen, die ihnen geraubten Zaubersachen zurückzuerlangen. In Gipsy (p. 138) erblicken wir Sancho und seinen Diener Soto in Zigeunertracht. — In Thrac. (p. 174) kommt der Clown in der Rolle der Maid Marian (vgl. Anm. 249) im Moriskotanz zum Vorschein.

Über die sonstigen äusseren Begleitumstände, unter denen der Clown auftritt, und die anscheinend meist der Improvisation überlassen wurden, erfahren wir doch gelegentlich einiges aus eingestreuten Bemerkungen. Der Müllerbursch Trotter in Em (p. 421) erscheint mit einem gewissen Geschirr in der Hand (ebenso der Narr Tony, vgl. S. 253). Strumbo in Locr. ist an einer Stelle (p. 175) mit einer Heugabel bewaffnet. Launce in Gent. führt gewöhnlich einen Hund mit sich. Stephano in Tp. (II 2, 44) stellt sich uns bei seinem ersten Auftreten mit einer Flasche in der Hand vor, einem würdigen Sinnbild seiner Versoffenheit.

Noch spärlicher sind die Angaben über das Geberdenspiel des Clowns, wobei der Schauspieler offenbar noch weit grösseren Spielraum zur Improvisation hatte. In Greene's J 4 (p. 218 I) wird vom Clown Slipper bemerkt. als Oberon ihn am Schluss aus der höchsten Gefahr rettet und mit sich nimmt: *„he makes mops, and sports. and scorns"*. In Edm. machen sich der Clown und noch vier Landleute auf, um über die Hexe von Edmonton herzufallen; eine Bühnenanweisung bemerkt hierzu: *„Exeunt in strange postures"*.

Eine bekannte Stelle in Hml. (III 2, 42 ff.) rügt die üble Gewohnheit der in den Rollen von Clowns auftretenden Schauspieler, mehr zu sagen, als der Wortlaut des Stückes ihnen vorschreibe. selbst wenn eine solche Improvisation den künstlerischen Absichten des Dichters direkt zuwiderlaufe. Wir dürfen wohl annehmen. dass vor Shakespeare jene Unsitte allgemein eingerissen war[360]): die zusammenhanglosen Scherze von Greene's Clowns machen, wie weiter unten dargelegt werden soll. oft den Eindruck, als wären sie improvisiert: die direkte Anrede an das Publikum durch die Clowns Strumbo in Locr. und Adam in Glass (vgl. S. 363 ff.) gehört offenbar auch zu den zufällig im Text festgelegten Improvisationen. Wahrscheinlich hat erst Shakespeare obigen Missbrauch aus künstlerischen Rücksichten beseitigt, freilich nicht end-

---

[360]) Vgl. Parn. (p. 22): Clowne. *„— when they have noebodie to leave on the stage, they bringe mee up, and, which is worse, tell mee not what I shoulde saye!"* Diese Bemerkung des Clowns weist speziell auf die dem Clown, wie überhaupt der lustigen Person, obliegende Aufgabe hin, während der Zwischenakte dem Publikum durch improvisierte Spässe die Zeit zu vertreiben (vgl. S. 235).

.

giltig, da ja in Th. Heywood's und W. Rowley's Land
(vgl. S. 364) die direkte Anrede an das Publikum wieder
aufgenommen wird.

Vergleichen wir die Gesamtheit der in den verschiedenen Clownsrollen vorkommenden komischen Motive
mit dem komischen Apparat des Vice, so ergiebt sich, dass
nur ein einziges Vice-Motiv für den Clown nicht mehr in
Betracht kommt, nämlich das Brüllen und Schreien;
selbst für die derbe Komik des Clowns war dies Motiv
gewiss zu roh, als dass es in dem gegenüber seinen Vorstufen so verfeinerten eigentlichen Drama noch länger
einen Platz verdient hätte.

Die Prügel, die der Clown zuweilen austeilt
(vgl. S. 363), und die Schimpfworte, mit denen er
gelegentlich um sich wirft (vgl. S. 363), gehören zu
den Motiven, die der Clown mit dem Vice gemein hat, die
aber, wie wir oben (S. 258 ff.) gesehen haben, in der Komik
der Narren wegfallen. Das Vorkommen solcher Prügel
oder Schimpfworte in den Clownsrollen beweist an sich
noch nicht, dass sie überhaupt als komische Motive gemeint seien; wo dies aber doch der Fall ist, wo also obige
Motive durch die ganze Situation eine komische Färbung
erhalten, da lehrt uns ihre Komik, und das Fehlen einer
solchen Komik bei den Narren, dass die englischen Dramatiker dem Clown im allgemeinen die plumpere derbere
Komik zuteilen, während beim Narren die feinere Komik
des blossen Wortwitzes vorherrscht. Dies gilt auch vom
derbkomischen Clownsmotiv des Weinens und der Scherze
darüber (vgl. S. 340 ff.). Die direkte Anrede an das
Publikum (vgl. S. 363 ff.), ein Motiv, für das sich gleichfalls in den Narrenrollen nirgends Belege finden (vgl.
S. 259 ff.), gehört zu den oben (S. 368 ff.) behandelten, den
Fortgang der eigentlichen Handlung störenden Improvisationen des Clowns, die Shakespeare durch den Mund
Hamlet's gemissbilligt hat. Sie kommt auch nur bei seinen
Vorgängern, und sonst nur in einem gemeinsamen Dramen
von Th. Heywood und W. Rowley (Land) vor; Heywood

pflegt überhaupt höhere künstlerische Zwecke gegen den
Zweck der Belustigung des Publikums hintanzusetzen.
Das in den Narrenrollen fehlende Motiv der beiseite
gesprochenen Sarkasmen, die hinterher in ähnlich klingende Harmlosigkeiten verdreht werden,
wird auch vom Clown nur einmal angewandt (vgl. S. 360),
obgleich der Hauptgrund seines Wegfalls in den Reden
der Narren, deren unbegrenzte Redefreiheit, für die Clowns
ja eigentlich keine Geltung hat.

Alle die oben (S. 260) erwähnten komischen Motive,
die beim Vice noch fehlen, und in den Rollen der Narren
neu hinzugekommen sind, kehren auch bei den Clowns
wieder[361]), und zwar sind hier, entsprechend dem bedeutenden numerischen Übergewicht der Clowns über die
Narren, die einschlägigen Beispiele viel zahlreicher und
mannigfaltiger.

Was oben (S. 261) über den Fortschritt gesagt wurde,
den der Narr dem Vice gegenüber darstellt, gilt im grossen
und ganzen auch für den Clown, wobei aber zu beachten
ist, dass dessen Komik nicht nur derber ist als die des
Narren, sondern auch von einem andern Ausgangspunkt
ausgeht. Die Komik des Narren ist, gleich der des Vice,
hauptsächlich von subjektiver Art; sie beruht vor allem
auf dem absichtlichen Wortwitz, in allen seinen zahlreichen Unterarten. Dagegen nimmt beim naiven Clown
die objektive Komik den breiteren Raum ein (vgl. S. 317);
deren wichtigste Bestandteile bilden die unfreiwillige Wortverdrehung und das unabsichtliche Unsinnreden. Unter
solchen Umständen ist es ganz natürlich, dass die objektive
Komik der Clowns eine ganze Reihe von Bestandteilen
enthält, die in der entsprechenden Komik der Narren

---

[361]) Sogar das nur zur Rolle eines Narren passende Motiv des
Benutzens der eigenen Narrenrolle zur Grundlage satirischer Ausfälle begegnet auch einmal, wie wir weiter unten sehen
werden, bei einem der jüngeren Clowns (Bromius in Randolph's
Amynt), zu einer Zeit, wo beide Typen schon angefangen hatten,
sich zu vermischen.

fehlen. Diese Bestandteile brauchen wohl kaum einzeln
dargelegt zu werden, da schon ein flüchtiger Überblick sie
erkennen lässt.

C. Die einzelnen Clowns.

1. Die bloss objektiv-komischen Clowns[362]).

Fast alle zu dieser Gruppe gehörigen Clowns sind
Rüpel, d. h. Personen aus den unteren Volksklassen, die
durch ihre bäurische Ungeschliffenheit und Plumpheit, oder
durch ihre Unwissenheit und bis zur Dummheit gesteigerte
Naivetät, blosse Objekte der Komik darstellen.

Der Typus des clownartigen Lümmels der Misterien
(vgl. S. 29 ff.) fand auch in den Moralitäten seine Fortsetzung: „Ignorance" in Elem. (S. 121), in Sci. (S. 127),
und in Marr. (S. 141), „Greedy-Gut" in Treas. (S. 138 ff.),
Lob in Wisd. (S. 151) werden als solche Lümmel geschildert.
Sie bilden mit Jenkin Careaway im komischen Zwischenspiel Juggl. (S. 164 ff.) die Brücke zwischen den Lümmeln

---

362) Ganz vereinzelt auftretende Züge subjektiver
Komik bei sonst durchaus objektiv-komischen Clowns,
die in dem objektiv-komischen Gesamtbilde fast verschwinden, sollen
als unwesentlich nicht berücksichtigt, und die betreffenden Clowns
trotz jener Züge mit unter den bloss objektiv-komischen Clowns aufgeführt werden. Hieher gehört die komische Umschreibung in
der Aufforderung des Clowns in Wint. (IV 4, 833 ff.) an seinen Vater,
dem Autolycus Geld zu geben (vgl. S. 350 ff.): „show the inside of your
purse to the outside of his hand". Ferner die Lügengeschichten
(vgl. S. 352 ff.) Stephano's in Tp., wodurch es diesem Rüpel sogar gelingt, dem Caliban als einem noch unter ihm stehenden Wesen zu
imponieren: er bindet ihm auf, er sei einst der Mann im Monde gewesen (II 2, 141 ff.); später (III 2, 16 ff.) behauptet er, 35 „leagues" im
Meere umhergeschwommen zu sein, bevor er die Küste habe erreichen können. Selbst der Rüpel Bottom in Mids. (IV 2, 31 ff.)
hänselt (vgl. S. 361) seine Genossen durch die Verheissung „I will
tell you every thing, right as it fell out." Quince. „Let us hear, sweet
Bottom." B. „Not a word of me. All that I will tell you is, that the
duke hath dined." Über die bei der Aufstellung einer Clownsgestalt
als Rüpel ebenfalls nicht in Betracht kommenden Wort- und
Klangspiele vgl. Anm. 319 und S. 341.

24*

der Misterien und den Rüpeln des eigentlichen Dramas, unter denen wir Hob und Lob in Camb. (S. 166 ff.), Hodge und Rusticus in Hor. (S. 170 ff.), Hance in Like (S. 173), Hodge in Gurt. (S. 190 ff.) bereits kennen gelernt.

Zu Beginn des eigentlichen Dramas war also eine der Spielarten des Clowns, der Untertypus des Rüpels, schon ziemlich deutlich ausgebildet, obwohl der Rüpel der Rolle einer lustigen Person damals noch durchaus fernstand. Der Rüpel war meist ein Bauer; auch der Diener pflegte aber zu den Rüpeln zu gehören, wenn er, wie Hodge in Gurt. (S. 190 ff.). eine bäurische Herrschaft hatte. Jene Gestalten besassen alle oben genannten typischen Rüpeleigenschaften. Ihre Unwissenheit liess sie leicht in Wortverdrehungen und Missverständnisse verfallen; ihre Derbheit artete oft in Unflätigkeit aus. Sie sprachen gewöhnlich in ländlicher Mundart (vgl. S. 337). Der Bauer Codrus in Misog. (vgl. S. 181 ff.) kann als typischer Vertreter eines solchen Rüpeltums gelten. Im allgemeinen trug der Rüpel ein echt englisches Gepräge. und blieb von fremden Einflüssen gänzlich frei[363]), selbst in fremdartiger Umgebung. Derartige echt englische Rüpel sind Grim, der Köhler von Croydon, in Edwards' Dam., und der Schäfer Corin in Clyom. (vgl. S. 178 ff.).

Marlowe's Dramen legen Zeugnis davon ab, dass ihr Verfasser keine Begabung fürs Komische besass. während er zur Darstellung erhabener Szenen besonders befähigt war. Im Vorwort zu Tamb., M.'s ältestem Stücke, erwähnt der das Stück herausgebende Drucker: *„I haue (purposely) ... left out some fond and friuolous Jestures"*. Wahrscheinlich bezieht sich dies auf die Spässe des Clowns, den M., dem Zwang der Mode, nicht dem eignen Trieb gehorchend, in sein Erstlingswerk eingefügt haben mag.

---

[363]) Der rüpelhafte Diener Jenkin Careaway in Juggl. (vgl. S. 164 ff.) ist freilich der antiken Gestalt des Sklaven Sosia nachgebildet: seine von der sonst üblichen gemischten Komik der Diener abweichende rein objektive Komik ist also schon durch das plautinische Vorbild begründet.

Stehen geblieben ist dagegen, sehr zum Nachteil des
Stückes, eine ganze Gruppe von Clowns in den erhaltenen
Fassungen von M.'s Fau. Hier findet sich ein als „Clowne"
bezeichneter Rüpel, der in Wagner's Dienste tritt. Später
werden uns Robin, der Hausknecht eines Gasthauses,
Rafe (in der Quarto von 1604; in der von 1616 Dick
genannt) und ein Pferdehändler, in der Quarto von
1616 auch noch ein Kärrner vorgestellt, die alle in der
zuletzt genannten Quarto (V. 1652. 1739. Robin und Dick
allein auch V. 1178) durch die Bezeichnung „Clownes"
zusammengefasst werden. Unter ihnen tritt Robin am
meisten hervor, der daher auch innerhalb seiner Gruppe
(Qu. 1616, V. 1737) noch besonders als „Clown" bezeichnet
wird. Robin ergeht es beim Versuch, mit einem Faust
gestohlenen Zauberbuch Geister herbeizurufen, noch kläg-
licher als Goethe's Zauberlehrling: er wird von dem über
die unnütze Zitation entrüsteten Mephistopheles in einen
Affen (in der Qu. von 1616 in einen Hund) verwandelt.
Dem Pferdehändler spielt Faust selbst allerlei alberne
Possen, die M. seiner Quelle, dem deutschen Volksbuch
vom Doktor Faust (1587) entlehnt hat.

Lodge's Wounds enthält einen Clown, der Diener
des Marcus Antonius ist. Er verrät im Weinrausch den
Versteck seines Herrn den letzteren verfolgenden Soldaten.
Dies scheint der eigentliche Zweck seiner Rolle zu sein,
und ist ein auf Plutarch zurückgehender Zug. Im Rausch
redet der Clown beständig in kurzen Reimpaaren, wobei
er gerade mitten in seinen feierlichen Versicherungen, um
keinen Preis den Aufenthaltsort des Antonius angeben zu
wollen, dies unversehens doch thut. Da dies der einzige
komische Zug ist, den die Rolle des Clowns bietet, und
da diese Komik von objektiver Art ist (vgl. Launce in
Gent., S. 317), sei er hier mit unter den objektiv-komischen
Rüpeln behandelt. — Spasshafter sind zwei rüpelartige
Bürger Curtall und Poppey, die in einer späteren Szene
vorkommen, und durch ihre Wortverdrehungen Shakespeare's Rüpel vorbereiten helfen.

Lyly's Dramen enthalten nur wenige echte Clowns,
von denen nur der Oberkonstabler und seine Wachmannschaft in End. einen rüpelartigen Anstrich haben.
Diese nehmen sich in ihrem für Hüter der Nacht wenig
angemessenen Vorhaben, einzukehren und dann sich schlafen
zu legen, wie Keime zu Dogberry und Genossen in Shakespeare's Ado aus.

In Greene's Dramen ist der Rüpel als lustige Person
nur vertreten in der Gestalt des Schäfers Bullithrumble
in Selim., der anfangs als Pantoffelheld, dann als Feigling
vorgeführt wird. Seine Angst verwandelt sich aber schnell
in Wichtigthuerei, als die Personen, vor denen er Reissaus
nehmen will, sich als völlig harmlos entpuppen. Echt
rüpelhaft ist seine Furcht, diese Personen würden Teil-
haber an seinem Essen sein wollen. Sonst äussert sich
sein Rüpeltum in der gewöhnlichen Weise, durch Wortverdrehungen und Unsinnreden. Gelegentlich verfällt er
auch in eine gezierte Ausdrucksweise, wobei er nicht ver-
säumt, auf die vermeintlichen Feinheiten seiner Rede
aufmerksam zu machen.

Thomas und *Richard* in G.'s Bac. sollen durch die
ihnen beigelegte Bezeichnung „*clowns*" (vgl. Anm. 311) nicht
als lustige Personen, sondern bloss als Bauernburschen
hingestellt werden (vgl. S. 307). Der eigentliche Clown
des Stückes im Sinne einer lustigen Person ist Bacon's
naiv-witziger Famulus Miles. Auch in Glass (von G. und
Lodge) ist nicht die „*clown*" benannte Gestalt, deren
eigentlicher Name (nach p. 119 II) *Peter* ist, sondern der
Schmiedegeselle Adam als lustige Person anzusehen. Peter
versucht es anfangs, Adam gegenüber den grossen Herrn
zu spielen, wird aber von diesem gründlich abgefertigt;
sonst tritt er kaum irgendwie hervor.

In Leir begegnen zwei Wachleute, von denen der erste
durch seine rüpelhaften Wortverdrehungen und seinen unfreiwillig komischen Unsinn als Vorläufer der Wachmannschaft in Ado erscheint (ebenso auch die Wachleute
in Lyly's End., siehe oben). Nur dieser erste Wach-

mann kann als Rüpel gelten; der zweite zeigt sich als
jenem geistig überlegen, und gehört nicht hieher.

Wir gelangen nun zu den zahlreichen Rüpeln Shakespeare's, deren Mannigfaltigkeit sich schon in der Verschiedenheit ihrer Berufsarten offenbart. Zunächst behandeln
wir die Rüpel bäurischen Standes. Ein solcher „clown"
genannter Rüpel tritt schon in Tit., Sh.'s ältestem Stück,
auf, spielt hier aber noch eine unbedeutende Rolle. Er
begegnet nur in der 3. und 4. Szene des 4. Aktes, und
wird hauptsächlich durch Missverständnisse und Wortverdrehungen charakterisiert. In diesem bluttriefendem
Jugendwerk des grossen Dichters wird nicht einmal die
lustige Person verschont; schliesslich wird der Clown auf
Befehl des tyrannischen Kaisers Saturninus zum Galgentode abgeführt, weil er jenem eine ohne sein Wissen
beleidigende Bittschrift des Titus Andronicus überreicht
hatte. Eine lustige Person, die hingerichtet wird, ist ein
Widerspruch in sich selbst. Eine reinkomische Wirkung
würde unter solchen Umständen auch dann völlig vereitelt werden, wenn die Komik des Clowns hervorragender
wäre, als sie thatsächlich ist.

William in Sh.'s As ist ein erzdummer Bauernkerl,
der nur in der 1. Szene des 5. Aktes vorkommt, und so
stumpf ist, dass seine längste Rede sieben Worte enthält
und er sich nicht einmal zu dem die sonstigen Rüpel
kennzeichnenden Unsinnreden aufschwingen kann. Seine
Dummheit steht in ergötzlichem Gegensatz zu seinem
naiven Selbstbewusstsein, das ihm die Äusserung hervor-
lockt: „I have a pretty wit" (V 1, 32). Er ist der Nebenbuhler des Narren Touchstone in der Liebe zu Audrey
(vgl. S. 271), und wird von seinem so viel klügeren
Gegner natürlich mit Leichtigkeit aus dem Felde geschlagen.

Den Bauern am nächsten stehen die Schäfer. Der
alte Schäfer in Sh.'s H 6 A, der Vater der Jungfrau von
Orleans, kommt freilich für uns hier nicht in Betracht.
Die bei Sh.'s Clowns, wo diese lustige Personen sind,

gebräuchliche Redeform ist die Prosa[364]). Schon die Verse,
in denen der alte Schäfer redet, beweisen daher, dass er
nicht als lustige Person gedacht ist. Seine Wortverdrehungen
und Missverständnisse sollen ihn nur als einfachen Mann
des Volkes bezeichnen; ihre Komik ist also nicht Selbstzweck. Dagegen ist in Sh.'s Wint. nicht nur der Clown
selbst, sondern auch dessen Vater, der alte Schäfer,
hieher zu rechnen. Beide nehmen unter den gleichartigen
Gestalten bei Sh. dadurch eine Sonderstellung ein, dass
ihnen die sonst bei den Rüpeln dieses Dichters durchweg
üblichen Wortverdrehungen und Missverständnisse fast
gar nicht zugeteilt sind[365]). Dies ist mit Wurth (S. 221. 231)
dadurch zu erklären, dass der Dichter hier durch die
Situation zu einer Veredelung der Rüpelfigur geführt
wurde[366]). Sh. wurde durch seine dichterische Entwickelung dahin gebracht, die verschiedenen Kunstmittel
der Komik immer massvoller und zugleich charakteristischer
anzuwenden. In seinen späteren Dramen liess sich Sh.
beim Gebrauch jener Kunstmittel durch Rücksichten auf
die Situation leiten, in den älteren Stücken dagegen noch
nicht. Wint. stammt nun aus des Dichters reifster Zeit.
An der ernsten eigentlichen Handlung haben beide Clowns
einen wesentlichen Anteil: der alte Schäfer rettet die
Prinzessin Perdita vom Tode, und zieht sie auf; durch
beide Clowns wird am Schluss Perdita's königliche Herkunft festgestellt, und so die totgeglaubte Tochter ihrem
Vater wiedergegeben. Diese Verknüpfung der Clowns mit
der ernsten Handlung gab auch ihrer Komik, ohne sie

---

[364]) Über die verschiedenen Verwendungsarten der Prosa bei
Sh. handelt ein Aufsatz von Delius im Shakespeare-Jahrbuch V 227 ff.;
vgl. auch Wurth S. 212.

[365]) Ein vereinzelter Fall einer Wortdrehung bei obigem
Clown findet sich in V 2, 159 (*„preposterous"* statt *„prosperous").*

[366]) Wurth bezieht obige Erklärung allerdings nur auf das
Wortspiel, das bei obigen Rüpeln sehr selten vorkommt (vgl. Anm. 319.
S. 341. 344).

irgendwie abzuschwächen, einen etwas vornehmeren Charakter. Der Clown ist eine urkomische Gestalt; völlig
harmlos, naiv bis zur Dummheit, aber ohne sich dessen
auch nur im geringsten bewusst zu sein, im Gegenteil,
nicht wenig stolz auf seine vermeintliche Schläue, gern
mit seines Vaters Gelde protzend, das ein Glücksfall diesem
in den Schoss warf, wird der Clown zum wehrlosen Spielball der Spitzbübereien des geriebenen Autolycus. — Der
alte Schäfer beugt sich willig unter das angebliche
geistige Übergewicht seines Sohnes. — Die Komik beider
erreicht ihren Höhepunkt in der vorletzten Szene des
Stückes, wo Vater und Sohn, lächerlich herausgeputzt, mit
ihrem neuerworbenen Adel wichtig thun (vgl. S. 332).

Eine ganze Gruppe auserlesener Vertreter der Dummheit bilden Falstaff's lächerlich-traurige Rekruten Ralph
Mouldy, Simon Shadow, Thomas Wart, Francis Feeble
und Peter Bullcalf in Sh.'s H 4 B. Von diesen ist Mouldy
Hausfaktotum bei einer alten Frau, Feeble ein Damen-
schneider; die Berufe der übrigen werden nicht erwähnt.
Alle dienen dem genialen Wüstling Falstaff als Schleif-
steine des Witzes. Mouldy und Bullcalf, die sich verhältnismässig noch am besten zum Kriegsdienst eignen,
gelingt es durch Bestechung des ehrlosen Ritters, sich
loszukaufen; die übrigen werden erbarmungslos genommen.

Wahre Musterrüpel, unübertreffliche Ideale der Rüpel-
haftigkeit, wenn der Ausdruck erlaubt ist, sind die Handwerker in Mids.: der Zimmermann Peter Quince, der
Tischler Snug, der Weber Nick Bottom, der Bälgeflicker
Francis Flute, der Kesselflicker Tom Snout, und der
Schneider Robin Starveling. Die Aufführung der „tief-
traurigen Komödie von Pyramus und Thisbe" durch diese
Handwerker ist gewiss mit Wülker (S. 117) als Spott auf
die Misterienaufführungen der Handwerkerzünfte (vgl. S. 55)
aufzufassen. Die Handwerkeraufführung in Mids. ist die
kräftigste und wirksamste Satire auf das Pfuschertum in
der Kunst, die je geschrieben worden ist. Die darin
steckenden Zeitbeziehungen interessieren uns aber eigent-

lich nur vom litteraturgeschichtlichen Standpunkt aus. Wir
können jene Aufführung auch losgelöst davon, bloss als
ein Kunstwerk objektiver Komik, betrachten; diese Komik
ist so reich an allgemein menschlichem Gehalt, so ohne
weiteres verständlich und so gelungen, dass sie zu allen
Zeiten von Freunden gesunden Humors mit Behagen genossen werden kann. Es liegt zugleich beinahe etwas
Rührendes im Gegensatz zwischen dem auf eine möglichst
erschütternde tragische Wirkung gerichteten Kunsteifer
der harmlosen, nicht eigentlich dummen, wohl aber un-
glaublich naiven Handwerker und dem thatsächlichen Ergebnis ihrer Aufführung, die nicht die Thränendrüsen,
sondern die Lachmuskeln der Zuschauer in lebhafteste
Thätigkeit versetzt. — Unter den Handwerkern ragt am
meisten als komische Gestalt der Weber Bottom hervor,
der einzige unter ihnen, dem auch noch ausserhalb der
burlesken Posse der Aufführung und den Vorbereitungen
dazu eine besondere Rolle zugewiesen ist. Sh. hat ihn,
den klobigen Tölpel, mit der duftigen Märchenwelt von
Titaniens Feenreich in Verbindung gebracht, und so wieder
einen neuen äusserst wirkungsvollen komischen Kontrast
geschaffen. Bei der Verwandlung von Bottom's ehrlichem
Rüpelangesicht in einen Eselskopf mag dem Dichter die
Geschichte von Midas in Ovid's „Metamorphosen" [367]), oder
auch das darauf beruhende Drama „Midas" von Lyly als
Quelle vorgeschwebt haben. — Als szenischer Leiter der
Aufführung fungiert Quince, von Bottom als seinem Haupt-
berater unterstützt.

Den Kesselflicker Christopher Sly in Shr. B verdankt Sh. seiner Vorlage Shr. A. Der Gegensatz zwischen
der Pöbelhaftigkeit dieses beständig betrunkenen Lümmels
und der ihm zeitweilig aufgedrungenen Rolle eines Lords
bietet ergötzliche derbe Komik. Offenbar nahm aber Sh.
kein sehr lebhaftes Interesse an der Gestalt, denn während

---

[367]) Vgl. Hense, Sh. = Jahrbuch VII 269. Auf die Geschichte
von Midas wird auch Merch. III 2, 102 angespielt.

Sly in der Vorlage nicht nur den Mittelpunkt des Vorspiels bildet, sondern auch während der darauf folgenden Aufführung des eigentlichen Stückes immer wieder seinen rüpelhaften Senf dazu liefert, und am Schluss wieder in seinen alten Kleidern und seiner ursprünglichen Rolle erwacht, lässt Sh. ihn ausser im Vorspiel nur noch einmal am Schluss der ersten Szene des eigentlichen Stückes hervortreten, darauf aber gänzlich verschwinden.

Ob wir berechtigt sind, die beiden Kärrner („*carriers*") in Sh.'s H 4 A, die nur in der 1. Szene des 2. Aktes vorkommen, mit Thümmel (I 247) hieher zu rechnen, ist zweifelhaft. Als Rüpel werden sie zwar durch ihre überaus derben Gespräche gekennzeichnet, die sich hauptsächlich um den Flohreichtum des Gasthauses zu Rochester, worin sie übernachtet haben, und die eigentümliche Ursache dieses Reichtums drehen. Die Komik ist hier aber doch wohl kaum Selbstzweck, sondern scheint bloss dazu zu dienen, den plebejischen Ideenkreis jener Rauhbeine zu veranschaulichen.

Zu den Rüpeln könnte man auch wegen seiner rein objektiven Komik den alten Gobbo in Sh.'s Merch. zählen, dessen weit befähigterer Sohn Launcelot zu den naivwitzigen Clowns gehört. Der alte Gobbo ist ein gebrechlicher Greis, blöden Auges und Geistes. Er fügt sich ohne Widerrede dem geistigen Vorrang seines Sohnes; seine hilflose Gutmütigkeit, womit er sich dessen meist recht unkindliche Hänseleien gefallen lässt, hat etwas rührend Komisches[366]). Das Verhältnis des alten Gobbo zu Launcelot entspricht also ungefähr dem oben behandelten des alten Schäfers zum Clown in Wint. (vgl. S. 377), einem viel jüngeren Stück als Merch.

Einen breiten Raum nehmen unter Sh.'s Rüpeln die Polizeidiener ein (vgl. Anm. 309). Betrachten wir zunächst den Konstabler Anthony Dull in LLL. Er ist ein stumpfsinniger, ungebildeter Patron, der hauptsächlich durch

---

[366]) Vgl. Thümmel II 131.

Wortverdrehungen charakterisiert wird. Er ist sich seiner
Dummheit auch unklar bewusst, und getraut sich daher
beim Spiel der *„nine Worthies"* nur an die bescheidene
Rolle eines Trommelschlägers. Angenehm berührt die
Ehrlichkeit, womit er gesteht, vom gedrechselten hoch-
trabenden Wortschwall der drei Sprachgigerl Armado,
Nathaniel und Holofernes nicht ein Wort verstanden zu
haben.

Sonderbarer Weise rechnet Thümmel (I 250) auch den
Häscher *Fang* und seinen Gehilfen *Snare* in Sh.'s H 4 B
zu den rüpelhaften Clowns. Sie treten nur in der 1. Szene
des 2. Aktes ganz flüchtig auf, ohne überhaupt Komik zu
entfalten.

Die wichtigsten Polizeirüpel Sh.'s begegnen in Ado:
der Konstabler Dogberry und der Dorfschulze (*„head-
borough"*) Verges nebst ihrer Wachmannschaft. Dogberry
spielt unter ihnen die Hauptrolle. Sein Selbstvertrauen
ist unerschütterlich; dabei ist er ein wahrer Riese an
Dummheit. Um so komischer wirkt die mitleidige Herablassung, womit er vor dem Gouverneur Leonato die
Geistesschwäche des viel älteren faselnden Verges entschuldigt, der gutmütig bewundernd zu ihm emporschaut.
Verges' Verhältnis zu Dogberry ist also ähnlich dem des
alten Gobbo zu Launcelot in Merch. (vgl. S. 379), des
alten Schäfers zum Clown in Wint. (vgl. S. 377), nur dass
Dogberry und Verges nicht mit einander verwandt sind.
Dogberry's ureigenstes Element der Komik ist die Wortverdrehung; sie wird von ihm so reichlich angewandt, wie
sonst nirgends, und streift schon geradezu ans Groteske[369]).
Die Wachmannschaft passt natürlich durchaus zu ihren
beiden Vorgesetzten. Einer der Wachleute heisst Hugh
Otecake, ein anderer George Seacole (nach III 3, 11 ff.);
die Namen der übrigen werden nicht genannt. Die Gestalten Dogberry's und seiner Genossen wurden schon im
Keime durch Lyly's End. (vgl. S. 374) und durch Leir

---

369) Vgl. Schneegans S. 476.

(S. 374) vorgebildet, und sind von den jüngeren Dramatikern mit besonderer Vorliebe nachgeahmt worden [370]).

Der einfältige Konstabler Elbow in Sh.'s Meas. nimmt sich wie Dogberry in einer zweiten abgeschwächten Auflage aus. Er besitzt ebenfalls eine hohe Meinung von sich selbst; seine Unbildung zeigt sich auch hauptsächlich in Wortverdrehungen; wie Dogberry vor Leonato stattet auch Elbow vor Escalus als Richter einen höchst verworrenen Bericht von den Schandthaten der verhafteten Personen ab. In Prom., der Vorlage zu Meas. (vgl. S. 279) fehlt eine Elbow entsprechende Gestalt: dieser darf daher wohl als Sh.'s eigene Schöpfung gelten.

Zu den rüpelhaften Dienern gehört bei Sh. Peter Simple in Wiv., der bei Shallow's beschränktem Vetter Slender in Diensten steht. Simple's Dummheit äussert sich zwar nicht in Wortverdrehungen, wohl aber im Unsinnreden und auch darin, dass er die augenfällige Sinnlosigkeit der ihm von Falstaff erteilten foppenden Auskunft nicht bemerkt (vgl. S. 329).

Der ewig betrunkene Kellermeister („butler") Stephano in Tp. möge die lange Reihe von Sh.'s Rüpeln beschliessen. Er dient dem König Alonso von Neapel (nach V 277), wird aber losgelöst von diesem seinem Dienstverhältnis, nur in Gesellschaft des Spassmachers Trinculo (vgl. S. 283 ff.) und des Ungeheuers Caliban vorgeführt. Stephano hat seinen an sich schon nicht sehr bedeutenden Vorrat an Verstand bis auf einen kleinen Rest versoffen. Seine Körperkraft verschafft ihm aber doch ein Übergewicht über den schwächlichen und zaghaften Trinculo, der an Geistesgaben mit ihm ungefähr auf gleicher Stufe steht. Allein durch seine Stärke imponiert Stephano auch, im Gegensatz zu Trinculo, dem unbeleckten Naturwesen Caliban.

[370]) Eine Liste solcher Nachahmungen bietet Ward 1 403; nachzutragen wäre hier noch S. Rowley's When, May's Heir, und ein Stück aus der Restaurationszeit, „Lady Alimony" (abgedruckt Dodsley 4 XIV).

Ein gemeinsames Merkmal der meisten Rüpel Sh.'s
ist ihr sehr bedeutendes Selbstvertrauen und Selbstbewusstsein[371]); sie ahnen gar nicht, wie lächerlich sie
sind, was ihre Komik nur um so wirksamer erhöht. Den
Gipfel der Komik stellen unter allen Rüpeln Sh.'s die
Handwerker in Mids., sowie Dogberry und Verges in
Ado dar.

Von Peele's Dramen enthält nur eines einen Clown,
nämlich Tale, worin der Rüpel Corebus[372]) (p. 314) durch
den Zusatz „the clown" ausdrücklich als die lustige Person
des Stückes bezeichnet wird. Sein Rüpeltum offenbart
sich in Wortverdrehungen, Sinnlosigkeiten, burleskem
Küchenlatein („the fair maid is minum", p. 315), und
groben Schimpfworten. Zu Anfang erscheint Corebus als
eitler ländlicher Stutzer. Das Stück ist bemerkenswert
als Quelle für Milton's Maskenspiel „Comus"; der ernste
puritanische Dichter hat den Clown natürlich weggelassen,
und hätte dies wohl auch gethan, wenn die Komik des
Corebus mehr Witz aufzuweisen hätte, als thatsächlich in
ihr steckt.

In Knack begegnen uns die „mad men of Gotham"
(vgl. S. 45 und Anm. 37). Es sind ihrer drei: ein Müller,
ein Schuhflicker, und ein Schmied. Sie beraten sich,
wer von ihnen beim Empfang des Königs Edgar in Gotham
diesem eine Bittschrift überreichen solle; schliesslich wird
der Schuhflicker dazu ausersehen. Als Rüpel werden sie
durch ihre allerdings spärlichen Wortverdrehungen bezeichnet.

Munday hat obige Szene in Cumb. geschickt nachgeahmt und viel komischer gestaltet. Bei ihm beratschlagen

---

[371]) Nur Dull in LLL, und den Greisen unter den Rüpeln, dem
alten Gobbo in Merch., Verges in Ado, und dem alten Schäfer in
Wint. fehlt ein solches Selbstbewusstsein.

[372]) In einigen Szenen auch „Booby" genannt, was offenbar
eigentlich kein Eigenname, sondern Gattungsname war. Der Name
Corebus stammt, gleich dem des Zauberers Sacrapant, u. s. w., aus
Ariosto's „Orlando Furioso".

die rüpelhaften Clowns Timothy Turnop der Schweinehirt
(vgl. p. 15), Hugh der Küster, Tom der Tamburinschläger,
und Spurling über die passendste Art, die Grafen Pembroke
und Morton zu empfangen. Turnop, auch sonst ihr Anführer, wird für diese Gelegenheit zum Sprecher gewählt,
und entledigt sich seiner Aufgabe in einer sinnlosen
poetischen Ansprache (vgl. S. 328). Unsinnreden und Wortverdrehungen bilden auch im übrigen die Merkmale dieser
Clowns.

Bei der Schöpfung der Rolle des Oberkonstablers
Blurt im gleichnamigen Lustspiel wandelt Middleton in
Shakespeare's Fussstapfen (vgl. S. 380 ff. und Anm. 370).
Während aber die meisten andern Nachahmer von Ado
sich die berühmte komische Szene zum Vorbilde nehmen,
worin Dogberry und Verges die Wachleute in ihren Pflichten
unterweisen, und ihnen dabei die lächerlichsten Vorschriften
geben, hat Middleton hauptsächlich die Protokollszene in
Ado (IV 2), aber in freier und selbständiger Weise, benutzt. — Blurt's Gehilfe ist der Büttel Slubber, ein
seines Vorgesetzten würdiger Dummkopf. Die übrige
Wachmannschaft wird nur durch lächerlibhe Namen
charakterisiert: Kilderkin, Piss-breech, Cuckoo und
Garlic.

Dem Gerber Simon in Mayor hat M. komische Missverständnisse und Derbheiten zugeteilt. Zum Mayor von
Quinborough erwählt, benimmt sich Simon mit all der
Aufgeblasenheit, die für den zu Würden gelangten Clown
typisch ist (vgl. S. 332 ff.). Seine Naivetät offenbart sich
besonders, als von verkleideten Gaunern ein Stück vor
ihm aufgeführt wird (vgl. S. 330). — Der darin vorkommende
Clown tritt in der Rolle eines reichen dummen Bauern-
sohnes auf, der sich für völlig gesichert vor einem Diebstahl hält, dabei aber schon gleich auf die ersten plumpen
Kniffe einiger Bauernfänger glatt hineinfällt. Seine Rolle
ist also ebenfalls die eines Rüpels.

Die Mahnung des ersten Konstablers in Marston's
Dutch (p. 82) an seine Genossen, ihrer Pflicht eingedenk

zu sein und in der Furcht Gottes schlafen zu gehen, ist auch wieder ein deutlicher Anklang an Ado (vgl. S. 380 ff. und Anm. 370).

Für den Bauernsohn Lollio in Tim. A. ist besonders seine mundartliche Rede charakteristisch. Er ist der Typus des naiven Landbewohners, der zum ersten Mal im Leben in die Grossstadt, in diesem Falle Athen, kommt, und sich vor Verwunderung über all die Herrlichkeiten, die es da zu schauen giebt, gar nicht fassen kann.

Der alte Stilt und sein Sohn in Chettle's Hoffm. werden hauptsächlich durch ihre Wortverdrehungen als Rüpel geschildert. Die sehr reichliche Verwendung dieses komischen Motivs in den Reden des alten Stilt erinnert an Shakespeare's Rüpel. Der junge Stilt wird ausserdem durch verworrene, aber mit grossem Nachdruck vorgebrachte Reden gekennzeichnet.

Bei Ben Jonson finden sich Rüpel nur in Tub, hier aber gleich gruppenweise. Eine Vergleichung mit Shakespeare zeigt, wieviel geringer J.'s Fähigkeit war, reinkomische Gestalten zu schaffen. Während die meisten Rüpel Shakespeare's sehr wirksame objektive Komik entfalten, die Handwerker in Mids. sowie Dogberry und Genossen in Ado sogar einen Griesgram zu herzlichem Lachen zwingen, erscheint uns die Komik von J.'s Rüpeln in Tub als ziemlich ungeniessbar. Das Stück ist zum grössten Teil in einer Mundart abgefasst (vgl. S. 337). In dieser sprechen auch einige Personen, die nicht zu den Clowns gehören. Unter den Rüpeln ist der plumpste Klotz der Ziegelbrenner John Clay, der, als er in eine Klemme gerät, zu weinen anfängt, schliesslich die ihm bestimmte Braut verscherzt, und im übrigen durch seine wirren oder gar völlig sinnlosen Reden charakterisiert wird. Ganz nichtssagend ist die Gestalt des Hufschmiedes und Polizeidieners Ras i' Clench. Der Böttcher (p. 663 I „Tischler" genannt) und Dorfschulze In-and-In Medlay, und der Kesselflicker und Unterkonstabler To-Pan zeichnen sich besonders durch Wortverdrehungen und komische Miss-

verständnisse aus. Medlay, Pan und Clench werden von
Hilts, dem Diener des Junkers Tub, ironisch „the wise men
of Finsbury" genannt (p. 663 I). Medlay, der nach Ward
(I 580) ein Zerrbild des bekannten Architekten Inigo Jones
darstellen soll, übernimmt die Abfassung des das Stück
beschliessenden Maskenspiels, das zwar recht inhaltsleer
ist, aber doch eigentlich über das hinausgeht, was von
einem so rüpelhaften Verfasser zu erwarten war. Der
Oberkonstabler Tobie Turfe steht mit obigen Gestalten auf
gleicher geistiger Stufe, und wird von seinem Diener Puppy,
ohne dass dieser ein grosses Licht ist, an Verstand übertroffen.

Samuel Rowley bietet in den Wortverdrehungen und
dem Schlafbedürfnis des ersten Wachmanns in When
eine der vielen Nachahmungen von Ado (vgl. Anm. 370).

Bei Fletcher kommt der Rüpel nicht vor. Eine bloss
objektiv-komische Gestalt ist der Clown in Bush (vgl.
Anm. 313). Als Clown wird er nur im Personenverzeichnis
aufgeführt; im Stück selbst kommt eine so bezeichnete
Gestalt nirgends vor. Offenbar ist aber mit dem Clown
des Personenverzeichnisses der Bauer („Boor") gemeint,
der in Gesellschaft der Prinzessin Gertrude nachts durch
einen finstern Wald geht, sich entsetzlich fürchtet, und
um dies zu verdecken, seine gar nicht furchtsame Be-
gleiterin auffordert, nur ja keine Angst zu haben. Die
Furcht des Clowns steigert sich immer mehr; schliesslich
versucht er auch gar nicht mehr, sie zu verbergen. In
seiner Hasenherzigkeit erblickt der Bauer in ganz harmlosen Dingen die entsetzlichsten Ungeheuer. Seine Feigheit
wird recht lebhaft geschildert; sie bildet die einzige komische
Eigenschaft dieses Clowns. Fletcher hat also in vorliegendem Stück das Gebiet der objektiven Komik der
Clowns erweitert: die sonst bei den Rüpeln durchaus
vorherrschende Dummheit oder Naivetät tritt hier völlig
zurück; dagegen wird eine bei jenen sonst gar nicht vorhandene, oder höchstens nebensächliche [373]) Eigenschaft,

---

[373]) Z. B. bei Robin in Marlowe's Fau., vgl. S. 336.

die Feigheit, hier in den Vordergrund gerückt. — Ob
derselbe Clown schon vorher, in der Gruppe von drei oder
vier Bauern vorkommt, die in einer früheren Szene auftreten, lässt sich nicht erkennen.

Auch May's Heir enthält eine Nacbahmung von Ado
(vgl. Anm. 370). Der Konstabler in Heir erinnert in
seinem grossen Selbstbewusstsein, seinen Wortentstellungen
und sinnlosen Reden, seiner Unterweisung der ihm unterstellten Wachmannschaft und noch in manchen sonstigen
Einzelheiten an Dogberry. M. ist seinem grossen Vorbilde
Shakespeare recht genau gefolgt, und fordert daher besonders zu einem Vergleich mit diesem heraus. Ein solcher
Vergleich fällt freilich nicht zum Vorteil des jüngeren
Dichters aus. Die komischen Züge, worin M. sich als
unabhängig von Shakespeare erweist, wirken matt; die
ganze Episode bei M. macht nur den Eindruck einer Ver-
dünnung der Komik in Ado.

Die rein objektive Komik wird beim Clown immer
seltener; indem in den Clowns des späteren Renaissancedramas die subjektive Komik allmählich an Bedeutung
gewinnt, entfernt sich der Clown immer mehr von seinem
Urtypus. Der rüpelhafte Clown[374] Dametas in einem
so späten Drama wie James Shirley's Arc. stellt daher,
gleich den Polizeirüpeln in Heir, in seiner ausschliesslich
objektiven Komik eine Ausnahmeerscheinung dar. Diese
ist aber in beiden Fällen leicht zu erklären: wie die Rüpel-
szenen in Heir nur dem Muster eines viel älteren Stückes
folgen, so ist auch das Rüpeltum des Dametas auf Rechnung von Sh.'s Vorlage, Sidney's Schäferroman „Arcadia"
zu setzen (1581 beendet). Schon in diesem Roman spielt
der Schäfer Dametas die Rolle einer lustigen Person.
Dametas ist ein plumper Lümmel, geldgierig, und eifersüchtig darauf bedacht, dass seine Untergebenen ihm gebührende Ehrerbietung bezeigen. Sein Lümmeltum wird
in hergebrachter Weise veranschaulicht.

[374] Dametas wird p. 210 von seiner Tochter Mopsa *„the clown
my father"* genannt.

2. Die vorwiegend objektiv-komischen Clowns.

Die Rüpel[375]) im Drama stellen den gemeinen Mann des 16. und 17. Jahrhunderts nur als Objekt der Komik dar. Eine solche Anschauung ist aber, auch wenn wir uns auf den aristokratischen Standpunkt der damaligen Dichter stellen, einseitig und unvollständig. Als typisch für die Bauern und die mit ihnen auf gleicher sozialer Stufe stehenden Stände galt schon damals neben den Bestandteilen ihrer objektiven Komik auch eine gewisse bäurische Pfiffigkeit (vgl. S. 308), die sich in sehr verschiedener Weise äussern kann: in einer Art naiver List, in plumper Schlagfertigkeit, in derbem Spott, gelegentlich sogar im Witz (doch vgl. Anm. 319 und S. 341), u. s. w. Ich halte es für zweckmässig, diejenigen objektiv-komischen Clowns, an denen, im Gegensatz zu den Rüpeln, auch solche Züge einer subjektiven Komik, freilich nur nebenbei, hervortreten, als besondere Gruppe zu behandeln, und fasse sie durch die Bezeichnung „pfiffige Tölpel" zusammen. Die Berufsarten, denen diese pfiffigen Tölpel angehören, sind natürlich ungefähr dieselben wie bei den Rüpeln.

Ausser den die Mehrzahl der vorwiegend objektiv-komischen Clowns bildenden pfiffigen Tölpeln gehören zu dieser Gruppe noch einige Gestalten von anderer Art, unter denen der Clown Galoshio in Fletcher's Val. am merkwürdigsten ist.

Den Reigen der pfiffigen Tölpel eröffnet eine Gestalt, die zugleich überhaupt das älteste uns bekannte Beispiel einer durch den Ausdruck „clown" bezeichneten bestimmten Rolle darbietet: John Adroynes in Whetstone's Prom. Er wird gleich bei seinem ersten Auftreten (p. 276) ausdrücklich „a clowne" genannt. Dies Wort bedeutet hier zwar kaum schon „lustige Person", sondern nur Bauer (vgl. S. 307); die in der Rolle enthaltenen Ansätze zu

---

375) Wenn wir den Ausdruck „Rüpel" allein für bloss objektiv-komische Clowns vorbehalten.

25*

einer lustigen Person sind aber leicht wahrzunehmen. Der
Name des Clowns entstammt einer Erzählung in „A c mery
Talys" (n. d. [1526] printed by John Rastell). Als Bauer
ist John zwar ein Tölpel mit allen Eigenschaften eines
solchen, aber doch nicht so völlig wehrlos, wie z. B. der
Rüpel Grim in Dam. (vgl. S. 337 ff. 372), wovon sein Be-
nehmen gegen die Angeber („*Promoters*") Gripax und Rapax
Zeugnis ablegt.

Während bei Lyly nur die Polizisten in End. (vgl.
S. 374) einen rüpelartigen Anstrich haben, sind die pfiffigen
Tölpel in seinen Dramen etwas zahlreicher vertreten. Zu-
nächst kommt hier der Cyclop Calypho in Sapho in
Betracht, der in Vulcan's Schmiede thätig ist. Als Tölpel
erweist er sich, indem er beim Versuch, einen komischen
Trugschluss des Dieners Molus nachzuahmen, eine Albern-
heit vorbringt. Subjektive Komik enthält dagegen sein
Spott über die Hörner seines Herrn, die dessen Gattin
Venus ihm aufgesetzt hat.

Bedeutender ist die Rolle des clownartigen Dieners
Raffe in L.'s Gal. Dieser erscheint in seiner gelungenen
Vereinigung von Naivetät und Witz unverkennbar als ein
Vorläufer der clownartigen Diener Shakespeare's; nur
überwiegt bei letzteren der Witz, jedoch bei Raffe die
Naivetät. Raffe tritt bei einem Alchimisten und dann bei
einem Astrologen („*astronomer*") in die Lehre, deren
schwindelhaftes Gebahren von L. mit ergötzlicher Satire
gegeisselt wird. Auch Raffe erkennt schliesslich den
Schwindel, und ist daher ebenso froh, von den beiden
Gaunern loszukommen, wie zuvor, in ihre angeblichen
Künste eingeweiht zu werden. Seine Scherze sind meist
naiv. Zuweilen zeigt sich Raffe aber auch bewusst witzig,
wobei er gesunden Mutterwitz entfaltet. Er wird sogar
satirisch, indem er von den Vervielfältigungskünsten des
Alchimisten redet, die dieser freilich nicht, wie er thun zu
können vorgab, am Gelde, sondern an einem Frauenzimmer ausgeübt habe (p. 262). — Neben Raffe treten
seine ebenfalls clownartigen Brüder (vgl. p. 264. 275)

Dicke und Robin sehr zurück. Alle drei berühren sich auch mit dem Typus des komischen Spitzbuben; Raffe hat einen silbernen Fingerhut gestohlen (p. 236), und Robin erklärt (p. 227): *„wee have neither lands nor wit, nor masters, nor honestie."* Doch sind alle drei zu harmlos, um als wirkliche Spitzbuben gelten zu können; ihr Spitzbubentum ist also im Grunde nicht ernst zu nehmen. Raffe's Diebstahl dient z. B. nur dazu, seine Naivetät zum Vorschein zu bringen: er hofft, die Künste des Alchimisten würden aus dem Fingerhut ein grosses silbernes Gefäss machen. — Den pfiffigen Tölpeln Raffe. Dicke und Robin steht als durchaus nicht tölpelhafte und keineswegs naive Gestalt Peter. der jugendliche Diener (*„boy"*) des Alchimisten gegenüber. Peter gehört zum Typus des vorlauten jungen Burschen (vgl. S. 47), und soll bei der Besprechung der vierten Klasse der Clowns mit behandelt werden.

Ein sehr lustiger Bursche ist der Flickschuster Strumbo in Locr.; seine derbe Komik muss grosse Zugkraft ausgeübt haben. Selbst das schwere Unglück, das ihn trifft, wird in seinem Munde von selbst zur Posse (vgl. S. 364). Obgleich Strumbo nur gezwungen durch die Prügel der handfesten Margery diese geheiratet hat (vgl. S. 338 ff.), weiss er doch als Ehemann die Gefahr des Pantoffelheldentums glücklich von sich fernzuhalten. Er ist deutlich als die lustige Person des Stückes zu erkennen (vgl. S. 364).

In Greene's Orl. begegnen zwei als *„clowns"* bezeichnete Gestalten Tom und *Ralph*, von denen Tom offenbar als lustige Person gedacht ist, während Ralph nur eine ganz unbedeutende Rolle spielt. Tom's Komik gipfelt in seiner Verkleidung als Angelica, die Tochter des Marsilius, „Kaisers von Afrika", und die Geliebte des Titelhelden. Der wahnsinnige Orlando hält Tom wirklich für Angelica, obwohl, ausser in der Kleidung, zwischen beiden gar keine Ähnlichkeit besteht, und preist in überschwänglichen Versen die holden Reize — eines derben plumpen, noch dazu unrasierten Bauerntölpels. Tom und Ralph treten einmal auch als Soldaten auf; echt hanswurstmässig ist hierbei ihre kriegerische Ausrüstung mit Bratspiessen und Pfannen. Pfiffigkeit zeigt Tom bei dieser Gelegenheit in seinem Rat an Orlando, dieser solle im Kampfe die männlichen Gegner auf sich nehmen, ihm dagegen das auf gegnerischer Seite vorhandene Frauenzimmer zur Bekämpfung überlassen.

Es folgen nun zwei pfiffige Tölpel bei Shakespeare. Der Bauer Costard in LLL. wird als Tölpel in herkömmlicher Weise durch Wortverdrehungen, komische Missverständnisse und Unsinnreden bezeichnet. Seine Naivetät grenzt zwar noch nicht an Dummheit, erreicht aber doch einen recht hohen Grad, und wirkt besonders komisch bei seinem Auftreten am Hofe (IV 1), wo er sich mit der Unbefangenheit eines Naturburschen benimmt. Mitunter zeigt sich Costard auch aufgeblasen. Er ist besonders stolz auf seine lächerlich schlechte schauspielerische Leistung im Spiel der *„nine Worthies"* (vgl. S. 333 ff.). Dies Zwischenspiel erscheint uns wie eine Vorübung des jugendlichen Dichters zu der viel wirksamere objektive Komik entfaltenden Handwerkeraufführung in Mids. Die mitleidige Nachsicht, womit Costard, der doch selbst aus seiner Rolle eine Posse gemacht hat, von der schauspielerischen Unfähigkeit Nathaniel's redet, sieht wie ein Entwurf zu Dogberry's selbstgefälliger Herablassung gegen Verges in Ado aus. Auch Costard's Liebesverhältnis zu Jaquenetta, das eine unfreiwillige Parodie der vier übrigen Liebesverhältnisse im Stücke darstellt, kehrt in dieser unbewusst parodistischen Färbung in einem späteren Stücke Sh.'s noch einmal wieder, nämlich im Verhältnis des Narren Touchstone zu Audrey in As (vgl. S. 270 ff.). Thümmel (I 247) rechnet Costard zu den Rüpeln, ohne die ihn von diesen unterscheidenden Merkmale zu beachten, nämlich die vereinzelten Züge subjektiver Komik, die in Costard's Rolle neben seinem Tölpeltum wahrzunehmen sind. Bei mehreren Gelegenheiten beweist Costard eine gewisse bäurische Schlagfertigkeit. In seinen Wortklaubereien (vgl. S. 355) tritt List und Schlauheit zu Tage. Nicht ohne Witz ver-

spottet Costard die alberne Geziertheit in den Reden
Armado's und seiner Genossen (vgl. S. 349). Am über-
grossen Reichtum des Stückes an Wortspielen hat auch
Costard reichlichen Anteil (doch vgl. Anm. 319 und S. 341).
Sehr klein an Umfang ist die Rolle des bäurischen
Clowns in Sh.'s Ant., der Cleopatra in der letzten Szene
die tödlichen Schlangen bringt. Sein Tölpeltum kommt,
wie üblich, in Wortverdrehungen und Sinnlosigkeiten zum
Vorschein, ausserdem auch in einer von ihm aufgetischten
trivialen Selbstverständlichkeit (V 2, 246 ff.). Zugleich wird
er als geschwätzig und aufdringlich geschildert. Ein
flüchtiger Zug subjektiver Komik liegt dagegen in seiner
satirischen Bemerkung über die Frauen (V 2, 274 ff.).

Der Clown in Welshm., einem der wenigen Stücke
von Armin, ist ein Landmann; er tritt als Wortführer
und Obmann einer Schar von bäurischen Geschworenen
bei der gerichtlichen Totenschau über den Earl von Gloster
auf, der durch Selbstmord geendet hat. Die zeitweilige
Amtswürde erweckt im Clown eine wichtigthuerische Selbstgefälligkeit. Die Verhandlungen über die Todesursache
werden natürlich unter den obwaltenden Umständen zu
einer parodistischen Hanswurstiade, die um so komischer
wirkt, als der Clown den Fall mit beinahe wissenschaftlicher
Gründlichkeit erörtert, wobei er freilich nichts als Ver-
kehrtheiten vorbringt. Zugleich zeigt es sich aber, dass
der Clown auch Schlauheit genug besitzt, um den eigenen
Vorteil durchaus nicht aus den Augen zu lassen (vgl.
S. 362).

Eine der gelungensten komischen Figuren Ben Jonson's ist der Wasserträger Oliver Cob in In. Cob's
unfreiwillige passive Komik äussert sich in den für den
Tölpel typischen traditionellen Motiven. Dagegen enthält
Cob's lustiger Stammbaum, der mit dem ersten in Adams
und Evas Küche gebratenen Hering anhebt („cob" = junger
Hering), nicht üble freiwillige passive Komik; ebenso die
scherzhafte Übertreibung in der Erzählung von seinem
angeblich zur Erhaltung von 10000 Verwandten seines

Geschlechts ausreichenden Thränenvorrat (vgl. auch S. 340 ff.).
Aktive Komik bieten Cob's mitunter recht schlagfertige
Antworten.

Case, eine Verschmelzung zweier Lustspiele des Plautus,
der „Aulularia" und der „Captivi", besitzt zwei Gestalten,
die J. anscheinend als Clowns gedacht hat: Juniper und
Onion. Wortverdrehungen, Missverständnisse und Unsinnreden stempeln den Schuhflicker Juniper zu einem Tölpel
der gewöhnlichen Art. Eine besondere Eigentümlichkeit
Juniper's ist seine Vorliebe für hochtrabende und auffallende
Ausdrücke, die er aus den Reden anderer Personen gierig
aufschnappt, um sie bei passender oder noch mehr bei
unpassender Gelegenheit anzubringen. Darin verkörpert
Juniper eine Satire auf die damalige Sprachmode, die J.
auch in andern Stücken gern lächerlich macht. Juniper
und Onion berauben den alten Geizhals Jaques de Prie
(den Euclio der „Aulularia") seines in Pferdemist ver-
steckten Goldes, kaufen sich für das gestohlene Geld neue
Kleider, und treten nun als feine Herren auf, also in einer
für die Clowns typischen Situation (vgl. S. 332 ff.). Am Schluss
aber werden die beiden vermeintlichen Gentlemen entlarvt,
ausgelacht und bestraft. Die subjektive Komik Juniper's
steckt hauptsächlich in dieser Diebstahlsgeschichte. Bei
Plautus ist nur eine Person, der Sklave Strobilus, am
Diebstahl beteiligt. Juniper und Onion beweisen durch
ihren Golddiebstahl die Verwandtschaft mancher Clowns
mit dem Typus des komischen Spitzbuben (vgl. S. 389). —
Peter Onion, der Diener des Grafen Ferneze, gleicht im
allgemeinen seinem Mitclown Juniper, steht aber doch in
der Rangliste der pfiffigen Tölpel um eine Nummer höher.
Er verbessert auch einmal (p. 713 II) eine Wortentstellung
Juniper's. Onion neigt so sehr zum Wortstreit, auch seinem
Herrn gegenüber, dass er diesen zuweilen ganz mundtot
macht.

Ausser den schon besprochenen Rüpeln in J.'s Tub
(vgl. S. 384 ff.) treffen wir in diesem Bauerndrama noch
einige andere Clowns, die zu den pfiffigen Tölpeln zu

zählen sind: Hilts, Metaphor und Puppy. Mundartliches
Sprechen ist auch ihnen allen eigentümlich. Basket-Hilts,
der Diener des Landjunkers Tub, ist nicht nur ein Worte
entstellender Tölpel, sondern gelegentlich auch schnippisch
und spottlustig. Miles Metaphor, der Schreiber des
Friedensrichters Preamble, hat, wie schon sein Name andeutet, eine Vorliebe für weit hergeholte Vergleiche und
gespreizte Redewendungen. Mit Hilts teilt er die Eigenschaft der Furchtsamkeit, die aber bei ihm zugleich mit
einem Hang zum Renommieren verbunden ist, und die
Neigung zum Necken (vgl. S. 361). Hannibal Puppy, der
Diener des Oberkonstablers Turfe, besitzt einige Gewandtheit im Herauslocken von Trinkgeldern, ist aber sonst
auch nur ein Tölpel gewöhnlichen Schlages, und zudem
lächerlich eingebildet auf seine vermeintlichen körperlichen
Vorzüge (vgl. S. 333 ff.).

Eine sympathische Gestalt von frischer lebendiger
Komik ist John Hobs (oder Dobs), der biedere Gerber
von Tamworth, in Thomas Heywood's E4A. Die Geschichte seiner Begegnung mit König Eduard IV. ist einer
alten Ballade entnommen. Eduard giebt sich dem Gerber
gegenüber für einen Dienstmann des Königs namens Ned
aus, und erfreut sich an der harmlosen Derbheit, dem
Freimut und der Zutraulichkeit des treuherzigen Mannes.
Später kommt Hobs nach London: hier hält er in seiner
Einfalt den Lordmayor für den König, begrüsst letzteren
als einen guten alten Bekannten wie seinesgleichen, nimmt
schliesslich höchst erschrocken seinen Irrtum wahr, fürchtet
für sich das Schlimmste, wird aber vom Könige beruhigt
und mit einem ansehnlichen Geldgeschenk entlassen. Hobs
erscheint bei all seiner grossen Naivetät, die in hergebrachter Weise geschildert wird, keineswegs lächerlich,
sondern nur liebenswürdig komisch. Er ist ein Clown von
feinerer Art als die Tölpel gewöhnlichen Schlages.

Der Köhler Grim, der in Dam. (vgl. S. 372) als
Rüpel gröbster Sorte gekennzeichnet wird, ist auch in
Grim ein Tölpel nach der üblichen Schablone, und zugleich

ein prahlerischer Feigling; die Rolle enthält aber auch
einen schüchtern hervortretenden Zug subjektiver Komik
in Grim's Spott gegen den Müller Clack, seinen Nebenbuhler in der Liebe zu einer Bauerndirne.

Von Day's Dramen enthält nur eines einen Clown,
nämlich Bedn. (von D. und Chettle). Der Clown Swash
ist hier der Diener und Mentor des Tom Strowd, eines
reichen und einfältigen jungen Bauern, der vom Lande
zum ersten Male in die Grossstadt London kommt, und
da Bauernfängern in die Hände fällt. Auch Swash, der
seinem Herrn an Geistesgaben ein wenig überlegen ist,
wird von den Gaunern gründlich beschwindelt. Diese
Bauernfängereien bilden den Grundstock von Tom's und
Swash's Komik, die viel wirksamer wäre, wenn die Verfasser sie nicht mit ermüdender Breite behandelt hätten.
Swash spricht siegesgewiss den Wunsch aus, mit einem
Diebe zusammenzutreffen, um an diesem seine Tapferkeit
zu erproben; dabei steht der herbeigesehnte Dieb schon
längst vor ihm [376]). In dem so unerwartet eintretenden
Ernstfall benimmt sich Swash recht feige, was ihn aber
nicht abhält, hinterdrein nach Falstaff's Vorbild gewaltig
zu renommieren (vgl. S. 352 ff.). Die Naivetät des Clowns
wird in althergebrachter Weise charakterisiert. Subjektive
Komik legt Swash am ehesten bei den seinem Herrn und
Schützling erteilten Unterweisungen an den Tag, wie dieser
der Dame seines Herzens den Hof machen solle.

Eine besonders beliebte Clownsrolle war die des Dieners
Bartholomew Bubble in Quoqu. von John Cook, einem
sonst völlig unbekannten Dichter. Der Schauspieler Thomas
Green war in dieser Rolle so volkstümlich, dass sein Name
auch im Titel des Stückes mit verewigt worden ist, und
einige offenbar von ihm improvisierte Scherze (p. 56) in
den gedruckten Text des Dramas übergegangen sind. Eine
für den Clown typische, sonst aber meist nur episodische

---

[376]) Ein ähnliches Motiv wird auch dem Clown in der Einlage
von Middleton's Mayor zugeschrieben (vgl. S. 383).

Situation, die Erhebung zum Gentleman (vgl. S. 332), wird
hier zum Angelpunkt des ganzen Stückes gemacht. Quoqu.
ist die Komödie des Protzentums, das nicht mit boshafter
Satire, sondern mit gutmütigem Spott in der Person des
plötzlich durch eine Erbschaft sehr reich gewordenen
Dieners Bubble an den Pranger gestellt wird. Bubble's
früherer, verarmter Herr Staines wird von jenem als
Diener und Anstandslehrer angestellt, und giebt ihm absichtlich ganz verkehrte Ratschläge in Bezug auf ein
schickliches Benehmen. Natürlich macht sich Bubble un-
glaublich lächerlich. Am Schluss, nachdem sein plötzlicher
Reichtum durch Verschwendung schnell wieder zerronnen
ist, muss er froh sein, von seinem inzwischen durch eine
Heirat wieder zu Geld und Ehren gelangten ehemaligen
Herrn in Gnaden nochmals als Diener angenommen zu
werden. Bubble's beständig wiederholtes Schlagwort während seiner Glanzzeit, das auch dem Stücke selbst den
Namen giebt, ist „Tu quoque" (vgl. S. 365). In obigen
Zügen erscheint uns Bubble als naiver und harmloser
Tölpel; daneben macht sich aber auch eine gewisse drollige
Schlauheit in seinem Wesen geltend, namentlich beim willkommenen Tode seines Erbonkels, eines Wucherers, den
er vor den Condolenten mit Hilfe von Zwiebeln gebührend
beweint, während er zuvor „Aqua vitae" und „Rosa solis"
gesegnet hat, weil sie nicht vermocht hätten, den teuren
Verstorbenen wieder ins Leben zurückzurufen. Bubble's
Komik ist, wie wir sehen, derb possenhaft, und, insofern
er unbewusst einen Gentleman parodiert, burlesk, aber in
ihrer Art vortrefflich.

Eine gar absonderliche Gestalt ist der Clown Galoshio
in Fletcher's Val. Als praktischer und theoretischer
Prügelkenner (vgl. S. 339) ist dieser Clown ein geistiger
Zwillingsbruder des allen Ehrgefühls baren Höflings Lapet;
die beiden verwandten Seelen finden sich auch in der
Weise zusammen, dass Lapet den Galoshio als Diener bei
sich anstellt. Lapet legt seine eingehenden Kenntnisse auf
dem Gebiete des Geprügeltwerdens in einem mit Bilder-

schmuck versehenen und mit wissenschaftlicher Genauigkeit
geschriebenen Buch über den Fusstritt nieder; er nimmt
die Korrekturbogen dieses seines Werkes zusammen mit
dem Clown durch, der es seiner possenhaften Kritik unter-
zieht (vgl. z. B. S. 343). Auch sonst steht die subjektive
Komik des Clowns meist in engstem Zusammenhang mit
der objektiven Komik des Prügelmotivs (ähnlich bei Gunophilus, S. 187). Galoshio's Komik ist, wie wir eben gesehen haben, von geradezu verblüffender Originalität, wenn
auch freilich nicht gerade geschmackvoll. Man kann sich
aber den psychologischen Weg, auf dem der Verfasser zur
Schöpfung dieser Figur gelangt ist, ungefähr denken: wir
haben in obigem Stück in Shamont einen Charakter, dessen
krankhaft empfindliches Ehrgefühl den Siedegrad erreicht
hat; von diesem aus gelangte Fletcher durch Kontrastie-
rung zu Lapet als einer Gestalt, deren Ehrgefühl auf dem
Nullpunkt steht[377]; während aber Lapet nur die unkomische
Verächtlichkeit eines völligen Mangels an Ehrgefühl verkörpert, soll Galoshio die komische Seite dieses moralischen
Molluskentumes darstellen. Beide, Lapet und Galoshio,
sind groteske Karikaturen; der clownartige Diener is hier,
wia auch sonst vielfach, der komische Affe seines Herrn.

Einen Vorwurf von verwandter Art wie Cook in Quoqu.
behandelt auch Fl. in Weap. Auch hier wird der Clown
durch äussere Umstände veranlasst, eine Zeit lang den
grossen Herrn zu spielen und den Dienst bei seinem Herrn
aufzugeben, am Schluss aber gedemütigt und in sein altes
Dienstverhältnis wieder aufgenommen. Jene äusseren Umstände sind allerdings in beiden Fällen völlig verschieden.
In Weap. wird die Selbstgefälligkeit des Clowns Pompey
Doodle durch sein vermeintliches Liebesglück (vgl. S. 334)
fast zum Überlaufen gebracht. Subjektiv-komische Motive
in Pompey's Rolle stellen ein Fall von unverbindlicher
Beteuerung (vgl. S. 361 ff.), sowie seine komischen Vergleiche
und Klangspiele dar. Pompey ist nicht dumm, eigentlich

[377] Vgl. Köppel A S. 121 ff.

nicht einmal naiv, sondern nur grenzenlos eitel; seine durch die Umstände noch bis zu tollem Grössenwahn gesteigerte Eitelkeit bewirkt sein lächerliches Benehmen. Wir sehen daraus, dass Fl. auch hier die objektive Komik des Clowns stofflich erweitert hat (vgl. S. 385 ff.), freilich ohne dabei die unmittelbare Frische und Kraft der objektiven Komik von Shakespeare's Clowns auch nur annähernd zu erreichen, obgleich diese Komik viel weniger aus dem Geleise der Überlieferung heraustritt.

Der Clown in William Rowley's Merl. ist der Bruder der Joan Go-to't, die den berühmten Zauberer und Propheten Merlin gebiert, als Frucht ihres Umgangs mit dem Teufel. So wird der Clown zum Schwager des Teufels; die Verbindung des Alltäglichen und Hausbackenen mit dem Übernatürlichen bildet überhaupt den Hauptbestandteil der etwas plumpen und kindlichen Komik dieses Clowns. Letzterer sucht die Vaterschaft des zu Anfang des Stückes noch ungeborenen Kindes seiner Schwester in naiver Weise jedem beliebigen Manne, der ihm gerade in den Weg kommt, anzuhängen. In der 4. Szene des 3. Aktes erscheint endlich der eben geborene Merlin, der schon mit einem Bart auf die Welt gekommen ist, vor dem Clown, den er ohne weitere Förmlichkeiten als seinen Onkel begrüsst. Dieser ist zunächst natürlich über seinen sonderbaren Neffen verdutzt, freut sich aber schliesslich, praktisch wie er ist, dass seine Schwester. da Merlin von vornherein auf eigenen Füssen steht. billiger wegkomme, als unter normalen Verhältnissen.

Die Komik des lustigen Dieners Calandrino in Massinger's Flor. besteht hauptsächlich aus der ausführlichen Ausmalung schon recht abgedroschener, unter sich eng zusammenhängender objektiv-komischer Motive: des bäurischen Clowns, der an den Hof kommt und sich hier mit täppischem Ungeschick benimmt, darauf aber, von der Hofluft angesteckt, selbst in unfreiwillig-karikierender Weise den feinen Herrn spielt, und seinen ehemaligen ländlichen Gefährten mit hochmütiger Unnahbarkeit begegnet. Das

Stück beruht auf der schon in Knack (S. 382) drama-
tisierten, von M. nach Italien verlegten Geschichte von
König Edgar und Alfrida[378]); Calandrino ist aber ein
selbständiger, wenn auch wenig origineller Zusatz M.'s.
Am Schluss erlangt Calandrino die Erlaubnis, die thörichte
Dienerin Petronella zu heiraten; er hofft mit ihr ein Geschlecht zu erzeugen, das geeignet sei, die durch das
allmähliche Aussterben der angeborenen. Narrheit ent-
standenen Lücken auszufüllen.

Das Motiv des den vornehmen Herrn spielenden Clowns
übte auch noch auf einen so späten Dichter wie James
Shirley seine Anziehungskraft aus. Die Art und Weise,
wie in dessen Opp. der Diener Pimponio mit dem von
ihm unterschlagenen Gelde seines Herrn, des Mailänder
Edelmanns Aurelio Andreozzi, sich als Prinz ausstaffiert,
erinnert speziell an Juniper in Jonson's Case. Beide verschaffen sich auf unrechtmässigem Wege die Mittel zu
ihrer Verkleidung; beide halten sich während ihrer zeitweiligen Scheinvornehmheit einen Pagen; dieser Page tanzt
in beiden Stücken seinem Herrn, dessen wahres Wesen er
sehr wohl erkannt hat, auf der Nase herum; endlich werden
beide Clowns am Schluss entlarvt. Ob Sh. Jonson's Stück
als Quelle benutzt hat, oder ob die Ähnlichkeit zwischen
Juniper und Pimponio nur zufällig ist, lasse ich dahin-
gestellt. Jedenfalls ist Pimponio eine bedeutend komischere
Gestalt als Jonson's Schuhflicker; auch in der Art ihrer
Komik sind beide, abgesehen von den eben aufgezählten
Vergleichungspunkten, durchaus verschieden. Die Entlarvung Pimponio's geschieht in wirksamster Weise gerade
dadurch, dass auf seine angeblichen Ansprüche auf den
Prinzentitel eingegangen, er an den Hof der Herzogin von
Urbino geladen wird, und hier inmitten der feingesitteten
Höflinge seine mit dem angemassten Rang und der vor-
nehmen Kleidung so sehr kontrastierende, des Hofglanzes
ungewohnte plebejische Tölpelhaftigkeit nur um so greller

[378]) Vgl. Köppel B S. 117 ff.

hervortritt. Subjektiv-komisch ist die Schlauheit, womit
der seines Prachtgewandes entkleidete Pimponio die Veränderung in seiner äusseren Erscheinung benutzt, um der
ihm drohenden Auspeitschung zu entgehen, indem er nämlich seine Identität mit dem Scheinprinzen leugnet.

Eine spasshafte gut gezeichnete Gestalt ist auch
Bombo in Sh.'s Royal; er ist, obgleich er weder lesen
noch schreiben kann, Sekretär der 15jährigen Domitilla,
der Tochter einer vornehmen Witwe (vgl. S. 317 ff.). Dieser
Clown schwebt beständig in der unter den obwaltenden
Umständen sehr komischen Furcht, der König von Neapel
wolle ihn zu einem hohen Staatsamt befördern, und liebt
es, mit dieser so entsetzlichen Möglichkeit in einer drolligen
Weise zu kokettieren, wobei das Gefühl geschmeichelter
Eitelkeit deutlich durchblickt. Subjektiv-komisch ist die
Gewandtheit, mit der Bombo es versteht, seinen fein-
schmeckerischen Gelüsten Befriedigung zu verschaffen. Er
wird mitunter auch satirisch (vgl. z. B. S. 358 ff.). Wie
die Narren ihre Narrenrolle (vgl. S. 254), benutzt der
Clown einmal (p. 144) auch seine eigene Unwissenheit zu
einem satirischen Ausfall, indem er sich über diesen seinen
Mangel mit dem Trost hinwegsetzt, die Unwissenheit komme
immer mehr in Mode. Er wird als Diener gehalten, weil
er durch sein possierliches Wesen geeignet ist, seine Herrschaft zu belustigen (vgl. p. 113).

Piperollo in Sh.'s Sist. ist der Sohn eines bäurischen
Ehepaars. Zu Anfang des Stückes gerät er in die Gewalt
von Räubern, denen er sich dadurch angenehm zu machen
sucht, dass er ihnen eine im Hause seiner Eltern ver-
wahrte Geldsumme in die Hände liefert. Bei dieser
Gelegenheit zeigt sich sogar einer der Räuber weich-
herziger gegen das alte Bauernpaar als dessen eigener
Sohn, der den Spitzbuben anempfiehlt, seine Mutter ins
Wasser zu werfen, um zu erproben, ob sie eine Hexe sei
oder nicht. Hier liegt wieder einer der bei Shakespeare's
Nachfolgern häufigen Fälle einer argen stofflichen Trübung
der Komik vor. Später finden wir Piperollo als Keller-

meistergehilfen im Schloss der Paulina, einer der beiden
Titelheldinnen. Die als Wahrsager verkleideten Räuber
kommen zum Schloss, und weissagen ihm, er werde es
dereinst zum Ritter bringen, und die Gelder, die er und
ein anderer Diener Paulinens für diese demnächst aus
der Stadt abholen sollten, würden ihnen im Walde geraubt
werden. Gegen den ersten Teil obiger Prophezeiung hat
Piperollo nichts einzuwenden, und da er glaubt, dass dessen
Erfüllung von der in Aussicht gestellten Beraubung ab-
hänge, sehnt er diese geradezu herbei. Endlich kommt
es auch wirklich dazu, wobei er selbst die Räuber darauf
aufmerksam macht, dass sie ihm noch nicht, wie ebenfalls
prophezeit worden, den Schädel zerprügelt hätten. Die
verheissene Ritterwürde wird Piperollo natürlich auch
trotz seines zerprügelten Schädels nicht zu teil. Wie wir
sehen, ist Piperollo's Komik an manchen Stellen von einer
eigentümlich verzwickten Art.

Der letzte in der Reihe der pfiffigen Tölpel ist der
Konstabler und Leinwarenhändler Busie in Glapthorne's
Const. Seine Unterweisung an die ihm unterstellte Wachmannschaft ist eine der vielen Nachahmungen von Ado
(vgl. S. 380 ff. und Anm. 370), und zwar eine sehr getreue
Nachahmung. Über seine ständige Redensart „How's that?“
vgl. S. 365. In den Szenen, wo Busie als erfolgreicher
Heiratsvermittler auftritt, ist die Komik schwach; ebenso
verfehlt für die Zwecke der Komik ist die Dreistigkeit,
womit Busie seinen Vorgesetzten, den Alderman Covet,
der ihn und seine Leute während ihrer Dienstzeit in einer
Kneipe ertappt, einfach festnehmen lässt, um sich so der
ihm von jenem angedrohten Strafe zu entziehen.

3. Die vorwiegend subjektiv-komischen Clowns.

Auch bei den meisten Clowns dieser Klasse macht
sich die urwüchsige Naivetät des einfachen Mannes aus
dem Volke mehr oder weniger geltend: sie ist aber nicht
mehr, wie bei den Clowns der beiden ersten Klassen, der

wichtigste, am meisten hervorstechende, wenn auch noch
immer ein sehr wesentlicher Zug. Von der für die Rüpel
so charakteristischen Dummheit, die auch schon bei den
pfiffigen Tölpeln an Bedeutung verliert, kann bei der dritten
Klasse der Clowns natürlich überhaupt keine Rede mehr
sein. Alle Clowns dieser Klasse sind mehr oder weniger
schlau, gewandt, schlagfertig und witzig; einige sind sogar
Humoristen. Sie nähern sich also in der Art ihrer Komik
den Narren, von denen sie eigentlich nur die ihrem Spassmachertum mangelnde Berufsmässigkeit, und ihre etwa
vorhandene Naivetät unterscheidet. Die Mehrzahl obiger
Clowns lässt sich durch die Bezeichnung „naiv-witzige
Clowns" zusammenfassen. Bei einem kleinen Rest beruht
die objektive Komik nicht auf Naivetät, sondern auf andern
Eigenschaften: bei Lazarillo in Cure und Penurio in
Fletcher's Pleas. auf ihrem steten Heisshunger, bei Roger
in W. Rowley's Vex. auf Eitelkeit, u. s. w.

Zur dritten Klasse gehört der weitaus grössere Teil
aller Clowns. Mit der fortschreitenden Entwickelung des
englischen Renaissancedramas gewinnt zudem diese Klasse
immer mehr das Übergewicht über die andern Klassen;
in der Zeit nach Shakespeare erscheint ein nicht zur
dritten Klasse gehöriger Clown schon als vereinzelte Ausnahme [379]).

Den Hauptbestandteil der Clowns dritter Klasse bilden
die clownartigen Diener. Nicht nur sind die Clowns
von andern Berufsarten in dieser Klasse in der Minderzahl, sondern es gehören auch von den als lustige Personen
fungierenden Dienern nur wenige einer andern als der
dritten Klasse der Clowns an [380]).

---

[379]) Abgesehen von den Clowns bei J. Shirley (vgl. S. 398 ff.).

[380]) Jenkin Careaway in Juggl. (vgl. Anm. 363); ferner solche
Diener, deren Komik hauptsächlich darauf beruht, dass sie zeitweilig
die vornehmen Herren spielen, bei denen also deshalb der Schwer-
punkt ihrer Rolle in der objektiven Komik liegt, wie Bubble in
Quoqu. (S. 394 ff.), Calandrino in Flor. (S. 397 ff.), Pimponio in Opp.
(S. 398 ff.); dann Hodge in Gurt., dessen Herrin eine Bäurin ist (vgl.

Wie bäurische Rüpel (vgl. S. 371), so finden sich auch clownartige Diener schon in den Misterien und ältesten Mirakelspielen (vgl. S. 42 ff.), wo sie freilich, wie wir bemerkt haben, noch mit dem später deutlich abgesonderten Typus des naseweisen jungen Burschen zusammenfallen. Auch die Moralitäten enthalten die Gestalt des Dieners. Zuweilen übernimmt der Vice selbst diese Rolle, wobei seine Verwandtschaft mit dem clownartigen Diener des eigentlichen Dramas meist klar zu Tage tritt. Solche Diener sind die Vice-Gestalten „Sin" in Mon., und „Simplicity" in Lad., ausserhalb der Moralitäten „Merry Report" in Weath., „Ambidexter" in Camb., „Haphazard" in App. A, „Common Conditions" in Cond., „Subtle Shift" in Clyom. Unter den andern Dienern sei an *Lob* in Wisd. erinnert; ausserhalb der Moralitäten wurden in Abschnitt IV *Mansipulus* und *Subservus* in App. A als Diener erwähnt[381]). — Über die Diener Gunophilus und Piston als Mischformen von Vice und Clown vgl. S. 187 ff.

Während der Rüpel im allgemeinen stets ein nationales Gepräge trägt (vgl. S. 372), vermengen sich in der Rolle

---

S. 372); ferner solche Diener, die einen ausgesprochenen Dummkopf zum Herrn haben, wie Simple in Wiv. (vgl. S. 381) und Pompey Doodle in Weap. (vgl. S. 396 ff.); ausserdem noch einige andere Diener wie der Clown in Fau. (S. 373), Ralph in Gal. (S. 388 ff.), Onion in Case (S. 392), u. s. w. Alle diese Ausnahmen fallen trotz ihrer scheinbaren Menge gegenüber der sehr grossen Anzahl der übrigen Diener in der dritten Klasse der Clowns kaum ins Gewicht. — Wie Simple und Pompey Doodle vergröberte Abbilder ihrer Herren darstellen, so entsprechen Herr und Diener einander auch in andern Fällen, z. B. Lapet und Galoshio (vgl. S. 395 ff.). Das Wesen des Herrn färbt zuweilen auf dessen Diener ab: *Davy*, der Diener des albernen Friedensrichter Shallow in Shakespeare's H 4 B, benimmt sich wie ein thörichter Friedensrichter; *Andrew* in Fletcher's Eld., der Diener des gelehrten Charles Brisac, dünkt sich selbst auch ein grosser Gelehrter.

381) Lob, Mansipulus und Subservus entsprechen freilich als Lümmel nicht genau dem naiv-witzigen, aber nicht lümmelhaften Diener des späteren Dramas (vgl. auch Anm. 380); ebenso wenig der Vice „Simplicity" als Vertreter der Einfalt.

des Dieners im eigentlichen Drama schon von vornherein
einheimische und fremde Einflüsse. Einige Diener zeigen
Nachwirkungen der Misterien in der typischen Klage über
karges Essen und Hunger (vgl. S. 44), so Ragan, Esaus
Diener, in Jac. (p. 191. 207. 208), Stephano, der Diener
von Damon und Pytheas, in Dam. (p. 33). Dagegen sind
Orgalus und Oenophilus, die Diener des Titelhelden
in Misog., offenbar durch das lateinische Humanistendrama
(vgl. S. 182) vermittelte Nachahmungen des Typus des
verschmitzten Sklaven in der altrömischen Komödie,
und durch Gascoigne's Supp., bekanntlich eine Bearbeitung
von Ariosto's „Suppositi", wird in der Gestalt des Erostrato und anderer Diener die Rolle des vertrauten
Dieners im romanischen, besonders italienischen Intriguen-
lustspiel in die englische Litteratur eingeführt[382]). Der
Sklave des antiken Dramas verrichtet oft für seinen Herrn
Kuppler- und ähnliche Dienste, ist aber in andern Fällen
auch ein harmloser lustiger Bursche, der im guten Sinne
für seinen Herrn thätig ist[383]). Er ist also gewöhnlich
im Bösen wie im Guten seinem Herrn ein treu ergebener
Diener. Den vertrauten Diener der romanischen Komödie
finden wir besonders häufig in einer bestimmten typischen
Rolle: entweder als lustigen Intriganten im Interesse seines
jugendlichen Herrn wirkend, dessen Liebe zu einer jungen
Dame, die gleichzeitig von einem viel älteren reichen Herrn
(dem Pantalone) umworben wird, er mit allen Mitteln der
Schlauheit zum schliesslichen Siege verhilft[382]); oder mit
weniger harmloser Intrigue als vermittelnder Kuppler den
unerlaubten Umgang eines jungen Mannes mit der jungen
Ehefrau seines alten Herrn (des Pantalone) fördernd. Der

---

[382]) Auch Bugb., die aus der Zeit der Königin Elisabeth stammende
Übersetzung einer italienischen Komödie, enthält eine ganze Reihe
von Dienern obiger Art.

[383]) Für das englische Drama kommen von solchen harmloseren
Sklaven der Antike besonders drei Gestalten bei Plautus in Betracht:
Sosia in „Amphitruo", Messenio in „Menaechmi", und Trachalio in
„Rudens".

26*

echt englische clownartige Diener unterscheidet sich vom
antiken Sklaven und vom romanischen vertrauten Diener
vor allem durch seine grössere Naivetät; besonders letzterer
ist ja oft höchst raffiniert. Er weicht auch darin von
seinem clownartigen Berufsgenossen im englischen Drama
ab, dass bei ihm die mehr oder weniger harmlose Intrigue
die Hauptsache an seiner Rolle ist, während bei jenem
die Komik der Rede in den Vordergrund gestellt wird.

Schon lange vor dem altrömischen und dem italienischen hatte das spanische Drama angefangen, für die
Gestalt des clownartigen Dieners in englischen Stücken ein
Muster zu liefern. Etwa um 1530 erschien das komische
Zwischenspiel Cal., worin ein unbekannter Dichter ein be-
rühmtes spanisches Stück, die von Rodrigo Cota um 1480
begonnene Tragikomödie „Celestina" [384]), in freier Bearbeitung wiedergiebt. Mit den übrigen Personen des
spanischen Dramas übernahm der englische Bearbeiter auch
die Gestalt des „Parasiten" Sempronio, eines Untergebenen des in Liebessehnsucht nach Melibaea vergehenden
Calisto, dem er den Rat erteilt, mit Hilfe der Kupplerin
Celestina sich in den Besitz der Geliebten zu setzen.
Dieser Sempronio hat eine über den thatsächlichen Wert
seiner unbedeutenden Rolle weit hinausreichende Bedeutung
dadurch, dass er als Keim der lustigen Person des späteren
spanischen Dramas, des Gracioso, anzusehen ist [385]).
Das wesentlichste Merkmal des Gracioso ist, dass er den
Helden in derber Weise parodiert; dies thut gelegentlich
auch Sempronio [386]). Obiger Keim kam freilich spät zum
Reifen: erst Lope de Vega, der über 100 Jahre nach Cota,
als ein Altersgenosse Shakespeare's, lebte und wirkte, hat

---

[384]) Vgl. Ticknor 1 214 ff.

[385]) Vgl. Ticknor 1 624 ff.

[386]) Als der verzückte Calisto die Reize seiner Melibaea aufzählen will, und mit der Schönheit ihres Haares anhebt (p. 61 ff.):
„[which] *who to behold it might have the grace,* ‖ *Would say in com-*
parison nothing countervails", wirft Sempronio die Zwischenfrage ein:
„*Then is it not like hair of ass-tails?*"

die komische Rolle des Gracioso zur vollen Entfaltung
gebracht [387]). Daher kommt eine Einwirkung des spanischen
Gracioso auf den clownartigen Diener des englischen
Dramas erst bei Shakespeare's Nachfolgern zum Vorschein.

Die Besprechung der vorwiegend subjektiv-komischen
Clowns im einzelnen beginnen wir, indem wir den Diener
Lentulo in Rare als unwesentlich übergehen, mit einer
der gelungensten einschlägigen Gestalten aus der Frühzeit
des eigentlichen Dramas, dem Flickschneider Bunch in
Weak. Durch sein Geschick nach Frankreich und den
Niederlanden verschlagen, hält dieser biedere Handwerks-
mann im Auslande mit Nachdruck Altenglands Ehre und
die Vorzüge seiner Heimat aufrecht, der nach seiner
Meinung kein anderes Land auf Erden gleichkommt. Sein
an Chauvinismus grenzender Nationalstolz beruht zwar
auf Unwissenheit und Einseitigkeit, wirkt aber trotzdem
nicht lächerlich, da er mit herzerfreuendem Humor verknüpft ist. Bunch ist zwar naiv, aber durchaus nicht
dumm, wie sein sehr gewandtes Benehmen gegen den als
Küster verkleideten Lodowick Herzog von Boulogne beweist, dem er in Gegenwart anderer Personen durch ein
nur jenem verständliches sinnreiches Rätsel andeutet, dass
er ihn erkannt habe (p. 266). Bunch ist ein erfrischender
origineller Vertreter des altenglischen Volkstums.

Zu den naiv-pfiffigen Clowns gehört, soweit der geringe
Umfang der Rolle überhaupt ein Urteil ermöglicht, im
Gegensatz zu seinem vorwiegend objektiv-komischen Meister
Strumbo, der Schuhflickerlehrling Trompart in Locr.

Die Rolle Tom Miller's in Straw ist an sich unbedeutend, aber dadurch merkwürdig, dass er das älteste
uns bekannte Beispiel einer durch den Zusatz *„the clown"*
(im Personenverzeichnis und p. 380) ausdrücklich als lustige

---

[387]) Fortentwickelt wurde der durch Cota geschaffene Keim des
Gracioso schon vor Lope de Vega durch Torre Naharro, der in seinen
Dramen „Imenea" und „Serafina" (1517 gedruckt) den Gracioso auf-
treten lässt. Vgl. Ticknor I 245.

Person des betreffenden Stückes bezeichneten Gestalt darstellt. Seine Rolle scheint (nach p. 386) bestimmt zu sein, von einem Zwerge gespielt zu werden. Tom Miller gehört zu den Aufrührern unter Jack Straw und Wat Tyler im bekannten Aufstande unter Richard II. Am Schluss wird er mit noch einigen andern Rebellen begnadigt.

Den in Vict. vorkommenden Clown Dericke hat Shakespeare nicht aus dieser seiner Quelle in H 5 herübergenommen. Dericke ist anfangs Kärrner, dann Schuhflicker, endlich Soldat. Er verbindet in typischer Weise Schlauheit (vgl. S. 362) und Naivetät.

Ein besonders volkstümlicher Clown war Mouse, der Diener des Edelmanns Segasto, in Muc. Seine Komik wird zwar manchmal gar zu dick aufgetragen, ist stellenweise recht kindlich, und nicht immer ungezwungen, aber im ganzen doch recht unterhaltend. Die meisten für den Clown typischen komischen Motive sind in seiner Rolle vertreten; in Wortverdrehungen und Missverständnissen schwelgt er geradezu. Oft sehen wir deutlich, wie seine Komik über das Charakteristische hinaus bis zum Selbstzweck gesteigert wird: z. B. kennt Mouse die Bedeutung des Wortes „*king*" nicht (p. 214), die doch im wirklichen Leben jener Zeit auch der dümmste Bauer gekannt haben muss, geschweige ein Clown wie Mouse, der sich bei andern Gelegenheiten als ein recht durchtriebener Bursche erweist; an einer andern Stelle (p. 230), wo Mouse das Wort „*banishment*" mehrfach in „*bastard*" entstellt, erklärt er schliesslich „*I cannot say banishment, and you would give me a thousand pounds*", straft sich also selbst Lügen. Am Schluss wird Mouse für seine Auffindung der vom Titelhelden entführten Königstochter Amadine geadelt; er gerät also in eine für die Clowns besonders charakteristische Situation, worin er sich mit echt clownmässiger Drolligkeit benimmt.

Zu den naiv-witzigen Clowns könnte man auch den zweiten Wachmann in Leir rechnen, der seinen rüpel-

haften Genossen (vgl. S. 374 ff.) durch lustige Sophismen
zum Wirtshausbesuch verleitet.

Ziemlich zahlreich sind die clownartigen Diener bei
Greene. Die von Jenkin, dem Diener des Titelhelden
in Geo., aufgetischten Scherze sind offenbar für ein recht
genügsames Publikum bestimmt, und teilweise geradezu
läppisch. Auch die mit Jenkin's Rolle verbundene grosse
Derbheit soll offenbar komisch wirken, erscheint uns aber
ungeniessbar. Der äusserst friedfertige Jenkin weiss einem
drohenden Streit auf jede Weise, selbst durch List (vgl.
S. 362), auszuweichen; hinterdrein beglückwünscht er aber
seinen Gegner zur glücklichen Abwendung der grossen
Gefahr, in der dieser geschwebt habe. Man müsste den
naiven Jenkin eher zu den Tölpeln rechnen, wenn nicht
seine Einfalt, teilweise wenigstens, erheuchelt wäre, um
die Zuschauer zu erheitern.

Der bekannteste von Gr.'s Clowns ist Miles, der
Famulus des Zauberers Bacon in Bac. Miles' prosaischer
Sinn begreift nur das Nächstliegende und unmittelbar
Nützliche; ohne das geringste Verständnis für die hoch-
fliegenden Pläne seines Herrn, vereitelt er daher in der
berühmten Szene, worin er als von Bacon bestellter Wächter
des von diesem verfertigten sprechenden ehernen Hauptes
auftritt, durch sein Ungeschick mit einem Schlage die
Frucht der jahrelangen Arbeit seines Meisters. Von dessen
Gelehrsamkeit ist allerdings ein wenig auch an Miles
hängen geblieben, der etwas Latein versteht, und in
possierlichem Sprachgemisch lateinische und englische Reim-
wörter in den in seine Rede eingestreuten Versen durch-
einandermengt. Miles wird von seinem Herrn als Dummkopf
behandelt und nennt sich auch selbst dessen „*pecus*" (IX 230);
aber auch seine Dummheit ist, wie die Jenkin's, grösstenteils Verstellung, obgleich eine beträchtliche Dosis Naivetät
zu seinen natürlichen Eigenschaften gehört. Er spielt selbst
vor dem Prinzen Eduard und vor dem Teufel den Hanswurst, und beschliesst seine Erdenlaufbahn nach dem Muster
des Vice durch einen Teufelsritt in die Hölle (vgl. S. 86).

In Glass (von Gr. und Lodge) ist, wie schon betont wurde (S. 374), nicht der bäurische „clown", sondern der Schmiedegeselle Adam die lustige Person[356]). Das Motiv des Teufelsritts kehrt auch hier wieder (vgl. S. 86); nur ist Adams Reittier kein wirklicher Teufel, sondern nur ein als Teufel verkleideter Mann, der jenen erschrecken will, aber von ihm an seinen ungespaltenen Füssen bald als unecht erkannt, und jämmerlich durchgeprügelt wird. Adams Komik, die freilich gelegentlich in Unflätigkeit verfällt (vgl. S. 336), wird als so unwiderstehlich geschildert, dass selbst die nie lachende Königin Alvida von ihr angesteckt wird. Des Königs von Niniveh strenges Fastengebot trifft den ess- und trinklustigen Clown gerade an seiner empfindlichsten Stelle; freilich scheut er sich nicht im geringsten, es heimlich zu übertreten, wobei er aber von des Königs Aufpassern erwischt wird, trotz des andächtigen Gebets, worein er bei ihrem Nahen auf einmal versunken scheint. Die Lustigkeit der Clownsszenen in Glass steht in schroffem Gegensatz zum sonstigen puritanischen Ernste des Stückes, der auch mit der in Gr.'s übrigen Dramen vorherrschenden übermütigen Heiterkeit gar nicht übereinstimmt. Vermutlich ist Adam, der den andern Clowns bei Gr. gleicht, eine Schöpfung dieses Dichters, während die ernsten Teile des Dramas aus L.'s Feder stammen[359]).

In Gr.'s J 4 treten zwei Diener auf, Andrew und Slipper, beide in Diensten des Parasiten Ateukin. Der ebenfalls schmarotzende, zuweilen scharf satirische, schliesslich seinen Herrn verratende Andrew kann kaum als Clown gelten, wohl aber Slipper, der Sohn des nur im Vorspiel und in den Zwischenakten vorkommenden Schotten Bohan, und der Bruder Nano's, des Zwerges der Königin von Schottland. Slipper unterscheidet sich von den Clowns gewöhnlicher Art durch seine vornehme Abkunft; sein

---

[358]) Auch Adam wird p. 137 II „a clown" genannt.

[359]) Vgl. Wülker S. 224.

Vater ist ein Edelmann vom besten Blut in Schottland (p. 187 II). Dass Slipper trotzdem als Clown zu betrachten ist, geht nicht nur aus seiner Stellung als Diener, sondern überhaupt aus dem Gesamtinhalt seiner Rolle hervor. Die den Clowns eigentümliche Naivetät wird auch bei ihm durch Wortverdrehungen angedeutet. Slipper steht unter dem besonderen Schutz des Feenkönigs Oberon, und wird am Schluss von diesem aus einer gefährlichen Lage befreit. Slipper's Komik hat, wie die mancher anderer Clowns, mitunter einen spitzbübischen Anstrich. Er lässt sich durch eine grosse Geldsumme bestechen, seinem Herrn gewisse Briefe zu entwenden, und benutzt das so erworbene Geld, um sich in der für die Clowns typischen Weise als Gentleman auszustaffieren. Slipper's sonstige Komik setzt sich aus einer Menge von unter sich nur sehr lose oder gar nicht zusammenhängenden Scherzen zusammen: komischen Vergleichen, ungereimten Beweisführungen, witzigen Umschreibungen (vgl. S. 350), Scherzen über seinen Namen (vgl. S. 340), u. s. w.

Der clownartige Müllerbursche Trotter in Em giebt zu besonderen Bemerkungen keinen Anlass.

Stattlich ist die Reihe der meist aus clownartigen Dienern bestehenden naiv-witzigen Clowns bei Shakespeare. Err., die berühmteste aller Verwechselungskomödien, beruht bekanntlich auf den „Menaechmi" des Plautus; indem Sh. an Stelle des Sklaven Messenio bei Plautus (vgl. Anm. 383) die beiden Doppelgänger Dromio setzte und so zu dem einen schon im Original vorhandenen Zwillingspaar noch ein zweites hinzufügte, hat er das tolle Spiel des Zufalls in seiner Vorlage noch überboten. Dass aber das Motiv der zwei einander zum Verwechseln ähnlichen Diener ebenfalls durch ein Lustspiel des Plautus angeregt worden sein mag, und zwar durch den „Amphitruo", wo Mercurius in der Gestalt des Sklaven Sosia diesem selbst entgegentritt (vgl. S. 164 ff.), darauf ist auch schon häufig hingewiesen worden. Doch hat Sh. nur die allgemeinen Umrisse der Handlung den „Menaechmi" zu verdanken: er hat nicht nur manche wesentliche Veränderungen am Stoffe selbst vorgenommen, sondern auch vor allem die Charaktere in durchaus selbständiger Weise behandelt und ihnen ein neuzeitliches Gepräge gegeben. Daher machen auch die beiden Dromios, obgleich sie den antiken Sklaven Messenio vertreten, den Eindruck von echt englischen Clowns. Nur die treue Anhänglichkeit an ihre Gebieter und die allgemeine Eigenschaft der Heiterkeit des Charakters teilen die Dromios mit Messenio; in der Art und Weise, wie diese Heiterkeit sich im einzelnen Falle äussert, weicht Sh. völlig von Plautus ab, indem er der dramatischen Überlieferung seines eigenen Volkes folgt. Wie die Mehrzahl der clownartigen Diener, sind auch die beiden Dromios witzig, aber zugleich auch naiv und täppisch; beide besitzen auch eine gewisse drollige Frechheit. Ihre Lustigkeit ist unverwüstlich; „selbst Prügel entlocken ihnen nur komische Äusserungen"[390]). Ihre Komik kleidet sich besonders gern in die Form des Wortspiels, daneben aber auch in die des witzigen Vergleiches, des lustigen Trugschlusses, u. s. w. Beide sind Zwillinge nicht nur in ihrem Verwandtschaftsverhältnis und ihrer äusseren Erscheinung, sondern auch in ihren Charakteren. Trotzdem sind kleine Unterschiede auch sogar an ihnen zu bemerken. Dromio von Syrakus ist unzweifelhaft der witzigere der beiden; sein Witz ist überdies auch feiner als der des zuweilen unanständigen (vgl. III I, 76) Dromio von Ephesus.

In ähnlicher Weise werden auch die beiden clownartigen Diener Launce und Speed in Sh.'s Gent. unterschieden, nur dass hier die Überlegenheit des einen über den andern, nämlich Launce's über Speed, noch viel stärker hervorgehoben wird. Launce, der gewöhnlich von seinem Hunde begleitet wird, ist der Diener des Proteus, des einen der beiden Titelhelden. Launce's Naivetät giebt sich in der althergebrachten Weise durch Wortverdrehungen und Missverständnisse kund, die in Speed's Rolle gänzlich

---

[390]) Öchelhäuser II 242.

fehlen. Obgleich somit Launce naiver ist als Speed, überragt er diesen doch an Behendigkeit des Geistes, wie die
Szenen lehren, worin beide zusammen auftreten (II 5. III 1).
Launce ist ein witziger, sehr munterer Bursche, der besonders von der freiwilligen passiven Komik gern Gebrauch
macht, und dessen Scherze bei solchen Gelegenheiten mitunter dadurch eine humoristische Färbung erhalten, dass
an ihrer Komik auch das Gemüt des gutherzigen Schelmes
beteiligt erscheint. Launce und Speed gleichen einander
in ihrem heiteren Wesen und ihrer steten Neigung zum
Scherzen, wobei beide gelegentlich auch eine witzige Zote
nicht verschmähen; beider Witze beruhen zuweilen auch
auf Wortklauberei. Aber Speed, der Diener Valentine's,
des andern Titelhelden, bewegt sich bei seinen Spässen in
einem kleineren Kreise als Launce; während diesem sehr
verschiedene Arten der Komik zur Verfügung stehen, beschränken sich Speed's Scherze meist auf den gemütlosen
Wortwitz und das Spiel mit Klangähnlichkeiten, wobei er
es liebt, bestimmte zu solchen Spielen passende Wörter zu
Tode zu hetzen[391]).

Wie der Name „*Launce*" nur eine Abkürzung von
„*Launcelot*" ist, so könnte man auch die Rolle Launce's
als eine vorbereitende Skizze zu Launcelot Gobbo in
Sh.'s Merch. ansehen, dessen Vater, der alte Gobbo, schon
unter den Rüpeln besprochen worden ist (S. 379). Launcelot
ist zuerst Diener des Juden Shylock, und tritt später in
Bassanio's Dienste[392]). Er ist eigentlich kaum witziger

---

[391]) Vgl. Wurth S. 217.

[392]) Douce schwankt, ob Launcelot zu den Clowns, oder, da er
von Shylock (II 5. 44) „*that fool of Hagar's offspring*" und (II 5. 46)
„*patch*", von Lorenzo (III 5. 71) gar „*the fool*" genannt wird, zu
den Narren zu zählen sei. Launcelot's Zugehörigkeit zu den Clowns
scheint mir aber kaum zweifelhaft. Douce giebt auch selbst zu, dass
der geizige Jude sich wohl kaum den Luxus eines Hausnarren würde
geleistet haben, lässt jedoch die Möglichkeit offen, dass Bassanio den
Launcelot als solchen Hausnarren bei sich angestellt habe. Aber
Launcelot's zahlreiche Wortverdrehungen entsprechen durchaus dem
üblichen Clowncharakter, während Sh. seine Hausnarren Feste,

als Launce. Seine Gestalt ist aber mit kräftigeren Strichen
gezeichnet; ausserdem fügt sich seine Rolle besser in die
eigentliche Handlung des Stückes ein, als die Launce's,
dessen Komik gleich der Speed's mit dem übrigen Drama
nur sehr lose verknüpft ist. Als Vermittler des Brief-
wechsels zwischen Lorenzo und Jessica nimmt Launcelot
sogar thätigen Anteil an einer wichtigen Nebenhandlung,
indem er so Jessica's Flucht aus dem Hause ihres Vaters
Shylock anbahnt. Launcelot ist, wie viele clownartige
Diener, selbstgefällig, geschwätzig und vorlaut, dabei aber
doch ein guter Kerl, wenn auch die Pietätlosigkeit, womit
er seinen alten blöden Vater foppt, auf unser heutiges
Empfinden stellenweise verletzend wirkt. In seinen Wort-
und Klangspielen zeigt sich Launcelot als ein rechter
„Witzschnapper", wie Lorenzo ihn treffend nennt (III 5, 55).

Während Launcelot uneingeschränkt als die lustige
Person von Merch. gelten kann[393]), fehlt es in Sh.'s Rom.
gerade wegen der Mehrzahl der clownartigen Diener an
einer Gestalt, die als lustige Person schlechthin zu bezeichnen wäre. In der Eröffnungsscene des Stückes treffen
wir zwei Diener des alten Capulet, Sampson und Gregory, die durch ihre mehr witzelnden als witzigen Wort-
und Klangspiele als Leute niederen Standes charakterisiert
werden, und, abgesehen von ihren für „die Gründlinge des
Parterres" bestimmten Scherzen, nur noch den Zweck
haben, durch ihren gleich darauf erfolgenden Streit mit

Lavache und den Narren in Oth. niemals in Wortverdrehungen verfallen lässt. Der Ausdruck „fool" bedeutet bei Sh. und seinen Zeitgenossen sehr oft bloss „Dummkopf" (vgl. S. 224 und Al. Schmidt).
Die Bezeichnung „patch" bezieht sich zunächst auf das Narrenkostüm,
dann fr ilich auch auf dessen Träger, den Berufsnarren (vgl. S. 226),
wird aber, ebenso wie „fool", als allgemeines Schimpfwort auch auf
andere Personen ausgedehnt; so nennt z. B. Dromio von Syrakus in
Err. seinen Zwillingsbruder (vgl. S. 363).

[393]) Der alte Gobbo ist schon wegen seiner rein objektiven
Komik höchstens in weiterem Sinne eine lustige Person (vgl. S. 23);
ausserdem tritt seine Rolle auch wegen ihres viel geringeren Um-
fangs sehr hinter der des seines Sohnes zurück.

Dienern des Hauses Montague die tiefgewurzelte gegenseitige Feindschaft beider Familien zu veranschaulichen,
also gleichsam in der Ouverture das Leitmotiv des ganzen
Stückes anzugeben. — Ebenso unbedeutend ist die Rolle
Peters, des Dieners von Juliens Amme, die Thümmel auch
mit zu den rüpelhaften Clowns rechnet (vgl. S. 310). Er
ist seiner schwatzhaften einfältigen Gebieterin überlegen,
die eigentlich schon dadurch lächerlich wirkt, dass sie als
Dienerin sich selbst noch einen eigenen Diener hält. Dieser
potenzierte Diener Peter tritt hauptsächlich am Schluss
des 4. Aktes auf, wo er ein in der üblichen Clownsmanier
gehaltenes Gespräch mit einigen Musikanten hat, die er
mit komischer Herablassung behandelt.

Unter den zahlreichen Dienern in Shr. B gehören
zwei, Grumio und Biondello, zu den Clowns. Grumio,
der Diener des Frauenzähmers Petruchio, entspricht dem
Bedienten Sanders im älteren von Sh. überarbeiteten
Stücke Shr. A; auch Sanders ist schon eine clownartige
Gestalt, wie durch wenige Striche angedeutet wird (vgl.
S. 322). Grumio's bevorzugte Stellung macht ihn hochmütig gegen die übrige Dienerschaft seines Herrn; auch
ist er ein aufgeblasener Schwätzer, und gewohnt, bei seinen
Wort- und Klangspielen bis zum Überdruss auf einem
einzelnen Ausdruck herumzureiten. Seine Naivetät äussert
sich in der üblichen Weise. Nicht ohne Berechtigung ist
sein Spott über den heiratslustigen alten Gremio (vgl.
S. 360). Indem er seinen Herrn bei der Zähmung von
dessen widerspenstiger Gattin Katharina unterstützt (IV 3),
trägt er auch zur Abwickelung der Handlung wirksam bei.
— Das Gegenbild zu Petruchio und Katharina stellt das
andere Liebespaar des Stückes dar, Lucentio und Katha-
rinens Schwester Bianca. Biondello, Lucentio's Diener,
gleicht dem Grumio darin, dass auch seine Scherze häufig
auf einer Wortklauberei beruhen (vgl. S. 355); er ist aber
weniger naiv als dieser. Darin, dass Biondello sich auch
bei der lustigen Intrigue bethätigt, wodurch sein Herr
Bianca zu gewinnen sucht, verrät sich seine Verwandt-

schaft mit dem italienischen Typus des vertrauten Dieners
(vgl. S. 403). Überhaupt atmen wir in der ganzen Bianca-
Episode, die sich übrigens, nur mit andern Namen, schon
in Shr. A findet, italienische Luft. Die darin auftretenden
Personen, der Pantalone Gremio, der „Pedant" [= Dottore],
u. s. w., gehören zu den stehenden Typen der „commedia
dell' arte"; auch die Art und Weise, wie die Verwickelung
hier durch eine Intrigue herbeigeführt und gelöst wird, ist
echt italienisch. Die Episode beruht auf Gascoigne's Supp.,
geht also im letzten Grunde auf Ariosto zurück (vgl.
S. 403)[394]). *Tranio*, Lucentio's anderer Diener, der durch
seine Verkleidung als Gentleman seinem Herrn die Wege
zur Erlangung der Geliebten ebnen hilft, entspricht speziell
dem Erostrato in Supp. Tranio ist noch ganz unverändert
italienisch geblieben, und steht daher dem Typus des
englischen Clowns völlig fern. Biondello, teils englischer
Clown, teils italienischer Diener, ist eine Gestalt, der man
ihren italienischen Ursprung wenigstens noch anmerkt.
Grumio dagegen ist eine völlig englische Figur, mit all
der Derbheit und Naivetät des englischen Clowns.

Die *Vertreter des Volks* in Sh.'s Caes. sind nicht als
lustige Personen zu betrachten. Ihre Komik geht kaum
über das vom Standpunkt Sh.'s für die unteren Volksklassen
Charakteristische hinaus, obgleich zugegeben werden muss,
dass die reichlich mit komischen Wendungen durchtränkte
Rede einzelner Bürger diesen einen clownartigen Anstrich
giebt.

Die beiden den 5. Akt eröffnenden Clowns in Sh.'s
Hml. sind Totengräber. Während, äusserlich betrachtet,
ihre Mittel der Komik dieselben sind wie bei andern Clowns:
Verwechselung und Verdrehung der Worte, Missverständnisse, sinnlose Argumentation, Wortklauberei, Wortspiel,
fehlt ihnen doch das übermütige herzhafte Lachen unge-
trübter Heiterkeit. Die Scherze der Totengräber wirken
schon deshalb anders als die der sonstigen Clowns, weil

---

[394]) Vgl. Lee S. 151.

sie sich im Ideenkreis ihres Gewerbes bewegen. Der zweite
Totengräber ist ein Untergebener des ersten (nach V 1, 68),
und erscheint auch in seinem Wesen als der Unbedeutendere
der beiden. Die Komik des ersten Totengräbers verwandelt
sich in schneidende Satire in seiner Bemerkung über die
schon vor ihrem Tode verfaulten Menschen, deren Leichen
kaum bis zur Bestattung vorhielten (V 1, 180 ff.). In diesem
Stück, dem der Tiefsinn seines sich in des Daseins Rätsel
versenkenden Titelhelden seinen innersten Wert verleiht,
ist selbst die lustige Person (denn als solche dürfen wir
speziell den ersten Totengräber betrachten) ein spitzfindiger
Grübler, „ein närrischer Philosoph der Verwesung.“ Die
Düsterkeit, von der das ganze Stück erfüllt ist, erstreckt
sich also nicht nur auf das Gewerbe des Hanswurstes,
sondern auch auf den Inhalt seiner Komik. Diese wird
zum grotesken Humor mit tragischer Färbung. Selbst das
Liedchen, das der erste Clown bei seiner Arbeit vor sich
hin trällert, dient zur Verstärkung der trüben Grundstimmung.

Der in Sh.'s Troil. (III 1) in einem Gespräch mit
Pandarus begriffene Diener gleicht durch seine wort-
klauberischen Wortspiele, Witzeleien und Missverständnisse
einem Clown; seine Rolle ist aber rein episodisch.

Von den *Bürgern* in Sh.'s Cor. gilt das oben (S. 414)
über die ihnen entsprechenden Personen in Caes. Gesagte.

Der Clowncharakter der drei Fischer in Per., von
denen der zweite und dritte Gehilfen des ersten sind, wird
durch einige komische Züge angedeutet. Die Reden der
beiden ersten Fischer würzt hier und da eine kleine
satirische Bosheit. Der zweite Fischer verfällt auch einmal in die typische Wortverdrehung (II 1, 156 ff.). Der
dritte ist der naivste unter ihnen. Alle drei sind harmlos
und gutmütig. Der zweite Fischer scheint (nach II 1, 12)
Pilch, der dritte Patch-breech (nach V. 14) zu heissen;
der Name des ersten wird nicht erwähnt.

Warum Wurth (S. 221) den *Diener* in Sh.'s Wint. (IV 4),
im Gegensatz zum jungen Schäfer, als den eigentlichen

Clown des Stückes betrachtet, ist mir unerfindlich. Jener
Diener wird nur durch eine Wortverdrehung (V. 334) und
ein Wortspiel (V. 206 ff.) als eine clownähnliche Gestalt
charakterisiert, legt aber sonst kaum irgend welche Komik
an den Tag. Jedenfalls lässt sich seine Komik auch
nicht im entferntesten mit der des jungen Schäfers, seines
Herrn, vergleichen, der auch ausdrücklich im Personenverzeichnis als *„clown"* bezeichnet wird.

Eine merkwürdige Gestalt ist der lustige Schuhflicker
Raph in Wilson's Cobbl. Seine Rolle vereinigt nämlich
mit dem Spassmachertum des Clowns auch einen ernsten
Zweck; durch diesen Umstand erhält er unter den Clowns
eine Ausnahmestellung. Indem Raph immer wieder die
Worte und Handlungen der andern Personen mit seiner
Kritik begleitet, vertritt er die Stelle des Chors der Alten,
und bietet dadurch einen Vergleichungspunkt mit dem
Narren im Drama (vgl. S. 236 ff.). In obiger Kritik tritt mit-
unter eine stark demokratische Tendenz hervor. Durch
Merkur erlangt Raph die Gabe der Weissagung. Indem
er als warnender Prophet selbst Fürsten und Göttern un-
erschrocken bittere Wahrheiten sagt, erfüllt er eine ethische
Aufgabe, die insbesondere dem Wahrheitsaposteltum von
Shakespeare's Narren (vgl. S. 268) nahe kommt. Freilich,
von Shakespeare's Geist spüren wir bei W. keinen Hauch.
Während in Shakespeare's Narren der Spassmacher und
der Prophet der Wahrheit dadurch zur Einheit verschmelzen,
dass sie die von ihnen verkündeten Wahrheiten in die
einem Spassmacher angemessenen Formen des spottenden
Witzes und der Ironie kleiden, liegen in Raph's Rolle der
komische Clown und der ernste Prophet unvermittelt neben
einander. „Der Flickschuster war wegen seines Mutter-
witzes und seiner Eulenspiegeleien einer der beliebtesten
Typen des englischen Volkshumors"[395]); dadurch mag W.
bewogen worden sein, gerade einem Flickschuster die Rolle

---

[395]) Dibelius in seiner Einleitung zur Ausgabe des Stückes S. 5.
Einen trefflichen Vertreter seiner lustigen Zunft haben wir schon
im Flickschuster Strumbo in Locr. kennen gelernt (vgl. S. 389).

des Propheten zu übertragen. Der Anfang des Stückes
zeigt ihn uns gegenüber seiner zänkischen wahnsinnigen
Frau Zelota als Pantoffelhelden (vgl. S. 336). Raph's
Naivetät äussert sich in zahlreichen Wortverdrehungen,
Missverständnissen, und dreister Vertraulichkeit hohen
Personen gegenüber. Im Gespräch mit Göttern wirkt seine
clownmässige Unbefangenheit wie eine unbewusste Travestie.
Am Schluss hängt Raph sein Prophetentum an den Nagel,
und wendet sich wieder seinem alten Schusterhandwerk zu.

Während Thomas Heywood den Narren in keinem
einzigen seiner 25 allein oder zusammen mit andern
Dramatikern verfassten Stücke auftreten lässt (vgl. S. 298),
fehlt der Clown nur in 7 dieser Stücke. H.'s Clowns gehören fast sämtlich zu den Dienern.

Der Clown in H.'s Prent. gehört zu der unter dem
Oberbefehl des dritten Sohnes des alten Grafen von Boulogne, Charles, stehenden Räuberbande. Wir haben also
auch hier wieder ein Beispiel der Annäherung des Clowns
an den Typus des komischen Spitzbuben. Die Komik
dieses Clowns ist sehr matt. Seine nur durch Zufall vereitelte Absicht, dem alten Grafen das diesem von Charles
mitgegebene Geld abzunehmen und dann, um vor Ent-
deckung sicher zu sein, den Alten zu töten, stellt sogar
ein jeder Komik zuwiderlaufendes Element dar. Naiv
kann man diesen Clown kaum nennen; höchstens liegt eine
Andeutung seiner Naivetät in einem Fall von volks-
etymologischer Wortentstellung („*Tankard*" statt „*Tancred*",
p. 192). Als objektiv-komisch erscheint der Clown eher
in der Selbstgefälligkeit, womit er die Schönheiten seiner
äusseren Erscheinung hervorhebt, besonders aber in seiner
mit Prahlsucht verbundenen Feigheit.

Eine viel komischere Gestalt ist der Clown in Gold.,
dem ältesten der fünf mythologischen Dramen H.'s, worin
anfangs die Geschichte von Saturn und Jupiter, später die
von Jupiter und Danae behandelt wird. Die Komik dieses
Clowns ist freilich derb und mitunter zotenhaft. In der
von ihm erzählten Anekdote von der Frau, die sich durch

den Genuss einer Bärenpastete ein beständiges Brummen
in ihren Eingeweiden zuzog, und erst dadurch geheilt
wurde, dass sie einen Bullenbeisser aufass, der den Bären
in ihr glücklich überwand, zeigt sich H.'s Neigung, die
Rollen seiner Clowns mit den zu seiner Zeit umlaufenden,
vom Volkswitz erfundenen Schnurren auszustatten (vgl.
S. 353). Indem der Clown in naiver Weise neuzeitliche
Begriffe auf die antike Götterwelt überträgt, travestiert er
letztere, wenn auch unbewusst. Im zweiten Teil erscheint
er als Knecht des als Hausierer verkleideten Jupiter; hier
nimmt er auch an der Handlung thätigen Anteil: er lenkt
die Aufmerksamkeit der vier Danae bewachenden alten
Weiber von jener ab, und giebt so seinem Herrn Gelegenheit, sich Danae ungestört zu nähern.

Silv., eine Bearbeitung des „Amphitruo" von Plautus,
enthält in Amphitrio's Diener Socia, der auf den Sklaven
Sosia des Originals zurückgeht, eine Gestalt, die man wohl
als den Clown des Stückes betrachten darf. Bei H. tritt
nicht Merkur, sondern Jupiters Page Ganimede als Socia's
Doppelgänger diesem entgegen, und bringt ihn schliesslich
dahin, seine eigene Identität aufzugeben. Der Hauptinhalt
von Socia's Komik ist also schon durch die antike Quelle
gegeben. Eigene Zuthaten H.'s sind nur die Witze, die
er Socia zuschreibt. Von andern einem antiken Sklaven
nachgebildeten Gestalten unterscheidet sich Socia durch
das allerdings schon durch Plautus dargebotene grössere
Mass objektiver Komik, das ihm beigemessen ist, freilich
ohne dass diese Komik in seiner Rolle das Übergewicht,
oder gar, wie bei Jenkin Careaway in Juggl. (vgl. S. 164 ff.
und Anm. 363), die Alleinherrschaft hat.

Gallus, der Diener des Mars, in H.'s Braz., tritt
zwar nur vorübergehend auf, entfaltet aber dabei eine
frische und kräftige Komik. Er benutzt seinen Namen zu
einem lustigen Klangspiel (— „Gallows", p. 227), und spottet
über den wenig ehrbaren Lebenswandel der Mrs. Vulcan
(vgl. S. 332). Als er beim unerlaubten nächtlichen Verkehr zwischen Venus und seinem Herrn Wache halten

soll, klagt er über die Leiden des Wächterberufs, der nicht
nur der schläfrigste aller Berufe sei, sondern auch am
meisten mit Thaten der Finsternis Bekanntschaft mache;
natürlich lässt sich Gallus die Gelegenheit zu einem
Schläfchen nicht entgehen.

Fiddle, der Diener des alten Flower, in H.'s Exch.,
ist besonders dadurch wichtig, dass er auf dem Titelblatt
der Originalausgabe des Stückes in Narrentracht vorgeführt wird (vgl. Anm. 215). Dies lehrt, wie sehr inzwischen die Annäherung des Clowns an die Narren fort-
geschritten war. Vielleicht trug der Clown auch in andern
Stücken gelegentlich ein Narrenkostüm, ohne dass uns dies
ausdrücklich bezeugt wird. Man könnte versucht sein,
Fiddle, gleich Shakespeare's Narren, die auch in den
Personenverzeichnissen „clowns“ genannt werden (vgl.
S. 265 ff.), als einen Narren anzusehen, wenn nicht der thatsächliche Inhalt von Fiddle's Rolle dagegen spräche: von
den Narren unterscheidet ihn besonders seine durch Wortverdrehungen bezeichnete Naivetät (vgl. S. 321); hierbei
kommt eine wörtliche Entlehnung aus Ado vor (vgl.
Anm. 320). Auch die subjektive Komik Fiddle's ist von
der üblichen Art. Er liebt es, andere Leute zu foppen,
und versteht die ihm zufallenden Trinkgelder durch Scherzreden zu erhöhen.

Eine ganz misslungene Gestalt ist der Clown Pompey
(vgl. p. 201) in H.'s Lucr., worin auch noch eine andere
verfehlte Rolle, die des lustige Couplets singenden Lord
Valerius, breiten Raum einnimmt. Der Clown ist hier der
Diener des Collatine und seiner Gemahlin Lucrece. Pompey's
mitunter recht weitschweifige Reden sollen offenbar er-
heiternd wirken; aber nur hier und da stossen wir darin
auf einen annehmbaren oder wenigstens erträglichen Scherz.
Was soll man aber zu der sonderbaren Szene sagen, worin
der Clown sein Lucrece gegebenes Versprechen, nichts
von dem zu erzählen, was zwischen ihr und dem Prinzen
Tarquinius Sextus vorgefallen, auf des Valerius Rat dadurch umgeht, dass er die Schandthat des Prinzen singend

27*

mitteilt (p. 232 ff.)? Hierbei stellt Valerius singend seine
darauf bezüglichen Fragen, und beider Duett wird durch
das gelegentliche Einfallen des Horatius Cocles zum Trio.
Die überaus läppische Komik, womit ein so ernstes Ereignis wie die Schändung der Lucretia hier behandelt wird,
ist das Abgeschmackteste, was mir überhaupt im ganzen
englischen Renaissancedrama begegnet ist.

In Land (von H. und W. Rowley) ist der Clown
Diener eines alten Wucherers Harding. Seine Komik ist
ein Gemengsel vieler sehr verschiedenartiger Einzelzüge.
An der Neuheit der komischen Motive, der Selbständigkeit
der Erfindung ist H. gar nichts gelegen. Selbst das alte
abgebrauchte Vice-Motiv der parodistisch entstellten öffentlichen Ausrufung wird von ihm hier wieder aufgenommen
(vgl. S. 356), und in plumpster Form durchgeführt, während
seine Vorgänger es verschmäht hatten. Die Witze des
Clowns sind mitunter echte Kalauer (vgl. S. 354). Beim
Zerwürfnis zwischen dem alten Geizhals Harding und
seinem ältesten Sohne Philip wegen dessen Heirat mit
einem armen Mädchen ist der Clown auf Seiten des jungen
Paares. Spasshaft ist seine Fopperei einiger geldgieriger
Personen, in denen er abwechselnd Hoffnung auf Beute
und Enttäuschung erregt, indem er Philip bald als sehr
reich, bald als gänzlich arm hinstellt. Die Naivetät des
Clowns wird hauptsächlich durch Unsinnreden angedeutet
(vgl. S. 327).

Der ergötzlichste von H.'s Clowns ist Clem in beiden
Teilen von West. Zu Anfang von West A lernen wir ihn
als 10jährigen Knaben kennen; er dient einer munteren
Gastwirtin, namens Besse Bridges, zu Foy in Cornwall
als Weinzapfer. Erst im Personenverzeichnis zu West B
wird er als „the Clown" bezeichnet; der erste Teil bietet
also gleichsam die Keime dar, aus denen sich im zweiten
Teil eine lustige Person entwickelt hat. Clem ist ein seiner
Herrin treu ergebener gutmütiger naiver Bursche. Seine
Komik ist keineswegs besonders geistreich, ebenso wenig
wie die der andern Clowns bei H.; er verfügt aber über

gesunden Mutterwitz und guten hausbackenen Humor, der
ihn auch in schwierigen Lebensverhältnissen stets in froher
Laune erhält. Clem's wechselreiches Schicksal verwandelt
ihn aus einem cornischen Weinzapfer in einen Hofwürden-
träger und Obereunuchen (vgl. S. 331) des Sultans von
Marokko; zuletzt wird er nach Florenz verschlagen, wo
er sein altes Weinzapfergewerbe wieder aufnimmt. Ein
lebhaftes englisches Nationalgefühl durchdringt das ganze
Stück und mit ihm auch Clem's Rolle.

H.'s Trav. beruht zum Teil auf der „Mostellaria" des
Plautus: aber der Clown Roger, der Diener des alten
mit einer jungen Frau verheirateten Wincot, gehört zu
dem von der plautinischen Fabel unabhängigen Teile des
Stückes. Die Spässe dieses durch Wortverdrehungen (vgl.
S. 321) als naiv gekennzeichneten Clowns bestehen meist
aus komischen Vergleichen; besonders fällt seine mit
grossem Wortschwall und haarsträubenden Einzelheiten
erzählte Geschichte von einem fürchterlichen Gemetzel in
die Augen, wobei sich schliesslich herausstellt, dass damit
die harmlose Arbeit der Küche vor einem grossen Gast-
mahl gemeint ist.

Der Clown Coridon (nach p. 151) in H.'s Mistr., einem
Mittelding zwischen eigentlichem Drama und Maskenspiel[996]), worin das Märchen von Amor und Psyche nach
Apulejus vorgeführt wird, ist ein Bauernbursche. Den
Hauptbestandteil seiner objektiven Komik bildet seine Liebe
zu der alten, widerwärtig hässlichen Amaryllis, eine Liebe,
die ihm von Cupido zur Strafe für die wegwerfende Art
eingeflösst wird, womit der Clown über den Liebesgott
gesprochen hatte. Quelle dieses Motivs scheint die Liebe
des Miles gloriosus Sir Topas in Lyly's End. zur alten
Hexe Dipsas zu sein. Coridon's subjektive Komik ist, wie
die Komik des Clowns in Land (vgl. S. 420), ein zu-
sammenhangsloses Gemisch der verschiedenartigsten Züge.
Besonders gern redet der Clown in allitterierender Prosa

---

[996]) Vgl. Ward II 126.

(vgl. S. 348), deren sich auch der Clown in Land an einer
Stelle (p. 383) bedient; der Klang ist hierbei meist wichtiger
als der Sinn, der mitunter völlig in die Brüche geht. In
manchen Fällen ist aber die Komik des Clowns recht
wirksam, zumal in seinen witzigen Trugschlüssen, wodurch
er die seiner holden Amaryllis vorgeworfenen Mängel in
Vorzüge umdeutet.

Der Clown in H.'s Subj. bleibt sowohl in seiner
objektiven als auch in seiner subjektiven Komik im Geleise
der Überlieferung. Sein Herr ist der Hauptmann Bonvile,
der sich arm stellt, um seine Freunde und Diener zu erproben; ausser dem Clown besteht niemand die Probe.
Die Szene, worin der Hauptmann ein Bordell besucht, und
der Clown auf eigenen Wunsch mitkommt, nachdem er
sich durch seinem Herrn abgebetteltes Geld für einen
solchen Besuch gerüstet hat, ist nicht nur roh, sondern
auch überflüssig, ja störend, da sie aus dem Rahmen des
Stückes hinausfällt.

Der Clown in H.'s Maid. steht im Dienste der Heldin
Lauretta und ihrer Mutter, der Witwe eines mailändischen
Generals. Er ist ein treuer Anhänger seiner Herrschaft,
obwohl manche seiner Reden ihn als selbstsüchtig erscheinen lassen. Als prosaische Alltagsnatur hat er für
den heroischen Entschluss seiner Gebieterinnen, lieber zu
verhungern als zu betteln, gar kein Verständnis. Mit der
günstigen Wendung in deren Schicksal schwillt dem Clown
mächtig der Kamm; er wird dreist und aufdringlich, und
versteigt sich sogar zu der thörichten Einbildung, Lauretta
habe sich in ihn verliebt. Dagegen zeigt der Clown wieder,
dass er Kopf und Herz auf dem rechten Fleck hat, indem
er den schurkischen Stroza mit freimütigem Spott überschüttet.

In Chall., H.'s letztem Stücke, giebt der Dichter seinem
auch in andern Dramen (vgl. West, S. 421) hervortretenden
englischen Nationalstolz besonders kräftigen Ausdruck.
Der Clown des Stückes ist der treue Diener des spanischen
Lords Bonavida, der sich in vieler Herren Länder begiebt,

um die Schönste der Frauen zu suchen, und endlich in Hellena, natürlich einer Engländerin, die Gesuchte findet. Die Frauen der verschiedenen Länder und Städte, die Bonavida und der Clown auf ihren langen Reisen kennen gelernt haben, unterwirft letzterer einer sehr launigen Kritik (vgl. S. 349); auch hier verwendet H. wieder traditionelle Motive des Volkswitzes. Auf ähnliche Weise wie der Clown in Gold. (vgl. S. 418), ermöglicht auch dieser Clown seinem Herrn eine ungestörte Unterhaltung mit der Geliebten. Naiv ist seine Zumuthung beim ersten Zusammentreffen Bonavida's mit Hellena, diese solle, falls sie dessen Worten nicht traue, seine, des Clowns, Bürgschaft für die Ehrlichkeit der Absichten seines Herrn annehmen.

Der Clown in More ist an den im Stück dargestellten Ausschreitungen des Londoner Pöbels beteiligt, die durch einige Übergriffe französischer Vlamen in der englischen Hauptstadt veranlasst worden waren, und wird schliesslich mit den andern Aufrührern gehängt. Seine dürftige Komik ist von der typischen Art. — Ein zweiter Clown im Stücke gehört zu der Schauspielertruppe, die das in die Haupthandlung eingelegte Zwischenspiel aufführt. Da dieser Clown nur in den Vorbereitungen zu obiger Aufführung, nicht aber in der Einlage selbst, einer Moralität (vgl. S. 157 ff.) vorkommt; ist zu vermuten, dass der betreffende Schauspieler als der Komiker der Gesellschaft die Rolle des Vice „Inclination" übernahm, ein weiterer Beweis für die zwischen Vice und Clown bestehende, auf die Gemeinsamkeit ihrer Funktion als lustige Personen sich gründende Wesensverwandtschaft (vgl. S. 313 ff.).

Ein lustiger Geselle ist Will Cricket in Wily, dessen Vater Pächter des reichen Bauern Ploddall ist. Will's Komik ist zwar mitunter recht kindlich, aber im ganzen doch wirksam und lebhaft. Er ist, wie viele Gestalten seinesgleichen, naiv, redselig, derb, mitunter auch eitel, jedoch im Kerne sittlich gesund und eine brave ehrliche Haut. Mit Feuereifer und Freimut nimmt er für das Gute

gegen die Vertreter des Bösen im Stücke Partei. Seine
Komik gipfelt in der Liebe zu Peg Pudding, der Tochter
einer Amme; diese Liebe giebt Gelegenheit zu einer Reihe
drolliger Szenen. Er besingt die Auserwählte seines
Herzens in Ausdrücken (p. 311), die wie eine Nachahmung
von Thisbens Lobgesang auf den toten Pyramus in Mids.
(vgl. S. 328) aussehen; trotzdem ist seine Liebe zu der
jungen Peg, von der wir auch nirgends erfahren, dass sie
hässlich sei, durchaus ernst gemeint. Will's Geschichte
von seinem Rechtsstreit mit einem Nachbarn, und wie er
seinen Advokaten Churms gerade dadurch um die ihm
zukommenden Gebühren geprellt habe, dass er dessen
Rat auch ihm selbst gegenüber befolgte, klingt an
den bekannten altfranzösischen Schwank von Meister
Pathelin an.

Unter Dekker's Dramen ist Shoem. das älteste und
zugleich das beste. Hier ist der schliesslich bis zum Lordmayor von London emporsteigende Schuhmachermeister
Simon Eyre die komische Hauptfigur. Seine anziehende
frische Komik ist aber von zu individueller Art, als dass
man auch ihn unter den Clowns unterbringen könnte;
ausserdem ist sie nirgends Selbstzweck. — Simons Geselle
Firke erinnert durch seine in Wortverdrehungen sich verratende Naivetät, aber auch durch sein parodistisches
Holländisch (vgl. S. 357) und seine Wortspiele an die
naiv-witzigen Clowns; seine Komik tritt aber hinter der
seines Meisters zurück.

Im Gegensatz zu Simon Eyre und Firke, kann Shadow
in D.'s Fort. uneingeschränkt zu den Clowns gerechnet
werden. Das Stück ist eine Dramatisierung des deutschen
Volksmärchens von Fortunatus. Shadow, der Diener des
Andelocia, eines der Söhne des alten Fortunatus, fehlt im
deutschen Volksbuch, und ist eine Erfindung des englischen
Dichters. Shadow's Komik ist von der traditionellen Art.
Seine Naivetät zeigt sich besonders beim Zusammentreffen
mit den Schicksalsschwestern (vgl. S. 332). Mehrfach
wird auf Shadow's Kleinheit angespielt (vgl. z. B. S. 99);

seine Rolle war also offenbar bestimmt, von einem Zwerge oder einem Knaben gespielt zu werden.

Nichtssagend ist die Rolle des Clowns in Wyat, dem gemeinsamen Werk von D. und Webster. Das Stück ist freilich nur unvollständig überliefert. Nach den vorhandenen Bruchstücken scheint der Clown ein Soldat zu sein.

Cargo, der Diener des Lord Vanni, in D.'s Kingd., ist einer der vielen Dutzendclowns, ohne irgend welche individuelle Züge. Objektive Komik bietet seine Rolle in einer Szene, worin er betrunken die Bühne betritt.

Ein Clown von bestem englischen Gepräge ist Frisco in Engl., dem einzigen von Haughton allein verfassten Drama [397]. Frisco ist der Diener eines in London ansässigen Portugiesen namens Pisaro. Dieser hat drei Töchter, und sich zu seinen Schwiegersöhnen drei Ausländer ausersehen, einen Holländer, einen Franzosen und einen Italiener; die Töchter lieben aber drei junge Engländer, und setzen schliesslich ihren Willen durch. Darauf weist auch der zweite Titel des Dramas „A Woman will have Her Will“ hin, während der etwas engherzige Chauvinismus, der das Stück erfüllt, schon durch dessen andern Titel angedeutet wird. Den ungebildeten niederen Klassen der englischen Bevölkerung war ein Ausländer damals, wie vielfach auch heute noch, schon an sich eine lächerliche Figur; Frisco wird als der Clown des Stückes von H. zum Hauptvertreter dieser Anschauung gemacht, und giebt seiner echt englischen Fremdenverachtung in sehr drolliger Weise Ausdruck. Am meisten fällt der Clown über den Holländer her (vgl. S. 357. 367). Dieser wird von den ihn foppenden jungen Damen mit scheinbarer Bereitwilligkeit zu einem Stelldichein in ihre Wohnung bestellt, und soll in einem Korbe heraufbefördert werden; als der Korb in halber Höhe des Hauses angelangt ist,

---

[397] Beteiligt ist H. auch noch an der Abfassung von Griss. und „Lust's Dominion“ (auch „The Spanish Moor's Tragedy“); Vff. H. und Dekker. Dodsley 4 XIV.

unterlässt man es, ihn noch höher zu ziehen, so dass nun
sein armer Insasse hilflos zwischen Himmel und Erde
schwebt[396]). Der Clown rät sogar, den Strick, an dem
der Korb hängt, zu durchschneiden, und sieht sich nach
einem Stein um, um ihn dem Holländer an die Nase zu
werfen. Er ist aber viel zu harmlos und gutmütig, um
so boshafte Absichten wirklich auszuführen. Die Fopperei
mit dem Korbe ist nicht sein Werk; überhaupt hat er auf
die eigentliche Handlung keinen Einfluss. Seine Naivetät
macht sich nicht nur den fremden Sprachen gegenüber,
sondern auch sonst in Wortverdrehungen, Unsinnreden, u.s.w.
in ausgiebiger Weise geltend. Er wird (p. 482) *„a simple
sot, kept only but for mirth"* genannt.

Der Müllerssohn und Clown Much in Munday's
Downf. und M.'s und Chettle's Death gehört zum Gefolge Robin Hood's, dessen Leben und Tod in obigen
Stücken dargestellt wird (vgl. auch Anm. 248). Er ist
seinem Herrn und seiner Herrin Maid Marian mit Leib
und Seele ergeben, und ergreift daher gegen Robin's Gegner
mit Leidenschaft Partei. Seine Komik geht nirgends über
die Grenzen des Herkömmlichen hinaus. An seiner Rolle
hat Downf. den weitaus grösseren Anteil; in Death kommt
er nur vorübergehend vor.

Den im Vorspiel zu Parn. flüchtig auftretenden Clown
hat der Verfasser dieses akademischen Dramas nur eingefügt, um die Vorliebe des volkstümlichen Dramas für
den Clown und seine improvisierten Spässe an den Pranger
zu stellen (vgl. Anm. 360).

In Angry, Porter's einzigem Stücke, finden wir
mehrere clownartige Diener, von denen Dick Coomes
und Hodge dem Durchschnittstypus entsprechen, während
Nicholas Proverbs, dessen Rede fast nur aus Sprich-
wörtern und sprichwörtlichen Redensarten besteht, eine
originellere Gestalt ist.

Von den zahlreichen Dramen Middleton's enthalten

---

[396]) Obiges Motiv begegnet auch in Bulwer's Roman „Pelham".

nur wenige einen Clown. In Old, dem gemeinsamen Werk
von M., Massinger und W. Rowley, stellt Gnotho den
Clown dar, aber einen Clown von eigentümlicher Art. Auf
Grund des durch den Titel ausgedrückten Altersgesetzes
hat seine 59jährige Frau Agatha nur noch ein Jahr und
einen Monat zu leben; er aber erwartet ihren Tod mit
solcher Ungeduld, dass er durch eine von ihm veranlasste
Fälschung (vgl. S. 362 ff.) die ihr gegönnte Lebensfrist noch
um ein ganzes Jahr verkürzen will. Heuchlerisch rechtfertigt
er obigen Betrug vor sich selbst als einen ihr erwiesenen
Liebesdienst, wodurch er die Qualen ihres Erdendaseins
abkürze. Später stürzt Gnotho seine Frau absichtlich
durch die Mitteilung in eine Ohnmacht, sie habe nur noch
14 Tage zu leben, und scheut sich nur deshalb, die Ohn-
mächtige als verstorben anzumelden, weil er fürchtet, das
Geläute der Totenglocken werde sie wieder ins Leben
zurückrufen. Darauf bespricht er sich in Agathens Gegenwart mit der Dirne, die er sich zur zweiten Frau auserkoren, über die Kleider, die sie von jener erben solle.
Derartige Szenen sind von einer solchen Gefühlsroheit,
und enthalten so viel stoffliche Trübungen der in ihnen
steckenden Komik, dass die komische Wirkung hier fast
in ihr Gegenteil umschlägt. Obgleich schliesslich Agatha
am Leben bleibt und der in seinen Hoffnungen schmählich
getäuschte Gemütsmensch Gnotho sogar froh sein muss,
ohne strenge Strafe davonzukommen, vermag ein solcher
Clown doch nicht das herzliche befreiende Lachen in uns
zu erregen, das uns durch die harmlosen Spässe so vieler
anderer Clowns abgenötigt wird. Der Stoff des Dramas
eignet sich trefflich zu satirischer Charakterschilderung;
dass aber gerade der Schlimmste der Ehemänner zugleich
lustige Person ist [399]), muss als ein grober ästhetischer
Fehler bezeichnet werden. Es ist zu bedauern, dass die
Verfasser so viel Witz, wie der, über den sie Gnotho ver-

---

[399]) Köppel B S. 150; vgl. daselbst auch Anm. 2 über die Anklänge an Shakespeare in Gnotho's Scherzen.

fügen lassen, auf einen so unkomischen Stoff verschwendet haben. Als naiv zeigt sich Gnotho höchstens beim Zusammentreffen mit seinem Landesherrn, dem Herzog von Epirus, wobei er sich mit der Ungeniertheit eines Naturburschen benimmt; doch wird auch bei dieser Gelegenheit eine wahrhaft komische Wirkung durch seine vorlaute Dummdreistigkeit nicht erreicht (vgl. S. 360 ff.).

Auf einer etwas besseren Grundlage baut sich die Komik Lollio's in Chang. (von M. und W. Rowley) auf. Lollio ist Diener des Irrenarztes Alibius und Wärter eines Irrenhauses. Freilich müssen wir uns, um das Stück richtig zu verstehen, auf den Standpunkt des 17. Jahrhunderts versetzen, wo harmlose Geisteskranke noch allgemein als komisch galten, während heutzutage nur noch die ungebildeten Kreise diese Auffassung teilen. Der alte auf seine junge Frau eifersüchtige Alibius, diese junge Frau, die einen andern liebt, Antonio, dieser andere, der sich blödsinnig stellt, um ins Irrenhaus zu kommen, und so sein Zusammentreffen mit der Geliebten herbeiführt, der Diener Lollio als Mitwisser und Vermittler ihrer heimlichen Liebe, all diese Gestalten machen den Eindruck von Typen der romanischen Komödie (vgl. S. 403). Eine romanische Quelle für diesen Teil des Dramas lässt auch dessen Schauplatz — Spanien — vermuten. Lollio spielt aber den Kuppler nur nebenbei; er erscheint trotz seines offenbar romanischen Ursprungs den echt englischen Clowns nicht unbeträchtlich angeglichen, sowohl in der subjektiven Komik seiner Spässe (vgl. z. B. S. 347), als auch in seinen Missverständnissen und Sinnlosigkeiten.

In Diss. (von M. allein) begegnen wir einem lustigen Diener Dondolo. Seine Scherze sind von der üblichen Art; eigenartige Komik bieten nur seine krampfhaften Anstrengungen, das Rotwelsch der Zigeuner zu erlernen, wobei es natürlich ohne drollige Wortverdrehungen und Missverständnisse nicht abgeht. Der seinem Herrn entlaufene Dondolo will sich nämlich den Zigeunern anschliessen, denen er sich dadurch zu empfehlen sucht, dass er mit Wohlbehagen erzählt, zwei Onkel von ihm seien gehängt worden, und sein leiblicher Vetter sei ein tüchtiger Taschendieb.

Der Diener Pipkin in How, dem einzigen erhaltenen Drama von Joshua Cooke, ist, obgleich 24 Jahre alt (vgl. p. 42), zugleich noch Schüler eines nicht übermässig gelehrten Schulmeisters Aminadab. Pipkin's Eigenschaft als Schüler giebt zu einer Reihe von erheiternden Szenen Anlass (vgl. S. 326. 343). Gegen seinen in der Ehe ungetreuen Herrn spielt Pipkin mit Erfolg das enfant terrible (p. 53).

Die kleine Rolle des naiv-witzigen Schmiedegesellen Hodge in Cromw., der anfangs in der Schmiede des alten Cromwell zu Putney arbeitet, dann aber dessen Sohn, den späteren Lord, nach Italien begleitet, bietet Komik hauptsächlich in der typischen Situation, worin er als Lord verkleidet auftritt (vgl. S. 332 ff.).

Der Diener Boss in Wom. erscheint, wie Launce in Gent., gewöhnlich zusammen mit einem Hunde. Seine ausschliesslich aus Wortwitzen bestehende subjektive Komik erreicht ihren Höhepunkt in dem auf witzigen Trugschlüssen beruhenden, sehr ausführlich begründeten Beweise, dass die Trunksucht eine Tugend sei (p. 367 ff.). Objektive Komik entfaltet Boss, wie die meisten Clowns, in Missverständnissen und Sinnlosigkeiten.

Der Clown in Wilkins' Mis., der Diener des Sir John Harcop, ist nur dadurch merkwürdig, dass seine, übrigens wenig umfangreiche Rolle ein Beispiel für die fortschreitende Verschmelzung der Clowns mit den Narren darbietet: er wird, mit Anspielung auf die blaue Farbe seiner Bedientenlivree (vgl. Anm. 312), „blue-bottle" genannt (p. 6); gleich danach aber (p. 7) bezeichnet er sich selbst als einen „fool by art", legt sich also eine sonst nur den Berufsnarren zukommende Benennung bei. Schon zur Zeit der Abfassung dieses Stückes (1603) wurden also Narr und Clown miteinander verwechselt.

Die Komik des Clowns in Nob. besteht, abgesehen

von der Selbstgefälligkeit, womit er den König Archigallo
auf die Schönheiten seiner einzelnen Körperteile aufmerksam macht, grösstenteils aus satirischen und andern Wortspielen mit dem Namen seines späteren Herrn *Nobody*
(vgl. S. 346).

Der Clown in Chiv., Diener der Prinzessin Katharina
von Frankreich, ist völlig nebensächlich.

In Fletcher's und Beaumont's Cure kommen zwei
clownartige Diener vor: Bobadilla und Lazarillo.
Bobadilla, der Haushofmeister des spanischen Edelmanns Alvarez, gleicht im allgemeinen den clownartigen
Dienern gewöhnlichen Schlages, nur dass innerhalb seiner
Rolle die Zote breiten Raum einnimmt. Objektiv-komisch
ist er nur durch seine Eitelkeit und Selbstzufriedenheit;
die für die Clowns sonst so charakteristische Naivetät
fehlt ihm durchaus. — Die Scherze Lazarillo's, der bei
einem spitzbübischen Schuhflicker in Diensten steht, drehen
sich meist um den ihn beständig quälenden Hunger; ein
Motiv der unfreiwilligen passiven Komik dient also hier
zum Ausgangspunkt für freiwillige passive Komik (ähnlich
bei Gunophilus S. 187 und Galoshio S. 396).

Aus der Rolle des Clowns Shorthose in Fl.'s Wit,
des Dieners der verwitweten Lady Hartwell, geht, ebenso
wie aus der des Clowns in Mis. (vgl. S. 429), hervor, dass
man im jüngeren Renaissancedrama Narren und Clowns
nicht mehr scharf zu unterscheiden wusste, da Shorthose
mehrfach (p. 263 II) von seinem berufsmässigen Narrentum redet, während er doch seinem Wesen nach ein Clown
ist. Seine Naivetät verrät sich durch Unsinnreden (p. 288 I);
er gesteht auch selbst zu, er sei *„an ingrum* [= ignorant]
man“ (p. 285 I). Shorthose war ursprünglich ein tölpelhafter Bauernbursche, hat aber, seitdem er mit seiner
Herrin nach London gekommen, wie er selbst sagt, „schon
zu lange am hinteren Ende des Witzes aufgewartet, um
ein Esel zu sein“ (p. 264 I). Die ihm in London gebotenen
materiellen Genüsse und die häufig benutzte Gelegenheit
zum Kannegiessern mit Nachbar Soundso in der Stamm-

kneipe machen ihm das Leben in der Hauptstadt so lieb,
dass er eine Übersiedelung seiner Herrin auf ihren Land-
sitz als sein grösstes Unglück betrachtet. Shorthose ist,
im Gegensatz zu so vielen anderen Clowns, eine mit lebenswahrer Realistik, ohne Übertreibung der ihm beigelegten
komischen Züge, gezeichnete Gestalt; freilich kommt der
Selbstzweck der Komik dadurch zu kurz. Im Mittelpunkt
des komischen Interesses stehen daher auch nicht seine
Spässe (vgl. z. B. S. 329), sondern die feinere Komik der
Witzgefechte zweier Liebespaare.

In Pleas. stossen wir wieder auf zwei clownartige
Diener, Penurio und Soto. Mit Penurio, dem Diener des
geizigen Wucherers Lopez, hat Fl. den schon in Cure behandelten Spezialtypus des ewig hungrigen Bedienten wieder
aufgenommen. Auch Penurio benutzt seinen Heisshunger,
der hier durch den Geiz des Wucherers besser motiviert
wird als bei Lazarillo in Cure, als Grundlage für die
meisten seiner Scherze. Er würde nach seiner eigenen
Aussage für bestimmte Lieblingsgerichte seinen leiblichen
Vater, ja das ganze Land verraten. -- Soto äfft zeitweilig, mit den Kleidern seines Herrn Claudio angethan,
in der für die Clowns typischen Weise einen Gentleman
nach; dies bekommt ihm aber schlecht, da Silvio, ein
Liebesnebenbuhler Claudio's, ihn für diesen hält und auf
ihn schiesst. Zwar wird Soto nicht verletzt, aber der aus-
gestandene Schreck ist so gross, dass er feierlich dem
Ehrgeiz, einen Gentleman zu spielen, entsagt. Seine Angst
bei dieser Gelegenheit ist sehr ergötzlich; auch sonst zeigt
er sich als ein Erzfeigling (vgl. S. 336). Seine übrige
Komik ist aber von subjektiver Art. Im Wortstreit mit
dem puritanischen Schuhflicker Bomby, gegen den er Mai-
feier und Maskenpferd (vgl. S. 232 ff.) mit Wärme verteidigt,
ist Soto offenbar das Sprachrohr für Fl.'s eigene Anschauungen. — Das Stück spielt zwar in Italien; aber Soto
ist wahrscheinlich als eine Nachahmung des spanischen
Gracioso (vgl. S. 294. 404 ff.) zu betrachten, dem er durch

seine Feigheit und auch darin gleicht, dass er in den
Kleidern seines Herrn dessen Zerrbild darstellt.

Der Clown Bustopha in Mill (von Fl. und W. Rowley)
ist der Sohn eines Müllers Franio, und vermeintlicher
Bruder der Titelheldin Florimel, die in Wahrheit, wie sich
am Schluss herausstellt, die Tochter eines Edelmanns
ist[400]). Die Gruppierung: Vater niedrigen Standes —
Sohn (Clown) — Pflegetochter vornehmer Abkunft — gleicht
der in Wint. (vgl. S. 376 ff.). Bustopha's im allgemeinen
wirksame Komik wird zuweilen durch stoffliche Trübungen
recht erheblich beeinträchtigt. Seinen Vater behandelt der
Clown mit einer Unverschämtheit, die nicht selten geradezu
in Roheit ausartet und allen Witz vermissen lässt. Diese
Unverschämtheit passt schlecht zu der Furcht, von Franio
streng bestraft zu werden, die Bustopha nach Florimel's
Entführung durch den als Mars verkleideten Gerasto an
den Tag legt. Obige Entführung bildet eine unerwünschte
Improvisation in dem in das Stück eingelegten travestie-
renden Zwischenspiel vom Urteil des Paris[401]), worin auch
der Clown eine Hauptrolle spielt (vgl. seine darin vorgetragenen Verse S. 329). Bustopha's Komik bietet die
übliche Mischung von Witz und Naivetät; anstössig ist
seine Vorliebe für Zoten und unflätige Scherze (vgl. z. B.
S. 345 ff.).

Gelungener ist die Komik Andrew's in Fl.'s Eld.,
einer parodistischen Karikatur seines gelehrten Herrn
Charles Brisac (vgl. S. 334 und Anm. 380). Sehr komisch
sind Andrew's ungeheuerliche Aufschneidereien über dessen
Fähigkeiten und Treiben (vgl. S. 353), wodurch er der
übrigen Dienerschaft des alten Brisac zu imponieren sucht.
Dieser verheiratet ihn mit einer Wäscherin Lilly und giebt

---

[400]) Über eine von Paynter übersetzte Novelle Bandello's als
Quelle für die Geschichte der Florimel vgl. Köppel A S. 112.

[401]) Über die Verwandtschaft dieses Zwischenspiels mit der
Handwerkeraufführung in Mids. und den Einlagen einiger anderer
Stücke vgl. Köppel A S. 113; über die spanische Quelle für das Motiv
der das Spiel jäh unterbrechenden Entführung siehe ebenda.

dem Paar ein Pachtgut zur Bewirtschaftung. Moralisch
bedenklich, und daher für die Zwecke der Komik verfehlt
ist die Mangel an Ehrgefühl verratende Schlauheit, womit
Andrew, der den alten Brisac bei der Verabredung eines
Stelldicheins mit Lilly ertappt, diesen Umstand zu benutzen beschliesst, um von jenem eine bedeutende Ver-
grösserung des Pachtguts zu erzwingen.

Webster's App. B knüpft nicht an das ältere Stück
gleichen Namens von R. Bower an, sondern eher an
Th. Heywood's Lucr. (vgl. S. 419 ff.). Sowohl der Stoff
selbst, als auch dessen Behandlung ist in beiden Stücken
gleichartig; insbesondere ist beiden gemeinsam ein unpassender Weise in altrömischer Umgebung auftretender
Clown echt englischen Gepräges, in dessen Munde auch
bei W. die Schändung seiner Herrin zur Posse wird. Etwas
weniger geschmacklos als Heywood's Clown Pompey ist
der Clown in App. B, der (nach p. 186) Corbulo heisst,
allerdings. Seine Reden wimmeln förmlich von meist sehr
flachen Wort- und Klangspielen, und enthalten auch zahlreiche satirische Anspielungen (vgl. S. 359). Seine Naivetät
äussert sich in Missverständnissen und Unsinnreden. Die
Rolle zeigt, dass Komik nicht W.'s starke Seite war, so
sehr er auch sonst als Dramatiker hervorragte.

Der einer Schäferfamilie entsprossene naiv-witzige
Clown in Thrac. bietet in seiner Rolle nichts von besonderem Interesse.

Die unter William Rowley's, Dekker's und Ford's
Namen erschienene Tragikomödie Edm. wurde von früheren
Forschern meist R. abgesprochen, und ihre Clownszenen
D. zugeschrieben. In D.'s sonstigen Stücken kommt der
Clown, wie wir oben (S. 424 ff.) gesehen haben, nicht sehr
häufig vor; auch sind die unzweifelhaft von D. selbst geschaffenen Clownsgestalten nebensächlich. Dagegen hat R.
eine besondere Vorliebe für den Clown: er lässt ihn in
den meisten seiner von ihm allein verfassten Stücke auftreten, und gewährt seiner Rolle, besonders in Merl., weiten
Spielraum. Daher ist wohl mit Fleay (I 231) anzunehmen,

dass die lebhafte, wenn auch nicht gerade hervorragend
witzige, mit behaglicher Breite vorgeführte Komik des
Clowns Cuddy Banks in Edm. von jenem Dichter her-
rühre. Cuddy ist ein junger Bauernbursche, und Anführer
seiner ländlichen Genossen, mit denen wir ihn zu Anfang
über die Vorbereitungen zu einem bald darauf aufzu-
führenden Moriskotanz beraten sehen; der Clown übernimmt es, hierin das Maskenpferd zu reiten (vgl. S. 367).
Den Hauptanteil an Cuddy's Komik hat der Zauberspuk,
in den er durch die Hexenkünste der alten Sawyer, der
Titelheldin des Stückes, verwickelt wird.

    Vex. (von R. allein) ist, trotzdem Heinrich III. von
England und mehrere Personen des hohen Adels darin
vorkommen, ein bürgerliches Familienlustspiel. Die Titelheldin ist eine sich niemals ärgernde Witwe. Ihr Diener
Roger, der Clown des Stückes, stellt durch sein vorlautes
aufdringliches Wesen die Geduld seiner Gebieterin absichtlich auf die härteste Probe. Ihre Verlobung versetzt
ihn in sehr lebhafte Entrüstung; er glaubt an körperlichen
Vorzügen den Bräutigam der Witwe weitaus zu übertreffen,
und eröffnet ihr diese seine Meinung ganz unverfroren.
Erwähnt sei noch, dass R. der Witwe ein der Geschichte
vom Ringe des Polykrates nachgebildetes Erlebnis zugeteilt hat.

    Massinger's mit Recht gerühmte Tragikomödie Reneg.
beruht auf einer Erzählung des Cervantes[402]); jedoch der
Clown Gazet, der Diener eines venetianischen Edelmanns
Vitelli, gehört nicht zu den aus der spanischen Quelle
übernommenen Personen, sondern scheint englischer Herkunft zu sein. Das Stück enthält manche Anklänge an
Th. Heywood's West (vgl. S. 420 ff.): in beiden Stücken
kommt der Clown mit seiner Herrschaft an einen muham-
medanischen Hof; hier schwingt sich bei M. Vitelli, wie
bei Heywood Bess Bridges, zeitweilig zu hohen Würden
auf; der Clown äussert bei beiden Dramatikern den naiven

---

[402]) Vgl. Koeppel B S. 98 ff.

Wunsch, zum Eunuchen gemacht zu werden (vgl. S. 331).
Auch das Motiv der scheinbaren Drohung, die unvermutet
auf eine harmlose und friedliche Äusserung hinausläuft
(vgl. S. 345 und Reneg. p. 103 I) findet sich in beiden
Stücken. Obgleich West 1631 und Reneg. schon 1630 im
Druck erschien, hat ersteres mit Fleay, der das Stück um
1622 ansetzt, wohl als das ältere Stück zu gelten, so dass
M. hier als Nachahmer T. Heywood's zu betrachten wäre.

Hilario in M.'s Pict. ist der clownartige Diener der
tugendhaften Sophia, der Gattin des böhmischen Ritters
Mathias. Letzterer zieht zu Beginn des Stückes in den
Krieg. Hilario versucht seine über die Trennung von ihrem
Gemahl betrübte Herrin durch Hanswurstpossen (vgl.
S. 352) zu erheitern, erzielt aber durch sein Ungeschick
eine der beabsichtigten entgegengesetzte Wirkung. Sophia,
von Zorn entbrannt, jagt ihn aus dem Hause. Nun beginnt für den stellenlosen Clown eine traurige Zeit des
Hungers; aber selbst seine durch die erlittenen Ent-
behrungen verursachte Abmagerung giebt ihm Anlass zu
Scherzen, die also freiwillige passive Komik enthalten.
Am Schluss spielt der von Sophia wieder in Gnaden auf-
genommene Hilario die Rolle eines Aufsehers über zwei
wollüstige Ritter, die von jener zur Strafe für ihre un-
sittlichen Anträge zu schwerer Arbeit und dürftiger Kost
verurteilt worden sind; der Clown behandelt sie hierbei
wie ein Tierbändiger seine gezähmten Bestien.

Die Rolle des clownartigen Dieners Gothrio in Bashf.,
M.'s jüngstem Drama, ist unbedeutend. Er ist naiv, der
Flasche sehr zugethan und feige, zugleich auch ein Stück
von einem Spitzbuben: er beraubt zwei verwundete Edel-
leute, die er für tot hält, ihres Geldes und ihrer Juwelen,
und rechtfertigt diesen seinen Gaunerstreich vor sich selbst
durch eine witzelnde wortspielende Dialektik. Hier und
da würzt Gothrio seine Rede auch durch satirische Ausfälle (vgl. S. 359).

Patr. von James Shirley, halb Mirakelspiel, halb
eigentliches Drama, enthält einen Clown in Rodamant,

28*

dem Diener des heidnischen Priesters Archimagus. Dieser
Clown hat sich in die Königin von Irland verliebt; seine
Liebe giebt uns Gelegenheit, ihn von der objektiven Seite
seiner Komik kennen zu lernen. Später gerät Rodamant
durch Beraubung einer Leiche in den Besitz eines unsichtbar machenden Armbandes; er benutzt seine Unsicht-
barkeit, um mit andern Personen des Stückes allerhand
Koboldpossen zu treiben.

Der Clown in Henry Shirley's Mart. ist Gehilfe
eines Kerkermeisters. Seine Komik kommt zum grossen
Teil dadurch zustande, dass seine hausbackene Alltagsnatur in unmittelbare Berührung mit dem Heiligen und
Wunderbaren der altchristlichen Märtyrerlegende tritt (vgl.
S. 331); sie ist stellenweise wegen ihrer Roheit durchaus
verfehlt. Die vom Clown aufgestellte Theorie von den
Verschiedenheiten des Verbrennungsprozesses beim Feuer-
tode von Vertretern der verschiedenen Völker, wonach
beim Juden die Nase zuerst brenne, beim Franzosen, wenn
er ausgebrannt sei, ein übler Geruch zurückbleibe, u. s. w.,
ist eine der tollsten grotesken Ausgeburten ausschweifender
Phantasie. Über das Jägerlatein des Clowns vgl. S. 352.

Von den vier Dramen Randolph's enthält nur das
Guarini's berühmtem Schäferspiel „Pastor Fido" (ins Englische übersetzt von Dymock, 1602) nachgebildete Stück
Amynt. die Gestalt des Clowns. Der Clown Bromius ist
hier der Diener des phantastischen Schäfers Jocastus und
steht zu diesem in einem ähnlichen Verhältnis wie Sancho
Pansa zu Don Quixote. Sein nüchterner praktischer Sinn
lässt ihn, im Gegensatz zu seinem Herrn, den diesem von
Dorylas, einem koboldartigen Knaben, gespielten Betrug
sofort erkennen; zur Strafe für seine Zweifelsucht muss
sich Bromius von dem als Oberon verkleideten Äpfeldiebe
Dorylas und dessen Begleitern eine der Behandlung Falstaff's durch die ihn umtanzenden Elfen im letzten Akt
von Wiv. gleichende Strafe gefallen lassen[403]). Auch

---

[403]) Vgl. Ward II 344.

Bromius scheint (nach p. 366) im Narrenkostüm aufzutreten; gleich den Berufsnarren (vgl. S. 254 ff.), benutzt er seine Rolle zu einem spöttischen Angriff auf Jocastus (vgl. Anm. 361).

4. Die bloss subjektiv-komischen oder die uneigentlichen Clowns.

Die Entwickelung des eigentlichen Dramas in England brachte eine fortschreitende Erweiterung des Begriffs „*clown*" mit sich; schliesslich bezeichnete das Wort „*clown*" nicht mehr bloss den naiven, mit mehr oder weniger Mutterwitz begabten Vertreter der unteren Volksklassen, sondern schlechthin jede beliebige Art einer lustigen Person. Der ursprünglich dem Begriff „lustige Person" untergeordnete Begriff „*clown*" fiel also im nachelisabethanischen Drama mit jenem Begriff zusammen. So erklärt es sich auch, dass man zu jener Zeit[404] die Narren, deren litteraturgeschichtlicher Ursprung doch von dem der Clowns völlig verschieden ist, mit den Clowns zu verwechseln anfing und umgekehrt: die Herausgeber der ersten Folioausgabe von Shakespeare's Werken nannten in den Personenverzeichnissen Shakespeare's Narren irrtümlich Clowns (vgl. S. 265 ff.); umgekehrt erscheint der Clown zuweilen in der ihm ursprünglich nicht zukommenden Narrentracht[405]. Wie die Bezeichnung „*Vice*" schliesslich ohne weiteres auch auf eine dem römischen Lustspiel entnommene Spassmacherfigur[406] übertragen wurde, wandte man im 17. Jahrhundert den Ausdruck „*clown*" auch auf bloss subjektiv-komische Diener antiken oder romanischen Ursprungs an, wenn ihre Rollen dem Selbstzweck der Komik dienten. Es giebt aber auch einige ausschliesslich subjektiv-komische Clowns von englischer Herkunft. Alle

---

[404] Das älteste Beispiel einer solchen Verwechselung stellt Wilkins' MJs. dar (vgl. S. 429).

[405] So Fiddle in Th. Heywood's Exch., Bromius in Randolph's **Amynt.**

[406] Jack Juggler in Juggl. (vgl. S. 164).

diese subjektiv-komischen Clowns gleichen in ihrer Komik
eher den Narren als den übrigen Clowns. Von jenen unterscheiden sie sich nur noch durch den Mangel der Narrentracht und das Nichtberufsmässige ihres Spassmachertums;
den clownartigen Dienern antiken oder romanischen Ursprungs haftet ausserdem noch meist (ein weiteres Unter-
scheidungsmerkmal) das Element der lustigen Intrigue an,
das den Narren und den echt englischen Clowns fremd zu
sein pflegt. Alle bloss subjektiv-komischen Clowns fasse
ich unter der Gesamtbezeichnung „uneigentliche Clowns“
zusammen, weil die Ausschliesslichkeit ihrer subjektiven
Komik eine völlige Verkehrung des ursprünglichen Clowntypus bedeutet.

In den Stücken von Lyly begegnen zahlreiche Diener,
die nicht als Clowns anzusehen sind, sondern einem besonderen Typus angehören, dem des vorlauten früh-
reifen Burschen oder Pagen (vgl. S. 47), der sich vom
erwachsenen eigentlichen clownartigen Diener durch seinen
völligen Mangel an Naivetät zu unterscheiden pflegt. Bei
L. tritt dieser Unterschied zuerst genügend deutlich hervor, und zwar in Gal. (vgl. S. 388 ff.), wo dem pfiffigen
Tölpel *Raffe* der durchaus nicht tölpelhafte oder naive
Peter, des Alchimisten „*boy*“, gegenübersteht. In Sapho
wird *Cryticus* ausdrücklich als Page bezeichnet, *Molus*
dagegen als Diener; beide gleichen aber einander so sehr,
dass auch Molus vermutlich als jugendlicher Bursche zu
betrachten ist. In End. kommen drei Pagen vor: *Epiton*,
Dares und *Samias*. *Licio*, *Petulus* und *Minutius* in Midas
werden zwar im Personenverzeichnis „*servants*“ genannt;
aus der ihnen beigelegten Bezeichnung „*infants*“ (p. 60)
ergiebt sich aber doch wieder ihr jugendliches Alter. —
Die Komik aller dieser Gestalten ist allein von subjektiver
Art. Besonders Peter in Gal. (neben dem Clown *Raffe*),
Licio und Petulus in Midas kommen dabei der Rolle
einer lustigen Person recht nahe[407]). Hiermit wäre also

---

[407]) Die Unterredung zwischen Licio und Petulus (p. 10 ff.) über
die Vorzüge von Licio's Herrin hat vielleicht das viel witzigere

ein neuer Einzeltypus gegeben, der Keime zu einer Funktion als lustige Person darbietet. Diese Keime kamen aber nicht zur Entfaltung; bei L.'s Nachfolgern ist die Komik des Pagen und des ihm ähnlichen dienenden Knaben niemals mehr Selbstzweck.

Einige andere Gestalten bei L. gleichen obigen Pagen, aber ohne dass irgend welche Anhaltspunkte dafür vorhanden sind, dass auch sie im frühen Jugendalter stehen. So die Diener *Manes*, *Granichus* und *Psyllus* in Alex. In Bomb. finden wir neben den dienenden Knaben *Halfpenny* und *Lucio* die nicht als *„boys“* bezeichneten, offenbar älteren Diener *Dromio* und *Riscio*, beides Leibeigene (vgl. p. 76. 87). Auch Manes in Alex., Dromio und Riscio in Bomb. nähern sich in ihren Rollen der einer lustigen Person, obgleich sie weder zu den Clowns noch zu den Narren gehören, die im eigentlichen Drama, abgesehen von den jüngsten Vice-Gestalten, die einzigen üblichen Arten solcher Personen darstellten. Sie sind erwachsene Diener, aber nicht clownartig; wenigstens macht ihr Mangel an Naivetät sie den älteren Clowns, bei denen diese Eigenschaft noch unbedingte Voraussetzung ist, unähnlich. Aber auch diese Ansätze zur Rolle einer lustigen Person verkümmerten in der Folgezeit. Diejenigen Clowns der späteren Zeit, welche durch ihre rein subjektive Komik obigen Gestalten bei L. gleichen, knüpfen ja nicht an diese an, sondern sind aus den nur vorwiegend subjektiv-komischen Clowns der dritten Klasse hervorgegangen.

Die älteste ausschliesslich subjektiv-komische, ausdrücklich als *„clown“* bezeichnete Gestalt ist der Clown in beiden Teilen von T. Heywood's If. Seine Rolle ist unbedeutend, schon in If A, worin die Drangsale geschildert werden, welche die Prinzessin Elisabeth während der Regierung ihrer Stiefschwester Maria erdulden musste; noch viel mehr in If B, worin die Regierung der neuen

Gespräch zwischen Speed und Launce in Shakespeare's Gent. (III 1. 302 ff.) über Launce's Geliebte angeregt.

Königin Elisabeth bis zur Vernichtung der Armada vorgeführt wird. Diesen zweiten Teil des minderwertigen
verworrenen Stückes können wir ganz ausser Betracht
lassen. Im ersten tritt als Hauptzug im Charakter dieses
Clowns seine treue Ergebenheit gegen Elisabeth hervor,
zu deren Gefolge er, man weiss nicht recht, in welcher
Eigenschaft, gehört[408]). Seine Komik ist recht albern:
ihren Hauptbestandteil bilden die gegen Sir Henry Beningfield gerichteten Foppereien (vgl. S. 361).

Die Haupthandlung von H.'s Capt. geht auf das
plautinische Lustspiel „Rudens" zurück. H. hat den Sklaven
Trachalio des Plautus ohne beträchtliche Änderungen herübergenommen und ihn zum Clown seines Stückes gemacht. An manchen Stellen ist die Rede des Clowns, der
(nach p. 139) James zu heissen scheint, sogar eine wörtliche Übertragung des Plautus[409]). Der Clown ist der
treue Diener des jungen Kaufmanns Raphael, der dem
Plesidippus des Plautus entspricht. Seiner Entrüstung
über die Schurkerei des Kupplers Mildewe (des Labrax
bei Plautus) giebt der Clown in zahlreichen Reden voll
schärfsten Spottes Ausdruck. Als eine Art komischer
Intrigant erscheint er in seiner lustigen Dialektik dem
Fischer gegenüber, wodurch er diesem beweist, dass er,
der Fischer, auf das von ihm aus dem Meere heraus-
gefischte Kästchen kein Anrecht habe. Da dies Kästchen,
was der Clown vielleicht geahnt hat, die Papiere von
Ashburne's verloren geglaubter Tochter enthält, trägt
obiger Streit des Clowns mit dem Fischer mittelbar zur
Entwirrung des dramatischen Knotens bei.

---

[408]) Vielleicht haben wir es gar nicht mit einem Clown, sondern
mit dem Hofnarren der Prinzessin zu thun.

[409]) So p. 137: „*Good morrowe, you sea theeves*" = „*Salvete, furcs
maritimi*" (Rudens ll 2); ebenso ist das Gespräch zwischen dem Clown
und dem englischen Kaufmann Ashburne (p. 183 ff.) eine genaue
Nachahmung des Gesprächs zwischen Trachalio und Daemones in
Rudens (IV 6) (vgl. Bullen's Anmerkungen zu seiner Ausgabe des
Stückes).

Ein bloss subjektiv-komischer Clown englischen Ursprungs ist der Pförtner in Shakespeare's Mcb. Die berühmte vielerörterte Pförtnerszene (II 3) steht durch ihre Komik in schroffem Gegensatz zu dem unmittelbar vorhergehenden grauenvollen Auftritt, worin das verbrecherische Ehepaar der Macbeths den alten König Duncan ermordet hat. Alltägliche Komik würde nach einem so entsetzlichen Ereignis schal und nüchtern wirken; Sh. konnte daher hier nur groteske Komik brauchen. Rein grotesk ist die Situation, in die sich der Pförtner bei Macduff's ungeduldigem Klopfen hineindenkt: er glaubt Höllenpförtner zu sein, und schreibt jede Erneuerung des Klopfens einem neuen, Einlass begehrenden Sünder zu: die Aufzählung der einzelnen vermeintlichen Ankömmlinge stellt, ähnlich wie in den Misterien (vgl. S. 66), einen Rahmen für satirische Bilder dar. Wie unwahrscheinlich auch die Lage zu sein scheint, in die eine abenteuerliche Einbildungskraft den Pförtner versetzt hat, sie erhält, ihm selbst völlig unbewusst, einen Anstrich von Realität durch die eben geschehene grässliche That. So wird auch hier in wahrhaft künstlerischer Weise, ähnlich wie beim Narren in Lr. und bei den beiden Totengräbern in Hml., sogar die Komik der lustigen Person der tragischen Gesamtstimmung des ganzen Stückes angepasst, zum tragischen Humor erhoben. Während aber in Lr. und Hml. der tragisch gefärbte Humor den Zuschauer auf das noch bevorstehende tragische Ende vorbereitet, hat die Pförtnerszene in Mcb. eine von der Tragik ablenkende Wirkung: denn hier wird dadurch, dass die Komik der Tragik, oder wenigstens einem wichtigen Bestandteil der Tragik folgt, dem Publikum Gelegenheit geboten, sich von seiner Erschütterung etwas zu erholen. — Die Komik des Pförtners zerfällt in zwei Teile: nur anfangs spielt er den Höllenpförtner; später, nachdem er Macduff eingelassen, stellt er eine originelle Clownsphilosophie auf über die Wirkungen starker Getränke auf die sinnlichen Begierden der Menschen, woran er eine witzige Argumentation knüpft.

Sh.'s überhaupt jüngstes Drama, H 8, enthält auch
seine letzten clownartigen Gestalten. Es sind dies der
nur in der vorletzten Szene vorübergehend auftretende
Pförtner und sein Knecht, denen die Aufgabe obliegt, das
bei der Taufe der Prinzessin Elisabeth sich um den königlichen Palast drängende Volk in Ordnung zu halten. Der
eigentliche Hanswurst ist hier der Knecht, der sich die
auffallendsten Personen aus der Menge herausgreift, um
sie zu Zielscheiben seines Witzes zu machen; besonders
fällt er über einen rotnasigen Kupferschmied her, in dessen
Nase „zwanzig Hundstage regieren". Dies erinnert an
Falstaff's Scherze über Bardolph's Gesichtslampe in H 4 A
(III 3). — Der Pförtner tritt als komische Gestalt weniger
hervor.

In Dekker's Match, einem in Spanien spielenden
Stücke, kommt ein clownähnlicher Diener namens Bilbo
vor. Es scheint, als habe D. für diese Gestalt ein nicht-
komisches, offenbar romanisches Vorbild gehabt, und
anfangs versucht, sie zu einem echt englischen Clown
umzuarbeiten, als sei er aber bald dieses Versuches überdrüssig geworden. So ist Bilbo ein Zwitterwesen, teils
Spassvogel, teils ernsthafte Gestalt. Die Naivetät des
Clowns englischen Ursprungs mangelt ihm gänzlich. Er-
wähnenswert ist noch, dass am Schluss Bilbo in Gesellschaft eines „clown" und eines „coxcomb" erscheint. Der
„clown" spricht nur wenige durchaus nebensächliche Worte,
und hat jedenfalls mit der Rolle einer lustigen Person nicht
das geringste zu thun[410]: der „coxcomb" ist ein höfischer
Geck, und gerät mit Bilbo in ein Streitgespräch nach
romanischem Muster, wobei der „coxcomb" die Vorzüge
des Hoflebens, Bilbo die des städtischen Bürgertums verteidigt[411].

Gipsy, eine romantische Komödie von Middleton und
W. Rowley, behandelt einen beliebten Stoff, der auf Cer-

---

[410] Ebenso in Glass (vgl. S. 374. 408).
[411] Ein Streitgespräch ähnlichen Inhalts bietet Fletcher's Double (vgl. S. 293).

vantes' „Gitanilla" beruht[412]), und auch in der deutschen
Litteratur durch Pius Alex. Wolff's „Preciosa" bekannt
geworden ist. Den Clown spielt hier Soto, der Diener
des Sancho. Dieser hat sich in die schöne vermeintliche
Zigeunerin Pretiosa verliebt: Herr und Diener folgen
daher, als Zigeuner verkleidet, dem Zigeunertrupp, zu dem
Pretiosa gehört. Soto stellt seinen Herrn unter einem
endlosen spanischen Titel dem Zigeunerhäuptling vor, und
macht so die langatmigen hochtrabenden spanischen Namen
lächerlich (vgl. auch Blurt S. 322 ff.). Der Clown spielt auch
mit in dem in das Stück eingelegten Drama, das durch
seinen ernsthaften Hintergrund an Hml., durch seinen
Titel (p. 172): *„a very merry tragedy . . . of Cobby Nobby"*
dagegen an Mids. erinnert; der parodistische Widersinn
dieses Titels scheint freilich in vorliegendem Falle, im
Gegensatz zu Mids., von den Schauspielern absichtlich
herbeigeführt zu sein. — Auch dieser Soto ist wahrscheinlich, gleich seinem Namensvetter in Fletcher's Pleas. (vgl.
S. 431 ff.), dem Muster des spanischen Gracioso nachgebildet.

Der Clown Sim in W. Rowley's Midn. ist der Diener
eines geizigen alten Wücherers Bloodhound. Trotzdem
London der Schauplatz der Stückes ist, weisen der Stoff
und die Art seiner Behandlung auf ein romanisches Muster
hin: der Vater Bloodhound, der seine Tochter, die einen
jungen armen Mann liebt, mit einem reichen Greise verheiraten will; Sim als der vertraute Diener heimlich im
Interesse der Jugend thätig und die Fäden lustig ver-
wirrend; am Schluss ein tolles Durcheinander von Ver-
wechselungen, wobei natürlich die Jugend zu ihrem Rechte
kommt, nicht nur im Falle der Tochter, sondern auch indem ein Sohn Bloodhound's seinem Vater die Witwe weg-
schnappt, die dieser selbst heiraten wollte.

Von den drei erhaltenen Dramen von Davenport ist
Nightc. das einzige, worin ein Clown vorkommt. Das

---

[412]) Vgl. Ward II 78 und Anm. 2.

Stück spielt in Italien, und beruht offenbar auch auf einer
italienischen Quelle. Das auch in echt englischen Stücken
sehr beliebte Hahnreithema wird hier in romanischer Zu-
bereitung aufgetischt (vgl. S. 403). Der Clown Pambo,
der Diener des betrogenen Ehemanns Lodovico, dient zugleich dessen ehebrecherischer Gattin Dorothea als Kuppler.
Lodovico wird als lächerliche Figur geschildert; seine
Lächerlichkeit besteht darin, dass er Dorothea blind ver-
traut, sich über die Hörner anderer Ehemänner lustig
macht, und von seinem eigenen Stirnschmuck keine Ahnung
hat. Der Clown verspottet seinen Herrn durch zwei-
deutige Hohnreden, die in Lodovico's Ohren harmlos
klingen, jedoch von jedem Eingeweihten als boshafte Anspielungen auf Lodovico's Hahnreitum verstanden werden.
Auch in den komischen Verwirrungen, die der Clown anzettelt, zeigt sich, dass er eine Nachbildung des italienischen
intriguierenden Vertrauten ist. Pambo's Scherze sind mitunter recht witzig, aber die schwüle unreine Luft, die uns
aus dem ganzen Stücke und auch aus der moralisch so
bedenklichen Rolle dieses Clowns entgegenweht, lässt keine
rechte Heiterkeit aufkommen. Am Schluss erhält die sittliche Gerechtigkeit wenigstens insofern eine Genugthuung,
als der Clown verurteilt wird, an einen Karren gefesselt
durch die Stadt gepeitscht zu werden; diese Strafe liegt
allerdings völlig ausserhalb des Bereichs der Komik.

Der Clown in Fletcher's Fair ist der Gehilfe und
Schlepper eines Quacksalbers Forobosco. Der Quacksalber
und ein Clown oder Narr als sein Diener gehörten von
Alters her zu den Lieblingsgestalten englischer Komik[413]).
In obigem Stück jagt Forobosco den Clown, den er un-
tauglich schilt, aus dem Dienste; der Clown rächt sich
dafür, indem er vor allen Leuten das marktschreierische
Gebahren und die angebliche Heilkunst des Quacksalbers
als einen Erzschwindel aufdeckt, und die vielen Vor-
strafen seines früheren Herrn aufzählt. Forobosco bringt

---

[413]) Vgl. Sacr. S. 48 ff. 222 ff.

den Redefluss des ihm so unbequemen Mitwissers seiner
Schandthaten durch Beschwörung zum Stillstand, und zwingt
ihn, alle seine bösen Reden zu widerrufen und sich demütig
zu unterwerfen. Nach späteren Andeutungen des Clowns
(p. 349 II. 350 II) scheint die ganze eben geschilderte
Szene ein zwischen den beiden Spitzbuben abgekartetes
Spiel gewesen zu sein, bestimmt, die vermeintliche Zauber-
macht des Quacksalbers besonders deutlich zu veranschaulichen; Forobosco und der Clown hätten somit einen höchst
raffinierten, eines Betrügerpaares im grossen Stil würdigen
Gaunerkniff angewandt. Am Schluss stellt sich heraus,
dass beide ehemals Galeerensklaven gewesen sind; sie
werden zu nochmaliger Galeerenstrafe verurteilt. — Dieser
Clown hat mit einem Clown von gewöhnlicher Art, abgesehen von dem rein äusserlichen Moment seiner Diener-
stellung, so gut wie gar nichts gemein; er gehört eigentlich gar nicht dem Clowntypus, sondern dem Typus des
komischen Spitzbuben an, mit dem, wie wir mehrfach gesehen haben, auch die echten Clowns sich zuweilen berühren. Das Wort „clown" konnte eben schliesslich jede
beliebige Art einer lustigen Person bezeichnen. In Fair
fungiert ein komischer Spitzbube als lustige Person; so
erklärt es sich, dass hier selbst ein dem naiven Clown der
älteren Zeit so durchaus unähnlicher, fast entgegengesetzter
Charakter wie der raffinierte Spitzbube, den das Stück uns
schildert, zur Bezeichnung „clown" gelangte. Shakespeare
würde sich wohl noch gescheut haben, den komischen
Spitzbuben Autolycus in seinem etwa 15 Jahre älteren
Stücke Wint. einen Clown zu nennen.

Auch von Marmion's drei Dramen enthält nur eines
die Gestalt des Clowns, nämlich Comp. Auch dies Stück
ist, obgleich es in London spielt, offenbar romanischen
Ursprungs. Es gleicht in auffallender Weise Midn. (vgl.
S. 443): auch bei M. will ein geiziger Wucherer seine
junge Tochter mit einem reichen alten Manne verheiraten;
auch hier wird durch die hilfreiche Intrigue des Clowns,
der in diesem Falle Crotchet heisst, jene Absicht ver-

eitelt, und die Tochter mit einem jungen Manne ihrer
eigenen Wahl vereint. Obiger Stoff ist freilich in romanischen Lustspielen so häufig, dass trotz der grossen Ähnlichkeit zwischen Midn. und Comp. ein direkter Zusammenhang zwischen beiden Stücken nicht notwendig vorauszusetzen ist. Um die abgestandene Speise einigermassen
geniessbar zu machen, hat M. noch die übliche Würze der
Clownswitze, anscheinend von seiner eigenen Erfindung,
hinzugefügt. Auch Crotchet wird, wie so oft die späteren
Clowns, mit einem Berufsnarren verwechselt: einmal (p. 173)
wird ihm eine neue Bedientenlivree in Aussicht gestellt;
dagegen spricht er selbst von sich an zwei späteren Stellen
(p. 191. 194) als von einem Narren.

5. Allgemeines über die Gesamtheit der Clowns
bei den in Bezug auf diese wichtigsten einzelnen
Dramatikern.

Bei Lyly knüpft sich die Funktion einer lustigen Person
innerhalb der den unteren Volksklassen entnommenen Typen
noch nicht, wie schon bei seinen unmittelbaren Nachfolgern,
ausschliesslich an den Typus des Clowns in seinen verschiedenen Unterarten, sondern auch an die Typen des
Pagen und des nicht clownartigen Dieners (vgl. S. 438 ff.).

Schon bei Greene hat aber der Clown seine Nachbar-
typen aus der Funktion einer lustigen Person verdrängt,
und gleichsam das Monopol dieser Funktion an sich gerissen. Greene's Clowns sind meist Diener. Bei ihnen
allen tritt der Selbstzweck der Komik so stark hervor,
dass wir uns von ihren persönlichen Charakteren nur ein
verschwommenes Bild machen können, und ihre Scherze
als ein bunt zusammengewürfeltes, wenig einheitliches
Gemenge erscheinen, wenn auch im einzelnen Falle die
Komik meist recht wirksam ist. G. hat es also, im Gegensatz besonders zu Shakespeare, nicht verstanden, den
Widerstreit zwischen dem Selbstzweck der Komik und
der Charakterisierung der diesem Selbstzweck dienenden

komischen Gestalt auszugleichen (vgl. S. 7), die in der Rolle einer lustigen Person verborgene Klippe zu vermeiden.

Shakespeare steht auch in Bezug auf seine Clowns an der Spitze aller englischen Dramatiker. Die Charaktere dieser Clowns sind nicht nur lebensvoll gezeichnet, trotzdem ihre Komik Selbstzweck ist, sondern auch sehr mannigfaltig; ebenso bietet Sh. auch in den obigen Clowns beigelegten Einzelmotiven reiche Abwechselung. Er hat nicht nur die Vorratskammer der dramatischen Mittel zur Komik durch die Erfindung neuer überaus wirkungsvoller komischer Motive bereichert[414]), sondern auch — was noch viel wichtiger ist — die Wirksamkeit der altüberlieferten Motive bedeutend erhöht. Sh. versteht es auch meisterhaft, schon durch die Verschiedenheit in der Qualität ihrer Scherze seine Clowns individuell zu charakterisieren. Während bei andern Dichtern die Plumpheit oder Albernheit eines Scherzes vielfach nur ein Ausfluss des eigenen Unvermögens oder Ungeschicks ist, standen dem grossen Künstler Sh. alle Abstufungen der Komik von der feinsten bis zur gröbsten, von der tiefsten bis zur flachsten, nach Belieben zur Verfügung; mit der in der Komik mancher Clowns hervortretenden Plumpheit oder Flachheit verfolgt Sh. also stets eine bestimmte künstlerische Absicht. Bei keinem andern Dichter wird die Komik der Clowns so wenig durch stoffliche Trübungen beeinträchtigt[415]). Die meist völlig tendenzlose Komik von Sh.'s Clowns[416]) gleicht einer

---

414) Z. B. durch die zuerst in LLL. dargebotene, aber erst in Mids. zu genialer Komik gesteigerte unfreiwillige Travestie des in das eigentliche Stück eingelegten Zwischendramas (vgl. Anm. 355).

415) Eine solche stoffliche Trübung der Komik stellt die Hinrichtung des Clowns in Tit. dar; darin zeigt sich noch die jugendliche Unreife des Künstlers Sh.

416) Dass das Handwerkerstück in Mids. eine Satire auf die Misterienaufführungen der Zünfte, Dogberry und Genossen in Ado eine solche auf die zeitgenössische Polizei darstellen, kommt hier nicht in Betracht. Der unbefangene Zuschauer merkt weder in Mids. noch in Ado etwas von Satire; ihm erscheinen die Rüpel in diesen Stücken reinkomisch.

Divisionsaufgabe, die ohne Rest aufgeht. Selbst die aller-
dümmsten Rüpel Sh.'s sind, trotz ihrer ungeheuren Lächerlichkeit, kaum jemals verächtlich, und auch die Spässe
seiner vorwiegend subjektiv-komischen Clowns sind, bei all
ihrem Reichtum an Mutterwitz, fast durchweg so liebenswürdig harmlos, dass sie reinkomisch wirken. So stellen
Sh.'s Clowns die schönste Blüte des derben, aber kern-
gesunden englischen Volkshumors der übermütig lebens-
lustigen Renaissancezeit dar[417]). — Während die Komik
der Clowns in Sh.'s Lustspielen eine die komische Grundstimmung steigernde Wirkung hat, stellt sie in Trauer-
spielen (Tit., Rom. und Ant.) eine Milderung und Hemmung
der Tragik dar[418]). In allen obigen Fällen dient sie dem
Zweck der Belustigung; die Clownsszenen der eben genannten Trauerspiele sind also eigentlich ein Zugeständnis
des Dichters an den Zeitgeschmack und das Heiterkeits-
bedürfnis des an eine unmittelbare Verknüpfung von Tragik
und Komik schon seit den mittelalterlichen Misterien ge-
wöhnten Publikums. In drei andern Tragödien aber, gerade
in Sh.'s tragischen Meisterwerken, hat die Komik der
lustigen Person einen höheren Zweck als bloss den der
Belustigung: die Komik des Narren in Lr., ebenso wie die
der Clowns in Hml. und des Pförtners in Mcb. erscheint,
dem Gesamtcharakter des betreffenden Stückes angepasst,
als tragischer Humor. Humoristen in einem niedrigeren
Sinne sind Sh.'s Narren und Clowns ja auch sonst in
manchen Fällen[419]); in jenen drei Tragödien aber hat Sh.,
indem er dem Humor der lustigen Person eine tragische
Färbung gab, ihn mit künstlerischem Feingefühl der Ge-
samtidee des betreffenden Trauerspiels dienstbar gemacht,
so dass Komik und Tragik nicht mehr, wie in den andern
Tragödien, unvermittelt neben einander stehen. — Über

---

[417]) Vgl. Thümmel I 239.

[418]) Vgl. Thümmel I 236 ff.

[419]) Z. B. der Narr Touchstone in As (S. 269); der Clown Launce
in Gent. (S. 410 ff.).

Sh. als den wahrscheinlichen Beseitiger der Clowns-
improvisationen vgl. S. 368 ff.

Ein allgemeiner Überblick über die vielen Clowns bei
Thomas Heywood zeigt uns das Geschick dieses Dramatikers, die Komik der lustigen Person den breiten Massen
des Volkes mundgerecht zu machen. Gern schlägt der
Dichter auch in den Scherzen seiner Clowns Töne an, die
der nationalen Eigenliebe gerade der unteren Stände in
England zu schmeicheln geeignet waren. Seine Clowns
haben unter einander viel Familienähnlichkeit; die Individualisierung unter sich gleichartiger Charaktere war
überhaupt nicht H.'s Sache [420]). In den Mitteln zur Er-
reichung der komischen Wirkung ist er durchaus nicht
wählerisch. Es kommt ihm weniger auf die Qualität, als
auf die Menge der Komik an. Die Komik seiner Clowns
ist mitunter recht flach, oder gewaltsam; sie wird aber
dafür nicht so oft wie bei andern Nachfolgern Shakespeare's durch stoffliche Trübungen, insbesondere durch
erotischen Schmutz, verdeckt. Man könnte ihre Komik
mit der eines unverdorbenen Naturburschen vergleichen,
der in seinem ländlichen Kreise als Witzbold gilt und sich
auch bemüht, diesen Ruf nach Kräften aufrecht zu erhalten, der aber in die Kreise der verwöhnten vornehmen
Gesellschaft nicht hineinpasst. Wenigstens den besten
Clowns H.'s haftet eine urwüchsige gesunde Frische und
Lebhaftigkeit, etwas vom Erdgeruch ihrer heimischen englischen Scholle an, so dass ein Freund harmloser Komik
an ihnen seine Freude haben muss.

Ben Jonson war so einseitig satirisch veranlagt und
zugleich so bildungsstolz, dass ihm der derbe Volkshumor
von Shakespeare's Clowns ebenso fern lag, wie der feinere,
meist ebenfalls unpersönliche Witz von dessen Narren.
Wo Jonson es trotzdem versucht, Clowns von volkstüm-
lichem Gepräge zu schaffen, wie in Tub, ist das Ergebnis
ein Fehlschlag. Am nächsten kommt einem Clown von

---

[420]) Vgl. Ward II 129.

Shakespeare'scher Art unter den clownartigen Gestalten bei J. der Wasserträger Cob in In, der deshalb auch als der beste Clown dieses Dichters bezeichnet zu werden verdient.

Viel besser als Jonson eignet sich zur Erfindung und Ausgestaltung echt komischer Charaktere und Situationen der anspruchslosere Middleton, dessen Clowns, ohne sich durch besondere Originalität auszuzeichnen, meist eine frische ungezwungene Komik entfalten.

Fletcher geht bei der Schilderung seiner Clowns vielfach seine eigenen Wege; den Gipfel der Originalität erreicht der Clown Galoshio in Val., dessen Komik freilich von sehr sonderbarer, allzu raffinierter Art ist; sie zeigt uns, wie Fl. den gesunkenen Appetit des mit den herkömmlichen Clownsmotiven übersättigten Publikums durch neue, weit hergeholte scharfe Reizmittel zu beleben sucht, und ist ein Zeichen der mit jeder Überfeinerung der Kultur verbundenen Zersetzung des guten Geschmacks.

In den Dramen von William Rowley bleiben die Clowns durchaus in den Bahnen sowohl der englischen[421]) als auch der romanischen[422]) Überlieferung.

Der Schwerpunkt von Massinger's dramatischer Bedeutung lag jedenfalls nicht in seiner Komik. Seine Clowns sind meist unselbständige Nachahmungen[423]).

Während alle übrigen Dramatiker der späteren Zeit bei den Clowns die subjektive Komik immer mehr auf Kosten der objektiven hervortreten lassen, schlägt James Shirley den entgegengesetzten Weg ein (vgl. S. 398 ff. und Anm. 379), so dass die meisten seiner Clowns dem ursprünglichen Clowntypus wieder näher kommen. Rodamant in Patr. ist der einzige vorwiegend subjektiv-komische Clown dieses Dichters.

---

[421]) Der Clown in Merl.; Cuddy Banks in Edm.
[422]) Sim in Midn.
[423]) Abgesehen von Hilario in Pict.

6. Der Clown im späteren Drama
(nach 1642).

Da das Drama der Restauration und überhaupt der späteren Zeit ausserhalb des Rahmens unserer Untersuchung liegt, sei die Weiterentwickelung des Clowntypus in diesem Drama bis zu ihrem Abschluss hier nur flüchtig gestreift. Das Restaurationsdrama brachte zwar mit seiner Nachahmung der Franzosen zahlreiche Neuerungen mit sich, bedeutet aber keineswegs einen völligen Bruch mit den dramatischen Überlieferungen der Renaissance; daher begegnen wir dem Clown, gleich dem Narren (vgl. S. 298 ff.), auch hin und wieder auf der englischen Bühne zur Zeit der letzten Stuarts, und sogar noch später. Über das Stück „Lady Alimony" mit seiner Nachahmung der Rüpelgestalten in Ado vgl. Anm. 370. Dryden übernahm in seiner schwachen Neubearbeitung von Shakespeare's Tp. (1667) mit den ernsten Personen dieses Stückes auch die derb possenhaften Gestalten des clownartigen Kellermeisters Stephano und des Spassmachers Trinculo; er macht ersteren zum Herrn des an der Zauberinsel strandenden Schiffes, und letzteren (als „Trincalo") zum Bootsmann. Aber auch in selbständigen Stücken der späteren Zeit stossen wir zuweilen auf den Clown, z. B. im Lustspiel von James Howard „All Mistaken; or, The Mad Couple" (1672 gedruckt; Neudruck Dodsley ⁴ XV). In dem von Vanbrugh hinterlassenen, von Cibber vollendeten Lustspiel „The Provok'd Husband; or, A Journey to London" (1728) tritt ein biederer, einen nördlichen Dialekt redender Landbewohner John Moody als Clown auf.

Solche Stücke sind aber verschwindend gering an Zahl gegenüber der grossen Menge der Dramen ohne Clown. Der immer mächtiger werdende französische Einfluss in der englischen Litteratur trug am meisten dazu bei, den Clown aus der Mode zu bringen. So verschwand diese Gestalt allmählich aus dem regelrechten Drama; aber in

29*

dramatischen Volksspielen und Pantomimen blieb seine
Rolle noch bis zur Gegenwart lebendig [424]).

Das allmähliche Aussterben des Hausnarrentums (vgl.
S. 298 und Anm. 294) bewirkte, dass der Name „clown"
schliesslich als alleinige Gesamtbezeichnung für jede beliebige Art von lustigen Personen gebraucht wurde; thatsächlich war ja der Clown schon bei den Nachfolgern
Shakespeare's zur lustigen Person schlechthin geworden
(vgl. S. 437 ff.). Nun fing man an, auch berufsmässige
Spassmacher, die doch im Grunde dem Berufsnarren näher
stehen als dem ursprünglichen Clown, „clowns" zu nennen;
auf diese Weise gelangte auch unser heutiger Zirkusclown
zu seinem Namen, der selbst ausserhalb der englisch
redenden Länder so feststehend geworden ist, dass wir,
wenn heutzutage von einem Clown die Rede ist, gewöhnlich zunächst nur an die lustige Person des Zirkus denken.
So verengert sich wieder die Bedeutung des Wortes „clown",
die eine so merkwürdige wechselreiche Entwickelung durchgemacht hat.

Der unbeholfene Bauer in der Grossstadt, der naiv-
schlaue Bediente, und Typen von verwandter Art werden
freilich auch im späteren englischen Drama als komische
Figuren verwendet. Der Gegensatz von Stadt und Land,
Wissen und Unwissenheit, Raffiniertheit und Unverdorben-
heit, Blasiertheit und Naivetät, Künstelei und Natürlich-
keit, der ursprünglich der Komik des Clowns zu Grunde
liegt, behält ja überhaupt in der Geschichte der Kulturvölker zu allen Zeiten seine Geltung. Zwischen dem
Clown des älteren Dramas und jenen ihm ihrem Wesen
nach ähnlichen Typen besteht aber kein unmittelbarer
litteraturgeschichtlicher Zusammenhang; gerade weil die
eben geschilderten Gegensätze dauernde sind, können derartige Typen stets aufs neue aus dem unmittelbaren Leben
geschöpft werden, ohne dass es eines Zurückgreifens auf

---

[424]) Vgl. Manly I 292: „Lutterworth Christmas Play" (aufgeführt
zu Weihnachten 1863), worin neben andern für derartige Spiele
typischen Personen auch ein Clown vorkommt.

litterarische Vorbilder bedarf. Dass der Clown des Renaissancedramas nicht als die Quelle obiger Typen anzusehen ist, geht auch schon daraus hervor, dass diese Typen nicht mehr als „clowns" bezeichnet zu werden pflegen. Der Begriff „clown" war ja auch inzwischen über die engen Grenzen seiner ursprünglichen Bedeutung weit hinausgewachsen.

D. Überblick über die Entwickelung des Clowntypus. Fremde Einflüsse. Verwandte Rollen. Die Namen der Clowns.

Das älteste erhaltene Stück, worin der Ausdruck „clown" als Bezeichnung einer bestimmten Rolle vorkommt, ist Whetstone's Prom. (vgl. S. 387 ff.; 1578 entstanden); hier wird der Bauer John Adroynes ausdrücklich „a clowne" genannt. Das älteste uns bekannte Beispiel einer durch den Zusatz „the clown" ausdrücklich als die lustige Person des betreffenden Stückes bezeichneten Gestalt stellt Tom Miller in Straw dar (vgl. S. 405 ff.; nach Fleay 1587 entstanden).

Auch nachdem der Clown die Funktion einer lustigen Person übernommen hatte, also auch innerhalb dieser Funktion, lässt sich leicht eine Entwickelung des Clowntypus feststellen; während die Starrheit des Narrentypus (vgl. S. 237) nur in beschränktem Umfang eine Entwickelung zuliess, bot die Vielgliedrigkeit der Clowns schon von vornherein eine sehr geeignete Grundlage für eine solche Entwickelung.

Vor allem bemerken wir ein immer stärkeres Hervortreten der subjektiven auf Kosten der objektiven Komik des Clowns [179]), und damit eine immer grössere Annäherung dieser Gestalt an den Narren. Da umgekehrt der Narr allmählich der ursprünglich vorwiegend objektiven Komik des Clowns immer näher kam (vgl. S. 300), begegnen sich die beiden Typen schliesslich gleichsam mitten auf dem Wege. Die Annäherung des Clowns an den Narren wurde durch verschiedene Umstände begünstigt: 1. dadurch, dass

auch der clownartige Diener in manchen Fällen, ohne
geradezu berufsmässiger Spassmacher zu sein, neben seinem
eigentlichen Dieneramt die Aufgabe hatte, gleich einem
Berufsnarren seine Gebieter zu belustigen[425]), wozu übrigens
meist wegen der natürlichen Drolligkeit des Clowns ein
besonderer Auftrag kaum nötig war; 2. dass die in den
Rollen von Clowns auftretenden Schauspieler durch ihr
Amt als Komiker von Beruf, den Berufsnarren und gewerbsmässigen Spassmachern glichen; 3. dass die Rollen
des Clowns und des Narren meist in den Händen derselben Schauspieler lagen (vgl. S. 300)[426]); 4. dass sowohl
der Clown als auch der Narr im Jig- und im Moriskotanze vorkamen (vgl. S. 233 ff.). So kam es, dass schliesslich beide Typen mit einander verwechselt wurden (vgl.
auch S. 437): die Clowns Fiddle in Exch. (S. 419) und
Bromius in Amynt. (S. 437) tragen ein Narrenkostüm;
der Clown in Mis. (S. 429), Shorthose in Wit (S. 430),
Bromius in Amynt. (S. 437) und Crotchet in Comp. (S. 446)
reden von sich selbst, als ob sie Narren wären, ohne dass
auch der Inhalt ihrer Rollen der eines Narren gewöhnlichen Schlages entspricht.

Infolge der immer mehr zunehmenden Bedeutung der
subjektiven Komik der Clowns verschwanden die rein
objektiv-komischen Rüpel schon früh aus dem englischen
Drama[427]). In jüngeren Stücken wird sogar der Bauer

425) So Frisco in Engl. (vgl. S. 426), Bombo in Royal (S. 399);
vgl. auch Jessica über Launcelot in Merch. (II 3, 2 ff.) und Calandrino
in Flor. (S. 398).

426) Vgl. auch More (S. 423), worin der als „Clown" bezeichnete
Schauspieler vermutlich die Rolle des Vice übernimmt.

427) Die Rüpel in Jonson's Tub sind als die letzten Rüpel von
selbständiger Erfindung zu betrachten (vgl. S. 384 ff.). Der feige,
aber nicht naive oder gar dumme Clown in Fletcher's Bush (S. 385 ff.)
ist eigentlich kein Rüpel mehr. Das Rüpelartige der Polizisten in
S. Rowley's When (S. 385) und May's Heir (S. 386), und des Dametas in J. Shirley's Arc. (S. 386) wurde schon durch die Quellen
dieser Gestalten begründet.

nicht mehr als Rüpel oder als pfiffiger Tölpel, sondern als naiv-witziger Clown dargestellt[426]).

Die Entwickelung des Clowns lässt sich in mancher Beziehung mit der des Vice vergleichen. Beide waren schliesslich zu Spassmachern schlechthin geworden (vgl. S. 202. 437); beider Rollen wurden durch ihre Entwickelung zu solchen Spassmachern immer vielseitiger und mannigfaltiger; auch der Clown erscheint im jüngeren Drama mitunter als das, was der Vice schon von vornherein war, nämlich als Spitzbube[429]). Während so die Endpunkte der Entwickelung beider Gestalten zusammenfallen, liegen deren Ausgangspunkte freilich weit auseinander: dort das Intrigantentum des allegorischen Vertreters des Lasters, hier die rein objektive Komik des bäurischen Rüpels, oder die gemischte des clownartigen Dieners.

Auf die Entwickelung des Clowns haben Einflüsse fremder Litteraturen in viel grösserem Masse eingewirkt, als dies beim Narren geschah. Allerdings wirkten diese Einflüsse nicht auf alle Unterarten des Clowntypus gleichmässig. Der bäurische Rüpel blieb im allgemeinen von fremdländischen Einflüssen unberührt, eine Gestalt echt englischen Gepräges (vgl. S. 372. Anm. 363). Am meisten waren die die Mehrzahl der Clowns der dritten und vierten Klasse bildenden clownartigen Diener fremden Einflüssen ausgesetzt (vgl. S. 402 ff.). Der Diener spielte auch in den übrigen abendländischen Litteraturen häufig die Rolle einer lustigen Person; dieselbe Funktion bekleidete auch der dem Diener des Renaissancedramas entsprechende Sklave im altrömischen Lustspiel.

Als der Gestalt des antiken Sklaven nachgebildete, mehr oder weniger anglisierte clownartige Diener haben wir die beiden Dromios in Shakespeare's Err. (S. 409 ff.), Socia in Th. Heywood's Silv. (S. 418), James in desselben

---

[426]) So schon Will Cricket in Wily (S. 428 ff.); ferner Cuddy Banks in Edm. (S. 434), Coridon in T. Heywood's Mistr. (S. 421 ff.).
[429]) Besonders der Clown in Fletcher's Fair (S. 444 ff.)

Dramatikers Capt. (S. 440) kennen gelernt. Auch der Schuhflicker Juniper und der Diener Onion in Ben Jonson's Case (S. 392) gehen auf ein antikes Vorbild zurück, da in ihnen der Sklave Strobilus der „Aulularia" des Plautus in zwei Personen gespalten erscheint.

In andern Fällen ist der clownartige Diener des englischen Dramas eine Nachahmung der Gestalt des vertrauten Dieners im romanischen, besonders im italienischen Lustspiel. Hier ist vor allem Biondello in Shakespeare's Shr. B (S. 413 ff.) zu nennen [430]), ferner Sim in W. Rowley's Midn. (S. 443), Pambo in Davenport's Nightc.(S. 443 ff.) und Crotchet in Marmion's Comp.(S. 445 ff.). Während bei den eben genannten Gestalten italienische Herkunft nachzuweisen oder zu vermuten ist, geht Lollio in Middleton's und W. Rowley's Chang. (S. 428) vielleicht auf ein spanisches Vorbild zurück.

Anhaltspunkte für eine Einwirkung des Arlechino der italienischen „commedia dell' arte", der gewöhnlich einen possenhaften, mehr oder weniger einfältigen Bedienten darstellt, auf den englischen Clown habe ich nicht gefunden, ausser in Mids., wo zwei der Rüpel „a Bergomask dance" tanzen (vgl. S. 366 und Anm. 359).

Eine merkwürdige Ähnlichkeit besteht zwischen dem englischen Clown und dem Gracioso, der lustigen Person des spanischen Dramas (vgl. S. 404 ff.). Gleich dem Clown ist der Gracioso eine Gestalt mit sehr vielseitiger Komik; er hat keinen festumgrenzten, sich stets gleich bleibenden Charakter, sondern erscheint, dem Inhalt des einzelnen Stückes angepasst, in sehr mannigfaltiger Form. Besonders häufig stellt er ein Zerrbild des dramatischen Helden dar [431]), zu dessen Gefolge er gewöhnlich als Diener

---

[430]) Thümmel's Behauptung (1 238 ff.), der Shakespeare'sche Clown sei jeder Zoll ein Engländer, ist also, wenigstens was die beiden Dromios in Err. und Biondello in Shr. B betrifft, durchaus unrichtig.

[431]) Auch der berühmte Sancho Pansa in Cervantes' unsterblichem Roman, der seinen Herrn Don Quixote teils bewusst, teils unbewusst parodiert, kann als ein Gracioso gelten.

gehört. Der Gracioso ist oft ein Feigling. Er kennt meist nur materielle Interessen; Essen und Trinken pflegt ihm über alles zu gehen. Zugleich ist er aber ein mehr oder weniger witziger Bursche, unter Umständen sogar recht boshaft; seine anscheinende Einfalt ist fast immer Verstellung. So gleicht der Gracioso als Mischung von objektiver und subjektiver Komik dem englischen Clown, besonders dem clownartigen Diener, der ähnliche Eigenschaften schon zu einer Zeit an den Tag legt, wo von seiner Beeinflussung durch das spanische Drama noch gar keine Rede sein kann. Da auch die umgekehrte Annahme einer Einwirkung des Clowns auf den Gracioso ungerechtfertigt wäre, bleibt nichts anderes übrig als die Vermutung, dass beide Rollen sich unabhängig von einander zu ihrer gegenseitigen Ähnlichkeit entwickelt haben. Wegen dieser ihrer Ähnlichkeit ist es auch sehr schwer, im Drama von Shakespeare's Nachfolgern, bei deren Clowns sich zuerst das Vorbild des Gracioso geltend macht, an den einzelnen Clownmotiven und Clowngestalten zu erkennen, ob englischer Ursprung oder Nachahmung eines spanischen Musters vorliegt. Diese Schwierigkeit wird noch dadurch erhöht, dass die Quellen des jüngeren englischen Renaissancedramas erst zum Teil planmässig durchforscht worden sind[432]). Am ehesten ist spanischer Ursprung anzunehmen bei Clowns, welche die oben geschilderten, mit einem Gracioso übereinstimmenden Züge aufweisen, wenn das Stück auch sonst spanischen Einfluss zeigt, in Spanien spielt, u. s. w. Ich habe oben bei zwei clownartigen Dienern mit dem gleichen Namen Soto (in Fletcher's Pleas., S. 431 ff., und in Middleton's und W. Rowley's Gipsy, S. 443) eine Beeinflussung durch den Gracioso als wahrscheinlich hingestellt; ähnliche Fälle mögen auch sonst vorliegen, ohne dass sie sich, vorläufig wenigstens, unzweideutig nachweisen lassen.

Einwirkungen des französischen Dramas auf den

---

[432]) Vor allem durch Köppel.

englischen Clown machen sich nirgends bemerkbar. Die
Blüte der französischen Dramatik fällt ja in die Zeit
Ludwigs XIV.; erst im englischen Drama der Restaurationszeit erlangten daher die Einflüsse jenes Dramas das Übergewicht, die im englischen Renaissancedrama, auch ganz
abgesehen von der Komik, nur geringfügig waren. Die
Anklänge an die Geschichte von Meister Pathelin in
der Rolle Will Cricket's in Wily (S. 424) brauchen nicht
durch direkte Entlehnung aus der französischen Posse
erklärt zu werden, da obige Geschichte vielleicht zum
internationalen Gemeingut der Schwanküberlieferung gehört [433]).

Der Hanswurst des deutschen Dramas, ursprünglich ein dummschlauer Bauer, hat, obgleich er als
solcher besonders den Rüpeln oder den pfiffigen Tölpeln
der englischen Bühne entspricht, auf die Ausgestaltung
der Rolle des Clowns gar nicht eingewirkt, während umgekehrt der Clown durch Vermittlung der englischen
Komödianten in Deutschland auf die spätere Entwickelung
des Hanswurstes sehr erheblichen Einfluss gewann. In
den beiden einzigen auf einer deutschen Quelle beruhenden
Stücken, worin Clowns vorkommen, in Marlowe's Fau.
(S. 373) und Dekker's Fort. (S. 424) sind sie, abgesehen
von der schon im deutschen Volksbuch von Doktor Faust
vorkommenden, aber ganz unwesentlichen Gestalt des
Pferdehändlers, Zuthaten der englischen Dichter.

Eine so vielseitige umfassende Rolle wie die des Clowns
hat naturgemäss eine zahlreiche Verwandtschaft. Wir
können bei den mit dem Clown verwandten Dramengestalten solche unterscheiden, mit denen er als typischer
Vertreter der unteren Volksklassen von Hause aus verwandt ist, und solche, zu denen er erst infolge seiner

---

[433]) Wie z. B. die Geschichte vom Schneekinde, die in der
deutschen Litteratur schon um das Jahr 1000 behandelt wird („Modus
Liebinc", vgl. Kögel in Paul's Grundriss II 225), und auf die auch in
den Co. Pl. („Trial of Joseph and Mary") angespielt wird.

Funktion als lustige Person in verwandtschaftliche Beziehungen tritt.

Zu den schon mit dem Clown in seiner ursprünglichen
Gestalt nahe verwandten Rollen, an die sich aber kaum
jemals die Funktion einer lustigen Person knüpft, gehört
zunächst das weibliche Gegenbild des Clowns. Wir
bemerken an den weiblichen Clowns ungefähr dieselben
Schattierungen, die wir oben an ihren männlichen Verwandten beobachtet haben. Es giebt weibliche Rüpel,
deren Komik bloss objektiv ist, und die auch meist dem
Bauernstande angehören; bekannte Beispiele solcher weiblichen Rüpel bei Shakespeare sind die Bauerndirne Audrey
in As und die Schäferinnen Mopsa [434]) und Dorcas in Wint.
— Die Amme in Rom., deren gemischte Komik etwa der
der zweiten Klasse der Clowns entsprechen würde, stellt
von allen komischen weiblichen Gestalten bei Shakespeare
noch am ehesten eine lustige Person dar; ihre besonders
durch Wortverdrehungen gekennzeichnete Unwissenheit,
ihre Dummheit, Geschwätzigkeit und Wichtigthuerei sind
auch typische Eigenschaften der männlichen Clowns; dazu
kommt noch ihre bei Frauen, die auf niedriger Geistes-
stufe stehen, so häufige Neigung zum Kuppeln, und ein,
übrigens schon wegen ihrer Gutmütigkeit, ziemlich unschäd-
licher Hang zum Ränkespinnen. — Bei Mrs. Quickly,
der Gastwirtin zu Eastcheap, in beiden Teilen von H 4
und in H 5, die Thümmel ebenfalls zu den Clowns rechnet
(vgl. S. 310), und deren Komik auch in die zweite Klasse
der Clowns hineinpassen würde, scheint mir ein Selbstzweck in dieser Komik viel weniger hervorzutreten, als
bei der Amme in Rom. — Den clownartigen Dienern, die
meist der dritten Klasse der Clowns angehören, sind die
lustigen Kammerzofen an die Seite zu stellen. Ihre
Komik ist aber natürlich viel weniger derb als die ihrer
männlichen Genossen; eine ihnen mehr oder weniger

---

[434]) Mopsa war ein typischer Name für Schäferinnen; der Name
stammt aus Sidney's Roman „Arcadia" (vgl. S. 386 und Anm. 374).

eigentümliche Beimischung von Koketterie und neckischer
Grazie, sowie der Mangel der bei den männlichen Dienern
üblichen drolligen Naivetät macht sie diesen auch recht
unähnlich. Als Beispiele solcher soubrettenartigen Zofen
bei Shakespeare seien Lucetta in Gent. und Maria in Tw.
genannt.

Unter den männlichen Verwandten speziell der Rüpel
unter den Clowns ist weitaus am wichtigsten der un-
wissende Dummkopf höheren Standes, ein überaus
häufiger Typus, den besonders das Sittenlustspiel bis zur
Abgedroschenheit behandelt. Das bekannteste Beispiel
eines solchen Dummkopfs bei Shakespeare bietet uns der
Landjunker Sir Christopher Aguecheek in Tw. (vgl. S. 309).
Meist ist dieser Dummkopf zugleich ein Geck („gull“), so
Balurdo in Marston's Mell. und Revng., Sir Gregory Fop
in Fletcher's Weap. (S. 334).

Noch näher steht den Rüpeln oder Tölpeln unter den
Clowns der reiche junge Mann einfacher Herkunft,
der die vornehmen Stutzer der Hauptstadt in
Kleidern, Benehmen und Sprache nachzuäffen
sucht, dabei aber wegen seiner Einfalt gewöhn-
lich von Bauernfängern und Schmarotzern weid-
lich geschröpft wird. Dieser sich auf das Sittenlustspiel
beschränkende Typus unterscheidet sich von den echten
Clowns eigentlich nur dadurch, dass seine Komik der
Charakterisierung dient, nicht Selbstzweck ist. Ben Jonson's
Stücke sind besonders reich an derartigen Gestalten: in
In begegnen uns der vom Lande stammende Pseudostutzer
Stephen und sein städtischer Geistesverwandter Matthew,
in Out der ähnlich geartete Fungoso, u. s. w.

Wie wir oben (S. 335 ff.) gesehen haben, hat der Clown
zuweilen auch Ähnlichkeit mit einem Miles gloriosus,
der auch, gleich dem Clown, gross im Essen und Trinken
zu sein pflegt[435]).

Dem vorwiegend subjektiv-komischen Diener steht der

---

[435]) Vgl. Graf S. 21.

ausschliesslich subjektiv-komische **Page** nahe (vgl. S. 438),
der als ein naseweiser, witziger und schlagfertiger Bengel
vorgeführt wird. Beispiele solcher Pagen bei Shakespeare
sind Moth in LLL, und Falstaff's Page in H 4 B, ferner
bei Marston Catzo und Dildo in Mell., bei Ben Jonson der
als Page der Philautia dienende Gott Mercury in Rev.,
bei Middleton Dandyprat., Doyt, Truepenny und Pilcher
in Blurt, u. s. w.

Erst durch seine Funktion als lustige Person geriet
der Clown in Berührung mit dem Typus des komischen
Spitzbuben, mit dem er von Hause aus gar nichts
gemein hat. Wir haben manche Clowns kennen gelernt,
die einen mehr oder weniger spitzbübischen Anstrich aufweisen. Natürlich gleichen den Spitzbuben eher die Clowns
der dritten und vierten Klasse[436]); aber auch unter den
Clowns der zweiten Klasse nähern sich einige den Spitzbuben[437]). Der Typus des komischen Spitzbuben wurde
schon durch eine Gestalt der Misterien vorbereitet, nämlich durch den Schafdieb Mak im zweiten Hirtenspiel der
T. Pl. (vgl. S. 38), dessen Rolle der einer lustigen Person
nahekommt. Dass der Vice oft einem komischen Spitzbuben gleicht, versteht sich bei seiner Doppelfunktion als
allegorischer Vertreter des Lasters und als lustige Person
ganz von selbst. Dies Spitzbubentum des Vice mag auch
mit zur Annäherung des Clowns an den Typus des komischen Spitzbuben beigetragen haben. Das gelungenste
Exemplar eines komischen Spitzbuben stellt Autolycus in
Shakespeare's Wint. dar, auch eine Art lustige Person
dieses Stückes, aber einem Clown, wenigstens in seiner
ursprünglichen Gestalt, durchaus unähnlich (vgl. S. 445).

---

[436]) Von den Clowns der dritten Klasse gehören hieher Slipper
in Greene's J 4, der Clown in Th. Heywood's Prent., Dondolo in
Middleton's Diss., Gothrio in Massinger's Bashf., Rodamant in J. Shirley's Patr.; von denen der vierten kommt vor allen andern der
Clown in Fletcher's Fair in Betracht.

[437]) Raffe, Dick und Robin in Lyly's Gal., Juniper und Onion in
Jonson's Case.

Auch Falstaff's-Spiessgesellen Gadshill, Peto, Nym, Pistol
und Bardolph in H 4 A und B, H 5 und Wiv., die Thümmel
(I 256 ff.) ebenfalls zu den Clowns rechnet, sind meines Er-
achtens besser unter die komischen Spitzbuben einzureihen;
einem Clown, und zwar einem Rüpel, gleicht noch am
meisten von ihnen der stumpfe wortkarge rotnasige Säufer
Bardolph; bei den übrigen überwiegt die subjektive Komik.
— Als hervorragendes Beispiel eines komischen Spitzbuben ausserhalb der Dramen Shakespeare's nenne ich
noch den Priester und Strassenräuber Sir John von
Wrotham in Oldc.

Es ist wohl zu beachten, dass Shakespeare in Hml.
(II 2, 335 ff.) den Humoristen höheren Stils (*„ the
humorous man“*) ausdrücklich vom Clown als dem Träger
der niederen Komik unterscheidet. Solche Humoristen,
die wir gewissermassen als lustige Personen in höherem
Sinne bezeichnen könnten, sind bei Shakespeare: der
Bastard Faulconbridge in John, Mercutio in Rom., Jaques
in As; auch Biron in LLL und Benedick in Ado, einen
Biron zweiter Potenz, dürfen wir wohl hieher zählen.

Den Schluss dieses Abschnitts, und damit zugleich
auch der ganzen Untersuchung möge eine Übersicht über
die Namen der Clowns bilden, wobei nur solche Namen
berücksichtigt werden sollen, die in irgend einer Hinsicht
bemerkenswert sind. Von vielen Clowns erfahren wir nur
den Vornamen; dieser gehört meist zu den englischen All-
tagsnamen, wodurch die Clowns von den einen selteneren
Namen tragenden Personen höheren Standes unterschieden,
und als gewöhnliche Sterbliche niederen Standes gekennzeichnet werden. Solche alltägliche Clownsnamen sind:
Adam (Glass), Andrew (Eld.), Dick (Gal., Fau), Gregory (Rom.), Hodge [155] (Angry, Cromw.), Hugh (Cumb.),
James (Capt.), Jenkin [438]) (Geo.), Ralph (dreimal: in
Gal., Fau. und Cobbl.), Robin (Gal., Fau.), Roger (Vex.,
Trav.), Simon (Mayor), Tom (Orl., Cumb.), William (As).

---

[438]) Kosewort für *John*.

Andere Clowns werden bei ihren Familiennamen genannt. Von diesen sind freilich nur wenige echte Familiennamen, die auch im wirklichen Leben nicht ungewöhnlich sind; z. B. John Hobs (oder Dobs)[439]) (E 4 A), Sanders[440]) (Shr. A), ferner Tom Miller (Straw), Cuddy[441]) Banks (Edm.). Echte Personennamen sind auch noch John Adroynes (Prom., vgl. S. 388) und Christopher Sly[442]) (Shr. A und B).

Schon etwas auffällig sind folgende Namen, die den Eindruck machen, als wären sie nicht aus der Wirklichkeit entlehnt, sondern erfunden, die aber noch keine Beziehung auf die Persönlichkeit ihres Trägers ausdrücken: Basket-Hilts (Tub), Boss (Wom.), Bunch (Weak.), Cargo (Kingd.), Elbow (Meas.), Flute (Mids.), Juniper (Case), Much[443]) (Downf., Death), Pan (Tub), Pipkin (How), Quince (Mids.), Seacoal (Ado), Slipper (J 4). Snug (Mids.), Stilt (Hoffm.).

Bei vielen andern Namen ist schon deutlich der Zweck zu erkennen, dem betreffenden Clown einen lächerlichen oder gar verächtlichen Anstrich zu geben, aber ohne dass sonst ein Zusammenhang zwischen dem Namen und seinem Träger besteht. Solche Namen sind: Blurt[444]) (Blurt), Cob (In), Coomes[445]) (Angry), Costard (LLL.), Cuckoo (Blurt), Curtal[446]) (Wounds), Derick[447]) (Vict.), Dogberry (Ado), Garlic (Blurt), Mouse (Muc.), Oatcake (Ado), Onion (Case), Slubber (Blurt), Snout (Mids.), Turnop [= Turnip] (Cumb.), Wart (H 4 B).

Wir gelangen nun zu den sogenannten „redenden Namen", d. h. solchen, die die Persönlichkeiten ihrer Träger

---

439) *Hob* und *Dob* sind Abkürzungen von *Robert.*
440) Von *Alexander* abzuleiten.
441) Koseform von *Cuthbert.*
442) Vgl. Lee S. 151 Anm.
443) Der Name *Much* ist vielleicht doch historisch: vgl. Anm. 248.
444) Verachtung ausdrückender Ausruf.
445) *coom* = Russ, Schlacke.
446) Verächtliche Bezeichnung, eigentlich „Stutzschwanz".
447) Henker, Galgen, ursprünglich Eigenname eines Henkers.

in irgend einer Beziehung kennzeichnen [446]). Die Minderwertigkeit der ganzen Person deuten folgende Namen an:
Bubble (Quoqu.), Feeble, Mouldy und Shadow [449])
(alle drei in H 4 B). Dummheit bezeichnen die Namen
Doodle [450]) (Weap.), Dull (LLL.), Simple (Wiv.), wohl
auch Bullcalf (H 4 B). Der Name Clay (Tub) soll vielleicht die Geistlosigkeit seines Trägers ausdrücken, der
gleichsam nur Leib sei. Der Name Poppy (Wounds) oder
Puppy (Tub) bedeutet „Gelbschnabel". Eine Neigung
zum Prahlen bezeichnen die Namen Rodamant [= Rodomont]
(Patr.) und Swash [451]) (Bedn.). Der Name Bullythrumble
(Selim.) ist eine Zusammensetzung von „bully" — Eisenfresser, und „to thrumble" ungeschickt handhaben; er
drückt also zugleich Prahlsucht und Ungeschicktheit aus.
Der Name Busy (Const.) soll offenbar die wichtigthuerische
Vielgeschäftigkeit seines Trägers kennzeichnen. Auf Trunk-
sucht scheint der Name Kilderkin (Blurt) hinzudeuten.
Unappetitlich ist der Name Piss-breech (Blurt). Der
Clown Speed (Gent.) wird durch seinen Namen als ein
flinker Diener charakterisiert. Im Namen Cricket (Wily)
spricht sich die sorglose Fröhlichkeit seines Trägers aus.
Auf das Spassmachertum des Clowns spielen folgende Namen
an: Fiddle [452]) (Exch.), Clench [453]) (Tub), Crotchet
(Comp.) und Firk [454]) (Shoem.). Der Name Medley
(Tub) soll vielleicht die litterarischen Bestrebungen des
betreffenden Clowns lächerlich machen. Als Geistes-
verwandte erscheinen schon durch ihre Namen Metaphor

---

[446]) Da beim Vice Name und Rolle sich stets decken, sind im
Grund alle Vice-Namen „redende Namen"; vgl. auch S. 303.
[449]) Gleichsam „der blosse Schatten eines Menschen", „kein
Mensch im vollen Sinne". In Fort. bezeichnet Shadow den treuen,
seinem Herrn wie ein Schatten folgenden Diener.
[450]) Einfaltspinsel.
[451]) swash veraltet = Prahlerei.
[452]) Ursprünglich = „Geige". dann „Geiger", dann auch „Spassmacher".
[453]) Veraltet = pun.
[454]) crotchet und firk beides = Laune, Grille.

(Tub) und Proverbs (Angry). Der Name Bottom[455] (Mids.) hängt wohl mit dem Weberhandwerk des betreffenden Clowns zusammen. Starveling (Mids.) bezeichnet die sprichwörtliche Hungerleiderei der spindeldürren Schneider. Auf die Kleidung beziehen sich die Namen Shorthose (Wit), Patch-breech und Pilch[456] (beide in Per.). Nach den englischen sind Clownsnamen aus dem Italienischen am häufigsten. Italienische Personennamen sind: Hilario[457] (Pict.), Lentuio (Rare), Lollio (Tim. A, Chang.). Frisco (Engl.) ist wahrscheinlich dem ital. *Fresco* (Abkürzung von *Francesco*) gleichzusetzen. Über den italienischen Ursprung des Namens Corebus vgl. Anm. 372. Nach italienischen Gattungsnamen sind folgende Clowns benannt: Biondello[456] (Shr. B), Calandrino[459] (Flor.), Dondolo[299] (Diss.), Gobbo[460] (Merch.). Wie beliebt die italienischen Namen im englischen Renaissancedrama waren, geht auch daraus hervor, dass man auch Wörter, die zum englischen Sprachgut gehören, mit italienischen Endungen behängte: so bei Galoshio[461] (Val.) und Penurio[462] (Pleas.). Die englischen Dichter erfanden sogar willkürlich Namen, die italienisch klingen sollten, die aber im Italienischen, so weit ich urteilen kann, nicht gebräuchlich sind; so Bombo (Royal), Corbulo (App. B), Dromio (Err.), Gothrio (Bashf.), Grumio (Shr. B), Pambo (Nightc.), Piperollo (Sist.), Stephano (Tp.), Strumbo (Locr.). Den Namen Soto (Pleas., Gipsy), der ebenfalls unitalienisch ist, dürfen ·wir vielleicht als

---

[455] Knäuel.

[456] Lederwams.

[457] Ital. *Ilario*; der Name drückt zugleich den heiteren Sinn des Clowns aus (vgl. S. 346).

[458] Der etwas Blonde.

[459] Brachvogel, Wiesenlerche.

[460] Buckel, Höcker.

[461] Ital. *galoscia*, engl. *galosh* = Überschuh; der Name deutet die Tretbarkeit seines fusstrittbedürftigen vielgeprügelten Inhabers an.

[462] Ital. *penuria*, engl. *penury* = Dürftigkeit, Not; der Name weist auf den beständigen Hunger des Clowns hin.

aus dem engl. und franz. *sot* = „Dummkopf", und einer italienischen (oder spanischen?) Endung bestehend erklären.

Aus dem Spanischen stammen zwei „redende Namen": Bobadilla[463]) und Lazarillo[464]) (beide in Cure).

Portugiesischen Ursprungs ist vielleicht der Name Pimponio[465]) (Opp.)

Griechische Personennamen sind Bromius (Amynt.), Corydon[466]) (Mistr.) und Dametas[467]) (Arc.), lateinisch die Namen Gallus (Braz.) und Socia[468]) (Silv.).

---

[463]) Zunächst ist der Name gewiss auf den des Miles gloriosus Bobadill in Jonson's In zurückzuführen; dieser beruht aber höchst wahrscheinlich auf dem span. *bobatel* = Dummkopf.

[464]) Span. = armes Kind im Lazarus- oder Grindspital; der Name soll offenbar die klägliche körperliche Verfassung des halbverhungerten Clowns bezeichnen.

[465]) Port. *pimpona* = Geziertheit, Prahlerei, was auf die betreffende Rolle wohl passen würde.

[466]) Typischer Schäfername, der aus Theokrit stammt.

[467]) Über die unmittelbare Quelle des Namens vgl. S. 386.

[468]) *Sosia* bei Plautus; vgl. S. 418.

Register.

Aeschylus: 277.
Albion Knight (Alb.): 140. 196. 206.
Appius and Virginia, sieh: Bower.
Ariosto: Orlando Furioso Anm. 372.
Suppositi 403. 414.
Arlecchino: 22. 456. Anm. 359.
Armin: Valiant Welshman
(Welshm.) 362. 391.

Badin: 22.
Bale: 136. 140.
Comedy Concerning Three
Laws (Laws) 126. 127. 128.
135. 140. 197. 201. 207. 211.
216.
John Baptistes (Bapt.) 135.
King John (John A) 128—130.
169. 178. 197. 207. 208. 209.
210. 211. Anm. 105.
Temptation of Our Lord
(Tempt.) 135. Anm. 82.
Bandello: Anm. 400.
Barclay: Ship of Fools 145.
Barden: Anm. 182.
Bauern: 8. 29. 30. 116. 166. 170.
171. 307. 308. 309. 310. 311. 312.
313. 337. 372. 374. 375. 384. 385.
387. 388. 389. 390. 391. 392. 394.
399. 402. 421. 423. 424. 430. 434.
452. 454. 455. 458. 459. Anm. 17.
155. 315. 317.
Bauernlümmel, sieh: Lümmel.
Beaumont, sieh: Fletcher.
Beelzebub: 64. 70. 76. 77. 79.
Anm. 90.
Belfagour: 76. 77. Anm. 90.
Belial: 70. 72. 75. 76.
Bileam's Esel: 139. 183. Anm. 147.
Boccaccio: Decamerone Anm. 297.
Böser Engel: 72. 73. 76. 77.
Anm. 84. 89. 90.

Bösewicht: 192. 293.
Bordellnarr: 223. 279—282. 300.
Bower: Appius and Virginia
(App. A) 168. 169. 176. 198. 201.
207. 212. 402. 433. Anm. 381.
Brandes, Georg: 274. Anm. 272.
Brandl: 81. 114. 115. 120. 121. 124.
134. 135. 140. 159. 163. 170. 176.
178. 182. Anm. 42. 90. 95. 98.
132. 134. 142. 143. 162.
Brant: Narrenschiff 122. 145. 250.
Brewer: Lingua 158.
Brome: 296.
Narren 296. 297.
Queen and Concubine (Conc.)
239. 241. 243. 244. 245. 246.
247. 250. 252. 254. 255. 297.
303. 304.
Queen's Exchange (Qu.) 247.
249. 250. 252. 254. 297. 304.
Weeding of the Covent Gar-
den; or, The Middlesex
Justice of Peace (Weed.) 296.
Buffoon: 225.
Bugbears (Bugb.): Anm. 382.
Bullen: Anm. 409.
Bulwer: Pelham Anm. 398.

Cain: 30. 31. 34. 35. 41. 43. 44. 64.
208.
Calisto and Melibaea (Cal.): 404.
Anm. 386.
Castle of Perseverance (Pers.): 72.
73. 77. 82. 101. 115. 198. 219.
Anm. 124.
Cervantes: 434.
Don Quixote 294. 301.
Anm. 290. 431.
Gitanilla: 443.
Chapman: Alphonsus Emperor of
Germany (Germ.) 180. 181.

30*

Chapman: Bussy d'Ambois(Bussy)
    Anm. 236.
    May Day (May) Anm. 317.
Chaucer: 221. 249. 287.
    House of Fame 159. Anm. 183.
Chester, Charles: 285.
Chester Plays (Ch. Pl.) 27. 28.
    Anm. 72.
    Antichrist 64. Anm. 53.
    Bileam's Esel Anm. 147.
    Cain 30.
    Dämonen Anm. 53.
    Folterer Christi 31.
    Hirten der Weihnacht 34. 35.
        36. 37. 39. 44. 45.
    Lucifer 65. 70. Anm. 80.
    Satan 63.
    Teufel 59. 61. 63. 78.
        Anm. 58. 59. 83.
    Trowle 35. 44. 45. 46. 47.
        Anm. 38.
    Wirtin aus Chester 63.
Chettle, Blind Beggar of Bednal
    Green, sieh: Day.
    Death of Robert Earl of Hunt-
        ington, sieh: Munday.
    Hoffman; or, Revenge for a
        Father (Hoffm.) 384. 463.
        Anm. 325. 352.
Ch. & Haughton & Dekker: Patient
    Grisel (Griss.) 239. 241. 243. 248.
    256. 257. 287—289. 296. 304.
    Anm. 333. 397.
    Sir John Oldcastle, sieh:
        Munday.
Cibber: Provok'd Husband, sieh:
    Vanbrugh.
City Fools: 222.
Clowns: 8. 9. 22. 23. 24. 25. 26. 40.
    41. 42. 82. 86. 110. 133. 142. 153.
    154. 168. 172. 181. 183. 186. 187.
    188. 201. 213. 215. 216. 217. 218.
    225. 233. 234. 255. 256. 257. 263.
    264. 265. 266. 271. 281. 283. 284.
    287. 290. 292. 293. 294. 295. 297.
    298. 300. 302. 305—466.
    Anm. 109. 179. 248. 258. 274.
Collier: 104. 108. 115. Anm. 77.
    85. 113. 124.
Common Conditions (Cond.): 175
    bis 178. 179. 190. 198. 200. 204.
    207. 212. 214. 215. 226. 402.
    Anm. 160.
Contention between Liberality and
    Prodigality (Lib.): 158.

Conversion of St. Paul (Conv.):
    51. 75. 76.
Cook, John: Green's Tu Quoque;
    or, The City Gallant (Quoqu.)
    315. 330. 332. 365. 394. 395. 464.
    Anm. 310.
Cooke, Joshua: How a Man may
    choose a Good Wife from a Bad
    (How) 326. 343. 351. 364. 365.
    429. 463.
Corporation Fools: 222.
Cota, Rodrigo: Celestina 404.
Coventry Plays (Co. Pl.): 65. 108.
    Anm. 16. 20. 47. 72. 81. 83. 433.
    Backbiter Anm. 128.
    Cain 30.
    Folterer Christi 31.
    Hirten der Weihnacht 34. 37.
    Judas 65.
    Lucifer 68—70. 73. 102.
    Satan 57. 68—70. 102. Anm. 83.
    Teufel 65. 78. Anm. 83.
Coxcomb: 226. 442.
Cradle of Security (Secur.): 104.
    140. Anm. 113.
Credo-Spiel: 115.
Creizenach: 68. 107. Anm. 118.
Cushman: Anm. 68. 73. 77. 81. 97.
    109. 117. 121. 124. 130. 135. 137.
    152. 160. 176.
Cyniker: 193. 303.

Dämonen: 62. 67.
Dämonen (niedere): 66. 94. 95.
Davenport: City Nightcap (Nightc.)
    355. 359. 443. 444. 456. 465.
Day & Chettle: Blind Beggar of
    Bednal Green (Bedn.) 336. 352.
    353. 394. 464. Anm. 451.
Dekker: Clowns 424. 425. 442.
    Match me in London (Match)
    345. 442.
    Old Fortunatus (Fort.) 99. 100.
    180. 332. 367. 424. 425. 458.
    Anm. 106. 110. 121. 122. 449.
    Patient Grisel, sieh: Chettle.
    Shoemaker's Holiday (Shoem.)
    321. 357. 424. 464. Anm. 454.
D. & Webster: Sir Thomas Wyat
    (Wyat) 425.
D. & Ford: Sun's Darling (Darl.) 210.
    Witch of Edmonton, sieh:
        Rowley, William.
    Wonder of a Kingdom (Kingd.)
    425. 463.

Delius: Anm. 272. 279. 364.
Dibelius: 191. Anm. 395.
Diener: 38. 42—52. 67. 141. 149.
151. 161. 168. 175. 176. 179. 187.
217. 223. 300. 311. 313. 316 333.
334. 338. 367. 372. 373. 377. 381.
388. 389. 392. 393. 394. 395. 396.
397. 398. 399. 400. 401—437. 438.
439. 440. 442. 443. 444. 445. 446.
452. 454. 455—457. 459. Anm. 35.
38. 40. 42. 43. 298. 312. 315. 363.
380. 381. 382. 392. 425. 430. 452.
459. 460.
Doran: 298. Anm. 294. 298.
Douce: 226. 229. 231. 264. 280. 298.
Anm. 77. 108. 280. 392.
Drayton, Sir John Oldcastle, sieh:
Munday.
Dryden: Tempest 451.
Dymock: Pastor Fido 436.

Echecs amoureux: 120.
Edwards: Damon and Pithias
(Dam.) 337. 338. 372. 388. 393. 403.
Erlauer Spiele: Anm. 76.
Evangelium Nicodemi: 56. Anm. 69.
Everyman (Ever.): 121. Anm. 134.
Every Woman in Her Humour
(Wom.) 429. 463. Anm. 247.
Ey: 265.

Fair Em (Em): 367. 409.
Falstaff: 2. 25. 26. 278. 282. 335.
362. 394. 436. 442. Anm. 280.
Famous Victories of Henry V.
(Vict.): 338. 362. 406. 463.
Anm. 447.
Faust (Volksbuch): 373. 458.
Fischer, Rudolf: Anm. 154.
Fleay: 292. 433. 434.
Fletcher: 295. 431.
Clowns 365. 385. 386. 395—397.
430—433. 444. 445. 450.
Narren 236. 253. 291—296. 365.
Beggar's Bush (Bush) 385. 386.
Anm. 313. 427.
Double Marriage (Double) 253.
292. 293. 301.
Anm. 288. 290. 411.
Elder Brother (Eld.) 334. 353.
359. 432 433. 462.
Anm. 344. 380.
Fair Maid of the Inn (Fair)
359. 360. 444. 445.
Anm. 429. 436.

Fl. & Beaumont: Love's Cure; or,
The Martial Maid (Cure) 346-
347. 401. 430. 466.
Anm. 463. 464.
Fletcher: Mad Lover (Mad) 240.
253. 254. 256. 292. 301. Anm. 351.
Fl. & W. Rowley: Maid in the
Mill (Mill) 329. 335. 362. 365. 432.
NiceValour; or,The Passionate
Madman (Val.) 239. 253. 292.
303. 339. 343. 363. 367. 387.
395. 396. 430. 450. 465.
Anm. 380. 461.
Pilgrim (Pilgr.) Anm. 199. 214.
Prophetess (Proph.) 239. 253.
254. 255. 256. 292. 293. 294.
301. 303.
Two Noble Kinsmen, sieh:
Shakespeare.
Wife for a Month (Wife) 244.
245. 252. 253. 254. 292. 294.
295. 301. 303.
Wit without Money (Wit) 329.
365. 430. 431. 454. 465.
Wit at Several Weapons (Weap.)
334. 343. 361. 362. 365. 396.
397. 460. 464. Anm. 380. 450.
Women Pleased (Pleas.) 336.
365. 401. 431. 432. 443. 457.
465. 466. Anm. 462.
Folterer Christi: 31—34. 35. 40. 41.
44. 62.
Ford, Sun's Darling, sieh: Dekker.
Witch of Edmonton, sieh:
W. Rowley.
Fortunatus (Volksbuch): 424.
Four Elements (Elem.): 121. 122.
197. 205. 371.
Friar Rush: 95. Anm. 54.
Fullonius: Acolastus 182.
Fulwell: Like will to Like, quoth
the Devil to the Collier (Like)
81. 82. 102. 173—175. 198. 200.
205. 207. 212. 214. 217. 335. 372.
Anm. 92. 340.
Furnivall: Anm. 89.

Gascoigne: Glass of Government
Anm. 153.
Supposes (Supp.) 408. 414.
Genée, Rudolf: Anm. 255.
Glapthorne: Wit in a Constable
(Const.) 359. 365. 400. 464.
gléomen: 220.
Gnaphaeus, sieh: Fullonius.

Godly Queen Hester, sieh: Queen Hester.
Goodfellow, sieh: Robin Goodfellow.
Gosson: 152.
Gracioso: 22. 294. 301. 404. 405. 431. 432. 443. 456. 457. Anm. 387. 431.
Greban: 40. Anm. 26.
Green, Thomas: 394.
Greene, Robert: Clowns 368. 374. 389. 390. 407—409. 446. 447.
Friar Bacon and Friar Bungay (Bac.) 86. 247. 249. 251. 254. 255. 263. 303. 335. 340 356. 374. 407. Anm. 236. 311.
George-a-Greene, the Pinner of Wakefield (Geo.) 362. 407. 462. Anm. 438.
James IV. (J 4) 340. 350. 351. 360. 367. 368. 408. 409. 463. Anm. 258. 436.
Gr. & Lodge: Looking-Glass for London and England (Glass) 86. 319. 335. 336. 364. 368. 374. 408. 462. Anm. 410.
Orlando Furioso (Orl.) 389. 390. 462.
Selimus (Selim.) 321. 339. 366. 374. 464. Anm. 330.
Grim, the Collier of Croydon (Grim): 95. 393. 394.
Grimald: Archipropheta 170.
Guarini: Pastor Fido 436.

Hahnrei: 160. 184. 187. 207. 240. 245. 262. 359. 388. 444.
Halliwell: 104. Anm. 68. 141.
Hanswurst: 22. 458.
Harlekin, sieh: Arlecchino.
Harrowing of Hell (Harr.): 52. 56.
Harsenet: 84. 85. Anm. 97.
Harvey, Gabriel: 158.
Hathwaye, Sir John Oldcastle, sieh: Munday.
Haughton: Anm. 397.
Englishmen for My Money; or, A Woman will have Her Will (Engl.) 322. 335. 349. 350. 352. 357. 359. 367. 425. 426. 465. Anm. 425.
Patient Grisel, sieh: Chettle.
Hausnarr: 22. 96. 97. 137. 156. 165. 168. 181—185. 213. 215. 220. 222.

226. 229. 236. 263. 265. 271—276. 286—289. 296. 303. 310. 452. Anm. 100. 294. 392.
Hayn: 264.
Hazlitt: 104. 191.
Henry V., sieh: Famous Victories of Henry V.
Heywood, John: Anm. 136.
Dialogue of Wit and Folly (Folly) 186. 224.
Four P's (P's) 79. 80. 128. 193.
Merry Play between Johan Johan the Husband, Tyb His Wife, and Sir John the Priest (Tyb) 175. 186. 187.
Pardoner and Friar (Pard.) 128.
Play of Love (Love) 98. 106. 159. 162. 163. 199. 205. 207. 216. 217. Anm. 117. 177.
Play of Weather (Weath.) 98. 101. 103. 105. 106. 153. 159 bis 162. 169. 171. 172. 185. 199. 205. 207. 209. 214. 217. 402. Anm. 117.
Heywood, Thomas: 298. 353. 356. 369. 370. 417. 449.
Clowns 298. 353. 356. 369. 393. 417—423. 439. 440. 449.
Brazen Age (Braz.) 332. 418. 419. 466. Anm. 355.
Captives; or, The Lost Recovered (Capt.) 360. 365. 440. 455. 456. 462. Anm. 409.
Challenge for Beauty (Chall.) 349. 422. 423.
English Traveller (Trav.) 321. 329. 348. 357. 421. 462.
Fair Maid of the Exchange (Exch.) 321. 333. 353. 354. 362. 419. 454. 464. Anm. 215. 320. 405. 452.
Fair Maid of the West. Part I (West A) 331. 332. 344. 345. 357. 420. 421. 422. 434. Anm. 346.
— Part II (West B) 353. 420. 421. 422. 434.
H. & W. Rowley: Fortune by Land and Sea (Land) 321. 327. 351. 354. 355. 364. 369. 420. 422. Anm. 349.
Four Prentices of London (Prent.) 341. 417. Anm. 436.
Golden Age (Gold.) 321. 344. 347. 417. 418. 423. Anm. 355.

Heywood, Thomas: If you know
not me, you know Nobody; or,
The Troubles of Queen Eliza-
beth (If) 361. 439. 440. Anm. 408.
King Edward IV. Part I (E4A)
322. 393. 463. Anm. 439.
Love's Mistress (Mistr.) 338.
348. 349. 357. 358. 366. 367.
421. 422. 466. Anm. 428. 466.
Maidenhead well Lost (Maid.)
348. 359. 422.
Nobody and Somebody, sieh:
Nobody —
Rape of Lucrece (Lucr.) 315.
335. 419. 420. 493.
Royal King and Loyal Subject
(Subj.) 358. 422.
Silver Age (Silv.) 418. 455. 466.
Anm. 355. 468.
Thracian Wonder, sieh:
Thracian Wonder.
Hickscorner (Hicksc.): 122. 133.
145. 193. Anm. 137. 144. 145.
Hirten der Weihnacht: 34—40. 41.
44—46. 67.
Histriomastix (Histr.): 87. 180. 196.
. Anm. 165.
Hitard: 220.
Hofnarr: 22. 114. 137. 213. 221. 222.
223. 224. 226. 229. 236. 261. 263.
265. 266—271. 276—279. 285. 288.
290. 291. 292. 293. 294. 295. 297.
298. 300. 301. Anm. 191. 408.
Holinshed: 276.
Hone: 226.
Howard, James: All Mistaken; or,
The Mad Couple 451.
Hugo von St. Victor: Anm. 120.

Impatient Poverty (Imp.) 134. 198.
Ingelend: Disobedient Child
(Disob.) 81.

Jack Drum's Entertainment, sieh:
Marston.
Jack Juggler (Juggl.) 164—166.
189. 190. 199. 205. 215. 217. 227.
371. 418. Anm. 152. 340. 363.
380. 406.
Jack Straw (Straw): 356. 405. 406.
453. 463.
Jacob und Esau (Jac.): 403.
Jester: 221. 224. 265. 283. 284.
285. 292. 293. 294.
Anm. 191. 285.

Jig: 225. 234. 235. 296. 246. 300.
366. 367. 454. Anm. 195. 247. 254.
255. 256. 257. 258.
Jonson, Ben: 286. 284. 295. 296.
384. 449. 450. 460.
Clowns 384. 385. 391—393. 449.
450.
Narren 284—287. Anm. 259.
Case is Altered (Case) 181.
392. 398. 456. 463.
Anm. 320. 380. 437.
Devil is an Ass (Dev.) 87. 88.
100. 181. 196. Anm. 122. 253.
Every Man in His Humour
(In) 323. 391. 392. 449. 450.
460. 463. Anm. 463.
Every Man out of His Humour
(Out) 239. 242. 243. 256. 284
bis 286. 295. 301. 304. 460.
Anm. 193. 259.
Fountain of Self-Love; or,
Cynthia's Revels (Rev.) 219.
461.
Staple of News (Staple) 284.
Tale of a Tub (Tub) 306. 327.
334. 337. 347. 355. 384. 385.
392. 393. 449. 463. 464. 465.
Anm. 330. 427. 453.
Volpone; or, The Fox (Volp.)
286. 287. 301. 304.
Anm. 186. 259.
Juggler: 225. Anm. 192.

Kempe: Anm. 255.
King Darius (Dar.): 134—137. 140.
196. 200. 201. 205. 209. 211. 214.
King Leir and His Three Daughters .
(Leir): 276. 374. 375. 381. 382.
406. 407.
Klein, J. L.: Anm. 108.
Knack to know a Knave (Knack)
382. 398. Anm. 37.
Kobolde: 95.
Koeppel: 287. Anm. 297. 399. 400.
401. 432.
Kreyssig: Anm. 79.
Kyd, Rare Triumps of Love and
Fortune, sieh: Rare Triumphs —
Spanish Tragedy (Span.) 192.
357.

Lady Alimony: 451. Anm. 370.
Life and Death of Jack Straw.
sieh: Jack Straw.
Lightborn, sieh: Lucifer.

Lilly, sieh: Lyly.
Lingua, sieh: Brewer.
Lipps: 14. Anm. 7.
Locrine (Locr.): 313. 322. 333. 335.
336. 349. 351. 355. 359. 364. 366.
367. 368. 389. 405. 465. Anm. 395.
Lodge, Looking-Glass for London
and England, sieh: Greene,
Robert.
   Rosalynde, Euphues Golden
   Legacie 266.
   Wit's Miserie. Anm. 191.
   Wounds of Civil War (Wounds)
   321. 373. 463. 464. Anm. 446.
Lope de Vega, sieh: Vega.
Lucian: 287.
Lucifer: 64. 65. 66. 68—70. 73. 80.
81. 82. 164. Anm. 80.
Ludus Coventriae, sieh: Coventry
Plays.
Lümmel: 8. 29—42. 43. 121. 127.
138. 165. 166. 171. 173. 190.
Anm. 17. 155.
Lupton, All for Money (Mon.):
82—84. 97. 101. 103. 147—149.
196. 206. 209. 213. 214. 295. 402.
Anm. 148.
Lydgate: Assembly of Gods
Anm. 120. 121.
   Resoun and Sensuallyte 120.
Lyly: 207. 238. 260. 263. 337. 374.
   Clowns 374. 388. 389. 446.
   Anm. 380.
   Diener 438. 439. 446.
   Pagen 438. 439. 446.
   Rüpel 374.
   Tölpel 388. 389. 438.
   Alexander and Campaspe
   (Alex.) 439.
   Endymion, the Man in the
   Moon (End.) 374. 380. 421. 438.
   Galathea (Gal.) 388. 389. 438.
   462. Anm. 380. 437.
   Midas (Midas) 378. 438.
   Anm. 407.
   Mother Bombie (Bomb.) 439.
   Sapho and Phao (Sapho) 388. 438.
   Woman in the Moon (Moon)
   187. 313. 396. 402. 430.
Lyndsay: Auld Man and His Wife
(Auld) 252. 253. 262. 299.
   Satyre of the thrie Estaitis
   (Sat.) 112. 123—126. 197. 199.
   219. Anm. 138. 140. 141. 142.
   180.

Macro Moralities 71—75. 78. 103
112. 115—118.
Macropedius: Rebelles 164.
Mankind (Mank.): 74. 75. 95. 102. ·
116—118. 133. 173. 196. 198. 199.
206. 208. 216. 356. Anm. 77. 79. 175.
Manly: 39. 40. Anm. 23. 295. 424.
Man's Wit: 104.
Marlowe: 372.
   Doctor Faustus (Fau.) 331. 336.
   340. 373. 458. 462.
   Anm. 99. 341. 373. 380.
   Jew of Malta (Jew) 192.
   Tamburlaine the Great (Tamb.)
   372.
Marmion: Fine Companion (Comp.)
360. 445. 446. 454. 456. 464.
Anm. 454.
Marriage of Wit and Science
(Marr.): 128. 141. 142. 149. 371.
Marriage of Wit and Wisdom
(Wisd.): 149—152. 157. 168. 191.
198. 200. 204. 209. 211. 212. 216.
371. 402. Anm. 309. 381.
Marston: Narren 289. 290.
   Antonio and Mellida (Mell.)
   460. 461.
   Antonio's Revenge (Revng.) 460.
   Dutch Courtezan (Dutch) 383.
   384. Anm. 285.
   Histriomastix, sieh: Histrio-
   mastix.
   Jack Drum's Entertainment;
   or, The Comedy of Pasquil
   and Katherine (Drum) 289.
M. & Webster: Malcontent (Malc.)
241. 246. 289. 301. 303. 304.
Anm. 216.
   Parasitaster: or, The Fawn
   (Fawn) 242. 245. 249. 250.
   254. 290. 301. 303. 304.
   Anm. 226. 299.
Mary Magdalene (Digby Plays)
(Magd. A): 47. 48. 49—51. 76—79.
101. 119. 140. 208. Anm. 90. 130.
Massinger:
   Clowns 397. 398. 434. 435. 450.
   Bashful Lover (Bashf.) 359.
   435. 465. Anm. 436.
   Great Duke of Florence (Flor.)
   365. 397. 398. 465.
   Anm. 380. 425. 459.
   Old Law, sieh: Middleton.
   Picture (Pict.) 327. 344. 346. 352.
   359. 365. 435. 465. Anm. 423. 457.

Massinger: Renegado (Reneg.) 328.
 331. 434. 435.
May: Heir 386. Anm. 322. 370. 427.
Medwall: Finding of Truth, Carried
 away by Ignorance and Hypo-
 crisy (Find.) 103. 122. 197. 262.
 Nature (Nat.) 77. 119. 120. 196.
 197. 206. 210. Anm. 132. 133.
Mephistopheles: 373. Anm. 98.
Merry Devil of Edmonton:
 Anm. 101.
Merrygreek: 188—190. 225.
 Anm. 194.
Middleton:
 Clowns 383. 426—429. 442. 443.
 450.
. Blurt, Master-Constable (Blurt)
 87. 88. 322. 323. 324. 383. 461.
 463. 464. Anm. 444.
M. & W. Rowley: Changeling
 (Chang.) 324. 347. 359. 361. 428.
 456. 465.
 Mayor of Quinborough (Mayor)
 330. 383. 462. Anm. 376.
 More Dissemblers besides
 Women (Diss.) 428. 429. 465.
 Anm. 299. 436.
 No Wit, No Help like a Woman's
 (Help) 241. 246. 248. 251. 256.
 296. 304. Anm. 227. 296.
M. & Massinger & W. Rowley:
 Old Law (Old) 343. 349. 350.
 351. 356. 357. 360. 361. 362. 427.
 428. Anm. 356.
M. & W. Rowley: Spanish Gipsy
 (Gipsy) 347. 367. 442. 443. 457.
 465. 466.
Miles gloriosus: 25. 138. 144. 167.
 168. 178. 188. 190. 212. 257. 278.
 336. 393. 394. 417. 460. Anm. 463.
Milton: Comus 382.
Mimus: 231.
Mind, Will and Understanding
 (Mind): 73. 92. 101. 115. 116. 126.
 Anm. 173.
Minstrels: 221. Anm. 183.
Monday, sieh: Munday.
Morio: 181. 182. Anm. 161.
Moriskotanz: 232. 233. 234. 289.
 299. 300. 366. 367. 434. 454.
 Anm. 245—251. 295.
Mountebank's Fool: 222. 223.
Mucedorus (Muc.): 322. 324. 325.
 326. 328. 332. 340. 342. 348. 349.
 351. 466. 463.

Muckle John: 298.
Munday & Chettle: Death of Robert
 Earl of Huntington (Death) 426.
 463. Anm. 337. 443.
Munday: Downfall of Robert Earl
 of Huntington (Downf.) 326. 356.
 426. 463. Anm. 443.
 John a Kent and John a
 Cumber (Cumb.) 321. 323.
 328. 382. 383. 462. 463.
 Anm. 334.
M. & Drayton & Chettle & Wilson
 & Hathwaye: Sir John Old-
 castle (Oldc.) 462.
 Weakest goeth to the Wall,
 sieh: Weakest —

Naharro, Torre: Anm. 387.
Narren: 22. 23. 24. 96. 97. 110. 114.
 133. 137. 144. 156. 165. 168. 178.
 182. 183. 185. 186. 213. 214. 215.
 216. 218. 219. 220—304. 310. 312.
 313. 314. 315. 333. 339. 358. 360.
 363. 366. 369. 370. 371. 399. 401.
 416. 419. 429. 430. 437. 438. 439.
 446. 451. 452. 453. 454. Anm. 100.
 109. 179. 361. 392. 408.
Nash: Strange Newes of the Intercepting Certaine Letters 158.
 Anm. 166.
 Summer's Last Will and Test-
 ament (Summ.) 243. 250. 256.
 257. 263. 264. 303.
 Anm. 270. 317.
Natural Fools: 178. 213. 224. 228.
 300. Anm. 179.
Newcastle Play: Anm 48. 83.
New Custom (Cust.): 137.
Nice Wanton (Nice): 163. 164. 192.
 196.
Ninny: 256. 257. Anm. 190.
Nobody and Somebody (Nob.):
 346. 429. 430.
Norwich Plays: Anm. 53.

Öchelhäuser: 309.
Ovid: Metamorphosen 378.

Pagen: 47. 95. 155. 389. 402. 438.
 439. 460. 461.
Painter, sieh: Paynter.
Palsgrave: 182.
Pantalone: 26. 360. 403. 414.
 Anm. 317.

Pantoffelheld: 34. 38. 157. 186. 187. 212. 336. 366. 374. 417. Anm. 129. 170.
Parasit: 176. 188—190. 273. 286. 289. 292. 293. 301. 302. 303. 404. 408. Anm. 296.
Patch: 200. 291. 303. Anm. 197.
Paternoster-Spiel (Pat.): 112. 113.
Pathelin: 424. 458.
Paynter: Palace of Pleasure 274. Anm. 400.
Peele: Battle of Alcazar (Alc.) Anm. 358.
    Old Wives' Tale (Tale) 382. 465. Anm. 372.
    Sir Clyomon and Sir Clamydes, sieh: Sir Clyomon —
Percy, William: Cuck-Queans and Cuckolds Errants Anm. 209.
Pikeryng: Horestes (Hor.) 169— 173. 176. 198. 201. 204. 214. 215. 372. Anm. 117. 156.
Pilgrimage to Parnassus (Parn.): 426. Anm. 360.
Plautus: Amphitruo 164. 165. 409. 418. Anm. 363. 383. 468.
    Aulularia 392. 456.
    Captivi 392.
    Menaechmi 409. 410. Anm. 388.
    Miles gloriosus 190.
    Mostellaria 421.
    Rudens 365. 440. Anm. 388. 409.
Play of Plays (Play): 104. 152. Anm. 115.
Play of the Sacrament (Sacr.): 47—49. 50. 206. Anm. 39. 40. 413.
Plutarch: 378.
Polizei: 150. 281. 309. 311. 312. 374. 375. 379-381. 383. 384. 385. 386. 388. 400. Anm. 309. 416. 427.
Pollard: 98.
Porter: Two Angry Women of Abington (Angry) 335. 351. 426. 462. 463. 465. Anm. 445.
Preston: Cambyses (Camb.) 166— 168. 179. 188. 198. 200. 201. 204. 212. 214. 215. 216. 372. 402. Anm. 153. 154.
Pride of Life (Pride): 7. 71. 113— 115. 125. 159. 185. Anm. 126. 131.
Prudentius: Psychomachia 108.
Prynne, Histriomastix, sieh: Histriomastix.
Puck: 87. 88. 95. Anm. 99. 122.
Punch and Judy: Anm. 97.

Queen Hester (Hest.): 185. 186. Anm. 77.

Randolph: Amyntas (Amynt.) 436. 437. 454. 466. Anm. 361. 405.
Rare Triumphs of Love and Fortune (Rare): 363. 405. 465.
Redentiner Osterspiel: Anm. 76.
Redford: Moral Play of Wit and Science (Sci.) 127. 128. 141. 142. 149. 371.
Respublica (Resp.): 110. 130—133. 145. 197. 198. 199. 200. 205. 206. 211. 212. Anm. 169.
Ribald, sieh: Rybald.
Richardes: Misogonus (Misog.) 181 —185. 205. 206. 214. 215. 263. 267. 268. 321. 372. 403.
Robin Conscience (Robin): 123.
Robin Goodfellow: 95.
Roskoff: Anm. 44. 102.
Rowley, Samuel: When you see me, you know me; or, The Famous Chronicle History of King Henry VIII. (When): 240. 243. 245. 246. 251. 252. 256. 257. 261. 262. 290. 291. 303. 385. Anm. 189. 260. 370. 427.
Rowley, William: Clowns 397. 433. 434. 443. 450.
    Birth of Merlin (Merl.) 335. 344. 356. 397. Anm. 336. 421.
    Changeling, sieh: Middleton.
    Fortune by Land and Sea, sieh: Th. Heywood.
    Maid in the Mill, sieh: Fletcher.
    Match at Midnight (Midn.) 359. 360. 443. 445. 446. 456. Anm. 422.
    Old Law, sieh: Middleton.
    SpanishGipsy, sieh: Middleton.
    TracianWonder, sieh: Thracian Wonder.
R. & Dekker & Ford: Witch of Edmonton (Edm.) 347. 367. 368. 433. 434. 463. Anm. 250. 421. 428. 441.
    Woman never Vexed (Vex.) 401. 434. 462.
Rüpel: 311. 312. 313. 317. 318. 321. 323. 324. 326. 327. 329. 337. 338. 339. 341. 343. 344. 346. 371-385. 386. 401. 402. 413. 448. 454. 455. 458. 459. 462. Anm. 315. 319. 359. 362. 375. 427.

Rush, sieh: Friar Rush.
Rybald: 68.

Sacrament, sieh: Play of the Sacrament.
Sancho Pansa: 294. 301. 331. 436. Anm. 431.
Sanct Victor, Hugo von, sieh: Hugo —.
Satan: 56. 57. 63. 64. 66. 68—70. 76. 77. 80. 81. 82—84. 87. 181. Anm. 82. 83. 90. 122.
Sawles Warde: Anm. 120.
Schneegans, Heinrich: 14. Anm. 7.
Schneekind: Anm. 433.
Scogan: 221.
Scurra: 182. 286. 301.
Shadwell, Thomas: Woman Captain 298.
Shakespeare: 104. 133. 196. 207. 237. 259. 260. 295. 296. 300. 339. 364. 376. 384. 445. 447. Anm. 307. 364. 399.
  Bauern 375. 390. 391.
  Bordellnarren 265. 279—283.
  Clowns 22. 23. 313. 318. 336. 364 368. 375—382. 390. 391. 397. 409—416. 441. 442. 445. 447—449. 450. Anm. 430.
  Diener 42. 342. 381. 388. 409— 414. 415. 416. 441. 442.
  Narren 22. 23. 236. 252. 254. 255. 256. 258. 259. 260. 261. 264—284. 288. 292. 295. 296. 297. 299. 300. 360. 416. 419. 437. 448. 450.
  Polizei 379—381.
  Rüpel 34. 36. 374. 375—382. 383. 385. 386. 400. 413. 459. Anm. 380.
  Tölpel 390. 391.
  Vice 100. Anm. 107.
  All's well that ends well (All's) 240. 241. 242. 244. 245. 246 250. 256. 265. 273—275. 300. 304. Anm. 245. 253. 274. 277. 335. 392.
  Antony and Cleopatra (Ant.) 391. 448. Anm. 187.
  As you like it (As) 240. 241. 245. 246. 247. 248. 249. 250. 256. 261. 265. 266—271. 272. 273. 275. 276. 278. 299. 300. 304. 375. 390. 459. 462. Anm. 196. 274. 275. 419.

Shakespeare:
  Comedy of Errors (Err.) 327. 338. 350. 354. 363. 409. 410. 455. 465. Anm. 197. 392. 430.
  Coriolanus (Cor.) 193. 415. Anm. 307.
  Cymbeline (Cymb.) 309.
  Hamlet (Hml.) 320 354. 355. 368. 369. 414. 415. 441. 462. Anm. 191. 195. 204.
  Julius Caesar (Caes.) 414.
  King Henry IV. Part I. (H 4 A) 2. 25. 26. 310. 379. 442. 459. 462. Anm. 280.
    Part II. (H 4 B) 2. 25. 26. 309. 310. 328. 329. 338. 377. 380. 459. 461. 462. 463. 464. Anm. 254. 380. 449.
  King Henry V. (H 5) 87. 93. 310. 406. 459. 462. Anm. 246.
  King Henry VI. Part I. (H 6 A) 375. 376.
    Part II. (H 6 B) Anm. 307.
  King Henry VIII. (H 8) 442. Anm. 217.
  King John (John B) 462. Anm. 219.
  King Lear (Lr.) 13. 170. 192. 238. 239. 242. 244. 246. 247. 249. 250. 251. 254. 255. 256. 265. 269. 276—279. 297. 358. 441. 448. Anm. 189.
  King Richard III. (R 3) 192. 249. Anm. 280.
  Love's Labour's Lost (LLl.) 260. 320. 330. 333. 334. 341. 343. 348. 349. 351. 352. 355. 379. 380. 390. 391. 461. 462. 463. 464. Anm. 371. 414.
  Macbeth (Mcb.) 52. 276. 315. 441. 448.
  Measure for Measure (Meas.) 240. 242. 244. 246. 252. 255. 256. 265. 274. 279—281. 282. 284. 287. 304. 319. 320. 326. 381. 463. Anm. 211. 279. 280. 321. 328.
  Merchant of Venice (Merch.) 47. 264. 326. 327. 328. 334. 335. 346. 349. 351. 352. 353. 379. 411. 412. 465. Anm. 101. 367. 371. 392. 393. 425. 460.
  Merry Wives of Windsor (Wiv.) 2. 25. 26. 327. 329. 381. 436. 462. 464. Anm. 380.

Shakespeare:
Midsummer Night's Dream
(Mids.) 25. 95. 313. 318. 319.
321. 323. 325. 326. 327. 328.
329. 346. 365. 366. 377. 378.
382. 384. 390. 424. 443. 456.
463. 465. Anm. 355. 359. 362.
401. 414. 416. 455.
Much Ado about Nothing (Ado)
36. 315. 318. 319. 320. 321.
322. 323. 324. 326. 327. 329.
330. 334. 374. 380. 381. 383.
384. 385. 386. 390. 400. 419.
451. 462. 463. Anm. 320. 324.
331. 332. 370. 371. 416.
Othello (Oth.) 192. 240. 241.
244. 249. 205. 266. 275. 276.
300. Anm. 273. 392.
Pericles (Per.) 282. 283. 411.
465. Anm. 456.
Romeo and Juliet (Rom.) 310.
344. 412. 413. 448. 459. 462.
Taming of the Shrew (Shr. B)
322. 326. 327. 331. 333. 344.
350. 352. 355. 357. 360. 363.
378. 379. 413. 414. 456. 463.
465. Anm. 430. 442. 458.
Tempest (Tp.) 239. 240. 255.
256. 257. 261. 265. 283. 284.
287. 295. 304. 318. 335. 344.
345. 363. 366. 368. 381. 451.
465. Anm. 191. 362.
Timon of Athens (Tim. B) 193.
241. 242. 265. 281. 282.
Anm. 282.
Titus Andronicus (Tit.) 192.
375. 448. Anm. 326. 415.
Troilus and Cressida (Troil.)
274. 303. 309. 342. 343. 415.
Anm. 194.
Twelfth-Night; or, What you
will (Tw.) 235. 240. 245. 246.
247. 248. 249. 250. 251. 252.
254. 265. 271—273. 276. 279.
292. 296. 299. 300. 303. 309.
362. 460. Anm. 193. 194. 237.
274. 279. 296. 392.
Two Gentlemen of Verona
(Gent.) 317. 320. 324. 327. 328.
329. 337. 340. 341. 342. 343.
344. 345. 346. 348. 350. 353.
359. 368. 373. 410. 411. 420.
460. 464. Anm. 353. 407. 419.
Sh. & Fletcher (?): Two Noble
Kinsmen (Kinsm.) 233. Anm. 248.

Shakespeare:
Winter's Tale (Wint.) 191. 282.
318. 330. 331. 332. 344. 376.
377. 415. 416. 432. 445. 459.
461. Anm. 285. 362. 365. 366.
371. 434.
Sharp: 57. 58. 60. 72. 84. Anm. 48.
88. 103.
Shirley, Henry: Martyred Soldier
(Mart.) 331. 352. 436.
Shirley, James: Clowns 386. 398
—400. 435. 436. 450. Anm. 379.
    Arcadia (Arc.) 325. 326. 327.
    329. 386. 466. Anm. 329. 374.
    427. 467.
    Opportunity (Opp.) 338. 339.
    343. 356. 398. 399. 466.
    Anm. 380. 465.
    Royal Master (Royal) 317. 318.
    335. 351. 358. 359. 399. 465.
    Anm. 425.
    St. Patrick for Ireland (Patr.)
    435. 436. 450. 464. Anm. 182.
    436.
    Sisters (Sist.) 399. 400. 465.
Sidney, Philip: Arcadia 386.
    Anm. 434.
Simnell, Ralph: 263. 303.
Simpson: 289.
Sir Clyomon and Sir Clamydes
(Clyom.): 178—180. 198. 212. 213.
372. 402. Anm. 105. 160.
Sir Thomas More (More): 157. 158.
197. 423. Anm. 150. 426.
Skelton: Achademios Anm. 112.
    Magnificence (Magn.) 122. 123.
    219. Anm. 77.
    Nigromansir (Nigr.) 79. 93.
    Vertu 104.
Sklave, antiker: 164. 176. 177. 190.
403. 418. 437. 440. 455. 456.
Anm. 409.
Smith, Lucy T.: Anm. 32.
Soliman and Perseda (Sol.): 187.
188. 313. 350. 402.
Somebody, Avarice and Minister
(Someb.): 134. 198.
Sot: 22.
Spitzbube, komischer: 38. 191. 200.
389. 392. 400. 417. 485. 445. 455.
461. 462. Anm. 285. 429.
Still: Gammer Gurton's Needle
(Gurt.) 190. 191. 321. 336. 339.
372. Anm. 54. 340. 380.

Stymmelius: Studentes 81.
Summer, Will: 182. 221. 225. 229.
261. 262. 263. 264. 290. 291. 303.
Swoboda: 162. 186. Anm. 136.

Taming of a Shrew (Shr. A): 322.
378. 379. 413. 414. 463. Anm. 440.
Tarlton: 221. 222. Anm. 184. 185.
188. 209. 256.
    Famous Victories of Henry V.,
    sieh: Famous —.
    Seven Deadly Sins 263.
Tavern Fools: 222. Anm. 186.
ten Brink: 115.
Terenz: Eunuchus 190.
Teufel: 24. 33. 53—97. 99. 100. 101.
102. 103. 108. 109. 112. 115. 116.
117. 118. 119. 121. 130. 147. 164.
165. 173. 189. 190. 192. 193. 194.
195. 210. 211. 213. 217. 218. 230.
231. 232. 285. 294. 299. 397. 407.
    Anm. 12. 106. 109. 132. 174. 244.
Theokrit: Anm. 466.
Thersites (Thers.): 168. 188.
Thomas Lord Cromwell (Cromw.):
332. 333. 429. 462.
Thorney Abbey; or, The London
Maid: 298.
Thracian Wonder (Thrac.): 366.
367. 433. Anm. 249.
Thümmel: 264. 265. 268. 274. 282.
309. 310. 379. 390. 413. 459. 462.
Anm. 275. 430.
Timon (Tim. A): 281. 335. 384. 405.
Tiroler Spiele: Anm. 75.
Titinillus, sieh: Tutivillus.
Todsünden: 72. 73. 76. 77. 82. 83.
101. 102. 112. 113. 115. 116. 119.
Anm. 90. 109.
Tölpel: 311. 312. 317. 325. 387—395.
396—400. 455. 458. Anm. 315.
Tom Tiler and His Wife (Tiler):
175. 192. 197.
Towneley Plays (T. Pl.): 30. 31. 33.
35. 65. Anm. 22
    Beelzebub 64.
    Cain 30. 31. 43. 44. 64. Anm. 72.
    Folterer Christi 31—33. 44.
    Froward 44. 46. Anm. 38.
    Garcio (Cains Knecht) 30. 43.
    44. 46. 206. 209. Anm. 33. 38.
    Hirten der Weihnacht 35—38.
    41. 45. 46. 67.
    Jak Garcio 36. 45. 46.
    Mak 38. 41. 461.

Towneley Plays (T. Pl.):
    Rybald 68. 70.
    Satan 64.
    Tutivillus 66. 67. 70. 74.
    Anm. 73.
Trial of Chivalry (Chiv.): 361. 430.
Trial of Treasure (Treas.): 137—
140. 157. 197. 208. 212. 214. 371.
Tumbler: 225. Anm. 193.
Tutivillus: 66—68. 70. 74. 75. 94.
95. 102. Anm. 73. 76. 77.

Udall: Ralph Roister Doister (Roist.)
188—190. 225. Anm. 77. 168.

Vanbrugh & Cibber: Provok'd
Husband; or, A Journey to
London 451.
Vega, Lope de: 404. 405.
Anm. 387.
Vice: 20. 24. 61. 72. 74. 75. 80. 81.
82. 83. 84. 84. 85. 86. 87. 88. 93.
97—219. 220. 230. 232. 257. 258.
259. 260. 261. 262. 263. 285. 286.
293. 294. 295. 299. 302. 303. 313.
314. 316. 337. 356. 360. 361. 363.
369. 370. 402. 407. 420. 423. 437.
439. 455. 461. Anm. 12. 46. 91.
95. 96. 97. 98. 269. 270. 426. 448.
Volkelt: Anm. 6.

Wadeson: Look about you (Look)
191.
Wager, Lewis: Life and Repent-
ance of Mary Magdalene (Magd. B)
81. 140. 141. 197. 200. 205. 209.
212. 214.
Wager, W.: The longer thou livest,
the more Fool thou art (Long.)
82. 142—144. 187. 199. 201. 207.
211. 212. 216. 293. 313.
Wapull: Tide tarrieth No Man
145—147. 170. 198. 200. 206. 208.
212. 215.
Ward: 182. 292. 293. 385. Anm. 370.
Warton: 79.
Weakest goeth to the Wall (Weak.)
313. 319. 322. 341. 405. 463.
Anm. 343.
Wealth and Health: 134.
Webster: 433.
    Appius and Virginia (App. B)
    343. 350. 359. 433. 465.
    Malcontent, sieh: Marston.

Webster:
Sir Thomas Wyat, sieh:
Dekker.
Thracian Wonder, sieh:
Thracian Wonder.
Weakest goeth to the Wall,
sieh: Weakest —.
Wever: Lusty Juventus (Juv.) 80.
81. 102. 130. 197. 206. Anm. 150.
Whetstone: Promos and Cassandra
(Prom.) 279. 281. 381. 387. 388.
453. 463.
Wieck: Anm. 74.
Wilkins: 283.
Miseries of Inforced Marriage
(Mis.) 340. 341. 352. 356. 429. 454.
Anm. 193. 404.
Wilson: Cobbler's Prophecy
(Cobbl.) 191. 192. 204. 219. 321.
336. 416. 417. 462. Anm. 323.
Fair Em, sieh: Fair Em.
Sir John Oldcastle, sieh:
Munday.
Three Ladies of London (Lad.)
153—155. 187. 192. 199. 200.
206. 207. 211. 212. 213. 216.
217. 218. 313. 402. Anm. 381.
Three Lords and Three Ladies
of London (Lords) 155—157.
187. 192. 199. 200. 211. 212.
214. 313. Anm. 149. 168.
Wily Beguiled (Wily): 87. 95. 333.
348. 361. 423. 424. 458. 404.
Anm. 192. 244. 428.

Wirth: 27.
Wisdom, sieh: Mind, Will and
Understanding.
Wolff, P. A.: 443.
Woodes: Conflict of Conscience
(Confl.): 84. 152. 197. 200. 207.
209. 212. Anm. 95.
World and Child (World): 121. 219.
Anm. 135.
Wright, Thomas: 57. 58. 102. 226.
Anm. 78.
Wülker: 186. 263. 309. 377.
Anm. 103. 247.
Wurth: 267. 376. 415. 416.
Anm. 366.

York Plays (Y. Pl.): 31. 228.
Anm. 72. 73. 218.
Beelzebub 64.
Brewbarret 43. 46.
Cain 30. 43.
Folterer Christi 31.
Hirten der Weihnacht 35. 39.
40.
Lucifer 64.
Pförtner des Pilatus 51. 52.
Satan 64. Anm. 83.
Teufel 78. Anm. 83.
Youth (Youth): 133. 134. 197. 207.
212. 214. Anm. 143. 144. 145.
169.

Zany: 225. Anm. 193.
Zirkusclown: 23. 24. 96. 237. 452.

Druckfehler und Berichtigungen.

S. 32 Zeile 18 von oben lies: *entfalten*, statt: *enthalten*.

S. 70 Anm. 82, Zeile 1 von oben lies: *Misterium*, statt: *Misterien*.

S. 361 Zeile 2 von unten ist vor „*If* einzuschieben: *Pompey*.

S. 368 „ 12 „ oben „ nach *Edm.* „ (p. 368).

Die S. 60 Anm. 56 ausgesprochene Vermutung, der Teufel habe seine Bocksgestalt vielleicht dem Donar zu verdanken, habe ich als zweifelhaft aufgegeben.

Buchdruckerei von Carl Salewski, Berlin C.,
Neue Friedrichstrasse 44.

Druck:
Customized Business Services GmbH
im Auftrag der KNV-Gruppe
Ferdinand-Jühlke-Str. 7
99095 Erfurt